Quand
je serai grande,
je serai sage…

Andrée Boucher

Quand je serai grande, je serai sage…

Libre Expression

Données de catalogage avant publication (Canada)

Boucher, Andrée

Quand je serai grande, je serai sage...

Autobiographie

ISBN 2-89111-692-5

1. Boucher, Andrée. 2. Acteurs - Québec (Province) - Biographies. I. Titre.

PN2308.B68A3 1996   792'.028'092   C96-941142-1

Photographie de l'auteur
ANDRÉ PANNETON
Tous droits réservés (1996)

Maquette de la couverture
FRANCE LAFOND

Photocomposition et mise en pages
COMPOSITION MONIKA, QUÉBEC

© Éditions Libre Expression
2016, rue Saint-Hubert
Montréal, Qc   H2L 3Z5

Dépôt légal:
4e trimestre 1996

ISBN 2-89111-692-5

À Jean-Pierre Bélanger qui m'a prêté son art.
 À Jean-Pierre, l'homme aimé au-delà de ce que
les mots peuvent exprimer.
En espérant que nous survivrons même
au bonheur.

Aux grands absents. Grand-maman Juliette,
Marthe et Gaston. Annick, mon tout-petit,
et son papa, Serge.

À ma fille aimée, si proche et si loin.
À Valérie, mon enfant, ma jumelle.
À mes neveux et nièces, Marie-Ève, Valérie,
Raphaële, Émilie, Victoire, Jonas et Gabriel.

Ainsi qu'à tous les jeunes à qui je souhaite
de ne jamais perdre la trace de leur étoile.

Poursuis ton but sans le moindre doute.
Rien n'est plus difficile, mais c'est la seule route.

Note de l'éditrice

Parce qu'elle est comédienne et lui romancier, la tentation serait grande de présumer qu'Andrée Boucher s'est racontée et que Jean-Pierre Bélanger a écrit. Mais les choses ne se sont pas passées ainsi.

À titre de témoin privilégié de la naissance de ce livre, j'ai eu la chance d'accompagner Andrée Boucher tout au long de son travail d'écriture. J'ai accueilli comme autant de cadeaux précieux toutes nos rencontres et toutes nos conversations. Enthousiasmes, doutes, exaltations, j'ai vu Andrée Boucher passer par toute la gamme des émotions qui sont le lot des écrivains. Je l'ai entendue – délicieux moments qui me font aimer ce métier – me lire à haute voix les extraits qui, pour une raison ou pour une autre, soulevaient son inquiétude. Je l'ai écoutée m'expliquer les nuances entre telle et telle tournure de phrase. Je l'ai observée lorsqu'elle décidait de sacrifier un passage au profit d'une scène mieux rendue par cette amputation. Puis elle repartait, ses feuilles manuscrites sous le bras, animée d'une volonté jamais ébranlée. En secret, je l'admirais. Quelle discipline et quelle humilité!

Pour recevoir ses doutes et ses interrogations, il y avait aussi auprès d'elle un autre témoin, irremplaçable celui-là, qui pouvait comprendre mieux que quiconque tout ce qui se passait en elle. Son «chum», son Jean-Pierre, son compagnon de vie depuis vingt ans, romancier avant elle. Et Jean-Pierre Bélanger de me raconter, un matin qu'il était venu au bureau chercher pour elle les épreuves du livre en devenir, comment il avait été «le filet en qui la funambule novice avait tiré assez de confiance pour s'avancer au-dessus du vide». Que l'image est juste!

Au cours de l'édition de ce texte vif, poignant et combien généreux, Jean-Pierre Bélanger nous a prêté, à elle comme à moi, de son talent et de son temps, pour structurer et circonscrire les quelque six cents pages écrites par l'écrivain... en herbe. Il s'est acquitté avec célérité de sa tâche, difficile parce que la récolte était si bonne: comment en extraire le meilleur? Il a aussi offert à sa compagne ses propres souvenirs d'événements vécus ensemble. Andrée a profité de cet apport pour enrichir son texte d'autant de détails et de perceptions. Ainsi, ce couple rompu aux exigences de la vie commune a aussi trouvé le moyen de vivre en duo cette nouvelle aventure dans la vie de la comédienne métamorphosée en écrivain.

Si je sais combien Andrée est reconnaissante à Jean-Pierre de l'avoir guidée sur la route de l'écriture, je sais aussi combien Jean-Pierre respecte l'écrivain qu'elle est. Quant à moi, je les remercie tous les deux de la grande confiance qu'ils m'ont accordée et je n'ai plus maintenant qu'un vœu: que ce premier livre d'Andrée Boucher ne soit pas le dernier!

À tous les lecteurs et lectrices, je souhaite le plus enrichissant des voyages.

Carole Levert
Éditrice

Avant-propos

Sept janvier 1996. J'en suis à ma deuxième journée de désintoxication. Je dois me guérir de ma dépendance aux Dilaudid, les petites pilules roses à base de morphine qui, depuis qu'on a arrêté de m'injecter de la morphine à l'hôpital, m'ont permis de survivre à la douleur de deux opérations à la hanche en l'espace de six mois. Petites pilules merveilleuses qui rendent la vie si belle et la physiothérapie si facile. C'est moi qui ai décidé d'en prendre si longtemps. Aujourd'hui, c'est moi qui décide d'arrêter.

J'en paie le prix : diarrhée, tension artérielle très élevée, nausées, angoisse. Je transpire tellement que, la nuit, ma teinture à cheveux déteint sur ma taie d'oreiller. J'ai en permanence l'impression d'avoir un doberman couché sur l'estomac et le dos coulé dans du béton. L'enfer!

Antigymnastique, technique Nadeau, visualisation, bonne alimentation, homéopathie... oui, ça aide, mais c'est encore de pleurer qui me soulage le plus. Pleurer sur ma souffrance, pleurer sur cette image de moi que je n'accepte plus : deux béquilles sous les bras, un corps lourdement hypothéqué et la perspective de plusieurs mois de rééducation sans que je sois sûre du résultat. Et c'est la quatrième fois en dix ans. J'en ai assez, je suis fatiguée. Aujourd'hui, je n'ai plus envie d'être courageuse, j'ai besoin de m'apitoyer sur moi-même. Je me sens comme un sac à ordures. La vie est injuste et je suis une victime. Pourtant, au fond de moi, une petite voix cherche à se faire entendre. Une petite voix qui dit: «Voyons, Andrée, tu sais bien que tu vas encore une fois t'en sortir. Laisse faire le temps. Bats-toi, tu vas gagner. Ça n'existe pas, des victimes. Il n'y a que ceux qui baissent les bras, qui se laissent rattraper par le malheur. Ce qui t'arrive présentement est l'aboutissement logique d'une longue vie où tu as traité ton corps à coups de fouet. Aujourd'hui, il crie au secours.»

Et tout doucement, la petite voix devient un grand cri d'espoir. Oui, je vais m'en sortir, oui, je vais remarcher, retravailler comme comédienne. Plus que ça, je me donne comme défi que l'hiver prochain je vais faire du ski de fond et je vais jouer au théâtre. Voilà! Ça, c'est un vrai défi. Le théâtre, ça prend des jambes... et des bonnes. L'espoir grossit et le doberman couché sur ma poitrine se lève et va s'asseoir sur le canapé. Bonsoir, l'angoisse! bonjour, la vie! Je n'ai jamais été fataliste. Moi qui ai tout lu sur le karma, j'ai souvenir d'une phrase qui disait à peu près ceci: «Le destin est tout-puissant et l'effort de la volonté n'est que prétexte.» Quelle horreur! Aussi bien se supprimer tout de suite si on ne peut rien faire. Je refuse d'être un pied de céleri. J'ai vu tellement de gens plus amochés que moi réussir leur vie que j'aime mieux croire en cet autre point de vue: «Le destin n'est que le résultat de nos actions passées. C'est nous, de nos propres mains, qui forgeons notre destin.» Et c'est sur ces actions passées, où j'ai été tour à tour victime et battante, que je veux m'attarder un moment pour saisir un peu mieux où le bât a blessé.

L'être humain est fait pour le bonheur, j'en suis convaincue. Pas toujours le bonheur avec un grand *B*, mais plein de petits *b* qui tiennent le malheur en laisse. Et ceux qui respectent les lois de la nature sont équilibrés et heureux. Pourquoi ne l'ai-je pas toujours été? Pourquoi ai-je si longtemps privilégié la souffrance? Pourquoi l'ai-je considérée comme une performance? Enfant, j'ai si souvent entendu des phrases comme: «Elle est morte en couches à son quinzième enfant, c'est une sainte femme.» Pourquoi sainte? Si la contraception avait existé, aurait-elle été moins bonne mère? Ses enfants n'auraient pas été orphelins et aujourd'hui elle vieillirait heureuse, entourée des siens. Qui veut être un saint? Moi et beaucoup de gens de ma génération qui avons sublimé la douleur pour qu'on dise de nous à quel point nous étions courageux, braves et merveilleux. Si en plus nous étions pauvres (parce que l'argent était sale) et sans ambition (puisque l'ambition perd son homme), c'était encore mieux. Alors, bien sûr, pour le bonheur et l'aisance, on n'était pas très armés. Certains s'en sont sortis, d'autres pas. Pourquoi? Sommes-nous maîtres de notre destin? Aujourd'hui, je le crois.

Oui, je crois que l'on est la somme de nos actions passées et que tout nous revient comme un boomerang, le bon comme le mauvais. À l'aube de ce nouveau millénaire, j'ai décidé de vivre heureuse et en santé. On verra bien si je tiens mes promesses. Cette incursion que j'entreprends dans le passé, c'est pour mieux voir l'avenir, qui va être béni des dieux, je me le jure. Il faut savoir d'où l'on vient pour savoir où l'on va. Alors, j'y vais...

Décembre 1995.

1

Dix-huit septembre 1938, entre chien et loup. Mon père et ma mère quittent en voiture Macamic, petit village de l'Abitibi. Ils espèrent arriver à temps à l'hôpital de Rouyn-Noranda, pour la naissance de leur premier enfant. Mon père est nerveux mais conduit prudemment sur les routes de gravier. Ma mère dont les douleurs ont commencé craint de ne pas avoir le temps de se rendre. À mi-chemin, les contractions se font plus rapprochées et mon père suggère de s'arrêter. Où? Dans un bordel installé le long de la route. C'était, paraît-il, une institution, à l'époque, que ces bordels mobiles qui allaient là où le travail les appelait. Leur clientèle était formée de colons et de bûcherons sans famille. Réalité ou fiction? C'est du moins ce qu'on m'a raconté.

La suite est facile à imaginer. Ma mère s'oppose de toutes ses forces à cette suggestion. Ce n'est pas qu'elle était prude, mais terriblement dédaigneuse. Lorsqu'elle voyageait, elle avait l'habitude d'emporter ses oreillers et ses draps, au cas où le précédent occupant de la chambre aurait bavé sur son oreiller. Je l'entends encore me dire, des années plus tard: «Tu te rends compte, accoucher dans cette saleté? C'est pour le coup que tu serais morte. J'ai dit à ton père que j'étais capable de me retenir.» Elle s'est retenue. Et je suis née à l'hôpital, à l'aube.

Devenue adulte, quand je voulais la faire choquer, je n'avais qu'à lui dire: «Tu sais, maman, j'aurais aimé ça, naître dans un bordel. C'est plus original qu'à l'hôpital et il me semble que ça va mieux avec mon caractère.» Elle devenait hystérique en moins de deux et je devais me rétracter bien vite pour l'amener à rire. Pauvre maman qui trouvait que ma vie était déjà assez olé olé comme ça sans même m'avoir fait naître dans un bordel! S'il avait fallu que ça soit le cas, quelles en auraient été les conséquences? Ma vie aurait-elle été davantage olé olé? Elle en frémissait rétrospectivement. Chère maman, toute renfermée dans son armure, avec qui je n'ai jamais pu communiquer. Elle a commencé à se livrer à moi deux semaines avant sa mort. Elle a levé un coin du voile. J'ai vu sous son sourire magnifique qui elle était vraiment. Une toute petite fille, une grande amoureuse qui avait tout attendu de l'amour et qui avait, peut-être, été amèrement déçue. Si les morts nous regardent, elle doit se réjouir – du moins je l'espère – que j'aie la chance aujourd'hui de vivre une relation amoureuse harmonieuse. Notre rendez-vous dans cette vie aura été raté. Aurons-nous une autre chance? Une autre vie? Je l'espère, car je m'ennuie d'elle terriblement.

Macamic. Ce nom me fait encore rêver. À l'époque, on l'écrivait selon l'orthographe améridienne, Makamik. Pourquoi les *k* ont-ils été remplacés par des *c*? Mystère. C'était un petit village typique de l'Abitibi. Quelques maisons de bois, un hôtel – le Plaza, tenu par mon père – pour accueillir les voyageurs de commerce et un *grill* attenant pour que les colons des alentours viennent s'y soûler afin d'oublier qu'on leur avait donné des terres de roches dont jamais ils ne pourraient tirer leur subsistance. Des trottoirs de bois. Un magasin général, *Chez Cossette*, dont le trottoir était en ciment, merveille des merveilles pour le patin à roulettes. Un corbillard noir pour les adultes, un blanc pour les enfants. Une église? Non, pas au début. En fait, c'est la construction de l'église, un peu plus tard, qui sera à la base de ma vocation de comédienne. Il y avait un merveilleux curé, le curé Tremblay. Un notaire. Un «docteur» toujours entre deux gin, qui faisait aussi fonction de dentiste et que papa a tenu en joue au bout de son fusil de chasse un jour où il m'avait endormie à l'éther pour l'extraction d'une dent et qu'il n'arrivait pas à me réveiller. L'argument a dû être convaincant puisque je suis toujours là. Il y avait aussi le quêteux. C'était normal de l'accueillir comme un membre de la famille. S'il le désirait, on le logeait et le nourrissait quelques jours. C'était quelqu'un de respectable qui gagnait sa vie en sillonnant les routes. À Noël, on lui réservait une place à table. Je ne me souviens pas de l'avoir vu réveillonner chez nous; sans doute était-il dans une autre maison aussi accueillante. Aujourd'hui, je donne à tous les itinérants qui me tendent la main, même si je sais que je me fais souvent avoir. Je donne à tout hasard, parce qu'il y en a qui en ont vraiment besoin et parce que, malgré les coups durs, j'ai eu tant de chance dans ma vie. Il faut rendre une partie de ce qu'on a reçu, ouvrir son cœur, sa porte, sa table: voilà le message que m'a laissé mon village natal.

Ce village était une grande famille. Il le fallait puisque l'hiver on vivait à peu près coupés du monde, les routes étant fermées, ensevelies sous la neige. Nous n'étions reliés au reste du monde que par le chemin de fer et le *snowmobile*, l'ancêtre de la motoneige. Il fallait remiser les voitures dès novembre. Tous les gens du village se connaissaient bien et se recevaient à tour de rôle pour jouer aux cartes ou partager une bonne bouffe. J'ai des films 8 mm de cette époque (papa avait une ciné-caméra). On y semble heureux, en santé; les enfants dans leur *sleigh* ont de belles joues rouges.

À La Sarre, tout à côté, il y a un cinéma. J'y ai vu le film *Bambi* à trois ans, assise à côté du projectionniste. À cinq ans, j'ai revu le drame de Bambi en direct lors d'un voyage à Montréal pour visiter la famille de maman. Notre voiture fut la dernière autorisée à traverser le parc de La Vérendrye en flammes. Un terrible feu de forêt faisait rage. Les animaux affolés traversaient la route en courant. Toutes races confondues, comme dans le film. Une vision d'enfer? Pas du tout. C'est un merveilleux souvenir. Quel enfant ne rêve-t-il pas que la vie ressemble au cinéma?

Pour la petite fille que j'étais alors, la vie n'était que bonheur. Premier enfant de Marthe et Gaston, mariés depuis sept ans, je suis le miracle, la déesse, la plus belle, la plus fine. Même l'arrivée de mon frère Jean-Louis, trois ans plus tard, n'y changera rien. Il passait en deuxième, ce qui fut une grande injustice pour lui. Moi, donc, on me filme, on me photographie. Maman et grand-maman Boucher, qui habite avec nous, me tricotent des robes comme celles des petites princesses d'Angleterre. J'éternue à longueur d'hiver car je suis allergique à la laine angora. J'ai des manteaux à revers de velours, des petits chapeaux bretons et, huit mois par année, je porte des *snow suits* tellement lourds que je n'ai commencé à marcher qu'à deux ans. Pas facile de se déplacer quand on est emballé comme une dinde du jour de l'An !

C'est avec ma grande amie Madeleine Gaudrault que je fais tous mes mauvais coups. Nous sommes même allées jouer dans l'auge des cochons. Adieu, petites princesses ! Le derrière nous en a cuit pendant longtemps. Pour papa, mon merveilleux papa, je suis et la fille et le garçon : l'Enfant. Il m'emmène tout aussi bien aux «vues» qu'à la pêche et, dès que je suis en âge de tenir une 410, je le suis à la chasse. C'est une passion qui durera longtemps. Il me chante des chansons et me raconte des histoires passionnantes, de bois, de drave. C'était un fin conteur, j'étais suspendue à ses lèvres. Son père, mon grand-père Médor, avait un moulin à scie et construisait des ponts couverts. Quand il était étudiant, papa a beaucoup travaillé pour lui, comme bûcheron, comme draveur. Puis il acceptera l'offre de son père de venir s'établir à Macamic pour diriger l'hôtel Plaza. À la mort de grand-papa, l'hôtel devint la propriété de sa femme, ma grand-mère. Elle le cédera à mon père, son fils unique, en échange de quoi celui-ci lui a fait le serment de prendre soin d'elle jusqu'à sa mort. On appelait ça «se donner de son vivant». Grand-maman s'était «donnée» à papa. Quelle horreur ! Heureusement qu'elle était tombée sur un bon fils, sinon... !

Qui étaient-ils, précisément, ces adultes que j'appelais papa, maman, grand-papa, grand-maman ?

Médor Boucher, mon grand-père, mort alors que j'avais un an et dont seules les photos me rappellent le souvenir, était, paraît-il, un homme doux, solitaire, à l'aise au travail avec ses hommes, mais incapable de communiquer avec ses proches. Les gens disaient de lui que c'était un vieux «boqué». Sympathique mais boqué. Il a été un des premiers à avoir une automobile en Abitibi. Comme il ne voulait que personne le double, il avait fait installer un grand pare-chocs en bois à l'avant de sa voiture, pare-chocs qui dépassait d'au moins vingt-cinq centimètres de chaque côté. Vu l'étroitesse des routes et des ponts, on ne l'a jamais doublé! Et il ne cédait jamais la place quand il croisait une autre voiture. Avant de posséder une automobile, il se promenait à cheval. C'était un homme qui buvait beaucoup; à l'époque, on ne disait pas encore alcoolique, mais «brosseux». Il «brossait» si bien que souvent, m'a dit papa, c'était son cheval qui le ramenait au bercail. Faut-il voir là la racine de mes futures dépendances? Sûrement! Bon chien de race ne saurait mentir. Grand-papa avait peur de la mort, à un point tel que quand il s'est su très malade il a refusé de dormir dans son lit. Il s'asseyait à son bureau, appuyait sa tête sur ses deux mains et somnolait quelques heures. Il est mort dans cette position, avec les jointures imprimées dans le front. Vieux boqué, va! Mais j'aime cette attitude. J'aime qu'on résiste. Qu'on s'accroche. Qu'on soit délinquant chacun à sa façon. Tout plutôt que de rentrer dans le moule.

Sa femme, Juliette Paulet-Boucher, était toute ronde. Elle cuisinait divinement et mangeait comme un ogre. Hérédité maudite contre laquelle j'ai lutté toute ma vie. On dit qu'elle avait déjà été mariée et qu'alors elle roulait carrosse «doré». Une photo me la montre dans une ravissante petite calèche en osier. Elle tient un ombrelle et semble bien jolie. Qui était ce monsieur qu'elle avait épousé avant grand-papa? Était-il bon ou méchant? Ont-ils divorcé ou est-il mort? Je ne l'ai jamais su. C'est un secret de famille enfoui dans les placards. Secret honteux, sans doute, puisqu'elle n'en parlait jamais, même pas à moi, sa préférée et son double. Dans la famille, on disait que j'avais, comme grand-maman Boucher, «la folie des grandeurs». Mais ça ne voulait rien dire pour une enfant qui rêvait de gloire et de voyages.

Je rêvais, par exemple, d'aller à Paris. Grand-maman m'avait si souvent raconté son voyage dans cette ville que j'étais certaine de mieux la connaître que les Parisiens: les arrondissements, le plan du métro, les musées, les restaurants à la mode, le bois de Boulogne, les Champs-Élysées, le Sacré-Cœur, Notre-Dame, les bals-musettes sur les bords de la Marne, la fête du 14-Juillet. Tout. Je savais tout de la Ville lumière. Combien de temps y avait-elle résidé? Il ne m'est jamais venu à l'esprit de le lui demander. Quand, à vingt ans, j'y suis allée pour la première fois, j'ai mis les pieds dans ses souliers et j'ai marché *son* Paris. Il était exactement comme elle me l'avait décrit. J'en suis tombée amoureuse. Mais il était trop tard pour le lui dire car elle était morte. Et je savais, depuis peu, qu'elle n'avait jamais quitté le Québec, donc qu'elle n'avait jamais été dans les «vieux pays». Je venais de réaliser son grand rêve. Mais où diable s'était-elle documentée de la sorte?

Elle me racontait aussi qu'elle avait fait ses études au couvent Villa-Maria, à Montréal, le *nec plus ultra* pour l'éducation des filles. Mais là non plus elle n'était jamais allée. Elle fabulait. Elle lisait *Le Samedi* et *La Revue Populaire*, deux revues mensuelles de l'époque, et m'en racontait ensuite les feuilletons comme si les histoires lui étaient arrivées à elle. Je buvais ses paroles. Je savais bien que tout n'était pas vrai, mais quelle importance? Je n'allais pas bouder mon plaisir pour si peu. Quand on parlait d'elle dans la famille, on employait souvent l'expression «folie des grandeurs». Mais je crois plutôt qu'elle avait des aspirations, des rêves immenses, irréalisables dans le contexte social de ce temps-là. Alors, plutôt que de devenir complètement cinglée, par ennui ou par frustration, elle préférait s'inventer une vie à sa convenance. Pas folle, ma grand-maman. Coquine mémé que j'ai tant aimée et qui me l'a bien rendu. Elle m'a légué le goût de connaître et de conquérir le monde. Et toute ma vie j'ai bûché, travaillé comme une folle pour réaliser mes ambitions... et les siennes. Mission accomplie, grand-maman. Je n'ai pas besoin de rêver ma vie, moi, je n'ai qu'à la vivre. Tu dois être contente et apaisée, j'en suis sûre. Merci d'avoir été un moteur.

Le fils de Médor et de Juliette, Gaston, mon papa, était enfant unique. Gâté pourri, il a changé trois fois de collège et deux fois de faculté à l'université pour finalement, à la demande de son père, faire son cour d'agronomie. Il le termine en pleine crise économique. Pas de travail à l'horizon, une jeune femme à faire vivre. Il accepte alors l'offre de son père de diriger l'hôtel Plaza. Il devenait ainsi hôtelier, pour le meilleur et pour le pire. Il le sera une bonne partie de sa vie. Destin contrarié dont il ne se remettra jamais complètement. Il aurait voulu devenir architecte. J'ai encore ses instruments de travail, dans un joli boîtier comprenant tout le nécessaire pour tirer des plans. Il a vendu sa passion pour la sécurité. De plus, il avait si peur de déplaire qu'il a toujours fait ce que les autres voulaient qu'il fasse, pour se faire aimer. Il allait parfois jusqu'à la flagornerie avec ses supérieurs, ce qu'on appelle maintenant «être téteux». Plus tard, j'ai tellement lutté contre ce travers qu'il m'arrivait d'être agressive sans raison envers mes collègues de travail et mes amis, tout plutôt que d'être téteuse. Résultat: je ne l'ai jamais été, ça j'en suis sûre. Peut-être que j'aurais dû l'être un peu. J'ai par ailleurs hérité de mon père l'idée qu'on ne pouvait pas m'aimer pour moi-même. J'ai longtemps acheté l'amour des gens en donnant de l'argent à tout le monde, en payant partout et sans raison.

Papa adorait la politique, il en mangeait. Il a travaillé toute sa vie comme organisateur d'élection pour les «bleus», comme on appelait les gens de l'Union nationale. Il leur a donné le meilleur de lui-même. Quelque part au fond de lui, un rêve couvait: devenir député. Mais c'était un tout petit rêve, pas une grande ambition. Pas assez, du moins, pour passer aux actes. Il voyait ses fonctions de député d'une façon naïve et irréaliste, en rêveur qu'il était. Il s'imaginait sortir de l'église le dimanche, monter dans sa calèche (alors qu'il avait une automobile) et saluer ses électeurs de la main d'une manière triomphale, en leur envoyant des bye-bye ainsi qu'un monarque saluant ses sujets. C'était touchant. Il ne voyait pas plus loin que la considération des gens. Le reste, c'était trop gros. Il aurait fallu qu'il s'exile à Québec, qu'il quitte son mode de vie, sa famille, l'emprise de sa mère. Impensable. Alors il rêvait. Et dans ma tête de petite fille, un message s'inscrivait: «Il faut que tu deviennes quelqu'un, une personnalité tellement grande, tellement connue, que papa n'aura qu'à se tenir près de toi pour faire bye-bye à tout le monde.» C'est du moins ce que je croyais. Je devais en faire toujours plus, puisqu'il y avait un gouffre à combler. Le message s'est gravé en moi avec une telle force, que je l'ai appliqué dans toutes mes relations amoureuses. Toute ma vie, je serai le carrosse et les chevaux qui tireront les hommes que j'aime, pour qu'ils puissent faire bye-bye à la foule. On ne m'en demandait pas tant.

Hector Paré, le père de ma mère, avait été maire de Granby. Il avait épousé Marie Lavigne. Je garde peu de souvenirs de cette grand-maman. On habitait au bout du monde et je ne la voyais qu'une seule fois par année. Pour moi, c'était une grande et forte femme, tout de noir vêtue, silencieuse, et qui imposait le respect. Lorsque, à douze ans, je suis allée chez elle, à Rawdon, avec ma cousine Michèle, pour me préparer aux examens de fin d'année dans le silence de la campagne, j'ai découvert une vieille dame espiègle, joueuse de tours et qui trichait aux cartes comme ce n'est pas permis. J'aurais pu l'aimer si je l'avais connue sous ce jour quand j'étais petite. Pourquoi s'était-elle sentie obligée de donner d'elle une image si sévère? Elle s'était fabriqué une armure, sans doute, contre les déceptions de la vie.

On disait (en anglais devant les enfants) que grand-papa Paré avait bu la fortune de grand-maman. Le jour où j'ai commencé à comprendre l'anglais, j'ai aussi compris que grand-papa était un «courailleux». À l'adolescence, je me suis fait ma petite opinion là-dessus: grand-papa était peut-être bigame. En fait, il y avait une autre femme que grand-maman dans sa vie. Il avait deux vies, une respectable et une autre... plus amusante? Plus à sa convenance? Je ne sais pas quelles raisons ont influencé sa façon de vivre, mais j'ai toujours été incapable de le juger. Dans ce temps-là, on se mariait sans se connaître vraiment. Il arrivait souvent que des couples soient mal assortis. Certains sublimaient, enduraient, d'autres pas. Lui, il a choisi le bonheur. Il était loin d'être un saint. Mais je suis incapable de l'en blâmer. Je garde de lui un souvenir tout rond, tout chaud, comme la vie.

La famille de ma mère avait le sens du drame. Rien n'était léger. Je garde en mémoire une anecdote. À la mort de grand-papa Paré (j'ai quatorze ans), toute la famille est réunie au salon funéraire quand, tout à coup, maman et ses sœurs se précipitent à la porte. Maman – ou était-ce une autre? – lance: «Si elle veut entrer, il faudra qu'elle nous passe sur le corps.» Qui ça, «elle»? C'était la maîtresse de mon grand-père, «l'autre» femme, venue faire ses adieux à l'homme qu'elle avait aimé. Elle n'est pas entrée, évidemment. Je comprends la rancœur de ma mère et de ses sœurs, mais ce mur de femmes dressées devant l'ennemie, comme dans les grandes tragédies grecques, jamais je ne l'oublierai. On pouvait bien m'appeler «l'actrice» dans la famille. J'avais de qui tenir.

Mais au fait, d'où venait cette idée que j'allais être actrice? De moi, tout simplement. Quand les adultes me demandaient, à quatre ou cinq ans, ce que j'allais faire plus tard, je répondais «actrice». L'idée m'en était venue lors de la construction de l'église. Quel rapport? C'est simple. Macamic n'avait pas d'église, on allait à la messe je ne sais plus où. Alors papa a eu l'idée, en accord avec le curé Tremblay, de faire venir des troupes de théâtre pour donner des spectacles dont les profits iraient à la construction de l'église. C'était l'âge d'or du vaudeville et des tournées, avec Ti-Zoune, père, et sa femme Efie Max, et Ti-Zoune, fils, Olivier Guimond, marié à Jeanne-d'Arc Charlebois. Je regarde aujourd'hui les vieux films que papa m'a laissés et tous ces gens dansent, chantent, jonglent et jouent des sketchs. Tiens... je reconnais la Bolduc sur le pont. Et un chanteur français, feutre mou et cheveux gominés, qui me caresse la tête au passage – Jean Clément, je crois. Maman le regarde avec des yeux enamourés. Dieu qu'elle est belle! Y aurait-il anguille sous roche? L'image s'élargit et papa apparaît. Il prend l'autre bras de maman d'un geste de propriétaire. C'était une blague. Tout semble léger et naïf. Les artistes ont l'air heureux et pourtant ils travaillent fort et voyagent sans arrêt. C'est à ce moment-là, j'en suis sûre, que j'ai intuitivement pris conscience que leur bonne humeur était liée à la passion qu'ils avaient pour leur métier. Le soir, après le spectacle, les comédiens logeaient à l'hôtel de papa. Grand-maman leur avait préparé des sandwichs. Ils mangeaient, prenaient un petit verre et jouaient aux cartes jusque tard dans la nuit. Je me glissais sans faire de bruit sur la plus haute marche de l'escalier qui menait aux chambres et, assise, la tête entre les barreaux, je regardais ces gens pour qui la vie semblait une partie de plaisir. Je voulais être des leurs, vivre comme eux. C'était décidé, je serais actrice. Un jour, je jouerais avec eux. Eh bien! je suis devenue actrice et, plus tard, j'ai même eu la chance de faire une longue tournée avec Olivier Guimond.

Monsieur Guimond, comme je l'ai toujours appelé, parce que c'était un grand monsieur, m'a téléphoné lui-même pour me demander si je voulais faire une tournée avec sa troupe. Il se souvenait de moi, disait-il, de Macamic. Pendant que je bafouille ma reconnaissance, il me glisse le montant du cachet que je toucherais chaque semaine. Je suis saisie. Je ne peux m'empêcher de lui dire: «Mais, monsieur Guimond, c'est beaucoup trop, je ne commande pas encore des cachets aussi élevés. Vous me gênez.» Il tient son bout et finalement m'assène l'argument final. «Ma petite fille, j'ai mangé et bu sur le bras de ton père des dizaines de fois. Je n'ai jamais eu l'occasion de l'en remercier. C'est ce que j'ai l'intention de faire à travers sa fille.»

Qu'est-ce que je pouvais dire à part «Merci» et «Quel jour le départ?» J'ai fait la tournée. J'ai ouvert grand les yeux et les oreilles pour en apprendre le maximum en le regardant travailler. Quand nous sommes rentrés jouer à Montréal à la fin de la tournée, il avait réservé deux places pour mes parents et une gerbe de fleurs attendait maman sur son fauteuil. Toute la troupe en a eu les larmes aux yeux. Aujourd'hui, c'est à mon tour de lui dire merci de m'avoir donné le goût de faire ce métier qui est le mien.

Ainsi donc, grâce à l'idée de papa, l'église de Macamic a pu être construite en deux ou trois ans. Juste à temps pour que j'y fasse ma première communion. J'avais cinq ans et j'étais en première année. L'hiver, j'allais à l'école dans la voiture du laitier, une grosse cabane montée sur des patins, traînée par des chevaux. À l'intérieur, un poêle à bois nous enveloppait d'une douce chaleur. Et hop! au petit trot, va la petite Andrée apprendre à lire et à écrire. J'apprenais aussi le catéchisme, bien sûr, en prévision de la cérémonie de la première communion prévue pour le printemps. Nous étions cinq ou six enfants qui allions communier pour la première fois. Je porterais une superbe robe blanche et un voile brodé par les religieuses: ainsi en avaient décidé les femmes de la famille. Tout était prêt pour le grand jour quand... catastrophe! j'ai la rougeole. Fièvre, boutons, quarantaine. L'événement tant attendu aura lieu sans moi. J'ai tellement pleuré que le curé Tremblay a fait une exception pour moi. Aussitôt guérie, je pourrais, un dimanche, m'avancer toute seule dans ma robe blanche pour recevoir à la sainte table le «Petit Jésus dans mon cœur». Les mauvaises langues diront que je cherchais déjà à me faire remarquer et, mon Dieu, peut-être auront-elles raison.

Une fois par mois, papa déroulait l'écran portatif dans le hall de l'hôtel, puis fermait les lumières et actionnait la «machine à vues». Il commandait toujours ses films par catalogue et son choix se portait soit sur des *cartoons* de Walt Disney, soit sur des films de guerre. Les deux genres nous amusaient tout autant. On mangeait des bonbons durs que maman venait de faire et c'était la fête, la magie.

Noël aussi était magique. Mes parents se donnaient beaucoup de mal pour ça. Pendant que mon frère et moi dormions, nos parents montaient un gigantesque sapin frais coupé au milieu du salon. Papa installait les lumières d'une façon maniaque: il ne fallait voir aucun fil, seulement les ampoules. C'est maman qui accrochait les décorations. Il y en avait tant qu'aujourd'hui encore, cinquante ans plus tard, il m'en reste quelques-unes. Puis maman fabriquait de la neige, la fameuse neige faite avec du savon Lux. Elle mélangeait les flocons du savon avec un peu d'eau et lançait cette bouillie un peu partout sur l'arbre. Ça se figeait, donnant l'impression de petits tas de neige. C'était superbe mais salaud sans bon sens! J'ai revu un sapin semblable dans le film *Fanny et*

Alexandre d'Ingmar Bergman, et je me suis mise à pleurer bêtement dans le cinéma. Quand tout était prêt, papa faisait monter son gérant, Charlot, sur le toit de l'hôtel, puis il nous réveillait. Au même moment, Charlot agitait des clochettes de cheval, nous faisant croire, à mon frère et à moi, que des rennes venaient de se poser sur le toit. Charlot hennissait et menait un grand tapage. Ce manège s'est répété jusqu'à ce que j'aie dix ans, même après notre départ de l'Abitibi, alors que nous habitions Donnacona, près de Québec.

Cher papa, j'y ai cru à ton père Noël, longtemps, longtemps. Il faut dire qu'il n'y avait pas, alors, des pères Noël à tous les coins de rue et dans tous les magasins, comme aujourd'hui. Rien, mais rien au monde n'aurait pu me faire douter de son existence. Au couvent, les élèves se moquaient de moi: «Niaiseuse! Bébé! Le père Noël, c'est pas vrai!» Ça ne m'atteignait même pas et je leur répondais, le plus simplement du monde: «Vous êtes des menteuses parce que moi, je l'ai vu. Je le vois tous les ans.» La mystification était tellement bien faite que je croyais réellement le voir.

Papa n'a jamais démenti non plus la légende selon laquelle, le soir de Noël, les animaux parlaient entre eux. Quand j'ai eu cinq ans, il m'a donné la permission d'accompagner Horace, un vieux palefrenier, dans une écurie pour entendre les animaux parler. Et je les ai entendus. Je le jure. Ils donnaient des appréciations de leurs maîtres. L'un avait un bon maître, l'autre trouvait que le sien avait le fouet trop pesant, l'autre était tombé sur une famille pleine de petits enfants qui lui donnaient des becs et des pommes. Parlaient-ils vraiment? Moi, j'en suis convaincue, encore aujourd'hui. On ne peut pas me faire croire le contraire: pas plus que la chasse-galerie, les bûcherons qui ont vendu leur âme au diable et les revenants n'existent.

Et les prémonitions alors! Les troublantes prémonitions de ma mère. Par exemple, elle pouvait s'exclamer, en entendant une porte claquer sans raison apparente: «Quelqu'un va mourir cette nuit.» Au matin, on apprenait le décès de quelqu'un. Elle ne s'est jamais trompée. Elle lisait aussi dans les feuilles de thé et les lignes

de la main. Elle m'appelait parfois sa petite sorcière, mais la sorcière, c'était elle. Il paraît que du sang abénaki coulait dans ses
veines. Mais ça, on n'en parlait pas. Elle faisait souvent des gestes
dont elle ignorait l'origine, un vieux savoir venu de la nuit des
temps, dont elle n'aurait retenu que des bribes. Quand j'ai eu les
oreillons, elle m'a elle-même soignée. Elle ne faisait confiance à
personne, surtout pas au «docteur». Le matin, elle allait gratter la
croûte formée autour de l'auge des cochons, elle mettait un peu de
cette croûte entre deux gazes stériles et appliquait le cataplasme sur
ma gorge. J'ai guéri très rapidement. Un médecin, un vrai, m'a
certifié plus tard que cette bouillie peu orthodoxe contenait de la
pénicilline. Quand, à sept ou huit ans, ma sœur Marie-Josée a eu
une attaque de poliomyélite, on a vu maman à genoux, en prière
pendant dix jours à son chevet. Elle a offert sa vie en échange de la
sienne. Elle a pleuré, supplié Dieu et les saints de la rendre intacte
à la vie. Je me souviens d'une image de saint Jude attachée à la taie
d'oreiller, mais aussi d'une carotte creusée en son centre, suspendue à la tête du lit et chargée de recueillir le «méchant» qui rendait
ma sœur malade.

Où avait-elle appris ça? D'où venait ces rituels, ces coutumes? Elle-même ne s'en souvenait pas. Je ne le saurai jamais.
Dommage. Elle disait que j'avais des dons. Je les ai toujours. Je
suis la digne fille de mes parents, à mi-chemin entre la religion et
le paganisme. On priait pour que papa gagne ses finales au hockey,
mais dans les mains on tenait une patte de lapin pour la chance.

Ce fut une enfance bénie dans ce qui, pour moi en tout cas, est
la plus belle région du Québec. J'appartiens à cette terre de toutes
mes racines. J'y ai acquis le goût des grands espaces où le regard
porte loin, où les rêves ne rencontrent aucun obstacle. Le goût de
la liberté. Je ne supporte pas d'être brimée dans mes élans. Chez
nous, on mettait les enfants dehors à huit heures du matin et ils
faisaient leur vie d'enfant sans surveillance, ou si peu. Rien n'était
menaçant ou dangereux. Au coucher du soleil, un adulte, n'importe
lequel, nous ramenait à bon port. Souper, bain, une histoire, un bec
et dodo. Le lendemain, ça recommençait. J'ai failli mourir quand

on a déménagé en ville. Quoi? c'est comme ça qu'il faut vivre? Ne fais pas ceci, ne fais pas cela! Attention à ceci, attention à cela! Que des interdits. Heureusement, j'avais déjà tant de souvenirs heureux que j'ai pu survivre.

Aujourd'hui, partout où j'habite je recrée une parcelle de mon pays. Il me faut de l'espace. Beaucoup d'espace. L'Abitibi m'a rendue exigeante. Me priver de manger, oui, s'il le faut... mais vivre dans un endroit où ma fenêtre a une vue imprenable sur le mur du voisin? Impensable. L'angoisse. Même si c'est un lieu commun, j'affirme qu'on peut sortir une fille de la campagne mais pas la campagne de la fille.

Quand je retourne chez nous – mais pas assez souvent à mon goût –, les souvenirs défilent dans ma tête, surtout si c'est l'hiver. Mes souvenirs ont une saveur de neige. Je me souviens d'un redoux, en novembre. On n'avait pas encore remisé les voitures, ce qui était exceptionnel. Il faisait tellement chaud que les oiseaux s'y étaient trompés. Des milliers d'oiseaux (une sorte de perdrix) sont arrivés, probablement venus des Prairies. Leurs vols obscurcissaient le soleil et, quand ils se posaient, le sol en était couvert. Pas besoin de les chasser, les voitures les frappaient en circulant et il suffisait de les ramasser pour nourrir tout le monde. Dommage qu'il n'y ait pas eu de gel tout de suite après, on aurait pu les faire congeler et pour une fois les colons auraient mangé à leur faim tout l'hiver.

Je garde une grande admiration pour les colons de l'Abitibi. J'ai toujours en tête un vers du poète Alfred DesRochers (le père de Clémence):

Je suis un fils déchu de race surhumaine.

C'est vrai que ces hommes et ces femmes venus avec tous leurs espoirs coloniser ces terres ingrates étaient des surhommes et des surfemmes. M'auraient-ils façonnée, sans le vouloir, à leur image? Ne jamais lâcher... aller toujours de l'avant, essayer des choses nouvelles, croire en un avenir meilleur. Je ne suis pas devenue une surfemme, même si j'ai beaucoup essayé, mais c'est d'eux que j'ai appris l'entraide, la compassion et la démesure.

2

Comment la folle idée de m'envoyer pensionnaire dans un couvent à des centaines de kilomètres de la maison avait-elle germé dans la tête de mes parents? J'ai compris plus tard, qu'on avait pour moi de grandes ambitions. Papa me voyait déjà avocate ou médecin. Il s'agissait du grand rêve de l'époque: être un professionnel. Le couvent de Macamic ne devait sans doute pas répondre à leurs aspirations puisque, c'était décidé, je ferais mes études primaires et classiques dans un grand couvent. Il n'y a plus qu'à choisir l'endroit. On se renseigne, on demande conseil et, finalement, le choix se porte sur la ville de Québec. J'irai au couvent Jésus-Marie, à Sillery.

Papa a eu une offre d'achat pour l'hôtel Plaza. Il songe à acheter l'hôtel Jacques-Cartier, à Donnacona, près de Québec. Tout s'annonce donc parfait. Parfait? Sûrement pas pour moi. Mais personne ne me demande mon opinion. Je n'ai aucune idée de ce que ça veut dire «être pensionnaire», mais, instinctivement, ça ne me dit rien de bon. Je n'y peux rien, cependant; je suis déjà inscrite au couvent de Sillery. On marque tout mon linge à mon nom, la couturière me confectionne trois uniformes, deux jumpers marine sur chemisier blanc et une robe blanche pour les fêtes religieuses. Bas de fil et souliers lacés, on range le tout dans une malle plus haute que moi. Tous ces préparatifs me concernent peu. Je continue ma vie de petite fille heureuse. Une seule chose ma paraît étrange.

On me répète toujours la même rengaine: «Tu es une grande fille, hein, Andrée! Tu ne pleureras pas quand tu vas aller au couvent! Tu vois, papa et maman ne pleurent pas, eux non plus.» Toujours la même rengaine: «Tu ne pleures pas, hein! Tu ne...» Je n'ai *pas* pleuré. Eux non plus.

J'ai accompagné mes parents au galetas (le grenier) où on a porté ma grosse malle, j'ai visité le couvent avec eux, j'ai souri aux religieuses. J'ai dit au revoir stoïquement à mes parents. Puis on m'a amenée au dortoir, une vaste salle austère. Elle consiste en deux rangées de petits lits au centre et, sur les côtés, deux rangées de cellules en contreplaqué, qui ressemblent à des stalles de chevaux, fermées par un rideau. Tout est blanc ici: les murs, les cellules, les rideaux, les draps, les couvre-lits, les lits, les commodes. D'immenses fenêtres donnent sur un jardin et sur le fleuve, qui coule au loin. On m'assigne une cellule, celle où je dormirai. Les murs de la chambrette montent à hauteur d'homme, puis, plus haut, c'est le vide jusqu'au plafond. Le rideau est immaculé, empesé comme du linge d'église. La religieuse me montre comment le faire glisser et l'attacher, en me spécifiant qu'il faudra faire ainsi chaque matin. Soigneusement. J'enfile ma chemise de nuit puis je vais rejoindre aux lavabos les autres pensionnaires qui s'affairent déjà à leur toilette du soir. Se laver consiste à se frotter les dents, le visage et les mains. Je ne cesse de regarder le centre du dortoir où sont disposés les petits lits blancs à peine séparés les uns des autres, leurs pieds se touchent presque. J'envie celles qui vont dormir là. Il me semble qu'elles vont se sentir moins seules que moi, isolée dans ma cellule.

Une fois couchée, je sens la peur m'envahir. Pourquoi ai-je hérité d'une cellule? C'est la première fois de ma vie que je couche seule; à la maison, mon frère Jean-Louis et moi avons toujours partagé la même chambre. Après avoir récité toutes ensemble la prière du soir, les lumières s'éteignent, jetant la salle dans une inquiétante pénombre. Seules quelques veilleuses percent l'obscurité. Un jeu d'ombres mouvantes se dessine au plafond. J'y distingue des animaux étranges, menaçants. Vont-ils sauter sur mon lit et me dévorer? Le plancher craque. Il est formellement interdit de fermer le rideau de la cellule. Mon lit fait face à une fenêtre et là aussi, des ombres s'agitent. Comme de longs bras qui s'étirent dans tous les sens. L'un de ces bras cogne sur la vitre et le bruit me semble terrifiant. Je voudrais faire pipi mais, tenaillée par la peur, je n'ose pas quitter mon lit. Bientôt mon drap est mouillé et je suis transie de froid. Des cellules voisines me parviennent des pleurs et des reniflements. J'ai enfin réussi à m'endormir quand, en entendant des cris, je me réveille en sursaut. C'est la petite fille de la cellule voisine: «Maman! Je veux ma maman!» «C'est un cauchemar, lui chuchote la religieuse. Rendormez-vous, mademoiselle.»

Le lendemain matin, à la messe, plusieurs pensionnaires ont les yeux rouges et gonflés. Pas moi. Je n'ai pas pleuré. Je n'ai jamais pleuré. JAMAIS. Mais j'ai commencé à croire, et je l'ai cru longtemps, que je n'étais pas l'enfant naturelle de mes parents. J'étais persuadée que j'étais une enfant «adoptée», avec tout ce que le terme avait de péjoratif dans ce temps-là, car, dans ma tête de petit bout de chou, il était impossible que des parents aimants puissent faire autant de peine à leur propre enfant. Une telle séparation, une si grande douleur. En apparence, tout était normal, je riais, je jouais, j'étudiais, mais dans ma tête c'était le chaos.

La réputation des religieuses du couvent Jésus-Marie était irréprochable et dépassait même nos frontières, puisqu'on y a accueilli après la guerre les filles du comte de Paris. Sans blague, j'en ai moi-même connue une pendant mon primaire. Il fallait faire une mini-révérence quand on la croisait dans les corridors. Ça nous faisait bien rire car, pour nous, c'était une pauvresse qui n'avait même pas de pantoufles à se mettre dans les pieds au dortoir. Un jour, j'ai voulu lui en donner une paire, mais elle m'a regardée de si haut que c'est moi qui ai été gênée. Les religieuses prétendaient qu'elle était trop fière pour accepter mon cadeau. Papa voyait la comtesse d'un autre œil. C'est une «quêteuse montée à cheval», disait-il. Mais il avait beau dire, cette expression cachait chez lui un sentiment d'infériorité.

Il savait bien que pour les révérendes mères un petit hôtelier de province ne faisait pas le poids devant une comtesse, eût-elle sept ou huit ans. Il tentait donc, bien naïvement, d'acheter la considération des sœurs. Tout au long de mon internat, il a multiplié les cadeaux aux religieuses: bas ou gants de fil, que ma mère s'évertuait à aller chercher dans des boutiques spécialisées, et gerbes de fleurs pour la chapelle. Rien n'était trop beau. Je me souviens que même à cet âge je me disais déjà qu'on en faisait trop, qu'on était ridicule. Je le sentais dans l'attitude des gens. Étions-nous des parvenus? Peut-être, hélas! car il faut dire que papa n'avait pas plus de considération pour les sœurs qu'elles en avaient pour lui. Il les appelait «les maudites cornettes». De plus, s'il avait décidé de passer par-dessus leur autorité, rien ne pouvait l'arrêter. Papa, c'était mon superman. Un jour, il avait décidé de m'emmener voir le cirque Barnum and Bailey à Montréal. Une des «maudites cornettes» s'y est opposée lui faisant remarquer que notre escapade tombait en pleine période des examens. Papa a répliqué que le cirque ne revenait qu'à tous les quatre ans et qu'à sa prochaine tournée je serais trop vieille pour l'apprécier. Je pouvais toujours reprendre un examen. Et, ne faisant ni une ni deux, il m'a sortie du couvent. Papa n'était pas un éducateur idéal. Il agissait selon ses pulsions émotives.

L'environnement du couvent était magnifique. J'aurais pu m'épanouir dans un tel endroit, si seulement le déracinement de mon milieu n'avait pas été aussi dur. Il y avait un immense parc avec des arbres centenaires sous lesquels on étudiait quand il faisait trop chaud à l'intérieur. Derrière le couvent tout en pierres, un immense terrain descend par paliers jusqu'au fleuve. Pour nous, les élèves, ce n'était qu'une vulgaire cour d'école, mais je sais bien maintenant que c'était un lieu exceptionnel. En hiver, les tennis étaient transformés en patinoires, et il y avait une longue pente pour faire de la luge (une religieuse à l'avant conduisait la luge pour notre sécurité). La propriété comprenait également une écurie et une dépendance où on fabriquait du savon (Dieu que ça sentait mauvais!). Au bout des sentiers de promenade, enfoui dans la ver-

Le père
d'Andrée,
Gaston Boucher.
« Le premier
grand amour de
ma vie. »

Marthe Paré,
sa mère. « Si
belle, mais que
je découvrirai
trop tard. »

1

2

1. Grand-maman Paulet, l'arrière-grand-mère d'Andrée,
morte peu avant sa naissance. *Source : Échos-Vedettes*

2. Le père d'Andrée dans les bras de sa mère, Juliette.
Son père, Médor Boucher, et sa grand-mère Paulet,
à Saint-François-du-Lac où il est né.

1. Sa grand-mère maternelle,
Marie-Lavigne Paré
(au centre, cinquième
personnage à partir de la g.),
entourée de ses filles.
De g. à dr. : Marie-Ange,
Blanche, Simone, Germaine,
Gertrude, et Marthe. Une
absente, Bérengère, qui
travaillait à Londres. Leur
père, Hector Paré, avait été
maire de Granby.

2. Andrée est le trésor de sa
grand-maman Boucher qu'elle
considère comme la
« présidente du club de la folie
des grandeurs. »

2

« Je suis la première-née.
Le miracle. »
Sa grand-mère Juliette lui
confectionne un lit de princesse.
L'hôtel Plaza de Macamic, en
Abitibi, est leur demeure.

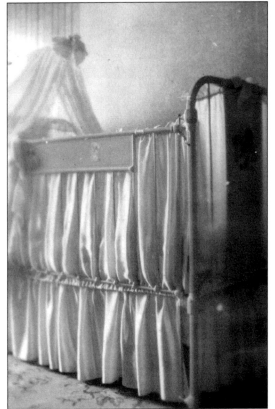

Quelques maisons de bois, un magasin général, et l'hôtel Plaza où séjournent parfois des artistes en tournée, constituent l'essentiel du village.
« Il fait froid mais je suis toujours bien couverte! . »

Un des ponts couverts que son grand-père Médor Boucher a construit en Abitibi.

1

3

2

4

1. Pour se faire de l'argent de poche, Gaston Boucher travaillait au moulin de son père pendant ses vacances d'étudiant. « Bûcheron ou draveur, c'était un homme de bois. »

2. Le père d'Andrée achète l'hôtel Jacques-Cartier à Donnacona ainsi qu'un petit chalet à Cap-Santé. « J'y passerai mes plus beaux étés, jusqu'à ce que... » *Source : Échos-Vedettes*

3. « Je suis l'aînée. Je veille sur mon frère, Jean-Louis, et sur ma soeur, Marie-Josée. »

4. « Ma fameuse roche, à Cap-Santé, au bord du Saint-Laurent, où je fais mes débuts de chanteuse. Mon grand succès: *Partons la mer est belle.* »

1. À Shawinigan, devant la cour de justice, avec sa mère, son oncle Anatole et sa tante Blanche. « Je ne me doute pas que dans vingt ans un événement horrible se produira au même endroit. »

2. Présidente de l'Académie des petites, une réplique de l'Académie française, au couvent de Sillery, chez les religieuses de Jésus et Marie. « J'ai l'air heureuse, mais il ne faut pas se fier aux apparences. »
Source : Échos-Vedettes

2

dure, se trouvait un autel consacré à la Vierge. Au mois de mai, chaque soir après le souper, notre voile sur la tête, on s'y rendait en procession en chantant *C'est le mois de Marie.*

Suis-je pieuse? Pas du tout. J'ai trop peur. Peur de l'appel de Dieu. Un de nos professeurs nous a expliqué comment on devenait religieuse. Dieu nous appelle et on ne peut pas lui dire non, c'est trop grand, trop fort. Si on refuse l'*appel* , on rate sa vie et on est terriblement malheureux. Et le pire dans tout ça, c'est qu'Il n'appelle pas seulement les petites filles sages et pieuses, mais qu'Il porte souvent son regard sur les tannantes, celles qu'on n'imagine même pas religieuses. Je me sens visée. Se pourrait-il que je sois une élue? Au secours, je ne veux pas de cette vie-là! Alors, pour ne pas entendre l'appel de Dieu, au cas où Il s'aviserait de me remarquer, je lis: à la chapelle, au réfectoire, au dortoir surtout, sous les draps avec une lampe de poche. Je lis partout, tout le temps, pour ne pas entendre l'*appel*. C'est de là que me vient ma grande passion pour la lecture. Depuis quarante ans, je lis au moins un livre par semaine.

Je suis indisciplinée, ce qui fait que deux fois sur trois je n'obtiens pas mon «cordon». Le fameux cordon que l'on porte à la messe du samedi matin. Il s'agit d'une sorte de ruban d'honneur jeté en travers de la poitrine, comme en portent les Miss Monde et autres Miss. Ce cordon a une grande signification pour les élèves. Si on l'obtient, on a le droit de sortir la fin de semaine pour aller à la maison. C'est au moment de la lecture des notes, le vendredi soir, que tout se décide. Juste avant le bain hebdomadaire. En y repensant, une odeur me monte aux narines; c'est vendredi et ça sent la petite collégienne pas très propre. Pouach! Donc, ce soir-là, le verdict tombe. Si on a bien étudié et été sage, on obtient son cordon, et des médailles, sinon... on reste au couvent et, humiliation suprême, on va à la messe sans porter le cordon. Avec la permission de recevoir de la visite au parloir le dimanche après-midi. Moi, je n'obtiens presque jamais ce cordon. Alors, le dimanche, papa, maman et moi faisons la causette sur des chaises droites. Je ne m'éternise pas. Je donne un bec et vais jouer dehors.

Mes parents ont-ils de la peine de ne pas m'avoir pour la fin de semaine? Sûrement, mais ils ne me le disent pas. De mon côté, je montre que ça ne me dérange pas. Je me fais une armure solide. Je crâne. Comme si aucune émotion ne pouvait m'atteindre. Je peux résister à tout. Je suis forte. Je réprime mes émotions. Je les endors. Comme je les endormirai plus tard avec de la drogue, de l'alcool et des pilules. Maudite armure que je mettrai toute une vie à percer.

3

C'est le congé de Pâques. Mes parents m'expliquent que j'ai une nouvelle maison, à Donnacona. L'hôtel Jacques-Cartier, récemment acquis par mon père, est aussi devenu notre foyer. Ça ne me fait ni chaud ni froid. Pour moi, s'il n'y a plus de Macamic, il n'y a plus rien. Dorénavant, je m'adapterai à toutes les maisons dans lesquelles on habitera, et Dieu sait si on va bouger souvent. Des vrais gypsies, dira maman, découragée. Je me ferai facilement des amis partout, mais je ne m'attacherai jamais à aucun endroit. Même aujourd'hui, je change aussi facilement de maison que d'autres, de chemise. Mes racines étaient à Macamic et il faut croire qu'elles étaient profondes.

Donc, en route pour Donnacona. C'était alors un village prospère à cause du moulin à bois, sur la rivière Jacques-Cartier. Prospère aussi parce que le Chemin du Roy, seule route importante qui va de Montréal à Québec, traverse le village. Les voyageurs s'y arrêtent et logent à l'hôtel Jacques-Cartier. Maman dit que papa a fait une bonne affaire en achetant cet hôtel, mais papa est inquiet parce qu'il n'a pas encore obtenu le permis l'autorisant à servir de l'alcool toute l'année. Dans ce temps-là, les petits hôteliers de province n'avaient souvent qu'un permis temporaire de six mois. S'ils enfreignaient la loi, ils risquaient la prison. De plus, le dimanche, en chaire, le curé vouait leur hôtel à tous les diables ainsi que les paroissiens qui osaient y mettre les pieds. Qui aurait osé défier le curé? On est sous le règne de Duplessis, ne l'oublions pas. En attendant son permis, mon père doit donc se soumettre aux us et coutumes de l'endroit et graisser la patte du curé et du maire, pour «les mettre de son bord», comme il disait. Il n'avait pas le choix. De nombreux hôteliers devaient faire comme lui. Papa m'a raconté qu'il avait donné à chacun mille dollars pour obtenir ce qu'on appelait une «tolérance». Il était toujours défendu de vendre de l'alcool six mois par année, mais on *tolérait* les accrocs au règlement. On fermait les yeux. Pendant des années mon père a vécu dans l'angoisse, de six mois en six mois, graissant et regraissant les pattes, dans l'espoir d'obtenir le fameux permis. Il ne l'a jamais obtenu. Il a fini par entrer dans le moule. Il avait compris. Il a donc graissé d'autres pattes. Ainsi, j'ai vu papa remettre à l'inspecteur des viandes du gouvernement une enveloppe bien remplie à chacun de ses passages. Il le traitait aussi aux petits oignons pour qu'il accepte de confondre la viande de chevreuil avec la viande de bœuf dans la chambre froide. Quand il y avait du chevreuil au menu, le plat portait le nom de «steak spécial». Pas très subtil... Les clients s'en régalaient. L'hôtel de papa était d'ailleurs réputé pour sa table. C'est vrai qu'on mangeait bien chez nous, ce qui me vaudra bien des régimes plus tard.

Papa a toujours été exigeant dans le choix de ses *cooks*. Un ancien bûcheron, ça aime bien manger, disait-il de lui. Mais, pour s'assurer les services d'un bon chef, ça prend du doigté. Il n'y a pas plus star qu'un bon cuisinier qui se sait irremplaçable parce que c'est de lui que dépend le renom du commerce. À côté d'un chef cuisinier, l'acteur le plus prétentieux est d'une humilité de charbonnier. Les stars de la casserole sont susceptibles comme des poux. Mon père devait composer avec cette réalité. Et même s'il mettait des gants blancs avec eux, de nombreux cuisiniers se sont succédé derrière ses fourneaux.

Je n'étais pas la seule à apprécier la bonne cuisine de l'hôtel Jacques-Cartier. Un soir, à l'heure du souper, une voiture de la Police provinciale se gare à la porte de l'hôtel. Les agents de la PP avaient mauvaise réputation. Un policier se dirige vers la réception et demande à papa s'il a une table de libre. Oui, il en reste une. Le policier retourne à sa voiture chercher un mystérieux client. Celui-ci a le visage caché par un chapeau enfoncé jusqu'aux yeux. Il est accompagné de deux hommes, qui semblent être des gardes du corps. Le groupe prend place à table et le mystérieux voyageur retire son chapeau. Toute la salle se tait, on aurait pu entendre une mouche voler. C'était Maurice Duplessis. Papa était fier, car le Chef, comme on l'appelait, lui faisait l'honneur de sa présence. Et dire que papa n'en a même pas profité pour lui demander son «maudit» permis!

Mes parents adorent Donnacona. C'est l'endroit où ils auront été le plus heureux dans leur vie, et ils le regretteront longtemps après l'avoir quitté. Moi, par contre, je n'aime pas ce nouveau chez-nous. Nous vivons dans un appartement qui a été aménagé à l'arrière de l'hôtel, à côté du *grill*. Quatre chambres, un salon, pas de cuisine (on mange à la salle à manger de l'hôtel. Grand-maman habite une chambre de l'hôtel. Les fenêtres de notre logement donnent sur la rue. Où vais-je jouer? Et puis c'est sombre. Briques et asphalte: on ne voit que ça. Non, vraiment, je n'aime pas ça. Ma chambre est mitoyenne avec le *grill* et le mur n'est qu'une mince cloison en *Donnacona board*, du contreplaqué, donc pas isolé du tout. Et comme ma tête de lit y est appuyée et que de l'autre côté se trouve le juke-box, j'ai l'impression de dormir dans le *grill*. Ça prend un coup solide là-dedans, ça parle fort et ça chante à tue-tête par-dessus la musique. J'ai toujours en mémoire une chanson à la mode qui devait tourner quarante fois par soir: *Étoile des neiges*. Si on me fait une demande spéciale, je peux la chanter au complet. Je la connais encore par cœur.

> *Étoile des neiges,*
> *Mon cœur amoureux*
> *S'est pris au piège*
> *De tes grands yeux...*

Heureusement que nous avions un chalet à Cap-Santé. Au moins, là, je peux dormir. Mon père a acheté une maison de bois blanc toute simple, aux volets bleus ornés de petits sapins, dans une anse tranquille sur le bord du fleuve. Il n'y a ici que cinq ou six chalets. L'endroit n'est qu'à quelques kilomètres de l'hôtel, ce qui permet à papa de voyager soir et matin. À l'avant, il y a une véranda grillagée où l'on se berce le soir, à l'abri des moustiques. C'est là que maman laisse refroidir ses tartes aux framboises. Oh! souvenir gourmand! Maman les fait avec *nos* framboises, celles que mon frère et moi avons cueillies le long de la voie ferrée. La *track* comme on l'appelait. Deux trains passent chaque jour, un le matin et un le soir. Jean-Louis et moi grimpons souvent sur la clôture pour les regarder passer. Parfois, ils ralentissent et le conducteur nous lance: «Bonjour, les p'tits Boucher.» On est tout fiers: un train ralentit pour nous dire bonjour! Mon frère et moi rions.

On rit tout le temps. On est libres comme l'air, comme à Macamic. Le terrain, qui est immense, comprend un court de tennis en terre battue, sur lequel mon père passe chaque soir un gros rouleau. Papa est un joueur de tennis redoutable et il le restera longtemps. Il est superbe, tout habillé en blanc. Je le trouve beau, je l'admire; pour moi, il n'y a pas d'homme plus séduisant sur terre. Il sera toujours l'homme de ma vie. Pas question de jouer au tennis avec lui cependant; je suis pataude et j'ai toujours joué comme un pied.

Près de la maison, il y a un potager. Maman m'a donné la tâche d'arroser chaque jour les légumes avec du DDT, un puissant insecticide interdit maintenant. «Le DDT éloigne les "bébittes" et nous permet de manger de bons légumes frais», dit-elle. Même pas besoin de les laver, puisqu'ils sont frais. Ah ça, pour être frais, ils étaient frais! Mais quand on sait maintenant que les maladies dégénératives comme le cancer sont en partie causées par les produits chimiques qui se retrouvent sur notre table, alors là... Nous avions aussi trois pommiers. Maman nous interdisait de manger les petites pommes vertes car elles donnaient mal au ventre. Bien sûr, mon frère et moi en mangions tout de même, et nous avions des coliques, mais cela ne nous arrêtait pas. À la fin de l'été, il y avait tellement de belles et grosses pommes qu'on pouvait fournir la cuisine de l'hôtel. Il y avait aussi une abondance de cerises, qu'on mettait dans un grand verre et qu'on rinçait ensuite sous le robinet pour les manger saupoudrées de sel. Il faut manger doucement et cracher les noyaux car quelqu'un a dit que si on avalait un noyau il nous pousserait un arbre dans le ventre. Dieu que j'avais peur! J'imaginais déjà des feuilles me sortir par les oreilles.

Sur le terrain, il y a aussi un kiosque en bois qui surplombe le fleuve, de grosses chaises de jardin en bois et une jolie maison de poupée où je ne vais jamais. Je ne joue pas à la poupée. J'en ai plusieurs pourtant. Mais elles restent sur les tablettes. Je ne les aime pas parce que grand-maman leur taille des robes de velours, de soie ou de satin, et qu'il faut faire attention de ne pas les abîmer. J'aime les jeux plus rudes, comme patauger dans la boue, grimper aux arbres. À douze ans, j'ai demandé une poupée Étincelle, la Barbie de l'époque mais dix fois plus grande. Toute la famille s'est exclamée: «Mon Dieu, Andrée, es-tu retournée en enfance?» La poupée avait de longs cheveux blonds jusqu'aux fesses. J'ai pris une paire de ciseaux et je les lui ai coupés au ras de la tête, une coupe que je croyais artistique. J'étais convaincue que les cheveux allaient repousser. J'ai patienté un moment, puis, faute de résultat, je l'ai fourrée au fond d'un placard. D'ailleurs, cheveux ou pas, je n'aimais pas jouer à l'intérieur.

À Cap-Santé, c'est dehors que ça se passe. La maison est si petite et le fleuve si grand. Mon frère et moi nous baignons à marée haute et nous faisons des excursions sur les galets, emportant notre pique-nique dans un sac de papier. Nous étions surveillés de loin par Thérèse, une bonne que maman avait engagée et que Jean-Louis et moi appelions Lala. Elle avait seize ans et venait de la campagne environnante où son père était cultivateur (une fille, ça ne servait pas à grand-chose sur une terre, alors on l'avait placée).

Quand elle est arrivée à la maison la première fois, je suis restée bouche bée. Elle avait de longs cheveux bouclés rouge carotte. Je trouvais ça tellement beau. Pour elle, par contre, c'était une malédiction, un sort qu'on lui avait jeté. En plus, elle avait des poux. Je revois maman qui la rassure, qui lui dit qu'elle va régler ça en un temps trois mouvements. Elle l'assoit sur un tabouret et, avec une grande douceur, lui passe un peigne fin dans les cheveux. Elle applique ensuite une sorte d'huile qui sent très fort et enroule une serviette autour de sa tête. Après plusieurs jours de ce traitement, les cheveux de Lala ne sont plus rouges, mais d'un roux profond, auburn, et voluptueux comme de la fourrure. À partir de ce moment, tout le monde dit à Lala qu'elle est jolie, papa la compare même à l'actrice Rita Hayworth dans le film *Guilda*. Mais Lala se trouve toujours aussi laide, et se trouvera laide toute sa vie. Merveilleuse Lala, complice de tous nos jeux, qui veille sur nous comme une grande sœur. Elle nous suivra dans tous nos déménagements, participant à cette longue errance qui va bientôt commencer.

Pour l'instant, je nage encore en plein bonheur. Mon chien Poppy et moi sommes inséparables. Le soir, nous nous assoyons sur une grosse roche, face au fleuve, dans le noir, pour regarder passer le bateau de croisière qui fait le trajet Montréal-Québec. Parfois, mon père fait un feu sur la grève et le bateau actionne sa sirène pour nous saluer. On l'appelle le «gâteau» car, tout blanc, avec ses nombreux étages, il ressemble à un gâteau de noces. Je chante en espérant qu'on m'entende du bateau. Depuis peu, je fais partie de la chorale du couvent et les sœurs disent que j'ai une jolie voix. Alors je cherche à en convaincre aussi ma famille, les voisins, et même les passagers du bateau. Assise sur ma roche, je chante à tue-tête:

> *Aux mâts hissons les voiles,*
> *Le ciel est pur et beau;*
> *Je vois briller l'étoile,*
> *Qui guide les matelots!*

Je suis très inspirée. Je me dis que ça doit être agréable de m'écouter. Eh bien non, pas du tout! Dès les premières notes, papa ou les voisins crient: «Ça va faire, Andrée! Tais-toi pis va te coucher!» Je suis déçue de leur réaction. Ils n'ont pas d'âme, pas de sens musical. Mais ça ne me décourage pas et, chaque soir, inlassablement, j'essaie de les séduire avec une autre chanson. Peine

40

perdue. Ils ont dû être étonnés de me voir, dix ans plus tard, mener de front une carrière de chanteuse et de comédienne. Papa était convaincu que j'avais une voix de crécelle, il n'a jamais pu comprendre qu'on me paie pour chanter. Comme quoi on est rarement une vedette pour sa famille!

Voici un autre souvenir de Cap-Santé, plus dramatique, celui-là. Ma sœur Marie-Josée est victime de poliomyélite, qu'elle a contractée en se baignant dans l'eau du fleuve. Pour nous tous, la vie s'arrête. Je ne cesse de me questionner. Va-t-elle rester infirme? Ou devra-t-elle vivre dans un poumon d'acier, comme cette femme que j'ai vue dans une foire de monstres à l'Exposition provinciale de Québec où papa m'avait emmenée? Après avoir défilé avec la foule devant une femme à barbe, un homme à deux têtes, des siamoises attachées par le ventre, j'étais restée sidérée devant une femme atteinte de poliomyélite. Elle ne pouvait respirer sans l'aide d'une sorte de machine, un poumon d'acier. J'étais terriblement angoissée. Ma sœur allait-elle, elle aussi, être exposée ainsi un jour dans une minuscule roulotte? Devrait-elle gagner sa vie de cette façon? La foule allait-elle passer à la queue leu leu devant elle, d'assez près pour presque la toucher? Je n'en ai pas dormi pendant des semaines. Heureusement, ma sœur s'est rétablie. Mais pour nous, les enfants, c'était une période d'insouciance qui se terminait. Le fleuve, qui avait été jusque-là notre complice, notre refuge, est devenu menaçant, voire hostile. En plus de devoir faire bouillir l'eau du robinet pendant quinze minutes, il fallait désormais laver les légumes et, consternation!, les baignades dans le fleuve étaient interdites.

Mais un autre danger, plus redoutable encore, menace la famille. Grand-maman est devenue une femme angoissée et, sans en être vraiment consciente, une experte manipulatrice. Quant à son fils, mon père, il est devenu esclave de ses moindres états d'âme, et Dieu sait qu'elle en a. Elle lui fera toujours faire ce qu'elle veut. Un climat de compétition s'installe entre ma mère et elle. Sainte maman qui finira toujours par plier! Lorsque papa parle d'offrir un manteau de vison à maman, c'est le drame: grand-maman aussi veut un vison. Pourtant, elle a déjà une fourrure, un manteau excentrique, de singe noir. Comme papa n'a pas les moyens d'acheter deux visons, il offre un rat musqué à ma mère et un mouton de Perse à grand-maman. Maman passe l'éponge, elle dit que ce n'est pas grave.

Un jour, papa et maman planifient un voyage à Rome avec des amis pour l'année sainte. Tout est prêt, les billets ont été achetés, quand tout d'un coup grand-maman tombe malade. Le moment ne pouvait pas être plus mal choisi. Diagnostic: «transport au cerveau», comme on disait. Une ambulance l'emmène à Québec, la veille du départ. Forcément, pris de remords, papa annule le voyage. Le lendemain, comme par miracle, grand-maman est de retour à la maison, guérie. Mon frère se souvient de lui avoir dit: «Méchante grand-maman» et de l'avoir vue sourire. Grand-maman tient papa en laisse. C'est elle qui a construit cet homme et c'est elle qui sera, inconsciemment, responsable de sa perte. Depuis un certain temps, elle émet des doutes sur la viabilité de l'hôtel. «Un commis voyageur m'a raconté que le gouvernement projette de construire une nouvelle route entre Montréal et Québec», dit-elle d'abord, pleine d'insinuations. Et ça y est, la peur s'installe aussi dans la tête de mon père. Puis, tous les jours, grand-maman revient à la charge: «La route va être loin du village. Ça veut dire que les voyageurs ne s'arrêteront plus à l'hôtel.» Mon père est troublé mais il tient bon, il ne veut pas vendre l'hôtel. Grand-maman insiste: «Gaston, penses-y bien, ça va être la mort du village. La mort de l'hôtel. Et puis ton permis d'alcool, tu l'auras jamais.» Devant mon père qui lui résiste, l'insécurité de grand-maman se transforme alors en véritable obsession: «Gaston, il faut vendre pendant qu'il en est encore temps!» Mon père est sur le bord de l'exaspération. Surtout que grand-maman critique maintenant le personnel de l'hôtel; untel travaille mal, un autre a fait une gaffe, la caisse ne balance pas. Heureusement que maman tempère, ce qui permet à papa de voir les choses avec un peu d'objectivité. Grand-maman utilise alors ses dernières armes, les plus terribles, les plus dévastatrices: les pleurs. «Vite, Gaston, vite! Vends! On va tout perdre.»

À partir de ce moment, le climat n'est plus à l'insécurité mais à la panique. Papa vend précipitamment son commerce, comme pour s'en débarrasser, et la transaction lui fait perdre beaucoup d'argent. Toute sa vie, il regrettera cette décision. La nouvelle route ne sera construite que dix ans plus tard.

4

Papa a acheté l'hôtel Central à Montebello, dans l'Outaouais, à des centaines de kilomètres de Donnacona. Il faut déménager. Maman fait ses boîtes mais elle est inquiète car son instinct lui dit que ce n'est pas une bonne affaire. C'est un «trou», dit-elle. Mais papa est confiant, il rénove l'hôtel et engage un très bon cuisinier. Malgré tout, ça ne marche pas. Il s'est fait avoir. Il n'y a à peu près pas de clients, que des fils de riches Anglais, habitués à fréquenter le Seigneury Club, qui viennent faire des virées, le soir, pour se soûler à l'abri des regards distingués. Ils traitent papa de très haut; pour eux, il n'est qu'un minus, un tenancier de bar. C'est effectivement ce qu'il est en train de devenir. Personne n'occupe les jolies chambres rénovées ni ne mange la bonne cuisine de l'hôtel. C'est décourageant. Les affaires périclitent. Il faut vendre.

Je n'ai qu'un seul souvenir de cet hôtel, mais qui a pour moi son importance. Je me vois, durant les vacances scolaires, avec une raquette de tennis neuve, frappant des balles sur le mur du garage, derrière l'hôtel. Y a-t-il des courts de tennis tout près? Oui, mais ils appartiennent au Seigneury Club, un club privé fréquenté majoritairement par des Anglais qui appellent encore les Canadiens français les *natives*. La carte de membre est très chère et, surtout, la sélection des membres est très sévère, on n'y accepte pas n'importe qui. Et nous, nous sommes devenus des n'importe qui. Ça me fait un drôle d'effet. Mon père n'est plus un roi et il ne peut plus me donner la lune. J'en ressens une grande insécurité et tombe dans une crise de mysticisme. Je vais prier à l'église tous les jours, je n'ai plus peur de l'«appel de Dieu». Je prie sans rien demander de précis. Je prie comme on se noie, sans reprendre mon souffle, enchaînant aveuglément prières sur prières pour que le petit monde dans lequel j'ai grandi ne s'écroule pas. Mais il s'écroule tout de même.

Quand je rentre au couvent, en septembre, papa a déjà vendu l'hôtel, à perte bien sûr, et maman fait de nouveau ses boîtes. La famille retourne à Donnacona. Papa nous informe avec enthousiasme qu'il a acheté un restaurant, *Aux Délices*, et que nous habiterons un logement situé à l'étage du commerce. Il réussit à convaincre tout le monde que ce sera merveilleux. En plus, on fera l'économie d'un *cook* puisque maman a proposé de faire elle-même la cuisine. Nous déménageons donc encore une fois.

Courageusement, maman, qui n'a jamais travaillé, s'installe aux fourneaux. Elle cuisine la nuit, dans l'appartement, pour que les clients ne la voient pas; elle ne veut pas perdre la face devant ses anciennes relations. Elle a deux spécialités culinaires, dont mon père est convaincu qu'elles feront la réputation de l'endroit: une sauce à spaghetti dont elle tient la recette d'une Italienne, et sa fameuse sauce à *hot chicken*. Des chaudrons mijotent en permanence sur la cuisinière. Au début, je trouve que ça embaume. Je me lève la nuit pour tremper une tranche de pain dans les chaudrons. Que c'est bon! Mais après quelque temps, l'odeur me dégoûte, elle envahit tout, imprègne mes vêtements, mes cheveux, mes draps.

À l'heure des repas du midi et du soir, maman s'habille en dame. Elle descend au restaurant vêtue de ses plus beaux atours, les cheveux bien placés, le rouge à lèvres fraîchement appliqué. Elle veut être l'hôtesse qui accueille les clients et les mène à leur table, leur présentant le menu avec un sourire. Mais ici, personne n'attend qu'on les guide vers leur place. Les clients, quand il y en a, s'assoient à leur gré, comme ils l'ont toujours fait, sur un tabouret au comptoir ou sur une banquette qui longe le mur. Sans lire le menu, ils commandent ce qu'ils ont toujours commandé: des sandwichs, des *milk shakes* ou des hamburgers. Quand je rentre de l'école, il me semble que maman est toujours derrière le comptoir. Un grand tablier à bavette protège ses dernières belles robes et elle beurre inlassablement des tranches de pain.C'est du moins l'image qui m'en est restée. Papa aussi fait la même chose. La désillusion est grande : le restaurant de papa est en fait un *snack-bar*. Et c'est à l'hôtel que les gens préfèrent manger. C'est un choc pour moi, je suis humiliée pour mes parents. Les gens chuchotent qu'ils ont quitté l'endroit comme des rois et qu'ils y sont revenus comme des valets. Ils ont mangé leur pain blanc avant leur pain noir. Chaque petite municipalité a sa hiérarchie de notables. Un hôtelier, c'est respectable, mais un propriétaire de *snack-bar*, c'est pas grand-chose. Cependant, jamais maman ne se plaindra. Toute ma vie, elle sera un exemple de courage pour moi.

On déménage de nouveau. On fuit plutôt. À Montréal, cette fois. Maman fait encore ses boîtes et toute la famille suit. Papa tente sa chance dans l'immobilier. Il est maintenant propriétaire de trois maisons à revenus, dont nous habitons un des rez-de-chaussée, rue Champlain, au cœur du Faubourg-à-m'lasse. L'appartement est très sombre. À l'avant, il donne directement sur le trottoir ; à l'arrière, la cour est asphaltée. Les rats s'y promènent comme chez eux. Aujourd'hui, le quartier est rénové, mais à l'époque... fallait voir.

Bientôt, papa, avec son bon cœur et conscient de la misère des locataires, n'arrive pas à «collecter» les loyers qui ont du retard. En plus, il n'est pas bricoleur et les réparations coûtent cher. Maman, elle, ne s'habitue pas à l'endroit. Quant à moi, dans tout ce tohu-bohu et ces déménagements, constamment déracinée, je finis par devenir confuse. Je ne me rappelle pas grand-chose de cette période, je préfère tout oublier, sinon que j'ai fréquenté un pensionnat, puis un couvent sur le Plateau Mont-Royal.

Vite, vite, il faut vendre les propriétés ! Maman refait de nouveau ses boîtes et papa se débarrasse de ses maisons à revenus, perdant encore dans la vente une partie de son capital. Je ne sais plus très bien où on a déménagé, quelque part à l'extérieur de

Montréal. Tout va si vite. Encore d'autres boîtes. On est comme des chiens fous. Comme si plus rien ne pouvait arrêter notre descente aux enfers. Papa ne sait plus sur quoi se jeter. Il n'a plus le sens de la réalité, il ne pense qu'à se sortir du trou par tous les moyens. On revient à Montréal où il investit ses derniers sous dans une fruiterie, à Rosemont, rue Masson. Cette fois, c'est sûr, ça va marcher. On se croise tous les doigts.

Mais ça ne marche pas, mais alors pas du tout, probablement parce que papa ne connaît rien à ce genre de commerce. Il n'a plus un sou en poche, et il se retrouve avec cinq personnes à faire vivre. Il est totalement découragé. Désespéré, il tente naïvement de mettre le feu à son commerce pour en tirer l'argent de l'assurance. Dans le *back store*, il jette frénétiquement ses mégots de cigarettes dans une bouche d'aération qui communique avec la cave. «C'est sûr que le feu va prendre, se dit-il. Envoye, maudit feu, prends!» Même pas. Même la malhonnêteté ne veut pas de lui. Comme il me l'expliquera beaucoup plus tard, s'il n'a pas déclaré faillite, c'est qu'il avait des principes. Ça ne se faisait pas, un point c'est tout. Toucher l'assurance d'un incendie, peut-être, mais la faillite, jamais. Pour lui, c'aurait été un déshonneur.

Papa se débarrasse donc de la fruiterie à un prix ridicule et s'en estime heureux. On n'a plus rien. On a tout perdu, sauf l'honneur. C'est noble, mais ça ne donne pas à manger.

Depuis l'achat de la fruiterie, on habite rue Hochelaga, dans l'Est, un haut de duplex dont le propriétaire est Sylvio Samson, le promoteur de lutte. La maison est neuve. Quand maman a constaté que toutes les pièces avaient une porte, elle s'est exclamée: «Des pièces fermées, c'est un luxe.» Et elle a raison, même si on est sept à vivre dans un six-pièces: Papa, maman, mon frère, ma sœur, moi et, bien-sûr, grand-maman. – Grand-maman occupe la plus belle chambre, à l'avant, celle qui donne sur le balcon. Il faut lui demander la permission si on veut aller veiller dehors. – Et il y a Thérèse, notre merveilleuse Lala. Elle ne travaille plus pour nous depuis longtemps, mais elle refuse de se séparer de maman. Elle fait partie de la famille. Pourtant, il n'y a même pas de chambre pour elle, juste un canapé dans la cuisine. Elle reste quand même. Elle travaille comme fileuse dans une «factorie» de coton et insiste pour payer une pension à maman. Elle ne nous quittera que pour se marier. Merveilleuse Lala, je te salue !

Si l'espace vital est un peu juste, on a au moins un toit sur la tête. Mais avec quel argent va-t-on le payer dorénavant ? J'entends mes parents parler dans leur chambre. Papa connaît un ministre de l'Union nationale, à Québec, et il va lui demander du travail. On lui doit bien ça, croit-il, après tout ce qu'il a fait pour le parti. Pauvre papa ! Tous ses anciens collaborateurs ont réussi à obtenir de hautes fonctions, mais lui, il se retrouve enquêteur à la Régie des loyers, à trois mille dollars et des poussières par année. Maman trouve qu'il aurait dû insister, mais il est trop tard. On se débrouillera, car maman fera toujours des miracles avec un tout petit budget.

Moi, je fais l'apprentissage de la promiscuité. J'apprends à vivre avec les autres, sans avoir d'espace vital à moi. Ça oblige au respect et c'est une bonne école. D'ailleurs, toute cette période sera déterminante pour moi. J'entre dans l'adolescence sans illusions. Adieu les traitements de petite fille gâtée, et c'est très bien comme ça. Je fais aussi la découverte de la pauvreté, la pire, celle qu'on cache pour ne pas perdre la face. Maman ne dira jamais à sa famille l'état de dénuement dans lequel elle se trouve. C'est d'elle que j'ai appris qu'il ne faut jamais faire pitié. On ne doit pas se plaindre. On n'embête pas les autres avec ses problèmes. On ne se répand pas comme un camembert. C'est une question de politesse. J'appliquerai cette grande leçon dans tous les coups durs de ma vie.

La famille fait si bien illusion qu'à l'école Sainte-Jeanne-d'Arc, où je fais ma huitième et neuvième année, mes camarades me disent : «On sait bien, vous autres, vous êtes riches.» Apprendre à faire illusion : quel bel apprentissage pour une future comédienne. Mais je sais bien qu'on est pauvre. C'est moi qui au retour de l'école va acheter le steak haché le moins cher quelques minutes avant la fermeture de la boucherie, pour que les voisins ne voient pas ce que l'on mange. On a encore une voiture, une vieille *station wagon* aux côtés en bois, dont on prend bien soin, qu'on essaie de faire durer le plus longtemps possible, puisqu'on sait que ce sera notre dernière. Fini le temps où papa changeait de voiture aux six mois. Quand maman réussit à économiser quelques sous sur son budget, elle nous paie un cornet de crème glacée, que l'on va tous manger en veillant sur le balcon. Et si, exceptionnellement, il y a des pâtisseries françaises au dessert, c'est que papa a joué et gagné aux cartes. C'est sa façon à lui d'améliorer un peu notre ordinaire. Maman nous habille chez Woodhouse, un magasin de meubles qui comprend aussi, au troisième étage, un rayon de vêtements bon marché. En plus, ils font crédit. Mais maman n'aime pas le crédit. Elle dit que quand on n'a pas de dettes, on est riche. Ça aussi ça me restera toute ma vie.

Pour éloigner le spectre de la misère et pour nous élever convenablement, maman va travailler. Comme elle n'a aucune qualification à part celle de faire de la sauce à spaghetti, (même si, d'après moi, c'est la meilleure au monde), elle travaille comme presseuse au Nova System, un nettoyeur de la rue Ontario. Il faut essayer d'imaginer comment ça pouvait être dans un nettoyeur, sans climatisation, en pleine canicule, au mois de juillet. Je me souviens d'y être allée chercher un vêtement et d'avoir vu maman trempée de la tête aux pieds. Il devait faire quarante-cinq degrés là-dedans. Quel courage!

Au retour du travail, elle est épuisée mais elle fait la cuisine pour tout le monde. Il faut manger tôt et rapidement, car, en plus de son travail à la Régie, papa travaille le soir à Blue Bonnets. Je ne sais pas en quoi consiste son travail mais je suis convaincue qu'il est important. Il ne peut en être autrement puisqu'il s'agit de mon père, mon superman, le propriétaire de tant d'hôtels et de commerces, un homme exceptionnel qui m'a toujours protégée. Un soir, il m'invite à assister aux courses de chevaux. J'arrive donc à Blue Bonnets sur mon trente-six, vêtue d'une robe soleil bleue avec son boléro et portant des souliers à talons cubains. J'ai mis une heure pour me maquiller, j'ai des yeux de chat et je suis coiffée d'une queue de cheval. Je marche droit, certaine que mon père n'aura pas honte de me présenter à la haute gomme. C'est alors que j'aperçois mon père au milieu du parking. Mais qu'est-ce qu'il fait, coiffé d'une casquette? Et pourquoi tend-il la main? Lentement, l'image prend un sens dans mon esprit: mon père est placier dans le stationnement. Quelqu'un lui donne un pourboire. Je reste cachée derrière une voiture afin qu'il ne me voie pas. Ce dont je viens d'être témoin est un choc pour moi. J'en ressens une peine immense de même qu'une profonde humiliation. Je me jure qu'un jour je gagnerai assez d'argent pour qu'il n'ait plus besoin de quêter un pourboire. Beaucoup de gens ont donné un pourboire à mon père; s'il s'en trouve parmi mes lecteurs et lectrices, je les en remercie. Cet argent allait directement dans la tirelire familiale, un énorme cochon qu'on brisait une fois par année pour acheter les cadeaux de Noël.

À la maison, on s'aime tous, bien sûr, mais on n'a plus le temps de se le dire. Mes parents sont occupés à survivre et ils sont fatigués. Maman commence à souffrir d'arthrite, elle a mal. Elle ne se plaint pas – elle ne se plaindra jamais, ou si peu –, mais elle grimace parfois, elle sourit moins et elle perd plus souvent patience. Je n'ai pas l'habitude de la voir perdre la maîtrise d'elle-même, et ça me surprend. Je me souviens d'un soir, au souper, où mon frère et moi nous disputions. Je revois maman debout devant la cuisinière, toute droite, raide. Elle s'est retournée vers nous, les yeux pleins d'eau, elle qui ne pleurait jamais. Une seule larme a coulé sur sa joue et elle a dit, sans élever la voix: «Les enfants, par pitié, calmez-vous! Vous ne savez pas comme je suis nerveuse, comme je suis fatiguée. Vous l'savez pas.» C'était pathétique. On s'est tus instantanément.

Papa aussi est épuisé. Et il crie beaucoup. Je découvre, à mon grand étonnement, un père impatient et colérique. Maman et lui se chicanent souvent. Un rien fait sauter le couvercle et grand-maman en est souvent la cause. La promiscuité, on n'avait jamais connu ça, avant. Depuis cinq ans, maman fait l'apprentissage de vivre avec sa belle-mère. Elles se connaissaient peu. Maintenant, vraisemblablement, elles ne peuvent plus se supporter. Entre elles, c'est un duel à finir. Elles se battent pour l'amour du même homme qui, lui, ne sera jamais capable de prendre parti. Elles se bouffent leur intimité, enchaînées l'une à l'autre, sans espoir de changement. Et leur exaspération mutuelle se traduit par des petites mesquineries. C'est l'horreur à l'état pur. Pour moi aussi. Je me revois encore, au souper, assise entre grand-maman et maman. Grand-maman porte un dentier et quand elle mastique, elle fait attention de ne pas faire de bruit, car elle est bien élevée. Malgré tout... clac, clac, clac, de petits claquements de dentier se font entendre. J'entends encore ma mère, exaspérée, qui dit, sur un ton doucereux et sarcastique: «Madame Boucher! Faites attention! Vous faites encore du bruit avec vos dents, là!» Et ça se termine dans les larmes. Grand-maman quitte la table sans avoir fini son repas.

Parfois aussi, quand grand-maman, dans sa «folie des grandeurs», raconte ses aventures de jeunesse, maman l'interrompt avec mépris: «Vous mentez, madame Boucher. Arrêtez-donc de nous prendre pour des imbéciles. Vous savez bien que vous inventez tout ça.» Je me demandais alors ce que ça pouvait bien lui faire, à maman, que ce soit vrai ou faux. Je la trouvais méchante. Aujourd'hui, je sais qu'elle était exaspérée et que c'est pour cela que ça «sortait tout croche».

Il faut aussi dire que, de son côté, grand-maman continue de faire avorter tous les projets qui pourraient nous apporter des moments de bonheur. Comme les visites chez ma grand-mère Paré, à Rawdon. J'aimais aller chez elle car j'étais amoureuse de mon cousin Gilles. C'est mon premier amour, il est beau comme un dieu et écrit des poèmes. Il deviendra journaliste. De tels moments de liberté, mes parents aussi en auraient besoin pour se retrouver. Mais, sans doute aigrie par le fait que ses grands rêves ne se sont jamais matérialisés, ma grand-mère, qui avait eu la folie des grandeurs, est maintenant animée par une folie de destruction.

Papa crie de plus en plus souvent, écartelé entre sa femme et sa mère. Je me souviens d'une altercation où ma mère, rouge de colère, son sang de «sauvagesse» ne faisant qu'un tour, a saisi le couteau à pain et l'a lancé à la tête de mon père, le ratant d'un cheveu. C'était d'une violence tout à fait inhabituelle. Mon frère

5

J'en ai assez des adultes, qu'ils s'arrangent entre eux! Je suis grande, je suis en dixième année à l'école Stadacona; quatorze ans, ce n'est pas rien. J'ai mon monde à moi. Dans ma chambre, je peins des toiles surréalistes et très noires, que je signe «Bichette». La réaction de ma jeune sœur, qui partage ma chambre, ne me laisse aucune illusion quant à la qualité de mes œuvres. La nuit, quand je peins, elle se réveille et regarde ma toile en criant: «Maman, j'ai peur!»

J'écoute aussi *ma* musique sur un petit tourne-disque que j'ai reçu à Noël. J'adore Ima Sumac, une soprano qui chante sur cinq octaves, comme un oiseau. Mais son règne achève dans mon cœur, car bientôt il y aura Elvis Presley. À moins de l'avoir vécu, nul ne peut imaginer ce qu'a représenté pour une adolescente des années cinquante l'apparition, un dimanche soir, au *Ed Sullivan Show*, de ce chanteur beau comme un dieu, d'une beauté sauvage, animale, et dont la voix et la guitare hurlaient ou pleuraient le blues ou le rock comme nous ne les avions jamais entendus encore. Du moins, est-ce ainsi que j'ai reçu alors la musique d'Elvis.

Ce soir-là, le monde venait de changer. Le mien, en tout cas. Quelqu'un disait pour moi ma colère, mes peines, mes amours. À la poubelle, les chanteurs sirupeux et bien élevés de mes parents! Tassez-vous, Elvis est là! Elvis, lui, habite son corps et s'en sert pour exprimer sa sexualité. Mais ça, je ne l'ai que deviné, au cours de cette émission, car la prude caméra ne montrait jamais Elvis en bas de la ceinture. Elvis était menaçant. Elvis était une révolution.

Je l'ai vu en spectacle (quelle chance!)... à Ottawa, parce que l'archevêché de Montréal avait interdit sa venue dans cette ville. Elvis était le diable, et je ne l'en aimais que plus. Qui m'a conduite jusqu'à lui? Quel moyen de locomotion ai-je emprunté? Je n'en garde aucun souvenir. Mais je me revois, assise dans la première rangée d'une salle anonyme, criant de toutes mes forces cette émotion trop vive que me procurait sa présence.

J'avais une idole, quelqu'un à qui m'identifier. Sans idole, l'adolescence serait invivable. Pour moi, le rock sera une révélation. C'est une musique qui exprime toute la frustration que j'éprouve et, pendant longtemps, c'est le rock qui criera à ma place toute ma colère.

Mais en attendant Elvis, j'apprends à danser le boogie-woogie chez mon amie Huguette qui habite tout près, rue Aylwin. Huguette danse comme une professionnelle, elle connaît tous les pas, et en invente même. Moi, je danse bien, sans plus, mais j'aime ça comme une folle. J'oublie tout quand je danse. J'oublie que ça crie à la maison et qu'on ne se sortira jamais de notre misère morale et physique.

Huguette et moi avons notre rituel du samedi. Après avoir soigneusement mis nos rouleaux sur la tête, coiffées d'un foulard, nous passons l'après-midi dans un cinéma de la rue Ontario où on peut voir «trois films pour une piasse». J'aime surtout les comédies musicales, avec Gene Kelly, Fred Astaire et Doris Day; les films de Marilyn Monroe et les belles «vues d'amour». Mes comédiens préférés sont Gregory Peck et Robert Mitchum. Un peu plus tard, il y aura James Dean et Marlon Brando, dont la révolte et la rage de vivre ressemblent à la mienne. J'irai au cinéma jusqu'à trois fois par semaine, y engloutissant mes économies. Je suis une vraie *groupie*. Abonnée à des magazines américains, entre autres *Photoplay* et *True Story*, j'écris aux acteurs que j'aime, à Hollywood. On me renvoie une photo autographiée en série, mais ça ne fait rien, je la garde précieusement. Et je rêve. «Attendez-moi, un jour je vais aller vous rejoindre à Hollywood. Moi aussi je vais être une actrice. Moi aussi on va raconter ma vie dans les magazines. Moi aussi je vais être sur les écrans.» Maudite folie des grandeurs héritée de ma grand-mère! D'autant plus qu'à cette époque j'igno-rais même qu'il y avait aussi des vedettes de l'écran au Québec, car nous n'avions pas encore la télévision à la maison. Nous aurons notre premier téléviseur deux ans après le début des premières émissions. Alors, je fantasme sur les acteurs américains.

Après être restées au cinéma de midi à dix-huit heures, Hu-guette et moi rentrons à la maison pour nous coiffer. Le soir, on sort. Les cheveux «frisés dur», jupe *peg-top* bien moulante ou la crinoline raide, on est chics à mort pour aller danser. Un jour, cependant, Huguette s'est fait un «chum steady». Il n'est évidem-ment pas question que je les accompagne, ni que j'aille danser seule. Ça ne se faisait pas. À cette époque, les filles qui sortaient seules étaient cataloguées «filles faciles». Il fallait plutôt attendre le bon vouloir d'un garçon. Mais moi, j'ai horreur d'attendre. Alors, le samedi soir, je me mets sur mon trente-six et vais boire, seule, une orangeade à l'Orange Julep, un casse-croûte où l'on peut se faire servir à l'auto. Je regarde les amoureux qui font du *necking* dans les décapotables, puis je reviens sagement à la maison.

Il n'y a pas encore de garçon dans ma vie. Je suis difficile. Je n'ai eu qu'une petite aventure avec mon cousin Gilles, qui s'est terminée par un drame familial. Lors d'un défilé de la Saint-Jean, toute la famille avait été invitée chez mon oncle, le peintre Fleuri-mont Constantineau, qui avait conçu les chars allégoriques. Nous avions de bonnes places sur l'estrade d'honneur. Mais j'ai vite quitté l'estrade pour aller rejoindre mon cousin chez lui. Dans le sous-sol, on écoute de la musique, on s'embrasse à perdre haleine, je crois même qu'on s'est un peu caressés. Je suis éblouie que mon cousin ait daigné me remarquer. C'est merveilleux, je ne suis plus une enfant mais une femme. De retour à la maison, je décris mon aventure amoureuse dans mon journal personnel. Erreur!

Quelques jours plus tard, maman, à qui je ne me confie jamais mais qui s'inquiète de savoir quelle sorte d'adolescente je suis, fouille dans un de mes tiroirs et tombe sur mon journal. Elle prend la liberté de le lire. C'est alors que le scandale éclate. Maman convoque un conseil de famille. Les parents de mon cousin trouve qu'il n'y a pas de quoi fouetter un chat, qu'il s'agit que d'une simple expérience d'adolescents. Mais maman voit les choses différemment. Il faut dire qu'elle est devenue une femme triste et aigrie, qui voit du mal partout. Et le mal, dans les années cinquante, c'est le sexe. La peur qu'une fille non mariée tombe enceinte est le spectre qui plane sur toutes les familles. Je devrai bien avouer, plus tard, que ma mère avait de bonnes raisons de s'inquiéter, puisque certains événements de ma vie adulte lui donnent raison. Mais, pour l'heure, je trouve son indiscrétion malsaine. Ça me révolte. À partir de ce moment, elle ira même jusqu'à fouiller, chaque mois, la poubelle de la salle de bains pour s'assurer que j'ai bien eu mes règles. Des fois, la nuit, elle arrive dans ma chambre sur la pointe des pieds alors que je suis en train de lire. Je ne l'entends jamais venir car elle se déplace silencieusement, comme un chat. Elle me fait sursauter avec sa voix suspicieuse: «Qu'est-ce que tu lis?»

À cette époque, je lis tout le temps, je lis tous les livres sur lesquels je peux mettre la main, les meilleurs comme les pires du point de vue littéraire, bien entendu. Les meilleurs: *Les Fleurs du mal* du poète Charles Baudelaire, les romans de Camus, et les œuvres de l'écrivain Colette qui me marqueront tant – quels horizons de liberté cette femme m'a ouverts! Les pires: les revues *Intimité* et *Nous deux*, et les romans à l'eau de rose de Delly ou de Magali que Lala rapporte parfois à la maison. Les meilleurs sont bien sûr interdits, ils sont à l'index. Le fameux index, synonyme de péché mortel. Sans doute est-ce difficile pour les jeunes d'aujourd'hui d'imaginer l'impact de ce phénomène dont l'origine remonte au XVIe siècle quand l'Église catholique a publié son premier catalogue de livres prohibés. En défiant l'interdit, on risquait l'excommunication. Mais moi, je suis curieuse de tout. Et mes lectures sont si merveilleuses qu'à mes yeux elles ne peuvent pas être péché. Maman a une autre opinion. Elle me surveille. Je garde donc toujours, sous ma couverture, un livre irréprochable à lui présenter. La morale est sauve. Mais j'en ai assez de ce petit jeu. Je me sens talonnée, espionnée, en perte totale de liberté. C'est trop! Maman perd peu à peu ma confiance et entre nous le dialogue est rompu. Il ne se rétablira que quarante ans plus tard.

Vivre à la maison commence à m'être intolérable. Je ne pense qu'à une chose: partir. Je connais quelques moments d'évasion en fréquentant des motards. Quand ils m'emmènent sur leur engin, j'aime être soudée à leur dos, les cheveux au vent, grisée par la vitesse. Je ne fais pas vraiment partie de la *gang*, cependant. Je vais à leur local quand un membre m'y emmène. Je partage la brise avec eux. Ou la drogue, sous forme de *goofballs* ou de cristal, l'ancêtre de la cocaïne. Je porte l'uniforme des filles du groupe, ce qui fait dire à maman que j'ai l'air «commune»: un jeans et un blouson sur un petit chemisier de nylon transparent qui rend décent un cache-corset de dentelle. Je suis des leurs sans en être. Il s'agit plutôt d'un jeu qui me procure à la fois une sensation de liberté et un sentiment d'appartenance. Un jeu temporaire. En attendant que se réalise mon grand rêve: être actrice. Mais peut-être le suis-je déjà. Comme un kaléidoscope aux images toujours changeantes, je sais me faire si différente avec chacun qu'il me semble être plusieurs Andrée à la fois. La preuve... au couvent Stadacona que je fréquente toujours, les religieuses trouvent que je suis une élève studieuse.

J'ai une nouvelle amie, Joëlle, une Française qui vient d'immigrer au pays avec sa famille. Les autres élèves la considèrent comme une extraterrestre parce qu'elle parle pointu; ça les fait rire. Elles la traitent de «maudite française». Mais moi, elle me fascine. Elle a vécu à Paris, ce Paris dont grand-maman m'a tant parlé. Et puis elle m'apprend des choses, elle me fait évoluer. J'ai toujours aimé apprendre, me dépasser, aller plus loin. Je la revois à l'occasion, aujourd'hui encore, même si nos vies ont pris des chemins différents. C'est d'ailleurs elle qui m'a rappelé un détail de cette période que j'avais totalement occulté. Apparemment, les sœurs m'avaient aménagé un atelier dans le grenier de l'école afin que je puisse peindre. Peindre quoi? Un chemin de croix. Rien de moins.

Je n'ai gardé aucun souvenir de cette œuvre, et même en forçant ma mémoire aucune image ne se crée dans mon esprit. Il faut dire qu'à cette époque j'étais totalement occupée à trouver par quels moyens je deviendrais comédienne. C'était une obsession. Au point de m'en faire oublier le quotidien.

Un soir, sous une chaleur épouvantable, maman et moi veillons sur le balcon en mangeant un cornet. Maman s'évente avec une feuille de papier. Nous n'avons rien à nous dire. Un jeune fait crisser ses pneus au coin de la rue. Il n'y a pas un chat sur les trottoirs. Je me dis soudain: «Ce n'est pas possible que la vie ce soit ça! Juste ça! Il doit bien y avoir autre chose.» Autre chose que de manger un cornet avec sa mère ou de sortir *steady* avec un garçon, comme toutes mes amies en rêvent. Il faut que je parte d'ici. Bientôt. Je veux réussir ma vie. Je veux qu'elle soit passionnante, palpitante, démesurée. Où est-ce que ça se passe? Comment fait-on pour devenir actrice? Je suis malheureuse. J'ai l'impression d'être différente des autres. Mais où va-t-on, à quinze ans, quand on n'a nulle part où aller? Qu'importe, quelques jours plus tard je fais une fugue. Un soir, je ne suis pas revenue de l'école. Le midi, j'avais laissé une note à mes parents sur la table de la cuisine:

Ne me cherchez pas, je ne reviendrai plus. Je m'en vais vivre ailleurs.

Andrée

Cet «ailleurs», c'est dans l'ouest de la ville, chez mon cousin Gilles. Il vit maintenant avec une femme merveilleuse, une danseuse. Ils ne sont pas mariés mais ils s'aiment et ils sont heureux. J'envie leur style de vie, libre et passionnant. Je frappe à leur porte sans même penser un instant qu'ils pourraient me refuser l'hospitalité. J'ai de la chance, ils m'accueillent à bras ouverts. Ce sont deux personnes intelligentes et ils commencent par m'écouter. J'ai enfin quelqu'un à qui parler. Puis ils téléphonent à mes parents, qui vivent une telle angoisse qu'ils songent déjà à me faire rechercher par la police. Papa et moi parlementons. Je lui demande du temps pour réfléchir. Mes parents acceptent. Quand je songe qu'on est toujours dans les années cinquante et que j'ai quinze ans, je constate à quel point j'avais des parents extraordinaires. De cela, je me rendrai compte plus tard.

Mon cousin, qui est journaliste, m'obtient un travail de manutentionnaire au journal *Le Jour*. Mais dix jours se sont à peine écoulés que papa vient me chercher au journal. Il s'ennuie de moi, tellement, dit-il, qu'il ne peut plus respecter notre entente. Il veut que je revienne à la maison. Il m'aime; il me le dit tendrement. Il va jusqu'à ajouter – et aujourd'hui je mesure à quel point sa proposition était exceptionnelle – que je serai entièrement libre de mes allées et venues. Ce qu'il m'offre, c'est la liberté en plus de la sécurité du foyer. C'est irrésistible. Je reviens donc avec lui à la maison. La vie familiale reprend, de même que les études. Je bénéficie d'un moment de répit pour quelque temps encore, d'un reste d'enfance.

Je n'abandonne cependant pas mon rêve de devenir comédienne. Je décide donc de fréquenter des endroits qui me mettront sur une piste. Le soir, en cachette, je me rends souvent dans les boîtes existentialistes, comme *L'Échourie* et *La P'tite Europe*, avec une autre amie qui m'est alors très chère, Denise Ménard. Elle est ma confidente et ma complice. Nous partageons la même volonté et la même détermination de nous en sortir. Dans le milieu populaire d'où je viens, les boîtes existentialistes sont considérées comme l'antichambre de l'enfer. Mais pour Denise et moi, elles représentent l'évasion. Nous découvrons qu'il y a autre chose que le petit monde étriqué dans lequel nous vivons. Pour nos sorties, je m'habille au Surplus de l'armée. Je suis toute de noir vêtue et une frange de cheveux me mange les yeux. Devant un double espresso, Denise et moi refaisons le monde.

Cependant, papa recommence à s'inquiéter à mon sujet. Avec mon frère, il parcourt la ville de long en large, en voiture, de boîte en boîte, pour me trouver. Peut-être étais-je ce qu'on appelle aujourd'hui une délinquante. J'en ai vraiment fait voir de toutes les couleurs à mes parents! Mais construire une vie à sa mesure ne se fait pas sans casser des œufs. Quelques années plus tard, maman me montrera ses premiers cheveux blancs en disant: «Tu sais, Andrée, c'est à cause de toi que je les ai.» À partir de ce moment, je lui paierai ses teintures jusqu'à sa mort.

Tout en terminant ma onzième année (par la peau des dents parce que mon intérêt se situe ailleurs), je prépare en cachette mon entrée au Conservatoire d'art dramatique en fréquentant l'Atelier du Théâtre du Nouveau Monde où enseignent Jean Gascon, Guy Hoffmann et Jean Dalmain. Je me retrouve dans la classe de ce dernier. Dyne Mousseau y étudie aussi. Je suis éblouie devant son talent. Je ne peux m'empêcher de rester après mon cours pour la regarder travailler. Elle répète une scène de *La Mouette*, de Tchekhov. Quel charisme! Quelle extraordinaire comédienne! Un jour, j'ai même la chance de lui donner la réplique. Je suis alors totalement heureuse, car j'ai enfin trouvé ma place sur terre.

J'étudie sans relâche, à l'école et à l'Atelier. Pour payer mes cours de théâtre, je travaille, l'été, au «central» de l'Union nationale et, pendant les vacances de Noël, dans un bureau de poste. Je dois absolument travailler car, depuis qu'on a découvert que je suis des cours de théâtre, on m'a coupé les vivres. C'est évidemment maman, avec son âme de fin limier, qui a découvert le pot aux roses. Depuis un certain temps, je justifiais mes absences en prétextant me rendre aux bains publics. Mais un jour, se doutant de quelque chose, maman a reniflé mon costume de bain. Je me crois à l'abri de tout soupçon puisque, comme d'habitude, j'ai pris soin de passer mon maillot sous le robinet après mon cours de théâtre. Maman constate en effet que le maillot est trempé, mais elle me fait remarquer qu'il ne sent pas le chlore!

On m'a donc coupé le peu d'argent de poche que je recevais, mais c'est de bonne guerre. En payant moi-même mes cours, j'apprends qu'on ne peut pas tout avoir. La sécurité financière et la passion vont rarement de pair. Il faut dire qu'être comédienne, pour mes parents, ce n'est pas un métier, mais un péché. Je leur aurais annoncé que j'allais faire le tapin sur la Main que je ne les aurais pas davantage scandalisés. Alors, ils essaient de me décourager. Mais je persévère. Et vers la fin de l'année scolaire, je reçois une lettre attestant que je suis acceptée au Conservatoire. Je crie. Je hurle de joie. Youpi! Ça s'peut pas, ça s'peut pas, ça s'peut pas! Ça y est, mon rêve prend forme. Mais à la maison, c'est la consternation. Mes parents sont effondrés. Mon père hausse le ton: «Il n'est pas question que tu fasses ce métier-là. C'est un métier de crève-faim et de putain! (Il n'y va pas avec le dos de la cuiller!) Tu vas poursuivre tes études et tu vas faire ton université, tu m'entends! Quand bien même je devrais me saigner à blanc!» Je dis non. Il crie alors: «Ma petite fille, si tu veux devenir actrice, il va falloir que tu me passe sur le corps!» J'éclate de rire. Je le trouve ridicule. Et quand, à bout d'arguments, papa ajoute: «Si tu le fais quand même, je vais me tuer», je lui réponds: «Tue-toi.»

À partir de ce moment, un climat d'hostilité s'installe entre nous et il n'y a plus de dialogue possible. Heureusement qu'un médiateur viendra à notre secours, un être merveilleux comme j'en rencontrerai souvent dans ma vie. Un «aidant». Il s'appelle Jean Fournier et c'est le patron de papa au «central» de l'Union nationale. C'est moi qui lui ai demandé d'agir comme médiateur. Il nous écoute tous les deux et comprend vite mes rêves d'adolescente, mes aspirations. Il comprend tout. Surtout qu'on ne peut pas empêcher quelqu'un de vivre sa vie, celle qu'on s'invente. Avec doigté, il réussit à raisonner papa et l'amène à accepter ma décision. Je pourrai donc entrer au Conservatoire en septembre.

Cet été-là, je vivrai mes dernières vacances d'adolescente. Je suis aussi devenue une femme, une vraie, amoureusement parlant, dans les bras d'un homme. Voici comment cela s'est passé.

J'étais alors en visite pour quelques semaines, avec ma famille, chez une sœur de ma mère, ma tante Blanche, au Lac-à-la-Tortue, près de Shawinigan. Pour une fois, ô miracle, grand-maman nous avait laissés partir. Les vacances coïncidaient avec un jamboree, un rassemblement international de scouts, qui se tenait non loin de là, à Saint-Louis-de-France. Le curé de la paroisse demande aux familles d'accueillir chez elles des patrouilles, et ma tante hérite de neuf scouts. Mon cœur est en émoi: neufs scouts! Quelle aubaine!

Quand ils sont arrivés avec armes et bagages, c'est un peu comme si le loup entrait dans la bergerie. J'ai à peine aperçu le chef de patrouille que je ne porte plus à terre. C'est bien moi, ça; avec ma «folie des grandeurs», j'ai tout de suite remarqué le chef, pas question que je m'attarde à un simple scout. Il s'appelle Jeannot, a dix-sept ans et vient d'Avignon, dans le midi de la France. Maman, avec son instinct de détective, flaire tout de suite qu'on est attirés l'un par l'autre. Elle est aux aguets. Elle ne me lâche pas de son œil suspicieux. Mais elle a beau me surveiller, elle ne réussit pas à empêcher que, pendant le feu de camp de la soirée d'adieu du jamboree, autour duquel sont réunies des centaines de personnes, Jeannot et moi nous échappions pour nous retrouver seuls. Et c'est ce soir-là, avec Jeannot, que je découvre pour la première fois l'amour. Il me dit des choses que je n'ai jamais entendues. Que je suis belle. Qu'il veut m'emmener avec lui. Je crois tout. On s'aime. Dans ses bras, je découvre la volupté. Il est attentif à mon plaisir, il m'aime tellement qu'il ne veut pas me déflorer. La virginité, à l'époque, c'est important: pas d'hymen, pas de mariage. Mais moi, de toute façon, je ne veux pas me marier. Je serai presque totalement sa femme.

Nous ne rentrons qu'au lever du soleil. J'affronte ma mère qui est hors d'elle. Dans une envolée dramatique qui la fait ressembler à une sorcière maudissant sa fille, elle lève le bras vers moi, tremblante de colère, et pointe le doigt du mauvais sort sur moi. «T'es une petite bonne à rien.» Je suis impressionnée, c'est sûr, mais je fronde, la tête haute, presque provocante, en me disant intérieurement: «Une petite bonne à rien, hein! Attends un peu, j'vais t'en donner pour ton argent!»

Effectivement, toute ma vie, je lui en donnerai pour son argent. Par la suite, je ferai beaucoup de choses dans l'unique but de choquer maman, des choses ne correspondant pas nécessairement à ma vraie nature et qui m'entraîneront sur le chemin de l'autodestruction. Mais je ne regrette rien. La liberté, ça se paie. Tout se paie. C'est du moins ce que je croirai longtemps, car j'ai retenu de mon éducation chrétienne que si on est très heureux, il faut automatiquement passer ensuite à la caisse. Il faut expier. Ce n'est que passé mes quarante ans que je découvrirai, au cours d'une thérapie, qu'on a le droit d'être heureux, d'une façon insolente, sans que l'enfer s'ouvre sous nos pieds.

Mais voilà qu'arrive enfin le mois de septembre ! Le Conservatoire ! La concrétisation de mes rêves ! Fondé en 1954, le Conservatoire est la seule institution du Québec qui dispense des cours de théâtre. Il loge dans des locaux modestes, au sous-sol de la bibliothèque Saint-Sulpice, rue Saint-Denis. Les professeurs sont excellents et l'école ne compte que dix élèves, première et deuxième années confondues. On est tous fiers d'avoir été choisis. Nous sommes les élus. Tous les jours, je viens apprendre mon métier : escrime, pose de la voix, phonétique, interprétation, diction, histoire de l'art. Tout me passionne et je m'intègre bien au groupe.

Après les cours, on sort, on va voir des pièces, on se reçoit les uns les autres, souvent dans de petites chambres miteuses car tout le monde est sans le sou. Quand on fait un *party*, on réunit toutes nos économies pour acheter une cruche de *Québérac*, un vin dégueulasse qui nous rend malades. Certains de mes camarades doivent travailler pour joindre les deux bouts, comme veilleur de nuit, par exemple. Le gouvernement n'offrait pas encore de prêts et bourses. Moi, je m'estime chanceuse car j'habite toujours chez mes parents. Ils ne me donnent aucun argent de poche, bien sûr, que le gîte et le couvert. C'est déjà beaucoup. Grand-maman est la seule à encourager ma vocation de comédienne. Chaque jour, elle me donne en cachette une pièce de vingt-cinq cents. Aujourd'hui ça fait rire, une si petite somme, ce n'est rien, mais en ce temps-là, pour ce prix, je pouvais manger. Enfin, si on peut appeler ça manger. Le midi, au restaurant, je prenais un bol de soupe bien consistante, accompagnée de deux tranches de pain et de biscuits soda. On se servait de beurre à volonté. C'était suffisant pour tenir jusqu'au souper, et parfois même jusqu'au lendemain lorsque je rentrais trop tard à la maison. Quand on est jeune, on se contente de peu. Le feu sacré, ça nourrit. Mais ça ne paie toutefois pas l'autobus. Alors, souvent, je marche de la maison, rue Hochelaga, jusqu'au Conservatoire, rue Saint-Denis, chaussée de petites ballerines noires, hiver comme été. Maman me répète toujours: «Tu vas faire de l'arthrite plus tard!». Tais-toi, maman. Je ne veux pas l'entendre.

Au Conservatoire, je répète inlassablement mes scènes tout en regardant mes camarades travailler. J'apprends partout et de tous. Parfois, je me glisse dans le cours de deuxième année pour admirer le beau jeune premier Albert Millaire, qui dit déjà si bien les vers. Je l'envie, car on lui donne des rôles dramatiques tandis que moi, j'hérite d'extraits de pièces légères. Je trouve qu'il s'agit là d'un malentendu. En fait, mon physique me nuit. Toute ronde, avec une poitrine avantageuse, je suis pulpeuse et en santé. Trop, en tout cas, pour interpréter une jeune première ou des rôles dramatiques. On me catalogue dans les emplois de soubrettes. Je me soumets, mais j'ai beau me forcer, me convaincre que c'est ce qu'il faut que je fasse, je déteste ça. Je commence à lire des pièces du théâtre américain et, bientôt, j'en mange. Je me reconnais si bien dans ces drames et ces héros contemporains. Comme moi, ils ont des défauts et parlent le langage de la rue. Je tente bien de convaincre mes professeurs qu'ils me fassent travailler ces personnages qui me collent à la peau, mais on me répond que ces pièces ne font pas partie du programme à l'étude. Des classiques français, encore des classiques français, seulement des classiques français: je veux bien, j'aime les classiques français. Mais, dans ces chers classiques, on ne me confie que des rôles insignifiants. J'essaie malgré tout de rentrer dans le moule. À la fin de l'année, convoquée au bureau du directeur, M. Jean Doat, un Français, je suis convaincue qu'il va me féliciter de m'être montrée si docile. De toute ma vie, jamais je n'aurai été aussi docile que cette année-là, j'en avais même perdu ma personnalité.

M. Doat me fait asseoir. Il a l'air un peu crispé. Je sens déjà que ça ne se passera pas aussi bien que ce que je m'étais imaginé. Je me souviens encore de tous les mots qu'il a prononcés.

«Mon petit, je dois vous faire part d'une grave décision.» J'écoute attentivement. «Vous n'êtes pas acceptée en deuxième année.» Le sang me monte à la tête, j'ai l'impression que je vais m'évanouir. «Vous n'avez pas de talent particulier pour ce métier. Ce n'est pas pour vous.» Il fait sombre dans le bureau et j'ai froid. «Vous devriez étudier dans une autre branche. Peut-être trouver un emploi de sténodactylo.»

Je suis complètement effondrée. Il vient de me donner le coup fatal. Il me serre la main et me souhaite bonne chance.

Après ce coup de massue, je marche jusqu'à la maison comme une automate. Je respire à peine, de peur que mes poumons n'éclatent. J'ai mal, comme une bête blessée à mort. Mes rêves s'écroulent. Je ne suis plus rien. Je ne serai jamais rien. Arrivée à la maison, en montant l'escalier, ma décision est prise. Il suffit d'un geste, d'un tout petit geste, pour oublier toutes mes misères.

6

Qu'est-ce qui s'est passé? Je me réveille couchée de tout mon long dans le corridor de l'appartement. Je suis couverte de vomissures. J'essaie de reprendre pied dans la réalité. J'ai la tête qui tourne. Mon cœur bat si vite. Il va me sortir de la poitrine. Au secours! quelqu'un, j'ai mal, je vais mourir! Mourir!

Ça me revient. J'ai essayé de me suicider. Mais je vis. Donc, je me suis ratée. C'est un échec. Un autre échec! La voix du directeur du Conservatoire résonne encore dans ma tête, implacable: «Vous n'avez pas de talent pour devenir comédienne.» Mais comment se fait-il que je sois vivante? J'ai pourtant avalé une centaine d'aspirines, toute la bouteille, une bouteille neuve. Ça aurait dû suffire. Quelle heure est-il? Le soleil entre à flots par toutes les fenêtres, impossible de déterminer l'heure. Je n'ai plus de forces, mon cœur va sûrement s'arrêter de battre. Peut-être que c'est maintenant que je vais mourir. Oh oui!, s'il vous plaît, faites que je meure pour que je n'aie pas à affronter la honte. Pour que je n'aie pas à faire part aux autres de mon échec. Tout plutôt que de les entendre dire: «Tu vois, on avait raison. C'est un métier qui n'est pas fait pour toi.»

J'entends les pas de maman dans l'escalier. Ils sont faciles à reconnaître car elle monte difficilement à cause de son arthrite. Au moment où elle entre, je murmure «maman», puis éclate en sanglots. Je ne sais trop ce qui s'est passé ensuite. C'est vague. Je me souviens d'un liquide amer que j'ai dû avaler et d'une odeur de sucre caramélisé qui se répand dans la maison. Maman fait chauffer du sucre dans un poêlon pour couvrir l'odeur de vomi, puis elle nettoie le corridor avec un désinfectant dont l'odeur me soulève le cœur. Elle se hâte, malgré son immense fatigue, pour que les autres ne soient pas témoins de la scène. Elle me tient la tête, me lave, m'enfile un pyjama propre. Elle ne me pose pas de questions, elle agit, rapide, efficace. Elle «prend sur elle», comme on dit chez nous. Comme, d'ailleurs, elle l'a toujours fait quand un malheur s'abattait sur la famille, et comme elle le fera jusqu'à la fin de sa vie. Pleurer, dire «je t'aime», elle ne savait pas. Mais prendre les choses en mains et tout porter sur ses épaules, ça, elle connaissait. C'est le rôle de femme qu'on lui avait appris et elle avait bien retenu sa leçon. Peut-être est-ce pour cela que, devenue âgée, son dos se voûtera comme celui d'une sorcière: elle en avait plein le dos.

Mais sa tâche n'est pas encore finie. Papa rentre à son tour du travail et c'est elle qui doit le mettre au courant. Il est fragile, papa. Maman le fait asseoir sur le lit, dans leur chambre, et, d'une voix douce explique: «Gaston, j'ai à te parler...» Il s'effondre. C'est elle, toujours elle, qui lui remonte le moral. Elle a tout compris. Elle savait que j'allais chercher mes résultats de fin d'année au Conservatoire ce matin et elle a tiré ses conclusions.

Quand je m'éveillerai, quinze heures plus tard, personne ne me posera de questions. Personne ne me jugera. Ne prononcera le moindre mot, ni en bien ni en mal. Le quotidien suivra son cours comme si rien ne s'était produit.

Moi, j'erre dans la maison comme une âme en peine. Je ne veux surtout pas penser à ce que je vais devenir, à la déception de grand-maman, aux tourments que j'ai causés à mes parents et au ridicule dont je vais être couverte quand mes amis apprendront mon échec. Ne pas penser. Je marche de long en large dans le corridor depuis trois jours, me parlant à moi-même, comme une folle, confrontée au vide absolu, quand soudain le téléphone sonne. Par automatisme, je décroche.

— Allô!

— Bonjour, Andrée, c'est Mme Audet.

Je reste interloquée. *Madame* Audet qui téléphone chez moi!

— Vous allez bien, mon enfant?

— Oui, madame. Très bien.

— J'ai un engagement pour vous.

Je suis incapable d'articuler un mot.

— Oui, M. Gratien Gélinas vient de me téléphoner de Québec. Il a un embêtement. La chanteuse qui faisait la première partie de son spectacle à *La Porte Saint-Jean* vient de tomber malade. Il lui faut absolument une autre chanteuse pour ce soir. J'ai pensé à vous. Vous êtes libre?

Silence.

— Vous chantez toujours, Andrée?

— Oui, madame.

— Vous avez bien un répertoire de quatre ou cinq chansons, si je me souviens bien.

— Oui, madame.

— Et vous avez sûrement une ou deux robes un peu habillées qui pourraient faire l'affaire dans une boîte de nuit?

— Oui, madame.

— Alors téléphonez immédiatement à M. Gélinas. Il attend votre appel. Et un gros merde!

— Merci, madame. Merci beaucoup.

Et je raccroche.

Je me précipite alors vers la chambre de ma grand-mère en criant de joie: «Grand-maman! Grand-maman! J'ai un engagement comme chanteuse!» Je serre ma mémé dans mes bras à l'étouffer.

Puis je téléphone pour connaître l'horaire des autobus. Je range dans ma valise cinq partitions de piano et fouille ma garde-robe. Dieu merci, j'ai ce qu'il faut. Pendant les dernières vacances de Noël, j'ai suivi un cours de personnalité. Une des grandes règles que j'ai apprises, c'est qu'il faut toujours avoir dans sa garde-robe une robe noire, de style classique, à manches longues, sans col. Je l'ai. C'est la couturière de maman qui me l'a confectionnée pour une bouchée de pain. J'ai aussi un tailleur noir un peu usé, que je ménage, que je porte depuis deux ans pour chaque sortie habillée. Comme tout ça est un peu sévère, je fouille dans la boîte à bijoux de grand-maman. Elle est excitée à l'idée de pouvoir enfin participer à une aventure qui la sort de son triste quotidien. Elle me prête son collier de perles, dernier beau morceau d'une époque plus faste. «Mets-le, Andrée. T'as une peau qui blanchit les perles. Si personne ne les porte, les perles deviennent grises, elles meurent.»

À dix-sept heures, me voilà rendue à Québec pour la répétition avec l'orchestre. Je vois M. Gélinas venir vers moi. Il m'intimide; c'est un auteur et comédien tellement célèbre. Mais il se montre d'une grande simplicité. Il avait une façon bien personnelle d'accueillir les femmes qui lui étaient présentées. Il me prend la main et je crois qu'il va me faire un baisemain, comme dans les films romantiques. Mais non, il la porte plutôt à sa figure et la presse délicatement contre sa joue. Ça étonnait beaucoup, la première fois, mais c'était charmant.

Le temps de nous retirer dans nos loges, lui pour se reposer, moi pour me coiffer et me maquiller, et c'est l'heure du spectacle.

Show time! Même si l'endroit est un club chic que fréquente le gratin de la ville, où de petites lampes jettent sur les tables une lumière feutrée, jamais, jamais, c'est certain, personne n'est entré sur scène d'un pas plus assuré. Je n'avais jamais chanté professionnellement, ni accompagnée d'un orchestre, mais je ne ressens aucun trac. J'ai gardé de cette série de spectacles une impression enivrante de bonheur. Le bonheur de plaire, d'interpréter des chansons, d'être aimée par une salle pleine à craquer. Pleine à craquer... Enfin, j'ai beau avoir la folie des grandeurs, j'ai tout de même conscience que les spectateurs ne sont pas venus pour me voir, mais pour admirer Gratien Gélinas, dont la réputation était immense.

Pendant la durée de mon contrat, le jour, je me promène inlassablement dans la vieille ville en me répétant: «Vous ne voulez pas de moi comme comédienne? Eh bien, tant pis. Mais vous ne vous débarrasserez pas de moi comme ça. Je vais être chanteuse.»

Chanteuse! On dira peut-être que c'est le destin qui en avait décidé ainsi. Mais pas du tout! Je l'avais aidé, le destin. Il ne faut jamais se laisser conduire totalement par le destin et laisser les choses au hasard. Je m'étais préparée au métier de chanteuse. Au Conservatoire, il n'y avait pas de cours de chant, mais pour moi c'était une discipline importante. J'étais allée à l'école des films américains où les acteurs savaient tout faire avec un égal talent: chanter, jouer, danser. Pour ce qui est de la danse, j'ai vite compris que je n'avais aucun talent, que ça ne servait à rien d'insister. Mais le chant, c'était autre chose. Une fois la semaine, j'engageais un pianiste répétiteur et je louais un des petits studios situés à l'étage d'un magasin de musique, rue Sainte-Catherine. J'y répétais des chansons de Piaf, de Bécaud, de Montand, de Ferré. Lors de soirées qu'organisaient les étudiants du Conservatoire, j'y allais de mon petit numéro, comme les autres. C'est là que Mme Audet m'avait remarquée. Elle aimait ce que je faisais et me l'avait dit.

Quel personnage, cette Mme Audet. Toujours coiffée d'une grande capeline, élégante mais sans prétention, elle était irrésistible. Professeur de diction et de théâtre, elle a façonné la majorité des grandes personnalités du monde du spectacle québécois. Ce fut une pionnière. Je me dis parfois qu'avec son immense amour de la langue et de la culture françaises elle a fait plus, à elle seule, pour l'évolution, le respect et l'apprentissage du français au Québec que bien des ministères voués à la culture. Elle enseignait dans la joie et avec passion, et aimait ses élèves comme ses propres enfants, avec un instinct très sûr pour déceler les talents.

Je chante donc à *La Porte Saint-Jean*, à Québec, et nage en plein bonheur. Je me fais souvent, alors, la réflexion que si j'avais réussi mon suicide, je ne connaîtrais pas ce bonheur. À partir de ce moment et pendant toute ma vie, le goût de vivre et la passion de voir ce que l'avenir me réserve l'emporteront toujours sur le désespoir, même le plus noir. Il faut vivre à tout prix. Merci, madame Audet.

Pendant la durée des représentations, s'il y a une phrase qu'on peut m'entendre répéter, c'est bien: «Mettez donc ça sur mon compte!» En effet, c'est si agréable de prendre un verre, ou deux ou trois, avec des amis, quand on a bien travaillé. Et je trouve tout naturel de payer pour tout le monde. Je me sens alors aimée, respectée, acceptée des autres. Le jour où je demande ma «paye» au propriétaire, Gérard Thibault, il me répond: «Quelle paye, ma belle Andrée? Ça fait longtemps qu'il ne reste plus rien. Même que t'es dans le rouge.»

Je reviens à la maison sans argent, mais avec l'assurance d'être devenue une vraie professionnelle. Surtout, je me sens investie d'une mission. Je crois, inconsciemment bien sûr, que si un membre de la famille réussit à s'en sortir et à entrer dans la lumière, tous les autres en seront illuminés. Pour tous, c'en sera fini de l'anonymat, de la médiocrité, de la misère. J'ai ressenti ça tellement fort que ç'a été le moteur de ma vie: me faire un nom pour qu'ils retrouvent leur identité.

Je décide donc de partir de chez mes parents. Je me sens d'attaque pour sillonner la province de long en large. Je suis prête à me produire dans les clubs, à investir le petit écran comme chanteuse et comme comédienne, à fouler toutes les scènes de théâtre. J'ai en moi toutes les faims du monde. Ambition, réussite, succès: venez, je vous attends! Avec mon inconscience d'adolescente de dix-sept ans, je croyais vraiment que le monde m'appartenait.

Je me loue une chambre dans une maison de l'avenue Laval, face au carré Saint-Louis. Papa a la générosité d'entasser mes maigres biens dans la voiture et de me conduire jusqu'à mon nouveau chez-moi. Avant de repartir, il me regarde intensément, les larmes aux yeux, en me caressant la main. «Fais attention à toi, ma grande.» Désormais, il m'appellera toujours «sa grande».

J'ai choisi ce quartier parce que le carré Saint-Louis est à l'époque le cœur de la bohème. Le quartier des artistes. De nombreux peintres avaient leur atelier dans les rues environnantes et l'École des beaux-arts était à proximité.

Je m'installe le plus confortablement possible dans ma chambre: je recouvre les lampes de châles pour créer de l'atmosphère, j'improvise une bibliothèque avec des planches posées sur des briques, je n'ai ni radio ni télévision, mais mon petit tourne-disque fera l'affaire. J'ai un balcon qui donne sur le carré et je me sens au cœur de l'action.

Mais après un certain temps, comme je n'ai toujours pas de travail, lorsque vient la nuit et que les lumières s'allument dans le square désert, je panique. Je n'ai plus un sou en poche, mes économies ont fondu plus rapidement que prévu. Moi aussi, d'ailleurs, je commence à fondre. Je maigris à vue d'œil, resserrant chaque semaine ma ceinture d'un cran. Au début, je mange un repas par jour, que je cuisine sur mon petit réchaud à deux ronds; des pâtes, toujours des pâtes. Ça ne coûte rien et ça remplit bien l'estomac. Bientôt, il n'y a plus de sauce sur les pâtes. Que les pâtes elles-mêmes. Ensuite, j'en suis réduite à manger des beurrées de moutarde. Je les fais revenir dans la poêle pour essayer d'en changer le goût. Puis il n'y a plus rien à manger. Heureusement que l'alcool endort la faim. Parce que de l'alcool, il y a toujours quelqu'un qui m'en offre dans le groupe d'amis que je fréquente. Je bois, donc, mes réveils sont souvent terribles. Alors, je vais prendre l'air dans le carré.

Je me promène ainsi un jour d'été où il fait un temps magnifique. Quelques peintres ont posé leur chevalet dans les allées du carré, espérant exécuter le portrait d'un promeneur. Eux aussi sont dans la dèche. L'un d'eux me propose de poser pour lui afin d'attirer les clients. Si ça marche, nous partagerons l'argent gagné. Je saute sur l'occasion et me voilà devenue modèle. Ce travail ne correspond pas à mes grandes espérances, mais pourquoi pas?

Le mot se passe entre les peintres, qui me recommandent l'un à l'autre, et j'en viens à poser pour tous ceux qui ont besoin de mes services. Deux dollars l'heure, c'est bien payé. Au début, je pose avec mes vêtements sur le dos, mais bien vite je constate que les modèles nus sont plus en demande. Les premières fois que je pose nue, je suis gênée, rouge comme une tomate. Aux Beaux-Arts, par exemple, se retrouver nue devant une classe de quinze élèves, c'est particulièrement intimidant. Mais le respect est toujours de rigueur et je me rends compte que les peintres ne voient pas en moi la femme mais le modèle. Ce métier est fatigant, aussi. Il faut souvent changer de pose, puis garder une immobilité totale. J'ai des fourmis partout. Mais je ne bouge pas. Je dois être un bon modèle car je travaille beaucoup.

J'en viens même à poser pour Tex Lecor, qui n'est pas encore le chanteur populaire ni le peintre renommé qu'il deviendra plus tard. Tex, c'est mon copain, presque mon frère. Il m'a baptisée Wachita, ce qui veut dire «vierge» dans une langue amérindienne. Car je suis encore vierge. Jusqu'ici, j'ai beaucoup «necké» avec les garçons, comme on disait alors, mais je ne suis jamais allée jusqu'au bout d'une relation sexuelle. Pas à cause de la morale, mais parce que je n'ai pas encore éprouvé de véritable désir pour qui que ce soit. Je me réserve pour l'homme qui me fera connaître le grand frisson. Tex se moque un peu de moi avec sa Wachita. Lui et moi, on rit tout le temps et on boit sec. Comme il n'a pas plus d'argent que moi, il nous arrive de faire chauffer notre bière pour nous soûler plus vite. Ensuite, nous allons danser à *La P'tite Europe*, à l'angle du boulevard Saint-Laurent et de la rue Sherbrooke, une vraie boîte existentialiste comme à Paris. On danse des bee-bops déchaînés. Tex est un danseur fabuleux. La nuit passe et souvent, le lendemain, je reprends le travail sans avoir fermé l'œil de la nuit.

Je pose aussi pour le peintre Léo Ayotte. Depuis, il est devenu célèbre, c'est un peintre «coté», comme on dit, mais pour l'instant il est pauvre comme Job. Son atelier est à l'étage d'une maison qui est en voie de devenir un véritable taudis. Chaque matin, j'arrive à l'aube, car Léo dit que c'est à ce moment que la lumière est la plus belle. Que le temps soit gris ou ensoleillé, la lumière y est toujours magnifique parce qu'il y a un grande verrière au centre du toit. Cette lumière touche de sa grâce tous les objets de la pièce et leur évite d'être tout simplement sordides. Un vieux canapé, un paravent derrière lequel je me déshabille, le lit de Léo (presque un grabat) dans un coin de l'atelier, une table, quelques chaises dépareillées. Et un chevalet, des pots de peinture, un évier qui a pris les couleurs d'un arc-en-ciel à force d'y avoir rincé des pinceaux et, objet totalement incongru, un barbecue rouillé, sur trois pattes, qui trône au milieu de la pièce.

Quand il a faim, Léo tire du frigo une énorme pièce de bœuf et la jette sur les braises comme une roche. Il partage alors son repas avec ceux qui se trouvent autour de lui. On aurait pu mettre le feu à la maison et brûler comme des damnés en enfer, mais moi, je trouve ça exotique, car c'est la première fois que je vois un barbecue. Et puis, du moment qu'on me donne à manger... même si la viande est la plus coriace qu'il m'ait été donné de manger. Je me demande encore de quelle partie du bœuf elle provenait. Seul Léo n'avait aucun problème à la mastiquer. Il mâchait sa viande avec facilité (peut-être avait-il des dents de castor), pendant que son gros chien et moi nous regardions d'un air complice et désolé. Dans ma bouche et dans sa gueule, la viande se promenait longtemps, de gauche à droite, sans qu'on puisse la défaire en morceaux ; on finissait par l'avaler tout rond.

Je posais de longues heures pour Léo. Sur un vieux canapé crevé. Quand il me sentait fatiguée, il me permettait de m'allonger. Flambant nue, la peau mauve tellement j'avais froid – Léo avait toujours chaud et ne chauffait jamais –, je finissais infailliblement par m'endormir, la tête soutenue par mon bras recourbé. C'est dans cette position qu'il m'a souvent peinte. Vers midi, Léo lançait «Assez!», puis «On mange!» Et hop, une autre pièce de viande, accompagnée d'une bière ou deux pour se replacer de la veille. Puis je le quittais jusqu'au lendemain, ou jusqu'à la semaine suivante. J'adorais cet homme. C'était un personnage fascinant et démesuré. Même s'il buvait énormément, cela n'affectait en rien son travail, et même s'il sacrait comme un charretier, il restait aimable avec tout le monde. C'est du moins ainsi que je l'ai connu.

J'ai appris beaucoup plus tard qu'il était devenu un peintre célèbre. D'une curieuse façon, d'ailleurs. Je devais avoir vingt-cinq ans et j'étais comédienne. Un jour, une agence de publicité m'appelle pour passer une audition en vue d'une pub télévisée. J'attends mon tour dans le hall de l'agence, avec d'autres aspirantes, quand je me mets à fixer un tableau sur le mur. Tiens, c'est joli, ça. J'aime bien les nus. Le modèle est pulpeux. Qui est le peintre ? Je me lève pour déchiffrer la signature. Léo Ayotte ! C'est pas vrai ! Et le modèle... c'est... mais... c'est moi ! J'avais soudain l'impression de me retrouver toute nue dans la salle d'attente. Heureusement que sur la toile on pouvait difficilement reconnaître mon visage. Je bénissais Dieu d'avoir été endormie pendant la pose, la tête à moitié enfouie dans le pli de mon bras.

Je réussis donc, en posant pour des peintres, à me renflouer financièrement. Je m'achète des vêtements décents, ce qui me permet d'aller rencontrer d'éventuels employeurs. Je ne travaille toujours pas comme comédienne, ni comme chanteuse, mais j'ai confiance en ma bonne étoile. Je me rends souvent à Radio-Canada, dont j'arpente les couloirs. Je frappe à la porte des réalisateurs, je laisse une photo à leur assistante et, quand ma tournée est terminée, infailliblement je m'accroche les pieds dans le bureau du réalisateur Nicolas Doclin.

C'est un Roumain, fort en gueule et grand amateur de femmes. Il aime le café et son bureau est imprégné de l'odeur du café corsé, fort à réveiller un mort, que l'on boit, bien sucré, dans des tasses minuscules. C'est vraiment très différent du café à l'eau de vaisselle que j'ai l'habitude de boire, mais c'est bon. Nicolas Doclin réalise alors une série de variétés intitulée *Légendes gitanes*. Plus tard, il me fera chanter, comme choriste et comme soliste. Mais, pour le moment, j'ai une autre raison de m'arrêter dans son bureau. Je viens y chercher ma dose d'énergie. En le quittant, je me rendrai au *Café des Artistes*, où se tiennent les comédiens, les réalisateurs, les lecteurs de nouvelles, les chanteurs, les figurants, bref, toute la faune de Radio-Canada. Je me dis, en effet, que si je veux être comédienne, il faut que je fréquente des comédiens. Mais les comédiens m'intimident, ils me paralysent. Et les cafés que j'enfile chez Nicolas Doclin sont un stimulant fabuleux, ils me fouettent les sangs, ils me permettent d'affronter cette faune. Quand j'entre au *Café des Artistes*, je suis gonflée à bloc, surexcitée, et en apparence sûre de moi; j'escaladerais le mont Everest!

Quelle atmosphère, dans cet endroit! Ça rentre et ça sort, là-dedans, comme dans un hall de gare. Les comédiens, maquillés, avec leur costume sur le dos, viennent y prendre un verre entre deux enregistrements. Ça rit, ça parle fort, ça discute ferme. Je retrouve là l'atmosphère qui régnait dans l'hôtel de mon père quand il recevait des troupes de théâtre. Ces gens forment une grande famille. Et ce sont des gens ouverts, ouverts sur le monde alors que le Québec est encore replié sur lui-même. J'ai besoin de cette ouverture. Moi aussi, je veux faire partie de cette grande famille. Avec le temps, je réussis à faire la connaissance de quelques-uns d'entre eux, puis, petit à petit à les connaître tous. Je les envie de pouvoir vivre de leur métier, mais je n'éprouve aucune jalousie à leur endroit. Car je sais – j'en ai la certitude – que mon tour s'en vient.

Mais il ne vient pas encore. En attendant, je réussis à vivoter grâce à de petits engagements comme chanteuse dans des clubs de troisième ordre en province. Je me souviens d'un soir en particulier, à Contrecœur. Tout le monde était dans un état d'ébriété avancé. Évidemment, quand je leur ai chanté *Les Croix*, de Gilbert Bécaud, et *L'hymne à l'amour*, d'Édith Piaf, je n'ai pas obtenu un grand succès auprès des fêtards!

Je ne peux écrire le nom d'Édith Piaf sans m'y attarder un moment. Elle a été une des révélations de ma vie. Elle est venue un jour chanter à Montréal. Je fréquente alors un groupe du carré Saint-Louis, dans lequel il y a un chanteur populaire très beau et très connu, qui remporte un immense succès. Celui-ci a été invité à la première du spectacle de Piaf et a réservé une table pour nous tous dans le *ring side*, tout près de la scène. Quand les lumières s'allument et que Piaf entre sur scène, je suis éblouie. En fait, c'est indescriptible, ce que j'ai ressenti. Les mots sont inadéquats. J'écoute, je bois ses paroles. Je pleure. À la fin du spectacle, il faut me traîner hors de la salle. Je veux rester, l'écouter encore et encore. Le lendemain, je reviens. Les jours suivants aussi. Le maître d'hôtel me reconnaît maintenant et il ne me fait plus payer le droit d'entrée; il m'installe toujours à la même petite table dans un coin. Personne ne veut de cette table, placée sur le côté. Mais moi, je m'en fous. J'écoute. J'assiste à deux tours de chant par soir. Trois les fins de semaines. Je crois même que Piaf a fini par me reconnaître. Il me semble qu'elle m'a souri. Je rêve de pouvoir, un jour, jouer comme elle chante. Les tripes sur la table. Je m'accroche à cet idéal, car je n'ai toujours pas de travail.

À ce moment-là, je suis à deux doigts de tout lâcher. De perdre de vue mon étoile. Je m'étourdis. Je vais danser. Je bois beaucoup – trop – avec ma bande d'amis du carré Saint-Louis. Et c'est au cours d'une de ces beuveries que ma vie va de nouveau basculer. La douleur associée à cet événement est toujours aussi vive aujourd'hui qu'au moment où il s'est produit.

Il fait presque jour. Un pâle soleil d'hiver cherche à se faufiler à travers les rideaux de ma chambre. La musique s'arrête et quelqu'un change le disque. Qui est ce quelqu'un? Je ne m'en souviens pas. On est trois ou quatre dans la chambre, seuls rescapés d'une soirée de défonce totale. Il y a parmi nous notre copain le chanteur populaire. On me verse un verre de rye, que j'avale d'une traite, machinalement. Puis, tout le monde s'en va. Non, pas tout le monde. Le chanteur est là, il me regarde. Il me jette sur le lit. *Black out.*

Quand je me réveille, il fait nuit. J'ai du mal à bouger. J'ai une gueule de bois terrible. J'ai tellement soif. Il faut que j'aille boire. Mais, d'abord, allumer la lumière. Oh mon Dieu! mais qu'est-ce que c'est que ça? J'ai peur. Qu'est-ce qui s'est passé? Mon drap est plein de sang. Ce n'est pas le temps de mes règles, pourtant. Je touche l'intérieur de mes cuisses: c'est collant, gluant, et j'ai un peu mal. Non, c'est pas vrai! On s'est servi de moi! On m'a baisé sans que j'en sache rien! J'ai perdu mon pucelage sans mon consentement! J'ai fait l'amour salement sans ressentir le grand frisson de désir amoureux ni la tendresse que j'avais espérés pour ce moment. Aujourd'hui, on appelle ça un viol, mais dans ce temps-là ce

« Bichette » est le nom sous lequel
Andrée Boucher signe ses peintures
surréalistes. Elle a quitté la maison et
vit maintenant en chambre, au Carré
Saint-Louis. *Source : Échos-Vedettes*

1. Ses débuts, elle les fait en tant que chanteuse grâce au professeur, Mme Audet. dans des émissions de variétés à Radio-Canada, et aussi dans les cabarets.
Source : Échos-Vedettes

2. « C'est ma première photo d'artiste. » *Photo: Roland de Québec*

1. Début au théâtre, à la *Comédie canadienne*, dans une création de Roger Sinclair, *Quand la moisson sera courbée*. Metteur en scène: Paul Hébert. *Source : Échos-Vedettes*

2. Au cabaret *Chez Gérard*, à Québec, la « découverte de Michelle Tisseyre » est en vedette américaine.

2

MEMBER OF
Diners' Club

POUR PASSER UNE DES PLUS
AGREABLES SOIREES DE VOTRE VIE

*il vous faut voir les merveilleux spectacles
présentés tous les soirs à ces fameux*

RESTAURANTS - CABARETS
DE REPUTATION INTERNATIONALE

Chez Gérard

355 ST PAUL ST.
Opposite Union Station

Réservation: LA 4-0549

CE SOIR   TO NIGHT

Recommended by
"HOLIDAY MAGAZINE"

TOUT LE PITTORESQUE DE LA BEAUCE A QUEBEC

OUVERT LE JOUR

avec

DEJEUNER: 6 A.M. à 11 A.M.
LUNCH: 11 A.M. à 6 P.M.
DINER: 6 P.M. à 10 P.M.

LE PERE GEDEON

SPECTACLES A 9.30 et MINUIT
SAMEDI: 8.30, 10.30 et 12.30

son Sirop d'Erable, sa Vessie de Cochon
sa Pipe pis son Tabac Canayen
et
un nouveau et hilarant monologue

"ON SE DEBEAUCE"

AU MEME PROGRAMME

LA NOUVELLE DECOUVERTE DE MICHELLE TISSEYRE

ANDREE BOUCHER   En vedette

ET UNE BEAUTE SUD AMERICAINE   Américaine

GINA CASANOVA

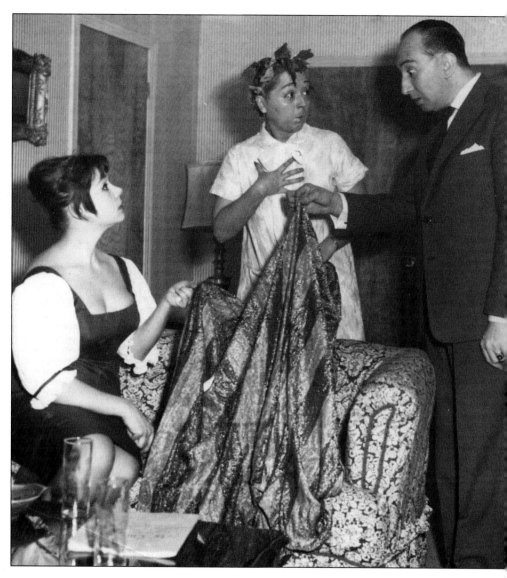

Dans *La bonne Anna*, au
« théâtre de poche » Anjou,
aux côtés de Marcel Cabay et
Nina Diaconesco.

IL

1

À dix-huit ans, alors qu'elle fait partie d'une
équipe de figurants (1), Andrée Boucher fait la
rencontre de IL (2). C'est le début d'une passion
dévorante qui connaîtra toutefois une fin
douloureuse. *Photo : abc pictures*

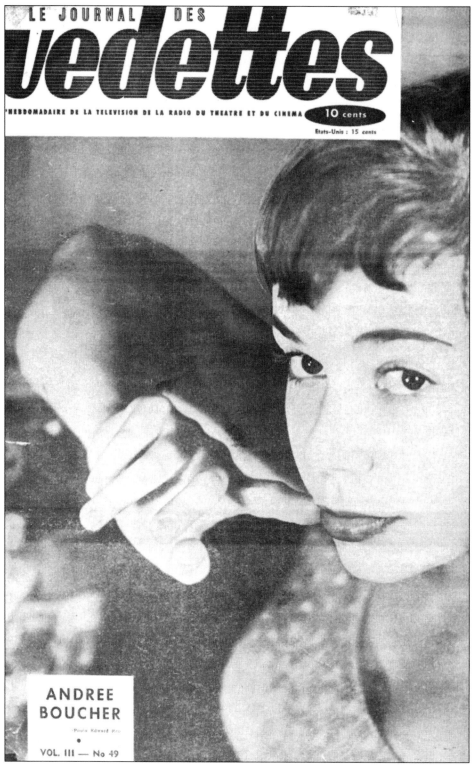

LE JOURNAL DES **vedettes**

HEBDOMADAIRE DE LA TELEVISION DE LA RADIO DU THEATRE ET DU CINEMA

10 cents

Etats-Unis : 15 cents

ANDREE
BOUCHER

VOL. III — No 49

Au moment où elle fait partie de la distribution de *Beau temps, mauvais temps*,
Andrée Boucher fait la « une » d'un journal *(Le journal des vedettes)* pour la première fois.
Son père achète tous les exemplaires qu'il peut trouver pour les distribuer aux voisins.

personne n'oserait faire de l'auto-stop, même pas en pleine ville, de peur de retrouver sa photo sur la première page de *Allo Police*.

Pénélope et moi débarquons au cœur de Manhattan, dans Greenwich Village, avec l'idée de se payer un peu de bon temps. Je veux m'emplir la tête de choses nouvelles, rencontrer de gens nouveaux. Pénélope est sûre de son coup: Greenwich Village est l'endroit qu'il nous faut. C'est dans ce quartier que vivent les artistes, les musiciens, les peintres; c'est là aussi que se trouvent les boîtes de jazz. Greenwich Village est, à cette époque, un village paisible, la vie s'y déroule au ralenti et tous les gens se connaissent.

On réussit à dénicher un hôtel qui ne grèvera pas notre budget. C'est un «trou». Un vrai de vrai. La chambre a les dimensions d'un placard. Un lit aux draps douteux occupe toute la pièce. Il faut y grimper pour atteindre les tiroirs de la commode, tiroirs qui nous tombent dessus chaque fois qu'on tente de les ouvrir. Dans un coin, un évier crasseux: il faudra une boîte complète de poudre à récurer pour en venir à bout. La salle de bains est à l'étage, et elle est d'une telle saleté qu'on renonce à s'en servir. On fera notre toilette «à la mitaine», dans la chambre. Pour se laver les cheveux, ce n'est pas pratique du tout; tant pis, on les relèvera en chignon. On se fait une raison: après tout, l'aventure c'est l'aventure! Toutefois, je m'accommode moins bien des autres occupants de la pièce, les coquerelles. Le soir, dès qu'on allume, on en voit, par dizaines, grosses et grasses, qui courent dans toutes les directions, un véritable cirque. Je dois me résoudre à dormir avec un drap sur la tête. Et puis, quand on est jeune, on arrive à dormir n'importe où. De toute façon, on est si peu souvent dans la chambre.

Dès le réveil, on part en expédition, on marche, on marche, jusqu'à user nos souliers. Le midi, on pique-nique sur un banc de parc et le soir on écume les boîtes de jazz. Je me laisse emporter, soûler par le rythme trépidant de New York, par son bouillonnement d'activités. Malheureusement, Pénélope tombe amoureuse d'un garçon qu'elle a rencontré dans une boîte, et bye-bye Pénélope. Elle part pour Vancouver, après avoir partagé avec moi les quelques sous qui restaient.

Quelle naïveté de ma part! Quelle inconscience: rester seule à New York, sans argent, en ne baragouinant que quelques mots d'anglais. Pas de panique! Je décide de me trouver du travail. J'ignore cependant qu'il faut obtenir la fameuse carte verte pour travailler. Mais je ne doute de rien. Tu rêves, Andrée. Mais non, je décroche un emploi de plongeuse dans un restaurant italien, de dix-sept heures à minuit. «À la plonge», comme disent les Français. Des tonnes de vaisselle à laver dans l'eau bouillante; j'en ai la peau des doigts toute ratatinée. Vite, vite, il faut toujours aller plus vite. Et surtout, qu'il ne reste aucune tache, sinon, c'est la porte. Le salaire est maigre. C'est l'été, la chaleur est torride, l'asphalte fond dans les rues, la vapeur qui s'échappe des cuves à vaisselle me donne des étourdissements. Je revois maman travaillant dans les mêmes conditions chez un nettoyeur. Moi, je suis jeune et je suis ici par choix, mais elle, à son âge, c'est les travaux forcés. Une grande bouffée de tendresse me submerge et j'ai pitié d'elle. Je voudrais le lui dire. Plus tard... Je finirai par lui exprimer ma tendresse un jour, mais ce sera trop tard. Il ne faut jamais attendre pour faire savoir à ceux qu'on aime qu'on les aime. La vie passe si vite...

Après le travail, je partage avec les serveurs les restes de la cuisine, ce qui me permet d'éviter les frais d'un repas. Puis, avec l'argent économisé, je sors. Je me maquille dans les toilettes du restaurant: œil de biche dessiné au crayon, rouge à lèvres, queue de cheval bien tirée, et me voilà partie. Je suis mignonne, je crois.

Je ne fréquente que des boîtes de jazz. Cette forme de musique que je découvre me plaît. C'est une musique libre, sans contraintes, qui se permet toutes les folies, toutes les excentricités. Une musique qui a «la folie des grandeurs». Souvent, dans ces boîtes, il n'y a pas de frais d'entrée et on me laisse «téter» mon coke aussi longtemps que je veux. Parfois, quelqu'un m'offre un verre et vient s'asseoir à côté de moi. Mais la conversation est limitée à cause de la langue et comme, en plus, je ne «couche pas», je suis classée «inintéressante».

Un soir, je décide d'entrer dans une boîte un peu plus huppée, où se produit Gerry Mulligan, la star montante du jazz. Ici, on exige un droit d'entrée. Il y a une longue file d'attente devant la porte. Dans la salle bondée, je prends place à une table. Je me vendrais pour un verre de cognac, mais je n'en ai pas les moyens, alors je sirote mon sempiternel Coca Cola. À côté de moi, une chaise reste libre, la seule dans toute la boîte. Soudain, dans la pénombre, une voix à moitié couverte par la musique qui vient de commencer me demande si on peut s'asseoir à ma table. Je réponds: «*Yes*» sans me retourner. À mesure que le spectacle progresse, je sens peser sur moi un étrange regard. Un regard assez insistant qui m'oblige à me retourner vers la personne.

C'est une mulâtresse à la peau chocolat au lait écrémé. Elle me sourit. Qu'elle est belle! Même assise, elle semble grande. Elle a un corps sculptural, taillé au couteau, un corps comme j'ai toujours rêvé d'avoir. Elle engage la conversation et j'essaie de lui répondre du mieux que je peux dans un anglais approximatif, quand, ayant compris que je parlais français, elle me demande d'où je viens, en français. Quelle surprise agréable pour moi, qui ai l'impression de n'avoir parlé à personne depuis le départ de Pénélope. Son français est un peu scolaire; elle l'a appris en France, où elle a vécu deux ans. Je me sens tout de suite en confiance. On papote comme deux pies, tantôt en anglais, tantôt en français. Son accent me ravit et le mien la fait rire. Et quand elle rit, je suis éblouie. Elle a des dents comme les actrices américaines. Une dentition éclatante, des dents si blanches, si droites. Oh! ma mère! pourquoi ne m'as-tu pas faite avec des dents comme celles-là, pour croquer dans la vie? Quand je me rendrai compte, quelques années plus tard, que la science permet de corriger avantageusement ce que la nature n'a pas assez bien fait, je m'offrirai, en vidant mon compte en banque, un sourire comme celui de Nancy. Car elle s'appelle Nancy. Elle est dessinatrice de costumes au théâtre. Quelle coïncidence! Et on papote de plus belle entre chaque *set*. Que je suis bien! Déjà la solitude me pèse moins, j'ai une amie à New York. Une fille, une femme? Elle a trente et un ans, me dit-elle. Je suis gaffeuse sans bon sens, car j'enchaîne naïvement en précisant que, moi, j'aurai bientôt dix-huit ans, mais que ce n'est pas grave, qu'on peut être amies malgré notre différence d'âge. Et je m'enlise dans ma gaffe en disant qu'elle ne fait pas ses trente ans et qu'elle a l'air jeune. Elle me trouve vraiment drôle.

Le spectacle est terminé. L'alcool aidant, nous poursuivons la conversation. Elle me fait boire un *drink* que je ne connaissais pas, mon premier *floater*, une once de cognac flottant à la surface d'un verre d'eau de Vichy. C'est bon! Pour moi qui, quelques semaines plus tôt, faisais encore chauffer ma bière pour me soûler plus vite, ça me paraît le suprême raffinement! Elle me demande où j'habite et je lui décris ma chambre dans l'hôtel miteux. Elle s'exclame: «Mais c'est dégueulasse!» Je lui dis que la seule chose qui me manque vraiment, c'est de pouvoir prendre un bain, me laver convenablement. De l'eau chaude, s'il vous plaît! Message reçu: elle m'offre aussitôt l'hospitalité. «Tu pourras rester dans la baignoire aussi longtemps que tu le voudras.» Oh oui! Merci, merci beaucoup!

Taxi! Direction: Central Park!

Nous descendons dans la Cinquième Avenue, devant une rangée de vieux édifices luxueux datant des années vingt. (C'est dans un de ces immeubles que Jackie Kennedy élira domicile après son divorce d'avec Onassis.) Nous prenons l'ascenseur pour monter à l'appartement de Nancy. Soudain, les portes s'ouvrent sur un vaste salon. Je suis sous le choc. Wow! Pas de corridor, l'ascenseur grimpe directement chez elle!

L'appartement est magnifique. Bien que je n'y connaisse rien en matière de décoration intérieure, en entrant, je sais instinctivement que le raffinement, c'est ça. D'immenses canapés en cuir blanc. Des meubles originaux. Rien de tape-à-l'œil, pas de kit du parfait petit bourgeois, mais des lampes, des objets, des couleurs, des styles différents qui se marient dans une harmonie parfaite. Les objets donnent l'impression d'avoir été placés au hasard, mais, en fait, leur disposition est le fruit d'une grande recherche artistique. L'endroit a de l'âme et de la personnalité. J'essaierai d'ailleurs longtemps de reproduire cette atmosphère dans mes appartements.

Sans succès. J'ai le don d'ajouter, à la dernière minute, un objet ou une tache de couleur qui gâche le tout.

Des toiles abstraites, dont quelques-unes sont de Nancy, ornent les murs. Je lui dis que moi aussi je peins. Quelle prétention de ma part de penser que les quelques croûtes dont je suis l'auteur puissent porter le nom de toiles. Mais Nancy m'écoute. Elle sait écouter. On dirait que tout ce que je dis l'intéresse. Ça me fait chaud au cœur. Je ne la connais que depuis quelques heures et déjà j'ai l'impression, à travers ses yeux, de redevenir un être humain. Un être humain émerveillé comme un enfant devant un arbre de Noël. Depuis quinze minutes que je suis là, je n'ai toujours pas bougé du milieu du salon. Plantée comme un piquet, je contemple par les baies vitrées le soleil qui se lève sur Central Park et les lumières de la ville qui s'éteignent. Tant de beauté! L'émotion me noue la gorge. Nancy respecte mon silence et va faire couler l'eau du bain.

«C'est prêt», me dit-elle. Je la rejoins. Maman, viens chercher ta petite fille, sinon elle va faire une crise cardiaque. Ce luxe, ce n'est pas possible! Pincez-moi, quelqu'un! Je crois rêver, je suis à Hollywood, je suis moi-même sur un écran et je joue dans un film. Mais ce n'est pas un rêve. Il y a vraiment des gens qui ont des salles de bains grandes comme ma chambre de la rue Hochelaga, avec des miroirs partout, du tapis et un bain si grand qu'on pourrait facilement y étendre deux personnes. Nancy s'amuse de mon émerveillement. Elle me propose de dormir sur un canapé du salon, car il est trop tard pour que je retourne à l'hôtel. J'accepte. Je me sens tellement bien avec elle. Elle prend soin de moi. Et cela semble tout naturel. J'ai besoin qu'on prenne soin de moi. Elle ferme la porte de la salle de bains en me signalant qu'il y a un peignoir de ratine à ma disposition. C'est trop, n'en jetez plus, la cour est pleine! Je me déshabille, gravis les deux marches qui montent au bain et m'enfonce dans l'eau chaude jusqu'aux yeux. Des flacons précieux, des fioles de toutes les formes, de très beaux vases contenant des sels de bains et des bains moussant s'alignent sur le rebord du bain. J'utilise un peu de tout. C'est l'abondance et le bien-être. Puis je m'endors.

Je suis bientôt réveillée par Nancy qui frappe à la porte et j'enfile le peignoir. Je suis dans un tel état de détente que je vais directement au canapé et m'y endors, comme une bûche.

Quand j'ouvre les yeux, c'est l'après-midi, et les climatiseurs ronronnent. Nancy est en train de tracer un croquis sur son chevalet. «*Hello, baby!*, fait-elle tendrement. *Had a good night*?» Non, ce n'était pas un jeu, cette femme est vraiment généreuse et douce. Soudain, je reviens sur terre et m'inquiète de l'heure. Cinq heures! Dieu du ciel, je devrais déjà être au boulot, moi! Où sont mes vêtements? Je m'affole. «Tu y tiens tant que ça, à ton travail?» me demande Nancy. Euh... *yes... no!* Bien sûr que j'y tiens, sinon de quoi je vais vivre? Elle me propose alors de rester chez elle, ça va lui donner l'occasion de mettre en pratique son français. Et puis, dit-elle, elle n'a pas le cœur de me laisser retourner dans mon «trou». En ce moment, elle prépare une production théâtrale pour septembre et, si cela m'amuse, je pourrais l'accompagner. Si cela m'amuse? Mais c'est inespéré. Je connais le milieu théâtral américain. Elle aimerait que je garde un beau souvenir de New York pour que j'y revienne souvent. C'est présenté si simplement, avec tant de gentillesse, pourquoi n'accepterais-je pas?

À partir de ce moment, les jours s'écoulent sans heurts. J'accompagne parfois Nancy à son travail et, quand elle prend congé, on visite les musées, on court les magasins. Elle tient à me présenter à ses amis et m'achète des vêtements plus présentables, tout en prenant soin de spécifier, pour me mettre plus à l'aise: «Tu me rembourseras quand tu seras une comédienne reconnue.» Une comédienne *reconnue*! Je n'en crois pas mes oreilles. C'est donc qu'elle croit en moi. *Quelqu'un croit en moi!* Moi-même, je ne croyais plus à mon rêve de devenir comédienne. Et voilà que, grâce à Nancy, ce rêve ressurgit.

Il faut toujours avoir quelqu'un qui croit en soi. C'est presque aussi important que d'y croire soi-même.

C'est chez des amis de Nancy qui habitent de riches résiden-ces à Long Island que je ferai une découverte : la mer. Je n'avais jamais vu la mer ailleurs que dans les magazines et à la télévision. À partir de ce moment, toute ma vie j'irai au moins une fois par année à la mer. C'est mon élément. J'y retrouverai toujours la sécurité et la paix du ventre de ma mère. Aucune blessure ne résis-tera jamais au ballottement et au roulement des vagues. Je ne con-nais pas de plus grand guérisseur.

Peu de temps après, un lien nouveau va se créer entre Nancy et moi, qui va changer la nature de notre relation. Un soir que j'ai très envie d'aller voir un spectacle dans un *supper club*, Nancy refuse, sans raison apparente et d'une façon un peu sèche. Ce n'est pourtant pas dans sa nature. Puis elle se referme sur elle-même. Je sens chez elle une grande tristesse. Ou une angoisse. Je ne sais trop. La seule chose que je sache vraiment, c'est qu'il est préférable qu'elle parle. Je lui demande donc la raison de son refus. Ce qu'elle m'a alors répondu, je ne l'oublierai jamais. Il n'y avait aucune agressivité dans sa voix. Pas de rancœur. Plutôt un sentiment d'im-puissance devant la fatalité.

« Parce qu'à cet endroit on *n'accepte pas les nègres.* »

C'est mon premier contact avec la dure réalité du racisme. Je n'arrive pas à y croire. Comment une différence de couleur de peau peut-elle entraver la liberté d'une personne ? Nancy me parle alors du racisme aux États-Unis, du Ku Klux Klan. Les jours suivants, elle me montrera des toilettes publiques comportant des portes différentes pour chaque race. Je mesure à ce moment-là toute l'hor-reur du racisme. Nancy, une artiste reconnue, ne peut pas fréquen-ter certains lieux parce qu'elle est noire. *No dogs – No blacks*, comme disent les pancartes.

Je tente de la consoler. Mais que dire ? Ce soir-là, je dormirai dans son lit et la bercerai comme une enfant jusqu'à ce qu'elle s'endorme. Je ne dormirai plus jamais sur le canapé. Mais dans le lit de Nancy, avec elle. Je l'aime tant qu'au matin je ne résisterai pas à ses caresses de plus en plus intimes. Avec tendresse, elle m'initiera à une sexualité inconnue de moi jusque-là. Une tendresse dont j'ai tant besoin et qui me fait si cruellement défaut. Il y a une telle complicité entre nous que tout me paraît simple et naturel. Quand aujourd'hui je revis ce moment, je pense à un extrait du livre *La Vagabonde*, de l'écrivain Colette. Elle y parle d'une camarade de music-hall qui préférait les femmes, et d'un homme dit «normal» et bien équilibré qui la jugeait sévèrement. Je laisse la parole à Colette:

«Deux femmes enlacées ne seront jamais pour lui qu'un groupe polisson, et non l'image mélancolique et touchante de deux faiblesses, peut-être réfugiées aux bras l'une de l'autre pour y dormir, y pleurer, fuir l'homme souvent méchant, et goûter, mieux que tout plaisir, l'amer bonheur de se sentir pareilles, infimes, oubliées...»

C'est un soir de la mi-août, alors que je m'apprête à revenir à Montréal, que je réaliserai que je suis la maîtresse de Nancy. Nous sommes à une réception chez des amis. Il y a beaucoup de monde, des hommes et des femmes, la musique est très forte. Alors que je suis en train de me recoiffer dans la salle de bains, j'entends quelqu'un demander:

— C'est qui, la fille avec Nancy?

— C'est sa maîtresse.

En rentrant à la maison, un peu ivre, je repense à la conversation que j'ai surprise et la trouve très drôle. J'en fais part à Nancy. Elle me regarde intensément, puis dit:

— Qu'est-ce que tu penses que tu es pour moi? Eh oui, on vit comme un couple. Et ce qu'on fait dans le lit, ça s'appelle faire l'amour.

Dans ma tête, ça s'allume.

— Ça veut dire que j'aime les femmes? Que je n'aime pas les hommes?

— Ce n'est pas à moi de répondre pour toi, Andrée.

Je suis confuse. Mais si je suis attirée par les femmes, il va falloir que j'assume mes choix. J'ai besoin d'y réfléchir. À partir de ce moment, mes gestes de tendresse sont moins spontanés avec

Nancy. Quelqu'un a mis un nom sur notre relation et je ne sais plus où j'en suis. La vie continue, tranquille en apparence, mais il n'y a plus rien de pareil. De quel côté ma sexualité s'oriente-t-elle?

La réponse prend les traits d'un acteur canadien très connu qui fait carrière aux États-Unis, Christopher Plummer. Il fréquente le même groupe d'amis que nous et me fait une cour éblouissante. Je suis séduite par l'homme, par sa virilité, son charme. Une nuit, je ne rentre pas chez Nancy. Et le lendemain, juste à me regarder, heureuse et rayonnante, Nancy comprend. Je venais de découvrir la passion. Elle m'a dit tout simplement: «Andrée, tu es faites pour les hommes. Rentre chez toi.» Et elle a payé mon billet d'avion pour Montréal. Merveilleuse Nancy.

Quand je repense aujourd'hui à mon étrange aventure new-yorkaise, je m'estime privilégiée d'avoir vécu cette expérience. Tant de gens errent longtemps avant de trouver leur identité sexuelle, ou mettent tant de temps à découvrir le sens de la sexualité dans leur vie. Grâce à Nancy, si l'on peut dire, j'ai appris sans l'ombre d'un doute que j'avais besoin du corps d'un homme pour me compléter. De cette expérience est aussi né mon premier code moral. Pour moi, rien n'est immoral, sauf ce qui fait du mal à quelqu'un. Aujourd'hui, j'ai placé l'exigence plus haut: ne faire de mal à personne, même pas à moi.

No dogs – No blacks. New York m'a aussi appris que sortir du rang, de la norme, ne pas être comme tout le monde, être différent, c'est inacceptable aux yeux de beaucoup de gens. C'est difficile d'être un grain de sable dans l'engrenage des conventions. Cela, j'allais le vérifier de nouveau en venant reprendre ma place dans le Québec dit de la «grande noirceur».

8

De retour à Montréal, je suis toujours amoureuse de l'homme merveilleux qui m'a révélée à moi-même. Mais je suis lucide. Je sais bien que pour lui il s'est agi d'une aventure sans lendemain et que je dois la ranger dans le tiroir aux souvenirs. J'assumerai toujours les conséquences de mes aventures, sans honte, sans regrets ni remords. Contrairement à la majorité des jeunes filles des années cinquante, je n'attends rien des hommes. Ni mariage ni stabilité émotive ou financière. J'ai compris très tôt qu'aucun prince charmant ne viendrait me chercher sur son cheval blanc. Je sais, et ce viscéralement, que ce prince ne peut être que moi, car moi seule pourrai me conduire sur le chemin de l'indépendance, de la liberté et du succès. J'aurai souvent avec les hommes des relations d'égale à égal. Tu me plais, je te plais, partons ensemble; parfois la magie opère, parfois c'est terriblement décevant, parfois ça ressemble à de l'amour mais ce n'en est pas. Quand l'amour sera au rendez-vous, je saurai bien le reconnaître. Mais je me dépeins plus libertine que je ne l'étais vraiment. Si j'avais eu toutes les aventures qu'on m'a prêtées, j'aurais passé ma vie à l'horizontale et je n'aurais jamais pu entreprendre de carrière. Mais soyons flattée. Comme disait papa, on ne prête qu'aux riches.

Pour le moment, je n'ai aucune attache émotive. Aucun domicile fixe non plus. Pénélope, qui est revenue de Vancouver, m'héberge chez elle, dans un minuscule studio. Quand elle invite un type à y passer la nuit, je ramasse mes cliques et mes claques, fourre le tout dans un grand sac de toile que j'ai baptisé mon «baise-en-ville», et déménage. Je trouve toujours un autre endroit, chez l'un ou chez l'autre, pour me dépanner. J'y reste un jour ou deux, puis hop! de nouveau à la rue. À vivre de cette façon, j'aurais facilement pu basculer dans l'itinérance. C'est une idée qui m'a souvent effleurée, car en plus j'aimais l'alcool au-delà du raisonnable et je ne supportais aucune contrainte. Ce qui m'a sauvée, c'est d'avoir un but dans la vie, de suivre le chemin de mon étoile, comme un roi mage. Après toutes ces années, je sais maintenant qu'il suffit de peu de choses pour glisser dans le désespoir total, pour décrocher de tout. Je regarde donc les itinérants avec beaucoup de compréhension.

J'ai gardé de beaux souvenirs de tous ces gens qui m'ont hébergée. Surtout de Janou Saint-Denis, la poétesse. Son immense appartement dans l'ouest de la ville, c'était la maison du bon Dieu. À cette époque, Janou était une sorte de grande prêtresse du mouvement existentialiste. Son mari, le poète Sylvain Garneau, venait de se suicider, et le côté inusité de cette mort l'auréolait d'une sorte de mystère. Janou connaissait tout le monde et tout le monde la connaissait. On pouvait frapper à sa porte à n'importe quelle heure du jour ou de la nuit, elle gardait toujours une place pour une personne en difficulté. On pouvait s'y reposer, y refaire le plein. Une faune étrange habitait chez elle. Je me souviens de Gaëtane, une très grande femme, brusque en paroles mais aux gestes tendres, et qui avait une mouffette comme animal de compagnie. Elle était une véritable mère pour moi. De la chanteuse Moustique, qui sortait d'une réclusion de plusieurs années dans les bois. De son mari amérindien qui restait toujours assis dans le même fauteuil du salon sans dire un seul mot, impassible, inquiétant, regardant fixement devant lui avec un œil perçant un couteau de chasse posé en permanence sur ses genoux. Peut-être était-il effrayé par tout ce monde qui entrait et sortait, et par la musique assourdissante qui jouait du matin au soir.

Parfois, en désespoir de cause, il m'arrivait de trouver refuge chez mes parents. J'avais une clef et j'y avais encore mon lit.

J'arrivais tard le soir, sans faire de bruit, dormais un peu et repartais aussitôt. Certains soirs, je veillais avec papa, le mercredi surtout, car nous écoutions ensemble le *hit parade* à la télévision américaine. Un jour que nous fredonnions les chansons de l'émission, j'ai la surprise de l'entendre dire: «Peut-être qu'un jour toi aussi tu vas être parmi les grands.» Je me sens alors gonflée à bloc. C'est extraordinaire! Après toutes ces années à tenter de le convaincre, voilà que j'ai réussi à le rendre complice de mon grand rêve. Malgré tout, une petite angoisse me pince le cœur: «Eh bien, ma petite Andrée, il faut maintenant que tu livres la marchandise.»

De son côté, maman trouvait que papa et moi étions complètement ridicules. Des rêveurs. Elle n'avait pas tort. Il fallait nous voir, par exemple, papa, grand-maman et moi, les trois membres du club de la folie des grandeurs, regarder chaque année la remise des oscars à la télévision. C'était une tradition à laquelle nous n'aurions manqué pour rien au monde. De vrais fous. Maman nous faisait des bonbons clairs avec de l'eau et du sucre, qu'elle enroulait dans des papillotes de papier ciré. Lorsque arrivait le moment de la remise du trophée de la meilleure actrice, le cœur nous débattait follement. Nous nous imaginions à Hollywood. Grand-maman et papa étaient dans la salle et j'étais une des nominées. La personnalité au micro déchiquetait l'enveloppe... «*And... the winner is...* Andrée Boucher.» Parfois, on se laissait prendre à notre propre jeu, grand-maman criait de joie, papa et moi pleurions. Avec tous les bonbons au sucre que maman nous offrait, et quand on sait que le sucre fragilise les émotions et que papa et moi étions hypoglycémiques, il était bien normal que nous pleurions comme des veaux. J'allais jusqu'à préparer de petites allocutions, des remerciements, dans un anglais approximatif que papa corrigeait. Malheureusement, quand, plus tard, je gagnerai mon premier trophée au Québec, mes parents et grand-maman seront morts. Je n'ai qu'un regret, c'est qu'ils n'aient pu assister à ce succès.

Mais en ces années-là, je ne suis encore qu'une débutante et mon curriculum vitæ se résume à quelques lignes. Le vent commence cependant à tourner.

J'obtiens un premier engagement à la télévision, à l'émission de variétés *À la Romance*. L'animatrice, Lucille Dumont, était considérée, à l'époque, comme la Grande Dame de la chanson. À la maison, toute la famille écoutait régulièrement son émission. Nous nous extasions devant le décor qui, nous en étions convaincus, devait sûrement reproduire l'atmosphère chaleureuse du salon de la Grande Dame : meubles et lampes de qualité, un magnifique tapis, ainsi que le feu dans la cheminée qui semblait réchauffer les invités.

En me rendant à l'enregistrement, j'avais presque l'impression que j'allais être reçue chez la Grande Dame elle-même, dans son intimité. J'ai éprouvé le choc de ma vie en pénétrant dans le studio. Désillusion ! C'était laid à pleurer. Les meubles et les lampes étaient sales, poussiéreux, les pierres de la cheminée avaient l'air d'être faites de papier mâché, le feu était alimenté par une bonbonne de gaz et les bûches étaient fausses. Mais surtout, surtout, le magnifique tapis tressé qui me faisait tant envie était *peint* sur le plancher. Je découvrais l'envers du décor. Toute la journée, pendant les répétitions, je me déplacerai sans aisance dans ce décor. Mais le soir venu, pendant l'enregistrement, je me surprendrai à m'installer confortablement dans cet univers. Il me semble même avoir réchauffé mon trac à la chaleur de la cheminée. Je venais de découvrir que faire ce métier, c'est avant tout créer l'illusion. Faire rêver les gens. Leur fabriquer des rêves travaillés, domptés, tenus en laisse. Je me dis alors que moi aussi je veux faire partie de ce grand rêve, que moi aussi je veux faire rêver les gens.

Cette fois, j'ai la certitude d'avoir fait le grand saut chez les professionnels. Peu de temps après, j'obtiens le contrat d'une pub télévisée, qui doit passer en ondes durant l'émission de variétés *Rendez-vous avec Michèle*, une sorte de *Ed Sullivan Show* à la québécoise. Les conditions de tournage n'avaient alors rien à voir avec celles d'aujourd'hui, où l'on prend jusqu'à trois jours pour enregistrer trente secondes. L'émission et la pub étaient tournées en direct. Pour cette pub, donc, je deviens la porte-parole d'une grande marque d'analgésique, Aspro. Enfin, soyons humble, je n'en suis pas la porte-parole, je sers de porte-bouteille. Pendant qu'une personnalité connue vante à la caméra le produit, je m'avance et dis: «Avec Aspro, la douleur s'en va.» C'est peu. Si peu que je n'ai pas eu à passer d'audition pour obtenir le contrat. Personne n'en voulait. Moi, oui. Pour moi, chanter dans cette émission serait une sorte de consécration, et je me disais qu'en me trouvant sur place j'aurais davantage la chance de me faire remarquer qu'en restant chez moi. Car j'avais déjà, à cet âge, une conception personnelle de ce qu'est la chance.

Pour moi, la chance c'est comme un train qui passe devant tout le monde, sans exception. Il ralentit pour nous permettre d'y monter mais, attention, il ne s'arrête pas complètement. Ceux qui attendent bêtement qu'il s'arrête n'ont donc jamais l'occasion d'y monter. Il faut courir pour y grimper. La chance comporte une part d'efforts. Toute ma vie, aucun travail, même le plus ingrat, ne me rebutera s'il me fait avancer, s'il me fait apprendre quelque chose, s'il me conduit à proximité du train de la chance.

Ainsi, pendant le tournage de l'émission, je ne suis que porte-bouteille, c'est vrai, mais je me trouve dans un studio du matin au soir et j'y apprends beaucoup. Il faut dire qu'un tournage en direct, c'était quelque chose. On répétait tôt le matin, à froid (*cold*, comme on disait), ce qu'on avait mis au point en salle de répétition. On assimilait les déplacements et les manipulations, afin de fixer les mouvements des caméras et de régler les problèmes de son et d'éclairage. Puis c'était la répétition avec l'orchestre. On arrêtait pour le lunch, puis suivait un enchaînement général où on raccordait le tout. La tension montait. Venait ensuite la séance de maquillage et la répétition générale en costumes. Quand arrivait l'heure du souper, personne n'avait faim car le trac s'installait. À dix-neuf heures cinquante-cinq, le régisseur lançait: «Tout le monde sur le plateau, on est en ondes dans cinq minutes!» La tension était alors à son comble. Même après toutes ces années, j'en ai encore la chair de poule rien que d'y penser. Personne dans le studio ne pouvait se permettre la moindre erreur. Tout le monde se disait «merde» et une incroyable montée d'adrénaline s'emparait alors de l'équipe. Tous faisaient corps ensemble, du chanteur au technicien, même moi avec ma bouteille. Un grain de sable dans l'engrenage et c'était la catastrophe.

Il fallait donner le meilleur de soi-même, tout ce qu'on avait dans le ventre, puisque la mise en ondes avait lieu en direct. Si on commettait une erreur, on ne pouvait la rattraper et des milliers de téléspectateurs en étaient témoins. Nous étions des funambules travaillant sans filet. La pression était peut-être insoutenable, mais il en résultait une vérité et une spontanéité extraordinaires. J'en ai retiré les leçons professionnelles suivantes: qu'il ne faut jamais faire semblant de vivre une émotion mais qu'il faut *être* totalement cette émotion, du début à la fin de la représentation. Qu'il ne faut jamais décrocher de la situation, quoi qu'il advienne: qu'un élément du décor s'affaisse, qu'un tableau se décroche, qu'un camarade soit victime d'un trou de mémoire, on continue quand même. *The show must go on!*

Ma participation au sein de l'équipe était si peu importante qu'elle me laissait beaucoup de temps pour regarder les autres travailler. Je ne rate rien, je retiens tout. Apprendre des autres, ce sera mon conservatoire à moi. Encore aujourd'hui, il est rare que je quitte un plateau de tournage ou un studio pour me retirer dans ma loge. Je préfère regarder jouer mes camarades. «Tiens, c'est curieux, je n'aurais pas fait ça de cette façon. Mais «il» (ou «elle») a raison. C'est bon. C'est intéressant.» Au théâtre, je reste toujours dans les coulisses. J'observe. Je veux voir. Et puis, j'ai peur qu'on m'oublie dans ma loge. C'est maladif chez moi, je n'y peux rien.

Le direct convenait bien à ma nature. «Ça passe ou ça casse.» Il fallait jouer le tout pour le tout avec ses tripes. De cette façon de travailler, j'ai gardé une très mauvaise habitude en tant que comédienne, celle de donner tout mon jus, sans me ménager, dès la première prise d'une scène dramatique. Et ce au grand désarroi de certains réalisateurs qui, vu l'intensité du jeu, n'enregistraient pas de nouveau la scène alors qu'ils auraient préféré la peaufiner techniquement.

Je fais aussi mes débuts comme comédienne dans des radio-romans. Comme on était payé des «pinottes», et qu'il fallait bien arriver à joindre les deux bouts, je courais d'une station de radio à l'autre, en autobus ou parfois à bicyclette; c'était de la folie furieuse. Ces émissions aussi étaient diffusées en direct, alors pas question d'accuser le moindre retard, ne fût-ce que de deux minutes. Si on n'avait que deux répliques à livrer en début d'émission et que nous n'étions pas là, le rôle était refilé à un autre comédien, qui déguisait sa voix, et adieu contrat. J'ai enchaîné coup sur coup *Gare Centrale*, à la station CKAC, et *Docteur Claudine*, *Le Calvaire d'une veuve* et *Un homme et son péché*, à CKVL.

C'est incroyable, l'importance qu'avaient alors les radio-romans dans la vie des gens, qu'on appelait plutôt romans-savon parce qu'ils étaient souvent commandités par des marques de lessive. Pendant la diffusion d'un radio-roman, les auditeurs, dont la majorité ne possédaient pas encore de téléviseur, interrompaient leurs tâches quotidiennes et s'agglutinaient autour de leur poste de radio. La vie s'arrêtait pour quinze ou trente minutes. C'était presque religieux.

J'aimais l'ambiance des studios de radio. J'aimais le recueillement des comédiens autour du micro, tournant une à une les pages du texte, avec précaution, pour ne pas provoquer de froissements de papier. Quant au bruiteur, le voir se démener constituait un spectacle en soi. Il entrait dans le studio en ployant sous une pile de soixante-dix-huit tours (il y en avait parfois jusqu'à soixante). Ces disques contenaient l'environnement sonore nécessaire à l'émission: coups de klaxon, sifflement du vent, galop de cheval, roulement de vagues. Souvent, l'effet sonore recherché ne se trouvait sur aucun disque et il devait le recréer lui-même. Quelle ingéniosité il démontrait alors! Quelle dextérité aussi! C'était un véritable ballet. Il fallait le voir sauter dans des chaussures et se mettre à marcher sur place sur un carré de ciment pour imiter les pas d'un homme. Il s'agissait plutôt d'une femme? Hop! il grimpait sur des souliers à talons hauts. Pour des pas sur la neige, il pressait un sac contenant de la fécule de maïs. C'était un véritable homme-orchestre. Ses mains valsaient entre les trois tables tournantes superposées. Une porte était installée à ses côtés, de laquelle il tirait tous les bruits inimaginables: grincements, claquements, verrouillages de serrures, triturations mystérieuses de clefs, glissements de loquets. Mais son accessoire le plus indispensable était sans contredit le revolver chargé à blanc. On mourait beaucoup dans les radio-romans!

En raison du stress associé à leur travail, tous les bruiteurs étaient affligés d'ulcères à l'estomac. Tous sauf Marcel Giguère, qui fut sans conteste le plus célèbre d'entre eux. Son talent dépassait les frontières du Québec; on l'a même approché pour travailler aux États-Unis, pour la chaîne CBS.

Tout comme aujourd'hui, les stations radiophoniques se livraient des guerres de sondages. Les grands concurrents étaient, à ce moment-là, *Le Chapelet en famille* et *Un homme et son péché*. Quelle émission raflait la faveur du public? *Un homme et son péché*, bien sûr!

9

Comment en suis-je arrivée à jouer dans des séries dramatiques à la télé? Eh bien, voilà. Radio-Canada venait d'instaurer un système d'auditions devant jury. Je m'y inscris donc. Je répète mes scènes, je suis prête, mais j'ai un trac fou, un trac si terrible que je suis convaincue qu'il va me priver de mes moyens et m'empêcher d'articuler un seul mot. Comme chanteuse, on ne m'a jamais dit que j'étais mauvaise, alors que comme comédienne, c'est une autre paire de manches; la sentence du directeur du Conservatoire me hante encore: «Prenez un emploi de sténodactylo.» Tout au long de ma carrière, j'aurai d'ailleurs l'impression d'être, non pas une bonne ou une mauvaise comédienne, mais de ne pas être une comédienne du tout. Comme si j'avais usurpé une place.

Comme pour aggraver mon trac, j'ai encore sur le cœur ma dernière audition. Je n'ai jamais été très bonne en audition: je suis timide, je crâne, ce qui me porte à faire des gaffes. Quelques semaines avant les auditions à Radio-Canada, donc, le grand metteur en scène américain Otto Preminger était de passage à Montréal pour trouver l'interprète qui jouerait sa fameuse Jeanne d'Arc dans le film *Joan of Arc*. Je me présente à l'audition dans sa suite du Sheraton Mont-Royal. Je ressemble au personnage, j'ai quelques atouts dans ma manche et j'ai réussi à le convaincre que je parle mieux l'anglais qu'il n'y paraît. Charmant, il m'invite à prendre un verre au bar de l'hôtel avec lui et son assistant. Polie, je veux lui faire savoir que je ne voudrais surtout pas le déranger et je lui réponds: «*But I don't want to* derange *you*». Il s'écroule littéralement de rire. Confuse, je demande ce que j'ai pu dire de si drôle. Son assistant m'explique que le mot anglais *deranged* veut dire «détraqué». Je venais de lui prouver en un mot que je ne pouvais pas jouer en anglais. C'est Jean Seberg qui a eu le rôle.

C'est donc avec ce souvenir en tête que je vois venir l'audition de Radio-Canada. Mais un miracle se produit, le ciel veille sur moi. Dans un corridor, je croise Mme Hogdson, l'éminence grise du service des auditions. Elle lit la panique dans mes yeux et me sauve en une phrase: «Allons, Andrée, ne prenez pas ça comme ça, ce n'est qu'une formalité.» Je ne comprends pas ce qu'elle veut dire, alors elle lâche le morceau. «Mon petit... je ne suis pas sensée vous le dire, mais vous êtes déjà choisie pour un nouveau rôle dans le téléroman *Beau temps, mauvais temps.*» Je lui saute au cou et l'embrasse sur les joues, deux becs qui ont du résonner jusqu'au bout du monde. Merci, madame! Je cours comme une folle dans les corridors. Je n'en reviens pas: je vais faire partie de *Beau temps, mauvais temps!* C'est l'émission vedette pour les adolescents. Marc Gélinas y incarne un jeune auteur-compositeur-interprète (qui est en fait son propre personnage). Il chante dans l'émission, ce qui constitue une innovation pour l'époque. Je vais jouer... enfin jouer!

Je passe donc l'audition et, à moi le rôle de Vicky, une jeune existentialiste vêtue de noir, à la Juliette Gréco. Je signe un contrat pour quinze émissions. J'en ferai vingt. Vicky est devenue une sœur pour moi et je quitterai le personnage la mort dans l'âme. Mais ne quitte-t-on pas toujours un personnage en y laissant une partie de soi-même?

Les effets de cette émission populaire n'ont pas tardé à se faire sentir. Après quelques semaines, ma photo paraît en première page du *Journal des vedettes*, à titre de jeune découverte. Je suis terriblement impressionnée. *Mon* portrait en première page! Dans la rue, au restaurant, au théâtre, on me reconnaît, on me salue. «Bonjour, Vicky.» Il faudra une bonne dizaine d'années avant qu'on dise:

«Boujour, Andrée». C'est merveilleux, cette reconnaissance des gens pour notre travail. Quarante ans plus tard, ça m'étonne encore et me ravit toujours autant. Des amis me demandent parfois: «C'est pas un peu fatigant d'être reconnue partout?» Fatigant! Quelle idée! La raison pour laquelle je fais ce métier, c'est pour être aimée. Alors, quoi de plus important et de plus agréable que d'entendre dire qu'on est aimé. Je ne peux pas trouver «fatigant» de recevoir des preuves d'amour. D'autant plus que l'amour du public n'est jamais totalement acquis. Il faut le mériter chaque jour. Et puis, sans le public, le métier ne pourrait pas exister, les salles seraient vides, il n'y aurait plus d'émissions de télé, plus de pubs, plus rien, et les artistes retourneraient au néant. On l'oublie trop souvent. Malheureusement, à mes débuts dans le milieu théâtral, tenir ce raisonnement équivalait à faire du racolage.

En tout cas, racolage ou pas, que je paraisse en première page d'un journal faisait la joie de papa et de grand-maman. Ils accédaient en même temps que moi à la gloire. Bien maigre gloire, peut-être, mais ils étaient bien fiers. Ce cher papa, qui avait déjà songé à se suicider si je choisissais ce métier, changeait subitement son fusil d'épaule. Un jour, en revenant de son travail, il s'est arrêté à tous les kiosques à journaux et est arrivé à la maison avec des piles de ce fameux journal dont ma photo ornait la couverture. Il fallait les voir, lui et grand-maman. En tendant un exemplaire du journal à une voisine, papa disait: «Regardez donc ça, madame Cadorette, c'est ma fille. Tenez. Vous pouvez garder le journal si vous voulez.» Puis grand-maman d'ajouter: «On en a d'autres à la maison.» Ils les ont tous distribués. Ce geste m'avait profondément touchée, je l'interprétais comme une approbation de la part de mon père sur mon choix de métier. De plus, j'avais l'impression de faire entrer tous les miens dans la lumière.

Les réalisateurs commencèrent alors à penser à moi pour jouer dans des téléthéâtres. Je n'en étais pas encore aux grands rôles, mais, tout de même, je me disais que je jouais. Radio-Canada montait des œuvres magistrales d'auteurs français, anglais, russes et américains, et des créations d'auteurs québécois. C'était inespéré pour nous, jeunes Québécois qui avions été si peu exposés à la culture. C'était une ouverture sur le monde. Quand, en regardant ces téléthéâtres, j'éprouvais un coup de foudre pour un auteur, je me précipitais à la librairie Tranquille pour y lire toute son œuvre. Que d'après-midi j'ai passés dans cette librairie, une vieille maison de la rue Sainte-Catherine qui penchait comme la tour de Pise. À l'intérieur, il y avait des livres partout, du plancher jusqu'au plafond. Des livres qu'on n'était pas forcés d'acheter, car M. Tranquille nous autorisait à lire sur place, réservant même deux fauteuils à cet effet. Mais, à cause de la censure, du fameux «index», entrer dans une librairie tenue par un tel libre penseur équivalait à fréquenter un endroit de perdition.

Le libraire s'est pris d'amitié pour moi et est devenu mon plus sûr conseiller. Bien calée dans un des petits fauteuils, à moitié ensevelie sous les montagnes de livres, je passe des journées à lire tout ce qu'il me propose, romans, pièces, essais. Même des œuvres dont je ne comprends pas un traître mot et que je devrai relire vingt ans plus tard pour en saisir le sens. Que j'aime lire! M'évader dans un monde imaginaire, vivre dans la peau d'un héros, voyager. On n'est jamais seul avec un livre. Et puis, tout ce que je lis à la librairie Tranquille supplée à mon éducation déficiente et devient mon université à moi.

Je me félicite bientôt d'être moins ignare, car je rencontre l'intelligence, l'humour et la culture, incarnés en un seul homme: Jacques Normand. Fantaisiste, il a la jeune trentaine et un charme fou, le charme irrésistible des «hommes à femmes». Sa célèbre interprétation de la chanson *Au bois de Chaville* fait chavirer le cœur des femmes.

Il présentait alors, au cabaret *Les Trois Castors*, une revue qui réunissait quelques grands noms: les comédiennes Juliette Huot et Juliette Béliveau, l'humoriste Marcel Gamache et la chanteuse marseillaise Clairette. Il était considéré comme le roi des nuits de Montréal. À cette époque, les clubs et les cabarets ne désemplissaient pas. Pour les gens, sortir, aller voir leurs vedettes préférées, c'était tout un événement. Les femmes étaient élégantes. Elles arrivaient vêtues de robes *peg-top*, fendues à l'arrière, décolletées, avec de longs gants sur leurs bras dénudés, ondulant des hanches sur leurs talons aiguilles.

L'immeuble abritait trois commerces: au rez-de-chaussée, le restaurant *Chez François*, renommé pour ses côtes de bœuf, le cabaret *Les Trois Castors* à l'étage supérieur et, coincé entre les deux, une petite boîte appelée *Les Scribes*.

J'allais souvent *Chez François*, manger «ma» côte de bœuf ou un «New York cut» de seize onces, seule, en vieille fille. J'ai toujours aimé manger seule dans un restaurant, perdue dans la rumeur des conversations des clients, en feuilletant un magazine. Et puis, j'aimais la viande comme un fauve. Je montais ensuite prendre «mes» cognacs au *Scribes*. Un trio de journalistes-chansonniers y faisaient la pluie et le beau temps. J'avais terriblement envie de chanter, mais j'avais peu de contrats comme chanteuse, alors j'attendais qu'ils aient terminé leur spectacle. J'attendais patiemment jusqu'à trois heures du matin et on me laissait alors monter sur la scène. Je chantais pour pas un rond, simplement pour le plaisir, pour «casser» de nouvelles chansons. Je chantais de tout mon cœur en espérant retenir les quelques clients qui s'attardaient. Tout un défi! Parfois j'y parvenais et j'en étais très fière.

C'est au *Scribes* que j'ai rencontré Jacques Normand. Dès notre première rencontre, il m'a fait une cour raffinée, avec des mots différents de ceux que les femmes avaient l'habitude d'entendre, à cette époque, au Québec, du genre «T'es ben belle, bébé». Impossible de ne pas succomber au charme de Jacques. Il avait l'art de convaincre chaque femme qu'elle était unique. Tout de suite, j'aime l'homme et l'artiste. J'aime aussi son style de vie. Il est entouré d'amis intelligents et raffinés. Il loge dans une immense maison victorienne du Square Mile, devenue depuis le siège d'une ambassade. Il a une gouvernante qu'il appelle «Souris» car ses déplacements sont aussi silencieux que l'animal en question, qualité essentielle pour travailler chez un noctambule qui dort une partie de la journée.

J'étais hypnotisée par le succès de Jacques. Je me rends compte aujourd'hui que je n'avais aucune estime de moi : tout ce que je pouvais lui offrir en échange, c'était mon corps. J'accédais à la gloire par procuration. Je croyais que la gloire allait déteindre sur moi. Je mettrai très longtemps à réaliser que je suis moi-même devenue quelqu'un... quelqu'un d'autre. Mais à ce moment de ma vie, qu'un homme célèbre me remarque, c'était tout juste si je ne lui disais pas merci, merci de me tirer du néant. J'étais une Cendrillon des temps modernes, affolée à l'idée que son carrosse redevienne une citrouille sous le coup de minuit. Et puis, Jacques Normand est raffiné jusqu'en amour. Ce raffinement, que la société d'alors, rongée par le catholicisme, appelle encore le vice, me séduit totalement. Mais, pendant le temps où il m'accordera une certaine importance, je ne serai pas la seule femme dans sa vie. Je suis trop jeune, trop verte pour lui. Il aime les femmes qui lui tiennent tête, qui ont du «répondant». Moi, je suis béate d'admiration devant lui ; ça doit être un peu lassant. Je n'éprouve pas vraiment de jalousie, car je n'ai pas la prétention de pouvoir retenir un homme de cette envergure avec mes maigres moyens. Je sais déjà qu'un joli corps n'est pas suffisant et qu'il faut plus. Alors, je m'accommode de la situation et profite de chaque moment passé en sa compagnie.

Je m'en félicite aujourd'hui, car c'est lui qui, sans le savoir, a forgé une partie de ma personnalité. C'est de lui que je tiens mon sens de la repartie, mon humour mordant, incisif, mon intolérance envers la bêtise humaine. Ai-je été amoureuse de lui ? Peut-être pas, car je n'ai pas souffert de notre rupture. D'ailleurs, peut-on parler de «rupture» dans notre cas ? Non. Un jour, je ne faisais plus partie des favorites, tout simplement, et je n'en fis pas un drame.

Une des difficultés du métier, quand on débute, c'est de se trouver un style. Un style bien à soi. Qui nous différencie des autres. Un style de jeu, bien sûr, mais aussi une allure physique. Jusqu'alors, je ressemblais à toutes les jeunes filles de mon âge, mais voilà que, par la force des choses, je vais subir une métamorphose. Je venais d'obtenir un rôle dans un téléthéâtre à Radio-

Canada, *Les Malheurs de Tchen*, dans lequel j'incarnais une jeune paysanne chinoise. Le jour du tournage, j'arrive tôt à la séance de maquillage car, comme je n'ai vraiment rien d'asiatique, ma transformation s'annonce longue. Ce sont les débuts de la télévision, les produits de maquillage ne sont pas aussi sophistiqués que ceux d'aujourd'hui. Le maquilleur s'attaque donc à la tâche. C'est long et pénible, surtout quand on tire la peau à l'aide de sparadraps pour brider les yeux. Ça fait mal, mais il faut ce qu'il faut. On a prévu une perruque noire pour dissimuler mes longs cheveux châtains. Mais voilà qu'au dernier moment, à l'affolement général, on ne parvient pas à enfoncer la damnée perruque sur ma tête. Que faire? Il faut vite improviser. Le maquilleur brise une palette Max Factor noire dans un bol d'eau et écrase le tout en une bouillie qu'il me flanque sur la tête. Puis hop! un petit coup de séchoir à cheveux. Mes cheveux sont ensuite attachés en un minuscule chignon, rigides comme un casque de fer. On y fixe une longue tresse noire et l'illusion est parfaite. Mais... car il y a un mais, une fois l'enregistrement terminé, mes cheveux sont si secs, si abîmés, qu'il est impossible de les démêler. «Il faut les couper», dit le maquilleur. Quoi? Mais il n'en est pas question! Je dois pourtant me rendre à l'évidence: aucune autre solution n'est possible. On coupe! Je suis désespérée. J'ai l'air de m'être échappée d'un asile d'aliénés. Rendue chez moi, pas question de rester comme ça. Je saisis une lame de rasoir, effiloche certaines mêches et me dessine une sorte de coupe chat. Puis, sur ma lancée, je décolore ici et là au peroxyde. Wow! J'avais créé un look qui avait du punch. Marginal. J'étais devenue une sorte de punk quarante ans avant cette mode!

Quand, quelque temps plus tard, je commence à sillonner les clubs de Montréal et de la province comme chanteuse, je ne ressemble à rien ni à personne. Impossible de me manquer, je suis aussi excentrique que si j'avais un anneau dans une narine.

Je travaille beaucoup dans les clubs. Parfois, je tiens la première partie de spectacles de vedettes consacrées, entre autres du célèbre duo Les Jérolas. Mais, hélas, mes contrats ne sont pas toujours aussi prestigieux. En effet, je chante aussi dans les clubs de la «Main», à Montréal, dont le *Rodéo* et le *Canasta*. Au *Canasta*, les prostituées viennent chercher leurs clients sous mon nez. Parfois elles me les ramènent. Délicate attention. Merci, les *girls*. C'est le métier qui rentre.

Un soir, dans un club dont je tairai le nom, le dernier *show* vient de se terminer et j'attends depuis un bon moment devant le bureau du propriétaire pour obtenir ma «paye» (j'ignore alors qu'il faut toujours se faire payer *avant* le dernier spectacle). Habituellement, on me paie en argent, car je suis mineure et n'ai pas de compte en banque. Exaspérée, je finis par frapper à la porte. Le propriétaire m'apprend que je ne serai pas payée. Il me rit au nez. Ce n'est pas la première fois que j'ai de la difficulté à me faire payer, mais là, c'est trop, c'est «la cerise sur le sundae». Mais je n'ai pas envie de m'obstiner. Je téléphone plutôt à un de mes copains, membre d'une bande de motards. Puis je retourne voir le propriétaire. Non seulement refuse-t-il toujours de me payer, mais il pousse l'arrogance jusqu'à me pincer les fesses. Je ne bronche pas. Quinze minutes plus tard, un vacarme retentit dans l'escalier. Voilà la bande de motards. Ils défoncent la porte d'entrée et commencent à faire tournoyer leurs chaînes devant les bouteilles du bar. Mon copain s'approche du propriétaire et, avec la décontraction d'un Marlon Brando, lui demande: «Pourquoi tu veux pas la payer? Elle a pas ben fait sa job?»

Quelques secondes plus tard, j'avais l'argent en poche.

Il m'arrive aussi de chanter à *l'Auberge du Canada*, près des quais du port de Montréal. Pour cet endroit, j'ai modifié un peu mon répertoire, j'y ai ajouté des chansons de filles de joie, de filles de marins, car c'est une boîte à matelots. Et – ô miracle – ils écoutent. Un peu trop, même. Je dois être très convaincante en fille de joie car, après le spectacle, je dois quitter l'endroit en vitesse précisant que je ne «mixe» pas. «Mixer, ça voulait dire se mêler aux clients et les inciter à consommer. On obtenait une commission sur le verre du client. Et si on voulait partir avec lui, ça nous regardait.

«Je ne mixe pas.» C'est aussi ce que je précise au propriétaire du *Mocambo*, à Sept-Îles, où je chante quelques mois plus tard. Il me répond, un peu déçu: «Bon... ça va aller. De toute façon, la danseuse qui fait son numéro avant toi, elle "mixe", elle.»

Sept-Îles est au bout du monde. Aucune route ne relie la ville à la civilisation. Un avion dessert la communauté une fois par semaine, et un bateau, le *Régent*, une fois par mois. Quand je descends de l'avion, je n'en crois pas mes yeux. Mais je suis débarquée au Klondike, ma parole! On surnomme d'ailleurs la ville le Klondike de l'Est. J'ai l'impression d'entrer de plain-pied dans la ruée vers l'or. Il y a une telle fébrilité, une telle folie dans l'air. On est au début des années cinquante, le chemin de fer qui relie Sept-Îles aux mines de fer vient à peine d'être terminé. Cette petite ville de quelques milliers de résidents permanents compte une population flottante encore plus importante. Des travailleurs du monde entier débarquent chaque jour attirés par les salaires faramineux. Plus de trente ethnies y vivent en harmonie. On ne sait plus où les loger, la ville n'ayant que quatre hôtels et quelques pensions. Les gars couchent dans leur voiture, on les entend ronfler dans tous les terrains vagues de la ville. Il n'y a pas de trottoirs et les rues ne sont pas pavées; quand il pleut, c'est une mer de boue. On construit vite, toujours plus vite: trois mille unités de logement en cinq ans. C'est une ville champignon. Et il y a du bruit partout: bétonnières, tracteurs, camions, grues, ça n'arrête jamais. Mais il y a aussi de la gaieté dans l'air. Les gens sont sympathiques et accueillants. Le soir, les gars veulent s'amuser et ça boit sec, surtout au *Mocambo* où je travaille. L'endroit avait été prévu pour cinq cents personnes, mais on y entasse jusqu'à mille cinq cents clients!

À la pension où j'habite, il y a un gentil monsieur, propriétaire d'un énorme camion, un seize roues. Il vient parfois me reconduire au club. Un soir, il me propose deux cents dollars pour coucher avec lui. C'est une somme énorme pour l'époque. J'ai beau être mignonne, je fais tout de même le saut. «Ai-je bien entendu: deux cents dollars» que je lui demande. Puis je ris à m'en décrocher la mâchoire. «Dommage», soupire-t-il gentiment. Et on en reste là.

Ce ne sera pas la dernière proposition; en fait, j'ai raté là l'occasion de me mettre à l'abri du besoin pour le restant de mes jours. Je n'ai jamais vendu mes charmes. Je les ai donnés, par exemple. Pendant la durée de mon contrat au *Mocambo*, j'éprouverai le béguin pour le portier, une idylle qui durera un mois. Le jour de mon départ, le propriétaire me dira, en me remettant mon cachet: «Pauvre petite fille. T'es sortie gratis avec le *doorman* pis pendant ce temps-là la danseuse s'est fait quatre mille piastres, clair d'impôts. Pis elle est même pas belle.»

J'ai gardé un excellent souvenir de cette drôle de boîte. Par la suite, l'endroit est devenu un club qui accueillait de grandes personnalités du show-business, mais quand je m'y suis produite, ça ressemblait davantage à un hangar d'avion. Et il n'y avait pas de permis d'alcool, on n'y vendait que des boissons gazeuses, à un prix supérieur à celui de l'alcool. Les clients apportaient leur «boire», comme ils disaient. Avant le spectacle, je les voyais empiler leurs caisses de bières à côté de leur table, des bouteilles de gin et de scotch sous le bras. Les tables étaient jonchées de bouteilles. Il est arrivé que certains malcommodes, à qui on avait interdit l'entrée, reviennent se tailler une porte à la tronçonneuse dans un des murs. Le Klondike pour vrai! Le spectacle, quant à lui, comprenait un numéro de chiens savants en ouverture, suivi d'un numéro de danseuse pseudo-latino-américain, puis de mon tour de chant.

Le jour de mon arrivée, j'étais un peu nerveuse, car c'était la première fois que je tiendrais la scène si longtemps toute seule. Mais mon numéro est réglé au quart de tour. Je dépose donc mes partitions musicales devant les quatre musiciens qui doivent m'accompagner. Ce qui devait être une répétition générale vire alors au cauchemar. Aucun des musiciens ne sait lire une partition, ils jouent par oreille. Et le pianiste est complètement «gelé». J'essaie de leur fredonner les airs de mes chansons, j'explique, j'argumente, mais rien à faire. Mon Dieu, ayez pitié de moi, le *show* est dans quelques heures! Dieu a pitié de moi, car j'ai soudain une idée. Je me précipite à la caisse où j'échange un billet de vingt dollars contre des pièces de dix cents. Puis je me colle au *juke-box* et, à coup de dix cents, j'apprends une dizaine de chansons à la mode, celles que les musiciens appelaient alors les «standards». Dont celle du *polka-dot bikini*. Les musiciens les connaissaient toutes.

Le soir venu, j'ai chanté sans faire d'erreurs, et ç'a très bien fonctionné. Il faut dire que ce que je chantais avait peu d'importance, du moment que j'avais un décolleté vertigineux. La preuve? Un soir, la danseuse, qui rêvait de chanter, me propose qu'on fasse chacune le numéro de l'autre. Je me débrouillais assez bien avec les mambos qu'elle devait exécuter. Je revêts donc son minuscule costume et danse à sa place; je «fais sa routine», comme on disait. J'en connaissais tous les mouvements et les déplacements par cœur. Pas difficile, après avoir passé trois semaines à la regarder, à seize ou dix-sept *shows* par semaine! Ensuite, elle exécute mon tour de chant. Après le spectacle, on s'attend toutes deux à se faire engueuler par le propriétaire. Mais non. Même pas. Il ne s'était rendu compte de rien.

Ces tournées des clubs de province m'ont beaucoup apporté professionnellement. J'y ai acquis de la souplesse et des nerfs d'acier. Car les métiers de comédienne et de chanteuse sont parsemés d'imprévus. On ne sait jamais quand une tuile nous tombera sur la tête. Il faut apprendre rapidement, réagir promptement aux situations, parfois même se lancer dans l'eau bouillante avec son seul instinct pour guide et retomber sur ses pattes comme un chat.

Quand je suis revenue à Montréal, je n'avais pas un sou en poche. Je n'étais qu'un «p'tit rien tout nu habillé en bleu», comme disait ma mère. Mais la chance est là, car je me vois de nouveau proposer la prestigieuse émission de variétés *Rendez-vous avec Michèle*. Cette fois, pas question d'être porte-bouteille, je suis invitée à titre de chanteuse. Je serai la jeune découverte. Au même moment, je réussis à convaincre un imprésario qu'il prenne ma carrière en mains. C'est un homme cultivé et intelligent. Il est convaincu que, à la suite de mon passage à cette émission, je commanderai des cachets plus élevés dans les clubs, car, sur les affiches, on pourra ajouter: «Andrée Boucher, découverte de Michèle Tisseyre.»

Mon imprésario croit vraiment en mon talent, il entend faire de moi une grande interprète de la chanson française. J'ai le sentiment que, enfin, je suis sur la bonne voie.

À cette époque, pas question d'obtenir des chansons originales de la part d'auteurs-compositeurs québécois, car les droits d'auteur sont si peu élevés qu'ils équivalent pour eux à faire du bénévolat. Ils préfèrent chanter eux-mêmes leurs chansons. Mon imprésario fait donc venir de Paris le disque de Zizi Jeanmaire, sur lequel se trouvent des chansons inédites ici, des chansons qu'on découvrira plus tard dans la comédie musicale *Irma la Douce*. Je suis excitée. Je vais «créer» des chansons. Mon imprésario me fait dessiner une robe noire, dans le style de celles d'Édith Piaf, mais en y faisant ajouter un long décolleté en pointe. Il faut que le décolleté suggère davantage qu'il ne montre, précise-t-il.

Il réussit à m'obtenir un engagement à Québec, *Chez Gérard*, cabaret prestigieux où se sont entre autres produits Piaf, Trenet et Aznavour. Je suis en vedette américaine du spectacle de Doris Lussier, qui incarne son fameux personnage de Beauceron truculent, le père Gédéon. Dès ce moment-là, Doris Lussier est devenu un ami pour la vie. J'engage à mes frais un accordéoniste, car on ne peut chanter *Irma la Douce* sans accordéon. Je n'ai jamais su pourquoi, mais c'est un instrument qui m'exalte. Sa sonorité me prend aux tripes. À tel point que, quelques années plus tard, lors d'un séjour à Paris, j'engagerai un accordéoniste qui me suivra dans les rues de Montmartre pendant que j'interpréterai pour les passants les chansons de mon répertoire.

Gérard Thibeault, le propriétaire, chouchoute ses artistes, pendant que mon imprésario veille aux orchestrations, soigne les éclairages et surveille de près mon tour de chant. Mais j'ai un problème de taille et mon imprésario me le signale: je bois trop. Je ne suis jamais soûle, jamais je n'ai une attitude déplacée, et mon spectacle est bon, mais j'ai toujours un cognac à la main, avant, pendant, et surtout après le dernier *show*. Je bois avec mes amis.

Enfin, ceux que je crois être mes amis. Pourquoi est-ce que je bois ? Je suis toujours angoissée. Je ne suis jamais bien. Jamais en accord avec moi-même. L'alcool m'apaise. Mais il me fait aussi faire des conneries. Il m'arrive de me réveiller, le matin, à côté d'un illustre inconnu. « Bonjour, monsieur, voulez-vous me rappeler votre nom, s'il vous plaît ? » Mon imprésario tente de me ramener à la raison, il m'engueule, me prévient que je m'autodétruis. Je rétorque en riant : « Que je quoi ? J'ai une santé de fer, moi, monsieur ! Et puis mêle-toi de tes affaires ! J'aime pas les contraintes ! Ma vie m'appartient. Ce n'est pas un imprésario qui va me dicter ma conduite. »

J'ai raté là l'occasion que j'attendais depuis si longtemps pour démarrer une véritable carrière de chanteuse. Mon imprésario fait d'abord preuve de patience, puis, découragé, il me laisse tomber. Je venais de laisser passer le train de la chance sans y monter. Un à zéro pour l'alcool.

Guilda, le célèbre travesti, me prévient aussi que l'alcool risque de me gâter le teint et la taille. Il se produisait souvent à Québec et logeait à l'hôtel Lapointe, au-dessus du cabaret, occupant la plus belle chambre. Je ne dirai pas qu'il m'avait prise en amitié, le mot serait trop fort, mais disons que je l'amusais peut-être. Certains soirs, j'avais l'insigne honneur d'être invitée dans sa chambre pour assister à sa séance de maquillage. Ce qui était exceptionnel. Son travestissement en femme était sidérant. Il se métamorphosait en une créature magnifique. Je passais des heures, assise derrière lui pour ne pas le gêner, à l'observer, m'estimant chanceuse de bénéficier d'une telle leçon de maquillage. Ça valait de l'or. J'y ai appris des techniques que j'utiliserai toute ma vie. En fait, c'est peut-être étrange, mais c'est d'un travesti que j'ai appris l'art de me maquiller.

Au même moment, Luis Mariano, le célèbre chanteur d'opérette, se produisait dans un autre cabaret de Québec, *La Porte Saint-Jean*. Je décide un soir, une fois mon spectacle terminé, d'aller le regarder travailler sur scène. « Vas-y, Andrée, on ne sait jamais, tu peux peut-être y apprendre quelque chose. » Alors là, pour apprendre, j'ai appris... Dès que je l'aperçois dans les coulisses, je me rends compte que nous avons un point en commun: nous aimons tous les deux les hommes. En effet, pendant que je l'observe se préparer à entrer en scène, il est soutenu dans ses ultimes préparatifs par son jeune amant. M. Mariano, tout de blanc vêtu, se gargarise et recrache dans une bassine que lui tend son assistant, un jeune éphèbe beau comme un Dieu et qui le dévore des yeux. Puis, l'éphèbe tend au chanteur une boîte de kleenex. Je sais que les chanteurs à voix ont coutume de dégager férocement leurs sinus avant d'entrer en scène. Pour m'éviter ce spectacle, je plonge mon regard vers le sol, le temps que M. Mariano en ait fini avec ses sinus. Mais comme, après un moment, je ne l'ai toujours pas entendu se moucher, je relève la tête. Surprise! Le pantalon de Luis Mariano est détaché et son assistant enfouit un à un les kleenex dans son slip. Et M. Mariano de dire: «Toujours à droite. Tu sais que je porte à droite.» Comme je l'ai mentionné précédemment, ce métier est de créer l'illusion. Y compris celle d'être doté d'un appareil mâle propre à faire s'évanouir les admiratrices. Dire que toute une génération de femmes a fantasmé sur une boîte de kleenex; c'est trop drôle. Et que dire de tous ces mâles qui ont dû subir les sarcasmes de leur femme le soir de leurs noces: «Ouais, ça vaut pas Luis Mariano!»

Mon contrat à Québec terminé, je reviens à Montréal. Qu'est-ce qui m'attend? Je me trouve un jour attablée au *Café des Artistes* avec des copains lorsqu'un réalisateur se joint à nous. Il me demande d'enlever mon béret pour voir la longueur de mes cheveux. «C'est court, constate-t-il. Mais on va pouvoir te mettre une perruque.» Je m'exclame: «Ah non! pas encore une perruque?»

Finalement, j'accepte, car il me propose de jouer dans la plus importante série jamais produite par Radio-Canada jusqu'à ce jour. «Merci, monsieur le réalisateur.» Je monte aussitôt signer mon contrat. Le rôle est sans grande importance, sans panache, c'est de l'alimentaire pour gagner ma vie; tout au plus ai-je la perspective d'un tournage à l'extérieur de Montréal. Je ne me doute cependant pas que je viens de signer un pacte avec le diable. Je partirai bientôt pour un long voyage dont on ne revient jamais intacte: la passion totale, l'amour fou, destructeur.

10

Le tournage va commencer. Le minibus de Radio-Canada laisse sa cargaison de figurants et de petits rôles devant l'hôtel de Magog. Je m'apprête à descendre avec le menu fretin quand le chauffeur m'annonce qu'il n'y a plus de place à l'hôtel et que je devrai loger au motel *L'Étoile*, face au magnifique lac Memphrémagog, avec le réalisateur, les vedettes et l'équipe technique. Après, on verra.

Il n'y a pas eu d'«après», je n'ai jamais quitté le motel. J'y ai fait mon nid. C'est là qu'«IL» m'attendait. Je l'appellerai tout simplement IL parce que ce n'est pas son histoire que je raconte ici, mais la mienne. Ma vérité à moi. La sienne, je ne la connais pas, puisque depuis trente ans nous ne nous sommes jamais adressé la parole. Un silence réprobateur s'est installé entre nous, comme si j'avais commis une faute impardonnable. La rumeur publique ne me permet pas d'ignorer qu'il m'a toujours considérée comme une folle. Folle, je l'ai sûrement été. Folle d'amour. Folle de passion. Puis folle de chagrin et de désespoir, avec tous ces gestes incohérents que l'on fait en pareil cas. Mais je n'avais que vingt-deux ans au moment de notre rupture. Ne pourrait-on pas supposer que, depuis, la vie m'a fait évoluer? S'il y a eu faute de ma part, ne pourrait-on pas me dire laquelle? Et peut-être pardonner? Trente et quelques années de malentendus, il me semble que c'est bien long. Mais, même si je me questionnais jusqu'à ma mort, jamais je ne comprendrai que deux êtres qui se sont aimés avec tant de passion puissent en arriver là.

C'était une belle nuit de fin d'été. L'air était doux et je nageais dans l'eau froide du lac. C'est alors qu'IL plonge à son tour et me rattrape au large: «Tu t'aventures trop loin.» Il nage à mes côtés. Mieux que moi, car il est sportif. Son corps en témoigne; quand il sort de l'eau, je suis éblouie par sa longue silhouette: de larges épaules, des hanches étroites, des jambes longues et musclées. Une véritable statue grecque. Son esthétisme ne suscite pas tant chez moi du désir que de l'admiration. Je l'admire comme j'aurais admiré une œuvre d'art. Je comprendrai plus tard que le culte qu'IL voue à son corps a pour raison de lui faire oublier son visage, qu'il hait, car il se trouve laid. Au cours de notre relation, mon amour pour lui me fera trouver les mots nécessaires pour le convaincre du contraire, tant et si bien qu'un jour il me quittera pour une autre. La leçon n'a rien donné, je porterai toujours mes hommes aux nues.

En sortant de l'eau, IL me suggère d'en faire autant: «C'est pas prudent de nager seule la nuit.» La délinquante que je suis lui aurait normalement ri au nez, mais il est trop tard, je suis déjà sous son emprise. J'obéis. Je m'enveloppe dans ma serviette de plage. IL me propose alors: «Veux-tu un chandail? L'eau était froide.» Comme je n'ai apporté avec moi aucun lainage, j'accepte. Je le rejoins à sa chambre. J'ai souvenir d'une douche chaude, d'un grand pull d'homme qui me couvre jusqu'aux genoux et d'un verre de gin tonic.

Le lendemain matin, quand j'arrive à la séance de maquillage, toute l'équipe sait déjà que j'ai passé la nuit avec lui. Je confie au maquilleur que je suis amoureuse et il ne sourit pas. Je dois être convaincante. Toute la journée, j'attends qu'une séquence du tournage nous mette en présence l'un de l'autre. Quand arrive enfin ce moment, IL me sourit, un peu moqueur, et pose sa main sur mon épaule. J'ai l'impression que le contact de sa main me brûle la peau. Je prie le ciel pour qu'il m'aime aussi. Les heures passent. J'attends jusqu'au soir, évoluant comme une somnambule. Voudra-t-il me garder auprès de lui?

Mais j'en suis vite séparée car mon contrat arrive à sa fin et que je dois rentrer à Montréal. Comme je n'ai pas de domicile fixe, je lui ai laissé le numéro de téléphone de mes parents, où j'habiterai pour quelque temps. J'attends. Je préviens toute la famille: «Surtout, avertissez-moi s'il appelle.» Et je les tiens au courant de mes moindres déplacements. «Dites-lui bien que je serai à tel endroit, que je finis de travailler à telle heure et que je rentre tout de suite après.» Je fais des scènes si quelqu'un occupe la ligne. Je ne vois plus personne. Mon Dieu, faites qu'il téléphone!

Il téléphone.

Et j'accours auprès de lui. Maman me prévient que je ne suis pas assez indépendante, mais je sens déjà, avec l'intelligence du cœur des femmes amoureuses qui devinent davantage qu'elles ne raisonnent, que si je ne lui facilite pas la tâche, IL ne fera pas les premiers pas. Il a si peu confiance en lui, en son charme, en son charisme.

Quand IL vient me chercher chez mes parents la première fois, je suis excitée comme une adolescente. Mais non, même pas, je n'ai jamais vécu une situation semblable, jamais encore un garçon n'est venu me chercher chez moi.

Un soir, il vient à la maison et nous veillons dans ma chambre. Maman vient frapper à la porte aux quinze minutes pour s'assurer que nous ne manquons de rien. «Avez-vous soif? Vous mangeriez peut-être un petit quelque chose? Vous êtes certains que vous n'avez pas faim?» Indiscrétion ou peur du sexe, je ne saurai jamais ce que cachait cet acharnement à interrompre notre tête-à-tête. Nous n'aurions tout de même pas osé faire l'amour en sachant mes parents dans la pièce voisine.

Aussi, les fois suivantes, quand IL vient me chercher, il préfère ne pas descendre de voiture; il klaxonne devant la porte et je cours le rejoindre. La scène attire tout le voisinage à sa fenêtre. Ce n'est pas tous les jours qu'on voit une vedette de la télévision, au volant d'une voiture américaine unique au Québec, une Lincoln Continental noire, longue comme une limousine, sinistre comme un corbillard.

Nous partons ensuite en voyage d'amour, pas très loin, sur la Rive-Sud de Montréal. Les motels y pullulaient. Nous les avons tous essayés. Une sorte de rituel. Ce sont surtout les seuls endroits où nous pouvons nous aimer, car même si IL est de dix ans mon aîné, il habite toujours chez ses parents. Ces motels sont tout ce qu'il y a de plus ordinaire, mais en sa compagnie ils me paraissent aussi luxueux que des châteaux. Quand la porte se referme sur nous, la terre entière cesse d'exister. D'ailleurs, plus rien n'existe pour moi que le bonheur d'être avec lui; même mon travail est du temps que je vole à l'amour.

Nous songeons bientôt à vivre sous le même toit et nous partons à la recherche d'un appartement. Ce n'est pas facile. Au premier endroit que nous visitons, le concierge me fait remarquer que je ne porte pas d'alliance au doigt et en déduit que nous ne sommes pas mariés; il n'est donc pas question qu'il nous loue l'appartement. Aussi, c'est bien habillés et la bague au doigt que IL et moi nous entreprenons la visite d'un autre appartement. Cette fois, nous croyons avoir réussi à duper le concierge. Tout va pour le mieux jusqu'à ce que celui-ci se mette à dévisager IL. «Ben voyons donc! fait-il, fronçant les sourcils. J'te connais, toi! Tu fais de la télévision. Je l'sais que t'es pas marié. C'est pas ta femme, *ça.*»

On finit quand même par trouver quelque chose, à proximité du mont Royal. C'est joli; c'est moi qui en fais la décoration, d'après les goûts de IL, bien entendu. Je ne veux rien d'autre que ce qu'il aime. Ma vie tourne entièrement autour de lui. Je rêve d'épater ses amis en étant une parfaite maîtresse de maison. Sa sœur, qui habite à deux pas, m'apprend à cuisiner. Je suis une très bonne élève mais je voudrais être *parfaite*. Mon Dieu, faites qu'il m'aime! Il faut dire qu'il ne me le dit jamais. Et qu'il traverse une période creuse comme comédien. Il n'a plus aucune confiance en lui, il ne sait pas encore qu'il a du génie. Il est ébranlé et part souvent sur des brosses qui durent plusieurs jours. Pendant ce temps, je suis folle d'inquiétude et la jalousie s'installe en moi. Où est-il? Que fait-il? Avec qui? J'ai du mal à fonctionner. J'en viens même à ne plus fonctionner du tout. J'attends. Je ne fais qu'attendre.

Quand il revient après plusieurs jours, ivre, il est fou de colère contre lui-même et il lui arrive de casser tout ce qui lui tombe sous la main. Il hurle qu'il ne vaut pas plus que de la merde, qu'il est laid. Il se couche sous le lit et y reste toute la nuit. Moi, dans le lit, je pleure doucement. J'ai peur. Pas de lui, mais *pour* lui. Quand je m'éveille au matin, ma tension s'estompe d'un seul coup. Pour moi, la vie peut reprendre son cours normal. Tout est rentré dans l'ordre, IL est revenu. Je n'en demandais pas plus. Je savais qu'il me trompait, car on me le disait. C'était humiliant, mais je faisais fi de l'humiliation parce que je l'aimais. Je n'avais plus aucun amour-propre.

Cette relation accaparait toute mon attention et toutes mes énergies, me laissant peu de temps pour m'occuper de ma carrière. Je faisais à l'occasion des *club dates*, les fins de semaine. Les *club dates*, c'étaient ce qu'on appelle maintenant des galas. Je chantais dans les grands hôtels, à l'occasion de congrès d'organismes tels les Lions, les Chevaliers de Colomb ou le regroupement des Irlandais de Montréal. C'était payant et agréable à faire mais, surtout, ça ne m'éloignait pas longtemps de IL.

Pour entrer dans le circuit des *club dates*, il fallait savoir chanter en plusieurs langues et avoir un répertoire varié, de *Bambino* à *The Man I Love*. J'obtenais toujours un certain succès à la fête de la Saint-Patrick avec *It's an Irish Lullaby*. Il fallait aussi avoir de la classe; on vous évaluait beaucoup sur les apparences, surtout sur la qualité de vos robes. Je n'avais pas les moyens de me payer des robes de grands couturiers, alors je faisais copier des modèles de Dior par une excellente couturière. Puis j'achetais des cravates Dior et en faisais découdre les étiquettes, pour les faire ensuite recoudre à l'intérieur de mes robes. Je paraissais ainsi posséder une collection complète du grand couturier Dior et IL héritait de cravates magnifiques. Les femmes de chambre, dont certaines étaient un peu snobinardes, me traitaient comme une reine, convaincues que j'étais une riche vedette. Il suffisait d'y penser!

Cependant, je considérais que le temps consacré à mon travail était du temps volé à IL. S'il me trompait, c'est parce que je n'étais pas assez disponible. Et pourtant, je lui consacrais tout mon temps et toutes mes énergies. Je mettais de côté mes besoins, mes goûts, mes envies, ce qui constituait pour moi les plaisirs de la vie. Je ne fréquentais plus mes amis, seulement les siens. Si je dansais, c'était avec lui, si je sortais, c'était avec lui. Lui, lui, lui! Je ne voulais que lui plaire, l'adorer, l'écouter. Passion dévorante. Mais était-ce de l'amour? Qu'est-ce qui différencie l'amour de la passion? Peut-être la continuité, la tendresse, la complicité, une sorte d'apaisement qui s'installe avec le temps, tout doucement. Et une certaine confiance en l'amour de l'autre. Avec IL, j'étais toujours en état d'anxiété. Serait-il encore là quand je rentrerais? L'angoisse m'habitait en permanence, celle de ne pas être à la hauteur, d'en faire trop ou pas assez.

Quand je me suis rendu compte que j'étais enceinte, j'ai tout de suite su que j'avais fait «quelque chose de mal». Quelque chose de trop. Quelque chose qui allait causer ma perte. IL et moi n'avions jamais élaboré ensemble de projets d'avenir, nous ne vivions que le moment présent, comme s'il ne devait jamais y avoir de lendemain. En lui apprenant que j'attendais un enfant, je me suis sentie honteuse. Il m'a dit: «Je ne veux pas d'enfant» et je lui ai tout de suite répondu: «Moi non plus.» Comment aurais-je pu vouloir quelque chose qui lui était désagréable? Il y avait si longtemps que je vivais enchaînée à ses moindres désirs que j'en avais oublié les miens. Est-ce qu'au fond de moi je désirais un enfant? Je ne le saurai jamais. La seule chose que je savais, c'est que je ne pouvais pas me passer de IL. Je l'avais dans le cœur, dans la peau. Tout le reste me paraissait sans importance. Même un avortement? Mais oui, même un avortement.

Mais, Dieu merci, il ne sera pas nécessaire d'en arriver à cet extrême car une de ses sœurs m'informe d'une façon de «faire passer l'enfant». À cette époque, la contraception n'existait pas, les femmes se débrouillaient comme elles le pouvaient. Je suis donc ses conseils et me procure à la pharmacie des pilules de potasse, que j'insère dans le col de mon utérus. Elles doivent provoquer une dilatation du col et m'assurer un avortement spontané. Après vingt-quatre heures de crampes intolérables, je saigne abondamment, accueillant avec soulagement ce que je crois être mes règles. J'étais sauvée.

Mais je sens que mon corps n'est plus le même. J'ai des nausées, mes seins sont douloureux et je dors beaucoup. Je me convaincs que ce n'est rien, que ce sont les effets de la potasse et que tout va rentrer dans l'ordre, et je n'y pense plus. Enfin, je ne *veux* plus y penser. Mais, quelques mois plus tard, je ne peux plus nier ce que mon corps essaie de me faire comprendre: je suis enceinte. Je suis affolée. Mais voyons, j'ai saigné! J'AI SAIGNÉ! Je cours à la pharmacie. Test de grossesse: positif. Le ciel me tombe sur la tête. Je prends rendez-vous avec l'avorteur, dans la grande maison où la radio joue à tue-tête. Après m'avoir examinée, son verdict tombe comme un couperet. Trop tard! «Vous êtes enceinte depuis près de dix-sept semaines. Je ne touche pas à ça. Trop risqué.»

Quand je rentre à la maison, je ne sais plus que faire. J'espère un miracle; IL va peut-être vouloir garder l'enfant. Non, il n'en veut pas. Il est toutefois prêt à le reconnaître, à lui donner son nom et à me payer une pension. Je crie. Je hurle. «Je ne veux pas de ton sale argent! Ton argent qui va nous séparer définitivement! Je suis capable de faire vivre mon enfant toute seule!» Puis je craque: «Je t'en supplie, garde-nous tous les deux!» Dans le fond, ce que j'essaie de lui dire, c'est que c'est *lui* que je veux. Mais tout sort de travers et mon message ne passe pas mes lèvres. Je suis devenue une furie qui ne sait que crier et pleurer. IL est exaspéré. Il me propose de me payer un studio pas loin de chez lui pour que j'y termine ma grossesse. C'est une fin de non-recevoir.

J'emménage donc dans un studio meublé. Mais je suis incapable d'habiter l'endroit, l'angoisse me ronge, j'étouffe. Je supplie IL qu'il me reprenne. Non. Oui. Parfois, il flanche, me permettant de revenir à la maison et de dormir avec lui. Je fais alors comme si rien n'était fini entre nous. Mais le climat se détériore davantage quand quelqu'un de son entourage lui met dans la tête que je me suis arrangée pour tomber enceinte, pour me faire épouser, pour le coincer. Ce quelqu'un de son entourage, c'est sa mère. Mais je ne le sais pas encore. Je ne l'apprendrai que beaucoup plus tard. Quand il sera *trop tard*. Pour le moment, je fais confiance à cette femme. Mes protestations sont sans effet: «Mais écoute-moi! J'ai saigné! J'étais certaine de ne plus être enceinte! Je ne l'ai pas fait exprès! Je ne veux pas me marier! Je ne l'ai jamais voulu!», IL ne me croit pas. Sa mère a gagné.

J'ai besoin de travailler pour ne pas devenir folle, et pour acheter le nécessaire à l'enfant qui va bientôt naître: layette, parc, poussette, chaise haute. Je saisis l'occasion qui m'est offerte de jouer dans le téléthéâtre *Procès pour meurtre*, qui sera diffusé en quatre épisodes à Radio-Canada. Je ressens une grande fierté à l'idée d'acquérir une indépendance financière. Pas question d'accepter l'argent de IL. Pour obtenir le rôle, je cache à mon employeur que je suis enceinte, et quand les enregistrements débutent, je suis boulotte mais personne ne peut vraiment déceler mon état. Seul le costumier, Yvon Duhaime, ne s'y trompe pas. Mais il ne le révèle à personne. Pendant les dernières semaines de l'enregistrement, alors que j'entame mon huitième mois de grossesse, il ira jusqu'à créer pour moi des manteaux amples et somptueux pour dissimuler mon ventre.

La nature est toujours la plus forte, toujours. En effet, un grand changement s'opère en moi. Dans tout mon corps. Dans mon cœur. Je suis touchée par une sorte d'état de grâce. Je ne rejette plus cet enfant qui va naître. Je le veux, j'ai l'impression de couver un œuf, je ressens une grande sérénité. Je me trouve un gynécologue. Je mange mieux, je prends du calcium, bref, je me soigne. Bien sûr, je fume et je bois, mais à cette époque personne ne savait encore que c'est dommageable pour l'enfant. Que c'est étrange de sentir l'enfant bouger dans mon ventre. Je ne peux m'empêcher de penser à ce que nous allons devenir tous les deux.

Par un journal à sensation, mes parents en viennent à apprendre ma grossesse, et c'est l'horreur! Je dois affronter mon père au téléphone. Il est en colère, il a honte – que vont dire les voisins? –, il m'interdit désormais de remettre les pieds à la maison. Maman n'ose pas contrer ses directives tandis que, derrière mon père, mon jeune frère – je l'entends encore – clame que je suis une putain. Tout mon univers s'écroule. J'ai alors le sentiment d'être reniée par tous ceux que j'aime. Mon grand rêve avait été de les faire entrer dans la lumière mais, finalement, tout ce que j'étais parvenue à faire, c'était de les plonger dans l'ombre, voire la noirceur. À jeter sur eux l'opprobre. J'étais une fille-mère. Une petite bonne à rien. Un échec.

J'accouche le 21 octobre à l'hôpital Sainte-Justine. IL paie la chambre et, à la suggestion de sa sœur, me fait parvenir un bouquet de fleurs. Il me rend visite (à peine quelques secondes), mais refuse de se rendre à la pouponnière. Il est cohérent avec lui-même: il ne voulait pas d'enfant, il n'en veut toujours pas. Pourtant, moi non plus je n'avais rien demandé.

Je viens de traverser trente heures de souffrances intolérables pendant lesquelles j'ai réclamé à cor et à cri une anesthésie. On ne m'a exaucée qu'au cours des deux dernières heures, de peur que mon cœur ne flanche. Pendant l'accouchement, je n'ai cessé d'appeler ma mère. Vainement. Mon père lui a interdit de venir. Un orage se déchaînait et la pluie fouettait les vitres. Par une fenêtre qui ne se fermait pas hermétiquement, le vent hurlait un sifflement continu, comme la plainte d'une bête. Ce vent a été le seul compagnon de ma douleur, de ma solitude. Encore aujourd'hui, ce bruit m'est insupportable.

L'enfant est une belle fille d'un peu plus de trois kilos et demi. Une sœur de IL, qui a déjà trois enfants, se demande où je vais loger en sortant de l'hôpital. Je n'en sais rien. Elle me propose de m'héberger pour un moment, espérant que la vitalité et le sourire irrésistible du bébé charmeront son frère. Toutes les deux, on se prend à espérer. Mais IL ne rendra pas visite à l'enfant.

Le baptême sera une comédie bien orchestrée pour sauver les apparences. À l'église IL et moi nous tenons côte à côte, comme père et mère de l'enfant. La gentille sœur et le meilleur ami de IL servent de marraine et de parrain. Le parrain ne s'occupera jamais de l'enfant, mais je lui pardonne; à cette époque, il buvait tellement qu'il n'a jamais dû se souvenir de ce jour-là. Une réception a ensuite lieu chez IL. Je retrouve l'endroit qui avait été *ma maison* et constate qu'il n'y subsiste aucun souvenir de moi. Les parents de IL sont là, ses amis aussi, venus trinquer, au champagne, à la santé de l'enfant. L'enfant, en fait, est absent. La sœur de IL a quitté très tôt la réception avec le bébé. Il ne faut pas que l'enfant soit là. IL ne veut pas le voir. La sœur de «IL» comptait aussi me ménager un moment d'intimité avec son frère. Les invités finissent par partir, sans savoir qu'entre IL et moi, c'est fini. Sans savoir non plus que IL ne veut pas de l'enfant. Pour un beau simulacre de baptême, c'est un beau simulacre. Quand nous nous retrouvons seuls, IL et moi, je suis d'une fébrilité extrême. Va-t-il me garder auprès de lui? J'ai retrouvé ma taille et je me suis faite belle. M'aimera-t-il?

Oui, le désir est toujours là, intact, puissant, dévastateur, car nous nous retrouvons physiquement. Pendant nos échanges passionnels, il me dit que je suis folle, et quand nos corps sont apaisés, quelques mots lourds de sens s'échappent de sa bouche, comme une plainte: «Dommage que maintenant il y ait un bébé.»

Intérieurement, je me dis que, oui, il y *a* un bébé. Que je ne peux pas tuer ma fille. Qu'elle existe. Que je l'aime déjà. Je suis aussi consciente que IL exige l'exclusivité de mon amour. Mais je ne dis rien à IL, je pleure doucement. IL est mal à l'aise et je sens tout de suite que la lune de miel est terminée.

Je retourne vivre quelque temps chez sa sœur. Je reviens souvent chez IL, espérant que tout reprenne entre nous. Mais je comprends vite que nous jouons tous deux la comédie, que nous faisons semblant d'ignorer la situation, que nous tentons de vivre comme si rien ne s'était passé, comme si l'enfant n'existait pas. Je me dégoûte. Je ne veux plus jouer ce jeu. Faire semblant, c'est trop. J'annonce donc à IL que j'ai trouvé un appartement et que je vais m'y installer avec la petite. C'est faux, je n'ai encore rien trouvé. Mais j'ai la ferme intention de le faire. IL me fait alors remarquer qu'il ne m'a jamais demandé de partir. Que je peux rester. Que c'est ma décision. Je n'en crois pas mes oreilles. Si je ne suis pas encore folle, je vais le devenir. Il faut fuir. Ne plus entendre parler de IL. Ne plus fréquenter qui que ce soit de son entourage. Refaire ma vie.

Je quitte donc l'appartement de sa sœur sans dire à personne où je vais. Je ne sais d'ailleurs pas moi-même où je vais. Je finis par louer une chambre dans une maison de chambres pour touristes, parce que je n'ai rien pu trouver de mieux. Comme il n'y a pas de lit pour la petite et que j'ai peur de l'écraser pendant mon sommeil, je lui confectionne une couchette dans un tiroir de la commode. J'en tapisse le fond et les côtés avec des serviettes; il me semble que c'est un berceau confortable et sécuritaire.

Il faut maintenant que je prenne ma vie en mains, que je me ressaisisse. Je dois procurer à mon enfant des conditions de vie plus décentes. Pendant trois jours, j'arpente les rues de l'ouest de la ville en quête d'un nouveau logement. Je réussis finalement à en dénicher un à proximité de Radio-Canada, près de mon travail, dans la rue Tupper. (Dans ce temps-là, les studios de Radio-Canada se trouvaient boulevard Dorchester, entre Bishop et Mackay.) C'est petit, un rez-de-chaussée qui donne sur une cour arrière. Je me procure quelques vieux meubles à l'Armée du Salut et récupère le parc de ma fille, sa bassinette, sa chaise haute, et je m'installe. Ce n'est pas luxueux mais c'est coquet. Je me souviens d'avoir chuchoté à l'oreille de ma fille, le premier soir : «Mon bébé, on va essayer d'être heureuses ensemble.»

Encore une fois, le ciel veille sur moi, car un contrat inespéré m'est proposé. J'incarnerai le personnage de Gloria Sénécal dans un téléroman de Mme Jean Desprez, *Joie de vivre*. Mme Desprez est un auteur respecté et aimé du public. C'est une femme intelligente, articulée, excentrique, féministe avant l'heure, qui s'implique socialement et qui n'a pas peur de monter aux barricades pour défendre ses opinions. La connaître était un privilège; jouer ses textes, un grand bonheur. Jusqu'alors, les personnages de téléromans s'exprimaient dans un français international, ou normatif, comme diraient les étudiants d'aujourd'hui. Innovatrice, Mme Desprez décide de créer quelques personnages qui parleront le langage de la rue, qu'on appellera plus tard le joual. Mon personnage est de ceux-là.

C'est donc avec un grand bonheur et l'espoir d'acquérir une relative aisance financière que je reprends le travail. J'emmène souvent ma fille aux répétitions et elle est sage comme une image. Toutefois, lorsque nous sommes revenues à la maison, elle pleure sans arrêt. Quant à moi, je suis seule, sans amis. Je ne sors jamais, sauf pour travailler, car les gardiennes coûtent une fortune. Je ne me permets le luxe d'une gardienne que les jours où l'on enregistre ou pour faire des *club dates*, contrats que j'accepte afin d'arrondir mes fins de mois. Mon personnage de Gloria n'est pas de toutes les émissions et je ne vis pas richement. Mais ça va. Je me débrouille.

C'est moralement que je traverse une période difficile. Car mes relations avec IL ont repris. Même s'il est amoureux d'une comédienne très connue, il vient régulièrement me voir, me prévenant à l'avance pour que l'enfant ne soit pas là. Ces soirs-là, je fais garder ma fille à l'extérieur. Notre entente physique est intacte et il m'offre de nouveau de l'argent pour nous aider à vivre, mais je n'en veux pas. Maudit orgueil imbécile! Je suis sotte, butée. Je le veux, *lui*. Pas son argent. *Seulement lui.*

Maman me dit que j'ai tort de refuser cet argent. Elle vient parfois me rendre visite rue Tupper, en cachette de papa. Elle me tient compagnie. On parle peu, on ne sait trop quoi se dire, alors elle tricote pour l'enfant, sa première petite-fille. Elle l'aime tendrement. Avant de partir, elle me cuisine à l'occasion un macaroni au fromage qui embaume tout l'appartement; ça sent alors la vraie maison. Je prends rarement le temps de me faire un vrai repas, mangeant plutôt de la nourriture pour bébé, en petits pots, comme ma fille.

À part ma fille et mon travail, ma vie se borne à attendre IL. Et cette attente me jette dans l'angoisse. Quand il arrive, je tremble comme une feuille. Comme une droguée. Il est ma drogue. Un jour, il part en voyage avec la nouvelle madame IL, que je hais de toute mon âme. Un voyage au soleil. Mais il pense à moi et me rapporte une mantille de dentelle noire que je porte aussi souvent que je peux. IL a raison, je suis folle. Excessive. La folie de la passion me fait dépasser les limites du raisonnable.

Suis-je une bonne mère? Je n'en sais rien. Je fais de mon mieux, je me débrouille avec ce que je sais. Je berce ma fille, je lui fredonne des chansons, je suis la mère nourricière. Malheureusement, je suis consciente que je lui communique aussi mes angoisses.

Un soir, puisque c'est la seule façon de l'endormir, je l'emmène pour une longue promenade en poussette. Au retour, elle dort comme un ange et j'entreprends de grimper les quelques marches de l'entrée. Je suis fatiguée, mais je n'ose pas la prendre dans mes bras de peur de la réveiller. Je tire donc la poussette dans les marches. Mais voilà qu'elle m'échappe. La poussette bascule, ma fille en est éjectée et j'entends sa tête heurter le trottoir de ciment. Je me mets à hurler. Heureusement, un passant a la gentillesse de me conduire à l'urgence du Children's Hospital. Mais je n'ai plus la maîtrise de mes nerfs, je ne cesse de crier au médecin: «J'ai tué mon enfant!» Il me rassure: elle n'a rien. Mais comment ai-je pu être si négligente? Je me sens en dessous de tout. Inapte à être mère. Indigne. Pourtant, quelques mois plus tard, quand ma fille fera un faux croup et que sa respiration ne sera plus qu'un râle d'agonisant, c'est moi qui aurai l'instinct de la coucher par terre dans la salle de bains et d'ouvrir les robinets d'eau chaude pour que la vapeur l'empêche de suffoquer. Le médecin me félicitera de mon sang-froid. Je n'avais aucun mérite, c'est une question d'instinct maternel. Comme un sixième sens.

Un nouvel homme va bientôt entrer dans ma vie. Et, aussi drôle que cela puisse paraître, ce fut grâce à son chien. J'ai rencontré Serge Deyglun sur les lignes de piquetage, pendant la grève des réalisateurs de Radio-Canada. Comme la majorité des membres de l'Union des artistes, dont René Lévesque qui anime alors l'émission *Point de mire*, nous nous retrouvons infailliblement au restaurant à discuter autour d'un café ou d'un bol de soupe. Je suis tout de suite frappée par l'intelligence de Serge, par son humanisme, sa culture et ses goûts éclectiques. Je le trouve fascinant. On se lie d'abord d'amitié. Il connaît tout le monde et il me présente à tous.

Une fois la grève terminée, il me propose plusieurs fois de sortir avec lui, mais je refuse car je n'ai pas la tête à ça. Alors, il me demande de garder à l'occasion son chien, un superbe caniche royal noir appelé Gamin. Serge mène une vie de barreau de chaise et m'avoue être alcoolique. Parfois, après une virée, il oublie de sortir la bête, et même de la nourrir. Pourtant, il adore ce chien. Comme j'adore aussi les chiens, j'accepte avec plaisir.

Au début, j'hérite de Gamin pour un jour ou deux, puis pour une semaine. Serge me l'amène avec un lot de boîtes de nourriture. Petit à petit, Serge ne fait plus que me laisser la bête, il s'attarde. Il s'attarde de plus en plus longtemps. Il en vient même à coucher chez moi... sur le canapé du salon. On se découvre beaucoup d'affinités. C'est un grand connaisseur de chasse et de pêche, il aime la lecture, il a beaucoup voyagé, il parle trois langues, il m'apprend des tas de choses, m'ouvre des horizons nouveaux. Surtout, il aime ma fille et sait s'y prendre avec elle. On discute tard dans la nuit et nos voix apaisent l'enfant.

Ma fille doit sentir que je suis sécurisée par la présence de Serge. Elle et moi nous attachons aussi au chien. Quand il n'est pas là, ma fille le réclame d'une curieuse façon, elle marmonne le mot «chien», déçue de ne pas le voir accourir pour lui lécher la main. Nous n'arrivons plus à dissocier le chien du maître; ils ne font plus qu'un, comme un couple, une famille, une entité rassurante. Leur présence est si apaisante qu'il m'arrive de refuser de voir IL quand Serge s'annonce. L'amitié de Serge et le temps agissent sur moi: je me détache lentement de IL avec le sentiment de retrouver un peu de dignité.

Depuis la naissance de ma fille, je n'ai accepté aucun engagement à l'extérieur de Montréal. Mais on me propose maintenant de chanter deux semaines à *La Porte Saint-Jean*, à Québec. Si je continue à refuser les propositions, on va finir par m'oublier et tout sera à recommencer. J'accepte donc. Mais qui va s'occuper de ma fille? Maman voudrait bien la garder chez elle, mais papa refuse.

125

Vieux «boqué»! Je ne lui pardonnerai vraiment qu'au début de sa longue maladie, quand le cancer l'emportera, car son refus sera pour moi lourd de conséquences. Mais pour le moment, je lui en veux terriblement. Qui pourrait bien garder ma fille? Il est hors de question que je m'adresse au service de gardiennage auquel je suis abonnée car je n'en ai pas les moyens. La mère de IL m'offre de garder l'enfant, moyennant vingt dollars par semaine. La proposition me semble raisonnable, d'autant plus que je sais que ma fille y sera bien traitée. Et puis, j'ai confiance en cette femme. J'insiste pour savoir si ça ne va pas contrarier IL, mais sa mère m'assure qu'elle en fait son affaire. IL aime à ce point sa mère qu'il ne saurait rien lui refuser. Je lui amène donc ma fille, avec son parc, sa poussette et ses jouets, et je paie comptant la somme demandée. Bien sûr, je n'exige aucun reçu. Quel affront ce serait pour la grand-mère.

11

De retour de Québec, je suis à peine descendue de l'autobus que je saute dans un taxi pour aller récupérer ma fille. Quinze jours sans la voir! Elle me manque terriblement. Je me convaincs que n'ai pas à m'inquiéter puisque je l'ai laissée entre bonnes mains. Je retrouve mon joli bébé, heureux, épanoui. Sa grand-mère en est folle, elle l'a dans les bras à longueur de journée. Elle a raison, cette enfant est irrésistible. Elle sourit tout le temps, comme si elle savait déjà qu'il faut séduire pour être aimée.

La grand-mère me fait tout de suite une proposition: «Si vous voulez, je pourrais m'occuper d'elle, le temps que vous vous organisiez. C'est pas bon qu'une enfant soit élevée par des étrangers. Ici, elle a une vie plus normale. Et puis vous pourriez la prendre avec vous les fins de semaine. Quand vous ne travaillez pas. Vous pourrez venir la voir tous les jours si vous le voulez. Vous êtes la bienvenue, n'importe quand.»

Je ne donne pas de réponse définitive, ni oui ni non. Je la remercie et ramène ma fille chez moi.

Je reprends avec grand plaisir les enregistrements de *Joie de vivre*. Mon personnage n'est pas assez important pour être de toutes les émissions, alors, pour survivre, je joue dans des radio-romans et je promène mon tour de chant dans les clubs, les fins de semaine. Mais je n'arrive pas à mettre de l'argent de côté, car le service de gardiennage coûte très cher. Les éternels problèmes de la mère célibataire! Aussi, quelques mois plus tard, quand un contrat de trois semaines m'est proposé dans un hôtel prestigieux de Trois-Rivières, et mon agence menaçant de ne plus s'occuper de moi si je le refuse, j'accepte. Et je confie de nouveau ma fille à sa grand-mère. Je pars pour Trois-Rivières le cœur gros, en me reprochant amèrement de ne pas avoir accepté la pension du père de l'enfant. Quelle imbécile j'avais été! Mais il est trop tard pour éprouver des regrets.

Pendant mon séjour à Trois-Rivières, je me sens de plus en plus coupable de ne pas donner à ma fille une vie plus stable et la proposition de sa grand-mère commence à faire son chemin dans ma tête. Mais au retour, la culpabilité s'estompe lorsque j'entends gazouiller ma poupoune dans mes bras. Je ne peux vraiment pas la confier à sa grand-mère, je suis incapable de vivre sans ma fille. Mais la force des choses va m'obliger à reconsidérer la proposition. Un matin où je m'apprête à partir travailler, voilà que la gardienne ne se présente pas. Je dois être dans le studio à neuf heures. Impossible de la rejoindre. Et le service de gardiennage n'a personne d'autre à me proposer. J'appelle chez la grand-mère. Pas de réponse. Je suis affolée, les sueurs m'aveuglent. Je frappe chez la voisine que je connais à peine. Oui, elle veut bien garder l'enfant jusqu'à six heures. Puis je cours au studio. Je suis en retard et me fais vertement engueuler. Toute la journée, je suis folle d'inquiétude: qui est cette femme à qui j'ai confié mon enfant? J'en oublie mon texte.

À la fin de la journée, ma décision est prise. J'appelle la grand-mère. «Bonsoir, madame. J'ai bien réfléchi, j'accepte votre offre. Je vous amène votre petite-fille.»

Dans le taxi qui nous conduit toutes les deux chez elle, j'ai un doute. Est-ce que j'agis correctement? Quelqu'un aurait dû me dire que je commettais la plus grande connerie de ma vie. Mais il n'y avait personne autour de moi pour me conseiller, ni parents, ni amis.

La vie s'organise donc autour de cette entente. Je n'exige toujours aucun reçu de la grand-mère. Au début, je vais tous les jours jouer avec ma fille après mon travail. Je la balade en poussette dans son nouveau quartier. Puis je lui donne un bain et je la berce pour l'endormir. Les fins de semaine où je ne travaille pas, je l'emmène avec moi à la maison. Mais elle s'ennuie un peu. Tous ses jouets sont chez la grand-mère. La grand-mère a tôt fait de me faire remarquer que la petite est perturbée dans ses habitudes quand je la prends avec moi pour un long week-end et que le dimanche soir elle est souvent agitée. Alors, je me soumets à son jugement. Je ne sors plus ma fille qu'une journée à la fois et je la ramène le soir dormir chez sa grand-mère.

Avec le temps, il devient de plus en plus évident que cette enfant-là n'est plus la mienne. Un jour les vêtements que j'ai achetés à la petite ne conviennent pas, l'autre jour ce sont les vitamines qui finissent à la poubelle. On m'écarte subtilement de la vie de ma fille. J'en viens à perdre le contrôle sur sa vie quotidienne, sur son éducation, sur son alimentation. Je ne suis même plus la bienvenue dans cette maison, je dérange. Il faudrait espacer les visites, me suggère-t-on. Je les espace un peu. Je ronge mon frein. Je n'ai pas le choix. Je dois travailler, travailler encore plus fort, pour avoir les moyens de reprendre mon enfant. Parfois, je rêve d'une nounou qui prendrait soin de ma fille et de moi.

Les mois passent. J'ai chassé mes vieux démons, j'ai réussi à rompre définitivement avec IL. J'ai la douce impression que mon cœur vit au ralenti et qu'il se repose. C'est alors que Serge, qui prend de jour en jour plus d'importance dans ma vie, me demande en mariage.

J'en suis la première étonnée.

— T'es sérieux, Serge?

— Très.

— Mais... on est des amis.

— Moi, je t'aime. Depuis longtemps. J'attendais que ce soit fini avec IL.

— Mais... tu as juré à tes amis que tu ne te marierais jamais. Tu as même fait un pacte avec eux.

Effectivement, Serge avait autorisé ses amis, advenant le cas où il commettrait la connerie de se marier, à lui attacher des blocs de ciment aux pieds et à le noyer dans le fleuve.

— Andrée, je t'aime. Je veux t'épouser, tu es la femme de ma vie.

Il faut avoir connu Serge Deyglun et la vie de bohème qu'il avait menée pour saisir l'ampleur de cette déclaration. Quelle sincérité. J'aurais dû remercier le ciel à deux genoux, mais j'avais vingt-deux ans et à cet âge on tient pour acquis les présents démesurés que le ciel nous envoie. Une question s'imposait: moi, est-ce que je l'aimais? Mais comment y répondre? Qu'est-ce que je savais de l'amour? Mon unique référence était cette folle passion que j'avais éprouvée pour IL. Dans ma tête, l'amour n'était qu'alternance de déchirements, de retrouvailles, de pleurs et d'échanges passionnels.

Serge dormait dans mon lit depuis peu de temps. Nous connaissions une entente physique, ses gestes étaient empreints de tendresse. Je me sentais merveilleusement bien avec lui. Le quotidien se déroulait aussi de façon harmonieuse. Il considérait ma fille comme la sienne et désirait entamer des procédures d'adoption. Je continuais cependant à me demander si cette harmonie, ce bien-être, ce respect mutuel, c'était vraiment de l'amour. J'étais convaincue que la souffrance était indispensable à l'amour. L'absence de douleur m'inquiétait. Mais j'ai quand même fini par écouter mon cœur et j'ai accepté d'épouser Serge.

J'ai mis du temps à comprendre que c'était un grand amour. Car je devais maintenant apprendre à vivre sereinement et je n'étais pas douée pour le bonheur. Heureusement, Serge était d'une patience infinie.

Il tenait à demander officiellement ma main à mon père, selon les anciens usages. Ce jour est à jamais resté gravé dans mon cœur. Serge était alors une personnalité connue du public: auteur-compositeur-interprète de la célèbre chanson *Cinq pieds deux, les yeux bleus*, et d'un roman, *Les Filles de nulle part*, il avait aussi une chronique gastronomique à l'émission *Métro Magazine*, à Radio-Canada. Il avait horreur des fantaisies vestimentaires et soignait jalousement ses allures de délinquant, ressemblant plutôt à un *lumberjack*. Le jour de la «grande demande», il revêt le seul costume qu'il possède et se présente avec respect et humilité devant mon père: «Monsieur Boucher, me feriez-vous l'honneur de m'accorder la main d'Andrée?» Je n'en croyais ni mes yeux ni mes oreilles. Ce moment me paraissait hors du temps, comme si nous flottions dans l'espace. Comme s'il n'eût plus existé sur terre que ce grand gaillard, cet homme épris d'amour, touchant de bonne volonté et se fichant éperdument du ridicule, penché dans une attitude un peu régence sur mon père. Quelle allure! Mais en même temps, quelle simplicité! Je me suis sentie grandie aux yeux de tous les miens. Papa en avait les larmes aux yeux.

Ma famille habitait alors Shawinigan. Avec mon oncle Anatole Rainville, papa avait acheté la taverne *Vendôme*, dans la 4e Avenue. Encore une fois, on ne parlait pas de profits, mais de pertes. Et de boîtes: maman avait une fois de plus dû «faire ses boîtes» pour déménager. Cette taverne était pour papa une source de tourments. Il en tombera gravement malade. Lui qui avait l'alcool en horreur – il ne buvait pas –, il passait ses journées à voir des chômeurs flamber leurs maigres chèques d'allocations familiales. Les femmes attendaient à la porte avec des airs désespérés, priant mon père de sauver un peu d'argent pour qu'elles puissent nourrir leurs enfants. Papa refusait souvent d'encaisser ces chèques, avec pour conséquence que les clients allaient boire ailleurs. Papa n'était pas fait pour ce métier. Mais il était enchaîné à ce commerce. Il avait contracté une dette de cinq mille dollars envers l'oncle Anatole qui l'avait aidé à «partir en business». Maman travaillait pour payer le pensionnat de ma jeune sœur et mon frère avait à regret abandonné ses études pour les aider financièrement. Il leur donnait tout son salaire gagné chez Household Finance en plus de faire des heures supplémentaires à la taverne. Le courage des miens m'étonnera toujours.

Ils habitaient un modeste troisième dans la 4e Avenue, à proximité de la taverne. Avant que Serge vienne y faire sa demande en mariage, j'éprouvais une certaine honte à l'idée qu'il découvre l'univers de pauvreté dans lequel vivait ma famille. Lui, au contraire, avait connu une enfance choyée dans le quartier huppé de Westmount. Mais Serge était un humaniste qui accordait davantage d'importance aux valeurs morales des gens qu'à leurs signes apparents de richesse.

La veille de la grande demande, j'étais venue coucher chez mes parents pour préparer ma famille à la rencontre. Ils ne connaissaient Serge que de réputation. Je leur vante donc son intelligence, sa vaste culture et sa générosité, tout en les prévenant au sujet de son alcoolisme: «Il boit un quarante onces par jour. Pas besoin d'acheter d'alcool, il ne part jamais sans apporter ses provisions. Si vous voulez vraiment lui faire plaisir, posez deux verres et une bouteille de Perrier sur un plateau et il comprendra que vous l'acceptez tel qu'il est.» J'ajoute aussi: «Ne craignez rien, il supporte très bien l'alcool. Il sera de conversation agréable. Si je ne vous avais pas prévenus, vous ne vous seriez rendu compte de rien.» À mon grand étonnement, mes avertissements ne suscitent aucun commentaire.

Le lendemain, quand Serge fait sa demande, toute la famille succombe à son charme. Pendant le dîner, lui qui cuisine divinement, il échange des recettes avec maman. Puis il parle longuement à grand-maman de la France, d'où sa famille est originaire et où il a vécu. Grand-maman, qui malgré son âge avancé n'a rien perdu de sa «folie des grandeurs», lui décrit sa France à elle, celle où elle n'est jamais allée. Heureusement, personne n'a le mauvais goût de lui signaler qu'elle fabule.

Papa est complètement subjugué. Conquis. Enfin il a quelqu'un pour l'écouter! Enfin un public! Le voilà reparti pendant des heures à raconter ses histoires de bûcherons, de drave, de colonisation de l'Abitibi et de construction de ponts couverts. Serge, grand amateur de chasse et de pêche qui a sillonné les forêts du Québec de long en large, a la grandeur d'âme de laisser croire à papa que ses aventures sont plus passionnantes que les siennes. Le soir venu, quand Serge repart, il s'est acquis le respect et l'amour inconditionnel de ma famille. Un prince était venu. Mon père s'exclame: «Enfin Andrée est casée!»

La noce est fixée pour le 14 septembre.

De retour à Montréal, une autre bonne nouvelle m'attend. Raymond Lévesque s'apprête à lancer la première boîte à chansons du Québec, la *Butte à Mathieu*, à Val-David. Il termine l'écriture d'une revue et me propose d'en faire partie. J'accepte. Youpi! Deux mois et demi à la campagne avec ma fille! Je vois tout de suite l'occasion rêvée de réapprendre à vivre avec elle. J'ai hâte, je ne me possède plus, je compte les jours avant son arrivée, sinon les heures.

Pendant qu'à Montréal Serge cherche un appartement qui pourra nous convenir à tous les trois, je m'installe à Val-David, dans un chalet que je partage avec Raymond Lévesque, sur la rivière du Nord. Serge doit partir en tournée à travers le Québec, mais il promet de me rejoindre à Val-David quand ses horaires le lui permettront. Au village, j'engage une dame qui s'occupera de ma fille pendant le spectacle. Pour la première fois depuis longtemps, j'entrevois une perspective de bonheur. Je vais bientôt avoir assez d'argent pour prendre définitivement ma fille avec moi, et je vais pouvoir lui offrir une vie stable.

Je téléphone à la mère de IL, pour la prévenir. Je la remercie de s'être occupée de ma fille et je m'empresse de la rassurer: elle pourra voir l'enfant aussi souvent qu'elle le voudra. Elle semble être d'accord.

Je me présente donc chez elle avec une copine, qui doit m'aider à déménager les effets de ma fille avec sa voiture. Je sonne. La porte s'entrouvre, la tête de la grand-mère s'y glisse. «Bonjour, madame, je viens chercher...» La porte claque. Je fais signe à ma copine que je n'y comprends rien. Je sonne de nouveau. Cette fois, la porte s'entrouvre à peine. Ma fille pleure quelque part. J'entends une voix me dire: «Vous ne pouvez pas la prendre avec vous, je n'ai pas la permission de son père.»

Sidérée, je me dis que son père n'a jamais voulu la voir. En quoi son assentiment peut-il changer quelque chose?

La grand-mère ajoute que IL s'est absenté pour un tournage, qu'on ne peut le rejoindre par téléphone et qu'il faut attendre son retour. Elle claque de nouveau la porte.

Je suis anéantie. C'est à peine si je peux bouger, plantée sur le perron, impuissante. Mais qu'est-ce que je dois faire? Pourquoi ne veut-on pas me redonner ma fille? Qu'est-ce qui se passe? Aujourd'hui encore, je me reproche de n'avoir eu aucune réaction. D'être restée figée. Passive. N'aurais-je pas dû plutôt crier? Ameuter le voisinage? Faire venir les policiers? Prendre ma fille de force?

Ne sachant plus à quel saint me vouer, j'appelle Serge, qui me suggère de consulter un avocat. Et voilà que se met en branle la terrible machine juridique, avec ce qu'elle entraîne d'angoisses et de mesquineries. Je réalise vite que j'ai commis une erreur fatale. En effet, l'avocat me fait comprendre que, comme je n'ai jamais exigé de reçus de la part de la grand-mère pour l'argent que je lui versais, le gardiennage est interprété par la partie adverse comme un cas *d'abandon*. En attendant le procès, je suis quand même autorisée à voir ma fille à l'occasion. On me suggère d'être accompagnée d'un témoin. Mais c'est fou! Complètement fou!

Je me résigne, me soumettant du même coup à une véritable guerre des nerfs. Parfois on me ferme la porte au nez, parfois on m'autorise à jouer avec ma fille dans la cour. Une fois c'est oui; l'autre, non. Je cherche à comprendre. Mais il n'y a rien à comprendre. L'avocat m'incite à faire preuve de patience. Il m'assure que la cour me donnera raison, que je n'ai rien à me reprocher, que les juges préfèrent accorder la garde d'un enfant à la mère.

Je lui fais confiance. C'était en fait un très mauvais avocat, mais je m'en rendrai compte trop tard. C'est une erreur qui me coûtera cher. Par la suite, plus jamais je ne ferai confiance à quelqu'un au point de remettre aveuglément mon avenir entre ses mains.

La guerre des nerfs se prolongera pendant toute la durée des représentations à la *Butte à Mathieu*. Heureusement, quand la vie prend d'un côté, elle donne de l'autre. Ça m'a toujours étonnée de constater qu'on peut quand même connaître de petits bonheurs en traversant des moments tragiques. Quand on est jeune, on ne souffre pas toujours, il y a des heures douces, comme si la vie cherchait à reprendre ses droits. Pendant cet été, le meilleur et le pire se côtoieront sans cesse. La vie est imprévisible et l'être humain, infiniment adaptable.

Ainsi, la revue dont je faisais partie obtenait des critiques dithyrambiques et les gens venaient de partout pour y assister. Un soir, une rumeur venue de la salle nous rejoint à l'arrière-scène. Félix Leclerc est là. Raymond Lévesque en éprouve une joie immense, car il le connaît bien. C'est aussi un ami de Serge. Mais moi, je suis morte de trac. Je dois interpréter une des chansons de Félix, *La Fille de l'île*, mais ce soir je la rayerais volontiers de mon tour de chant. Raymond Lévesque attaque bientôt au piano les premières mesures de la chanson et, soudain, je crois rêver. J'entends des accords de guitare monter de la coulisse, puis je vois Félix entrer sur scène. Il mêle sa voix à la mienne, exécutant le contre-chant. La salle se met à crier. Elle tape des mains et des pieds, hurle sa joie. Moi, je suis au septième ciel mais je tremble de tous mes membres. Le grand Félix me faisait là un cadeau unique.

Un autre événement me fait aussi oublier pour quelques heures l'attente du procès: les célébrations qui ont accompagné mes fiançailles. La fête, organisée par Serge, durera trois jours et réunira une quarantaine d'invités. Certains dormiront au chalet, d'autres dans les hôtels des environs. Au milieu des festivités, Serge me bande les yeux et me demande d'attendre dans la maison. Quand il me permet de ressortir, je retire mon bandeau et découvre mon cadeau de fiançailles: une voiture, une Austin Mini qui ressemble à un jouet d'enfant. Serge l'a fait enrubanner, une énorme boucle rouge en coiffe le toit. «C'est pour promener les enfants», me dit Serge.

Eh oui! *les* enfants. Car je suis de nouveau enceinte.

Serge est tellement heureux qu'il a suspendu une paire de bottines de bébé au rétroviseur de la voiture. Chez n'importe qui d'autre ce geste aurait paru ridicule, mais après la vie de barreau de chaise que Serge avait menée, il prenait une dimension sacrée.

Une seule ombre au tableau : la mère de IL refuse que ma fille assiste aux fiançailles. Elle s'objecte d'ailleurs de plus en plus à mes droits de visite. Mais mon avocat mijote un plan. Il me dit : «Bientôt.»... et je reprends courage. «Qui rit le vendredi, le dimanche pleurera.» J'ai entendu si souvent ce dicton chez mes parents. Alors rions pendant qu'il en est encore temps.

Raymond Lévesque me fournira d'ailleurs une occasion de rire... à mes dépens. Il avait fait installer un haut-parleur sur le toit de notre voiture pour annoncer notre spectacle dans les villages des environs. Un après-midi, pendant la période de la sieste, il a accroché le micro à la poignée de la porte de ma chambre. Or Serge et moi étions en train de faire l'amour. Tout Val-David a pu se régaler de nos mots doux et de nos ébats. J'étais si gênée que je n'osais même plus aller faire mes courses à l'épicerie de peur qu'on m'en parle. On a fini par m'en parler... et j'ai fini par en rire.

L'été tire à sa fin quand je reçois un appel de mon avocat. Il me propose d'aller chercher ma fille sous le prétexte d'une promenade et de la garder définitivement avec moi jusqu'au procès. Quitte à la cacher quelque part en attendant. Il réussit à me convaincre que, si nous arrivons à réaliser son plan, c'est la partie adverse qui devra faire la preuve de ma non-compétence comme mère. Que ce sera long et que le temps jouera en notre faveur.

C'est mon seul espoir, alors je me conforme au plan et vais chercher ma fille. Puis je vais la mener dans un lieu secret, chez mes parents, à Shawinigan.

C'était sans tenir compte de la dévotion que IL éprouvait pour sa mère. Il n'a jamais rien su lui refuser. Devant son chagrin, il perd la raison. Quelques jours plus tard, je reçois un appel de maman. En sanglots (je ne l'avais jamais entendue pleurer), elle m'apprend que ma fille a été enlevée. En pleine rue principale. Devant le poste de police. IL était accompagné de la célèbre comédienne avec qui il partage sa vie. Du vrai cinéma. Tout le monde les a reconnus malgré leurs verres fumés. Ils ont profité d'un moment d'inattention de ma sœur, qui promenait l'enfant dans sa poussette. Leur voiture a freiné abruptement, la comédienne a arraché l'enfant de la poussette, puis la voiture est disparue dans un crissement de pneus. Cette comédienne exaltée était sans doute convaincue qu'elle jouait le plus beau rôle de sa carrière. Je l'ai souvent revue dans le milieu, et elle s'est toujours contentée de m'adresser un sourire de circonstance, comme s'il ne s'était jamais rien passé. Ma sœur hurlait. Les policiers n'ont rien fait. Pourquoi? Comme il s'agissait de deux comédiens connus, ils n'ont pas osé intervenir.

Quand je raccroche, je sais que tout est irrémédiablement fini. J'ai la conviction que je viens de perdre ma fille. J'éprouve un horrible vertige devant l'absurdité du geste. Je ne reverrai pas ma fille avant le procès. Heureusement que l'on ne connaît pas tout de l'avenir. Autrement, comment trouverait-on une raison de vivre? Avant l'enlèvement, je gardais l'espoir de vivre un jour avec ma fille. L'espoir me faisait vivre. Maintenant, je sais qu'il n'y a plus d'espoir du tout.

Pour ne pas devenir folle, j'ai porté toute mon attention et mon amour sur l'enfant que j'attendais. Les femmes enceintes ont, je crois, un instinct de conservation qui les fait créer autour d'elles une bulle protectrice. Une bulle qui filtre les émotions et les événements dangereux pour l'enfant.

Il me restait trois semaines de représentations à faire à la *Butte à Mathieu*. Devant mon état de délabrement moral, Serge demande à Raymond Lévesque de me remplacer. Grand cœur, celui-ci accepte, et Serge m'emmène avec lui en tournée à travers le Québec. Avec deux marionnettistes, il promène un joli spectacle pour enfants, sur la sécurité routière, commandité par le gouvernement. Serge y incarne un clown. Mais il déteste se déguiser et n'aime pas vraiment chanter. Le métier de comédien n'est pas fait pour lui. Tout au long de la tournée, il cherchera d'ailleurs une façon plus rentable de gagner sa vie et celle de sa petite famille. Il n'a pas perdu l'espoir d'adopter un jour ma fille.

Je découvre des paysages à couper le souffle: la Beauce, le Bas-du-Fleuve, la Gaspésie. Je connais des moments de pure félicité mais, chaque soir, entre chien et loup, je recommence à frissonner. L'obscurité fait ressurgir ma peine et je pleure. Je veux revoir

12

– Andrée Boucher, voulez-vous prendre pour époux Serge Deyglun, selon les rites de notre mère la sainte Église?

– Oui.

– Je vous déclare mari et femme.

Le père Ambroise Lafortune, l'aumônier des artistes, vient par ces paroles de sceller notre engagement solennel. Les cloches de la cathédrale de Montréal carillonnent à toute volée et pendant que les grandes orgues entonnent la marche nuptiale, je prends le bras de Serge. Les flashes des journalistes crépitent, comme ils n'ont pas cessé de le faire durant toute la cérémonie. Leur présence me donne un sentiment d'irréalité. Est-ce un vrai mariage ou s'agit-il d'un rôle que j'interprète pour les caméras? En descendant l'allée, Serge et moi adressons des sourires à la famille et aux amis.

Ce mariage a failli ne pas avoir lieu. Je suis arrivée en retard à l'église. Un retard d'une heure, dont j'ai rendu responsable le créateur de ma robe, Mario Dinardo. Mario, il a le dos large. Pourtant, quand je suis arrivée à son atelier après être passée chez le coiffeur, la robe était prête. Une robe courte, en crêpe de laine prune, très ajustée. Avec un grand décolleté, pour que je puisse la réutiliser en spectacle, car elle coûte une petite fortune. Le temps de la cérémonie religieuse, le décolleté sera caché par un voile retenu à un petit chapeau rond et assorti au tissu de la robe. Avec mes chaussures de même ton et une rose thé à la main, je me crois sobre et élégante. Mais je ne connais rien à la sobriété et Serge non plus. Après la cérémonie, quand je retirerai le voile, le décolleté fera scandale.

M'habiller ne m'a pris que quelques minutes, mais je me suis attardée à l'atelier de Mario. Je n'aime pas ceci, je n'aime pas cela. Mario finit par lancer: «Coudonc! Es-tu sûre que tu veux te marier aujourd'hui?» «Ni aujourd'hui ni jamais, Mario! J'ai peur!» Mais ce dont j'ai peur, je suis incapable de l'exprimer. Depuis l'enlèvement de ma fille, j'ai peur. Constamment. Une peur qui paralyse tous mes gestes et contre laquelle je dois me battre. Une peur que je ne dois surtout pas montrer. Car j'ai toujours à l'esprit l'exemple de ma mère, l'image de la femme forte dont parle l'Évangile. Et il me semble que je suis inapte au mariage, inapte à avoir un autre enfant, inapte à rendre Serge heureux.

Mario met un terme à mes états d'âme: «C'est un caprice de femme enceinte!» Peut-être a-t-il raison. Et il me guide jusqu'à ma voiture. Sans lui, je n'aurais sans doute pas eu le courage de me rendre à l'église.

Ma belle-mère, Mimi D'Estée, nous reçoit dans sa magnifique maison de Westmount. Papa en est humilié; il connaît les usages et c'est lui qui aurait dû assumer les frais de la noce, mais il n'a pas un sou. Maman a dû faire des prouesses avec le budget pour nous offrir un cadeau, un magnifique service de couverts en argent. De plus, il a fallu habiller de neuf toute la famille. Tous sauf grand-maman. Elle est restée à Shawinigan, sa santé décline; il faut qu'elle soit au plus mal pour rater cette passionnante sortie dans le grand monde. Mes parents font contre mauvaise fortune bon cœur, mais il est évident qu'ils ne se sentent pas à leur place parmi les amis de Serge. Plusieurs tenteront de les mettre à l'aise, parfois maladroitement. Tel le père Ambroise qui, avec sa morale plutôt laxiste, dira à ma mère, scandalisée: «C'est le cul qui mène le monde.» Finalement, ma belle-mère gâtera la sauce en lançant négligemment: «Ce n'est pas le mariage dont j'avais rêvé pour mon fils.» Humiliée, blessée, ma famille quittera tôt la noce. De mon côté, j'ai pris la remarque avec philosophie. Je savais que je n'étais pas la bru idéale pour une belle-mère. Mon exubérance, mes excentricités vestimentaires, le fait que je chantais dans les clubs ne faisaient pas de moi la fille de bonne famille dont rêvent les mamans pour leur fils. Mais existe-t-il une femme assez parfaite pour être acceptée de sa belle-mère? Les mères ne rêvent-elles pas d'incarner pour la vie la femme idéale aux yeux de leur fils?

Comme Serge et moi n'avions pas d'argent, nous sommes partis en voyage de noces dans les Laurentides, au Lac-des-Becs-Scie. Chez la grand-mère de Serge, la plus attachante vieille dame qu'il m'ait été donné de rencontrer, une solide Bretonne de quatre-vingt ans, au passé tumultueux, qui scie son bois, répare elle-même le toit de son chalet et mène son monde à la baguette. J'aimais beaucoup cette femme. Et je crois que son œil perçant décelait chez moi des qualités que j'ignorais encore. Sa maison est spacieuse et confortable, nous y sommes bien.

C'est là que Serge me fait découvrir son univers: la forêt. Il connaît le nom de tous les arbres. Les plantes n'ont pas de secrets pour lui. Il m'enseigne le nom de toutes les espèces de canards, dont les vols commencent à partir vers des cieux plus cléments. Il me fait déjà une promesse: l'an prochain à pareille date, nous participerons à l'ouverture de la chasse aux canards à Montmagny.

Je découvre que cet homme n'a aucun préjugé au sujet des femmes. Et, aussi loin que ses voyages de chasse ou de pêche le conduiront, il me voudra à ses côtés. Quand ses compagnons d'aventure protesteront que la présence d'une femme constitue du bois mort et risque de gâcher le voyage, il se moquera de cette opinion: «Enlevez ses talons hauts à une femme, enlevez-lui tout ce qui entrave sa marche, et elle est plus résistante qu'un homme.»

Pour le moment, je marche à son pas dans la forêt et je l'accompagne en canot des heures durant sur le lac. Ma grossesse de deux mois et demi ne me gêne en rien. Ma seule réticence concerne la chasse à la grenouille. J'ignorais qu'on puisse manger des cuisses de grenouilles, alors, bien sûr, l'art de les capturer me laisse perplexe. Assis à l'avant du canot, Serge fait le guet. Dès qu'il aperçoit une grenouille, il l'assomme et la jette au fond du canot.

Mon travail consiste à couper les pattes avec des ciseaux et à jeter le corps par-dessus bord. Je fais comme si de rien n'était mais, dans le fond, j'ai le cœur au bord des lèvres. Ce qui ne m'empêche pas, le soir venu, d'apprêter nos prises dans un mélange de beurre et d'ail. Et de faire semblant de manger avec appétit. Je ne veux surtout pas décevoir les attentes de Serge.

Il est fier de moi et m'appelle sa petite sauvagesse. C'est le seul nom doux qu'il me donnera au cours de notre vie commune. Un jour, je le lui fait remarquer: «Pourquoi ne m'appelles-tu pas ma chérie, mon poussin ou mon lapin, comme les autres femmes se font appeler par leur mari.» Voici comment il m'a répondu: «J'ai eu beaucoup de femmes dans ma vie. Je les ai toutes appelées mon chou ou mon ange, de peur de me tromper de prénom. Toi, tu es ma femme. Tu es unique. Je n'ai pas peur de me tromper. Tu es Andrée.»

Je n'ai pas insisté. «Andrée» sonnait maintenant à mes oreilles comme le plus beau des cadeaux.

Est-ce que j'étais heureuse? Parfois. Je connaissais des heures paisibles, puis tout à coup quelque chose se brisait en moi, la peur de ne jamais revoir ma fille me serrait la gorge et me faisait monter les larmes aux yeux. Le plus difficile était de surmonter cette heure mystérieuse où le soir glisse vers la nuit, où les ombres s'allongent et font ressurgir les fantômes. J'étouffais. Il me semblait que toute cette forêt de sapins allait se resserrer sur moi. Le seul remède, encore: le scotch. Grâce à lui, je dormais d'un sommeil exempt de cauchemars. Malheureusement, exempt de rêves aussi. Personne n'interrompait mon sommeil. Pas même mon mari. À ce moment-là, il ne me faisait plus l'amour. Nous vivions comme frère et sœur. Je mettrai longtemps à comprendre cette réaction de certains hommes devant la grossesse de leur femme. J'étais devenue un vase sacré, le dépositaire de son enfant, une madone. Et on ne fait pas de parties de pattes en l'air avec la Vierge. Il m'aimait et me plaçait sur un piédestal. Mais moi, je désirais être une femme, une simple mortelle. À cette époque, on ne parlait pas de ces choses, on les subissait. Et puis j'avais vingt ans et j'étais sans expérience de la

142

vie conjugale. J'en ai évidemment tiré la conclusion que l'amour et la sexualité n'allaient pas de pair. D'un côté, il y avait la passion folle, de l'autre, l'amour sage. On ne peut pas tout avoir.

J'ai fini par me raisonner, avec la conviction qu'après ma grossesse tout allait rentrer dans l'ordre. J'ai plutôt jeté ma frustration sur la nourriture. Je mettrai beaucoup d'énergie et de temps à devenir une cuisinière hors pair. Et puis, je mangerai comme quatre. Pendant ma grossesse, j'ai grossi de vingt-deux kilos. Ça m'arrangeait, ça m'évitait de me poser des questions. De cette façon, il était normal que Serge n'éprouve plus de désir pour le bébé éléphant que j'étais devenue. De plus, quand j'étais gavée de nourriture, il n'y avait plus de place en moi pour l'angoisse.

De retour à Montréal, nous habitons quelques semaines chez belle-maman, le temps de trouver un nid pour nous loger tous les quatre. J'y crois toujours, que nous serons quatre. Mon avocat me dit que la patience est toujours récompensée. Alors je suis patiente. Quelle imbécile j'ai été de le croire! Crier, hurler, griffer, défoncer les portes, réclamer son bien, son dû, il n'y a que ça de vrai. C'est la loi de la jungle. Les victimes, les tendres se font toujours dévorer. Mais j'étais devenue obéissante. Je ne le serais jamais plus.

J'ai une admiration sans borne pour Serge. Comme son métier de comédien et de chanteur ne le satisfaisait plus, il a beaucoup réfléchi, a fait le point sur ses aptitudes. Puis, un matin, il prend rendez-vous avec le directeur du journal *La Presse*. Comme ça, sans prévenir. Je presse son unique complet, celui de ses noces, et le regarde partir, confiant en sa bonne étoile. Il revient avec un contrat en poche. Il tiendra une chronique quotidienne sur la chasse et la pêche, devenant ainsi le premier spécialiste de langue française à écrire sur le sujet. Serge était un pionnier. J'étais fière, très fière de lui.

Grâce à cette nouvelle stabilité financière, notre mode de vie change du tout au tout. Nous nous en réjouissons car notre enfant naîtra dans l'abondance. Pour moi, plus besoin de me produire dans les clubs les fins de semaine et mes cachets de *Joie de vivre* seront un second salaire, un luxe pour payer le superflu. C'est bien nous ça, les femmes! Pendant qu'avec leur argent les hommes achètent du concret, de la brique, des meubles, des portefeuilles d'actions, nous procurons à ceux que nous aimons des choses qui ne restent pas, qui ne se monnayent pas, ce que les hommes appellent des «niaiseries». Si le mariage vient à foirer, il ne nous reste rien. L'indigence totale.

Nous trouvons à nous loger dans le quartier Côte-des-Neiges. Il s'agit d'un vieil appartement, vaste, ensoleillé, luxueux, avec de magnifiques boiseries. Il y a une pièce pour chacun. L'appartement comporte à l'arrière une sorte de quartier des domestiques, deux chambres, avec une entrée indépendante donnant sur le jardin. Ces pièces sont destinées au bébé et à la domestique que nous engageons, Marjorie. C'est une fille-mère, comme on disait à l'époque. Elle nous a été recommandée par un organisme avec lequel ma belle-mère fait affaire. Les jeunes filles travaillent comme bonne à tout faire jusqu'à leur accouchement, moyennant un salaire de misère. Et en ne comptant pas les heures. Dès sa première rencontre avec Marjorie, Serge met cartes sur table: il n'est pas question qu'elle fasse de gros travaux; il lui paie le triple du salaire prévu; elle ne travaillera pas plus de huit heures par jour. De plus, une femme de ménage l'assistera une fois par semaine. Marjorie vouera à Serge une admiration et un respect sans borne.

L'exploitation du plus faible ne convenait pas au style de mon mari. Pour lui, tous les êtres humains étaient égaux. Il sera d'ailleurs le premier à dénoncer les luxueux clubs de pêche et de chasse privés, jusqu'alors réservés à une poignée de riches nantis. Il croyait fermement que les lacs et les bois appartenaient à tous les Québécois. Certains propriétaires de clubs privés lui voueront une haine féroce. Comment aurais-je pu ne pas aimer ce don Quichotte? C'est lui qui a éveillé en moi une conscience sociale. J'en ai toujours gardé un côté défenseur de la veuve et de l'orphelin.

Drôle de maison que nous avons là! Ou plutôt, drôle d'auberge! Car la maison est ouverte à tous; on comptait rarement moins de huit personnes à table. Parfois, il y en avait jusqu'à vingt-cinq. Et j'étais le chef cuisinier. Serge m'avait offert le livre du grand chef Curnonsky, devenu ma bible. Les recettes étaient prévues pour une armée (je mettrai des années à savoir cuisiner pour deux). Comme le café en grains, les herbes fraîches, certains fruits et légumes étaient à peu près introuvables, je devais courir aux quatre coins de la ville pour me procurer les ingrédients.

Serge avait besoin de compagnie, il aimait la convivialité. Quand il nous arrivait d'être seuls à table, il se sentait délaissé. C'était un hôte fabuleux. Il n'était heureux que dans la démesure, ce qui n'était pas pour me déplaire. Ses amis venaient de tous les milieux : journalistes, chanteurs québécois ou stars internationales, animateurs, auteurs, chasseurs, pourvoyeurs, évêques et gens de robe, sang bleu à particule... Pierre et France Nadeau, Raymond Lévesque, Roger Baulu, Richard et Lucie Garneau, Charles Aznavour, Gilles Carles. Une faune colorée et cultivée, qui appréciait la bonne chère et le bon vin. La plupart du temps, je terminais la soirée seule avec nos invités, car Serge se couchait tôt. Le lendemain, il devait se lever au petit jour pour rédiger ses chroniques. Mais aussi, il connaissait ses limites avec l'alcool, il avait conscience que, passé une certaine heure, il risquait d'être confus, ce qu'il ne se serait jamais permis.

À mesure que ma grossesse progresse, mon mari diminue sa consommation d'alcool. Pour tenir son alcoolisme en laisse, j'obtiens la complicité de ma gynécologue, qui lui promet de le laisser assister à l'accouchement. J'exerce sur lui une forme de chantage : «Tu te rends compte, mon amour, s'il fallait que j'accouche prématurément et que tu ne sois pas en état d'assister à la naissance de ton enfant ?»

Serge était trop intelligent pour ne pas me voir venir avec mes gros sabots. Mais il a quand même décidé de jouer le jeu. Et, sans aide, il est parvenu à ralentir sa consommation, passant de plus de quarante onces à vingt, puis dix onces par jour. Puis à un quart de litre. Son caractère et sa personnalité s'en sont trouvés profondément changés. Pour la première fois, j'avais devant moi un homme heureux. J'en étais fière. Grâce à moi, il allait changer, guérir ; la force de mon amour allait en faire un homme neuf. Rêve naïf de millions de femmes: sauver l'homme aimé. Que celle qui n'a jamais péché jette la première pierre.

Serge possédait tous les talents. C'était étonnant. Un jour, il entreprend une murale dans la chambre du bébé. Il y peint une sorte de bande dessinée: un palmier, un singe rieur et une girafe presque grandeur nature. C'était magnifique. De mon côté, je courais les antiquaires. J'ai réussi à dénicher ce que je cherchais, un ber, une pièce rare, que j'ai moi-même décapé.

Nous passons la plupart de nos fins de semaine au club de tir de L'Acadie où j'apprends l'art du *skeet*, c'est-à-dire le tir de précision au pigeon d'argile. La femme de Serge Deyglun se doit d'être un bon fusil. C'est une question de fierté. D'autant plus que Serge promet de m'emmener, après l'accouchement, à la chasse à l'orignal. Toutefois, il me prévient que si je rate la bête, si je ne la tue pas du premier coup, si je la fais souffrir inutilement, ce sera ma dernière chasse. Alors je m'exerce sans arrêt. Je veux être la meilleure! Il le faut! Les résultats ne se font pas attendre: je remporte un championnat de tir après avoir obtenu une note parfaite au tir au pigeon d'argile.

Il n'y a pas que Serge qui se métamorphose; moi aussi. Je suis en train de devenir une parfaite petite bourgeoise, *straight*, tout à fait *straight*. J'ai reçu en cadeau des armes à feu, de vrais bijoux, gravées en Europe, à Saint-Étienne, que j'astique tous les jours. Je brique ma maison avec l'aide de Marjorie et de Simone, la femme de ménage. Je fais la chasse à la saleté avec un zèle que je trouve méritoire. Mais où est donc passée cette Andrée qui cachait la vaisselle sale dans des sacs à ordures et les fourrait dans l'armoire, sous l'évier, quand des visiteurs arrivaient à l'improviste? Vive la mémère proprette! Je suis aussi devenue une parfaite hôtesse et je règle les dîners avec la même minutie que mes tours de chant. Mais j'ai toujours le même problème, je n'ai aucun sens des proportions. Si j'ai prévu un gigot d'agneau à la Soubise pour vingt convives, il est évident qu'il y en aura assez pour cinquante. Qu'à cela ne tienne, j'apprête ce qui reste en moussaka. Mais il en reste encore.

Même le chien Gamin n'en veut plus. Il en reste toujours! Ma femme de ménage en fera son repas dominical.

Je suis active et je ne bois pas, ou presque. Quand on vit avec un alcoolique, soit qu'on boive avec lui, soit que par réaction on reste sobre comme un chameau. C'est le parti que j'ai choisi. Je me sens responsable de notre bien-être. De celui de l'enfant que je porte. Quand mon mari a «dépassé son heure», c'est moi qui conduis la voiture. C'est aussi moi qui livre les chroniques à *La Presse* si Serge n'est pas en état de le faire. Mais il sera toujours en mesure de les écrire et elles seront toujours pertinentes, d'une qualité irréprochable; elles marqueront leur époque. Comme je viens de le dire, je suis vraiment *straight*, je ne rigole pas avec la discipline. Il y a des choses qui se font et d'autres qui ne se font pas. Tu plaisantes, Andrée! Qu'est-ce qui t'arrive? Je suis mariée, c'est du sérieux. Même ma carrière passe en second plan. Je continue sur ma lancée, mais sans plus. Heureusement, Jean Desprez, l'auteur de *Joie de vivre*, a la présence d'esprit de faire de mon personnage une jeune femme enceinte. Elle a intérêt, car je gonfle à vue d'œil et ce n'est plus camouflable.

Seule ombre au tableau: la vie conjugale me fait perdre le sens de l'humour. Je prends tout au sérieux. Tout doit être parfait. Absolument parfait. Je suis obsédée par la perfection. Tatillonne. Méticuleuse. Perfectionniste. Mais pourquoi, grand dieu? Personne ne m'en demande tant. Où ai-je appris que le mariage sonnait le glas de la fantaisie? La soupape saute souvent entre Serge et moi, pour un oui, pour un non. Mais il tempère, il ne s'emporte jamais, préférant mettre ça sur le compte de ma grossesse. «Coudonc, une grossesse, ça change-tu sa femme autant que ça?» Ça m'étonnerait, mais tant mieux si ça peut excuser mes sautes d'humeur.

Je suis assez chiante, merci! Un exemple? Je possède alors un congélateur assez grand pour y coucher aisément deux cadavres. Il contient le produit de nos voyages de chasse et de pêche: cailles, perdrix, faisans, orignal, chevreuil, caribou, dorés, achigans, truites et saumons. Un soir, alors que j'ai dix invités à table, je fais décongeler une quarantaine de cailles, que j'apprête ensuite avec un souci obsessionnel du détail. Une copine m'a envoyé du foie gras truffé du Périgord, mais je n'ai aucune idée de la valeur de ce présent, ne connaissant pas encore les truffes. Il ne me vient pas à l'idée que je pourrais simplement servir le foie gras en entrée. J'en farcis plutôt mes oiseaux. Du foie gras à l'intérieur de la caille, du foie gras sous la peau, et un peu de cognac injecté avec une seringue dans la chair. Pourquoi faire simple quand on peut faire compliqué? Les oiseaux baignent dans une petite sauce de mon invention. À vingt-deux heures, tout est prêt. Hélas, il est beaucoup trop tard et les invités ont trop bu. Mais, dernier relent de bonne éducation, tous s'exclament en goûtant mes volatiles. Tous sauf un. Un rustaud, riche propriétaire d'une flotte d'avions de brousse. Une fois la première caille engloutie, il ne trouve rien d'autre à dire que: «Ouais!... C'est pas pire. Mais ça vaut pas le *Ti-Coq Bar-B-Cue!* » Je suis bleue. Je me lève sans rien dire, prends le plat de présentation et jette les cailles par la fenêtre. Puis je me dirige vers le téléphone et commande du *Ti-Coq Bar-B-Cue*. Serge s'est esclaffé, brisant un silence monacal.

Serge fréquentait une drôle de faune. Je me demandais parfois où il dénichait tous ces gens qui gravitaient autour de lui. C'est à croire qu'il les voulait le plus étranges et le plus compliqués possible. Tel ce Jean, une espèce de colosse au cœur tendre, avec qui il s'était lié d'amitié. Fervent communiste, Jean nous traînait dans des assemblées politiques où les discours sonnaient à mes oreilles comme des langues étrangères. J'étais nulle en politique, que les discours soient de gauche ou de droite. Mais j'aimais aussi Jean. J'aimais sa ferveur, son intégrité, sa foi. Assez pour me laisser entraîner par lui dans des aventures qui me semblent, avec le recul, plutôt rocambolesques, sinon carrément démentes. C'était au moment du blocus de Cuba commandé par le président Kennedy. On disait qu'un affrontement nucléaire entre l'URSS et les États-Unis était imminent. Un soir, alors que Serge était absent, parti à Rimouski terminer une tournée, je reçois un mystérieux appel de Jean. Il adopte tout de suite un ton de conspirateur, comme si la ligne était sur table d'écoute. Il détient des informations privilégiées, dit-il. Il me prévient qu'un conflit mondial va éclater cette nuit. Il veut absolument nous sauver, Serge et moi. Il a des relations qui pourraient nous mettre à l'abri des attaques nucléaires. Il faut agir vite. Partir. À Cuba. Serge a été prévenu qu'un avion privé viendra me prendre dans une petite clairière, à quelques kilomètres de Val-David, au lever du jour. Serge nous rejoindra plus tard. Jean m'assure qu'il fera aussi venir ma fille par la même filière. Je lui demande de quelle façon, mais il refuse d'en dire plus. Il a reçu des ordres. Ses supérieurs lui ont demandé de ne pas parler. Tout cela est top secret. Telle une femme de mafioso, je dois me soumettre à la loi du silence et exécuter les ordres. Je boucle hâtivement ma valise et je vais le rejoindre, comme convenu, dans la clairière près de Val-David.

Non mais, fallait-il être naïve! Pire encore... j'étais sobre.

J'ai attendu quelques heures, les pieds dans la rosée, avec le soleil qui se levait. Jean n'était pas là. L'avion n'est jamais venu.

Serge m'a appelée plus tard pour m'informer que nous ne partions plus. La troisième guerre mondiale n'aurait pas lieu, tout danger était écarté. J'ai défait ma valise et nous n'en avons jamais plus reparlé.

Encore aujourd'hui, je m'interroge sur la substance hallucinogène qu'ils avaient tous deux absorbée pour «tripper» si fort. Ça devait être du bien bon stock pour monter un scénario pareil! Et moi, eh bien, j'aimais l'aventure.

Mais tous les êtres étranges qui gravitaient autour de Serge n'étaient pas aussi inoffensifs. J'étais enceinte de huit mois quand, un jour, Serge ramène à la maison une sorte d'énergumène. Un Allemand de 35 ans, tout à fait de type aryen, blond comme les blés, les yeux bleus, grand, bien bâti, mais que l'abus d'alcool et la dépravation avaient bien abîmé. Nous serons ses hôtes pour une semaine. À première vue, je le trouve charmant, mais dès qu'il a un verre dans le nez, ses récits me donnent plutôt la nausée. Pendant la Deuxième Guerre mondiale, il a fait partie des SS. Tout en riant, il me décrit des scènes horribles. J'en viens aussi à comprendre qu'il est pédophile. Aucune personne âgée de plus de dix ans, quel que soit le sexe, ne l'excite. Je vais vomir à la salle de bains. Puis j'ai un réflexe étrange, je baisse tous les stores et ferme toutes les tentures de la maison. Il me semble que cet être maléfique sera plus supportable dans l'obscurité.

Nous avons aussi accueilli à la maison Stéphane Goldman, un célèbre auteur-compositeur-interprète d'origine franco-juive. Un soir, nous avons réuni plus de cinquante personnes pour célébrer le passage à Montréal de Charles Aznavour, grand ami de mon mari. La soirée bat son plein, l'atmosphère est à la fête, tous s'amusent autour du gigantesque buffet que j'ai préparé, lorsque tout à coup la comédienne Janine Sutto vient discrètement me prévenir: «Oh! Oh! Y'a un problème à la cuisine!» Sidérée, je découvre Stéphane Goldman à genoux devant la cuisinière, le haut du corps plongé dans le four, le gaz allumé. Je suis habituée aux excentricités de Stéphane, alors, très calme, je lui demande ce qu'il fait là. Une voix assourdie par les parois du four me répond: «Ils les ont tous gazés pendant la guerre. Je ne mérite pas de vivre. Ce four sera mon tombeau.» Je ne fais ni une ni deux, et lui applique une solide claque sur les fesses, qui le fait bondir et entrer dans une épouvantable colère. J'éteins la cuisinière. Il éclate alors en sanglots. Bien que la guerre soit terminée depuis plus de quinze ans, les plaies sont encore vives pour bien des gens. J'aurais dû consoler Stéphane mais je l'ai plutôt engueulé comme du poisson pourri.

Heureusement qu'il y avait autour de nous des êtres moins tourmentés. Comme Janine Sutto. Elle partageait le vie d'Henri Deyglun, le père de Serge, devenant du même coup ma deuxième belle-mère. Dès notre première rencontre, j'ai éprouvé pour elle ce que j'appellerai un coup de foudre d'amitié. Presque tous les dimanches, nous allions compléter notre dîner chez la mère de Serge, Mimi D'Estée. Je dis «compléter» car, officiellement, notre dîner dominical avait lieu chez ma première belle-mère. Chaque fois, celle-ci nous servait le traditionnel gigot d'agneau avec ses flageolets. C'était délicieux, mais on ne risquait pas de s'étouffer; dans cette famille, on mangeait comme des oiseaux. Infailliblement, je sortais de table avec la faim qui me tenaillait. Je n'osais pas en redemander, et ma belle-mère ne m'offrait pas une deuxième portion non plus. Vu mon tour de taille, elle devait estimer que j'avais l'air assez prospère comme ça. Nous allions donc terminer notre repas chez Janine. Avec la précision d'une horloge, nous arrivions alors qu'ils en étaient aux fromages. Un vrai plateau de fromages chambrés. Quel délice! J'adore le fromage. Je me lançais littéralement à l'assaut du plateau, ne mangeant que ça. Au point que, quelques années et quelques plateaux plus tard, alors que Janine cuisine un repas pour ma venue, sa fille Mireille lui conseille: «Fais juste des fromages, maman. Andrée ne mange que ça!»

J'ai souvent confié, lors d'entrevues télévisées, que les hommes de ma vie m'avaient tout appris. C'est à la fois vrai et faux, car il faut compter avec Janine Sutto. Une «belle-mère» qui devient une amie, et qui reste une amie, même après le divorce de sa «belle-fille», ce n'est pas fréquent. Même si une différence d'âge de dix-neuf ans nous séparait, pour nous cette différence ne comptait pas et nous nous parlions librement. Elle m'a tout appris. Sans prêchi-prêcha, sans me faire la morale, sans m'inonder de conseils. Et surtout sans porter de jugements. Elle savait écouter, dédramatiser par l'humour, se montrer compatissante sans verser dans la pitié. C'est ainsi que je l'ai connue. C'est ainsi qu'elle est restée, encore aujourd'hui.

Dans ce temps-là, elle nous recevait dans sa belle grande maison de ferme, à Vaudreuil, sur le bord du lac des Deux Montagnes. Pour Serge et moi, c'était une halte, un refuge, un lieu où nous pouvions refaire le plein. Peu d'êtres savent, malgré les vicissitudes de la vie – et Dieu sait que Janine a eu sa part de problèmes –, créer comme elle un climat d'harmonie.

Au cours d'une soirée à la maison, alors que Serge et moi prenons un digestif au salon avec des invités, je fais à Janine un clin d'œil complice pour lui laisser comprendre que mes contractions sont commencées depuis un bon moment. J'accuse deux semaines de retard. Un taxi nous emmène Janine et moi, à l'hôpital, où Serge nous rejoint peu après, le temps de laisser partir nos invités. À trois heures du matin, j'accouche, sans complications, d'une superbe

13

J'ai reçu en cadeau un jéroboam de champagne, du caviar iranien, de beaux vêtements de bébé, des paniers de friandises, du chocolat, une profusion de télégrammes et des fleurs à ne plus savoir où les mettre. Au grand dam des infirmières qui doivent chaque soir les sortir dans le corridor pour me laisser respirer un peu. J'ai été gâtée comme une reine. Ma chambre est inondée de soleil, si grande qu'aujourd'hui on y entasserait six ou huit patients. C'était avant l'assurance maladie et la promiscuité des chambres d'hôpitaux, où on peut dormir main dans la main avec sa voisine. Ce n'était cependant pas le bon temps pour tout le monde puisque seuls les gens aisés pouvaient se payer ce luxe. J'y ai passé dix jours, comme un coq en pâte, à traîner parents et amis à la pouponnière pour leur faire admirer ma fille, la huitième merveille du monde. Son corps est long; elle sera grande, comme son père. Heureusement, car, sans talons hauts, j'ai plutôt le look «chien-saucisse».

Seule note discordante: le pédiatre veut opérer Annick. Elle a autour de l'anus de petits nodules qu'il préférerait enlever. Opérer ma fille qui a à peine trente-six heures! Mais jamais de la vie! Je plaide la possibilité que les nodules se résorbent d'eux-mêmes. Furieux, le médecin quitte la chambre en jurant de ne plus s'occuper de ma fille. Grand bien lui fasse! Adieu docteur! Son cas est réglé! Est-ce la bonne décision? J'en suis à ce point convaincue que je ne sollicite l'avis de personne, même pas celui de mon mari.

Je demande plutôt aux infirmières de prendre contact avec un médecin sur lequel ma mère ne tarit pas d'éloges, celui qui avait été notre pédiatre, à mon frère et à moi. Celui-ci ne pratique plus, mais il est considéré comme une sommité et il est toujours à la tête de son département. Les infirmières tentent de m'en dissuader. Je sens chez elles une certaine réticence, mais j'insiste quand même pour le voir.

Quand il entre dans ma chambre, je suis conquise par son sourire de bon papa et sa voix douce, par son calme apaisant. Il examine Annick, puis me rassure ; il n'y a pas lieu d'opérer tout de suite. On verra ! Exceptionnellement, il accepte d'être le pédiatre de ma fille. Quelle chance ! Comme il ne pratique plus, il passera l'examiner à la maison, dit-il, et en profitera pour prendre l'apéritif avec Serge, qu'il respecte beaucoup.

Je rentre donc chez moi rassurée, heureuse.

Tout semble bien aller dans ma vie. Au même moment, mon avocat m'apprend que le procès pour obtenir la garde de mon autre fille devrait avoir lieu dans quelques mois et il m'assure que tout va s'arranger. Et maman vient me donner un coup de main pour tenir la maison, ce qui me permet de reprendre mon rôle dans *Joie de vivre*.

Le chien Gamin est jaloux, il croit avoir perdu sa place dans mon cœur. Annick accrochée à mon sein droit, je dois en même temps le nourrir, lui donnant un à un ses morceaux de viande. À force de le flatter et de le rassurer, il devient le plus fidèle gardien d'Annick, passant ses journées au pied du ber, déguisé en descente de lit. Au moindre cri de l'enfant, il accourt me chercher.

Je ne chôme pas, avec trois répétitions et une journée de tournage par semaine. J'apprends mes textes le soir, quand la maisonnée s'est endormie. Quand je m'absente, Serge transporte sa machine à écrire dans la chambre du bébé et rédige ses chroniques tout en berçant sa fille avec son pied. À mon retour, il s'extasie chaque fois : «C'est un bébé de rêve. Elle ne pleure jamais.» Depuis que je partage la vie de Serge, je ne l'ai jamais vu si heureux. Comme s'il avait touché un coin de paradis. Il ne boit pratiquement plus. Il continue de suivre sa bonne étoile ; ainsi, il vient de créer, avec un associé, la compagnie Artek Film, qui produira pour Radio-Canada une série de trente-six demi-heures sur la chasse et la pêche au Nouveau-Québec. Afin que je puisse l'accompagner, il propose à Marjorie, qui attend un enfant, de travailler pour nous après son accouchement. Elle pourra ainsi élever son enfant en même temps que s'occuper d'Annick. Pour mon mari et moi, un enfant de plus dans la maison, c'est du bonheur de plus. Et puis nous aurons bientôt les moyens d'acheter une grande maison. Marjorie accepte. Que la vie est belle !

Dans le petit livre souvenir *Notre bébé*, je note l'évolution de ma fille. Le 1er mai, j'écris : «Premier sourire d'Annick à son papa.»

Comme moi, Serge est convaincu que ma première fille se joindra bientôt à notre petite famille. Parfois il me fait comprendre qu'il ne détesterait pas se mettre rapidement au boulot pour faire un petit frère aux deux filles. Je suis entièrement d'accord. Je veux cinq enfants, j'en veux dix ; il me semble qu'on n'a jamais trop d'enfants à aimer. Le bonheur nous nourrit, Serge et moi. Je n'ai plus besoin de manger comme quatre, je maigris, je reprends ma forme. Quant à Serge, il poursuit sa quasi-abstinence. Et le désir renaît entre nous. Serge me trouve belle.

Mais voilà qu'au cours de la dernière semaine de mai Annick tombe malade. Elle pleure jour et nuit, refuse son biberon et recrache ses céréales. Elle bouge la tête de tous côtés. Je m'affole, mais, une heure plus tard, mon merveilleux pédiatre est là. Il me rassure tout en se moquant gentiment de moi : «Ta fille fait un petit rhume. Faut pas t'affoler comme ça au moindre bobo !» Il écrase une aspirine dans une cuillère et la fait avaler à Annick. Et pendant qu'il prend l'apéritif au salon avec Serge, je berce l'enfant, rassérénée. Le lendemain, je dois accompagner Serge au lac des Îles pour y pêcher la truite. Mais je compte d'abord voir quelle sorte de nuit passera Annick.

Le médecin avait raison, ma fille a dormi toute la nuit, elle a pris ses biberons. Elle a longtemps dormi ; en fait, elle dort encore.

Mais ça me paraît normal, elle a tant pleuré ces derniers jours, elle doit sans doute récupérer. Je ne vois plus d'objection à accompagner Serge dans son voyage de pêche.

Qu'est-ce qui s'est passé ensuite? Je ne sais plus très bien. Tout s'embrouille. Nous sommes à la pêche. Je me souviens de ma mauvaise humeur, que je mets sur le compte de la déprime d'après l'accouchement. Je suis inquiète, aussi; c'est la première fois que je fais garder Annick. «Mère poule», me lance un ami de Serge. Mère tout court, rectifie mon instinct. Mes démons reprennent possession de moi. Je pleure, je ne veux pas dormir à cet endroit, je veux rentrer à la maison. Serge est découragé.

On rentre.

ANNICK EST MORTE!

Comment est-ce possible? Son pédiatre l'a examinée hier! Hier elle vivait! On m'explique qu'elle a fait une otite purulente interne, qui a dû la faire souffrir terriblement. Mon adorée, c'était ça, tes cris et tes pleurs? Comment n'ai-je pas deviné? Je proteste: «Après la visite du médecin, elle a bu son lait, elle ne pleurait plus!» Normal, m'explique-t-on, elle était alors dans un état léthargique, l'otite avait dégénéré en méningite. Les seuls symptômes qui auraient pu me mettre la puce à l'oreille sont les mouvements incontrôlés de sa tête. Mais un bébé de deux mois, c'est tout mou, non? Non! J'aurais dû savoir qu'il y avait quelque chose d'anormal. Mais le médecin, lui, pourquoi n'a-t-il rien vu?

Parce qu'il était *stoned*. Parce qu'il *se piquait à l'héroïne*! C'est pour ça qu'il ne pratiquait plus. Mais l'hôpital le couvrait, le protégeait. C'était une sommité, après tout! Ainsi s'expliquait la réticence des infirmières à me mettre en rapport avec lui. Tout le monde savait qu'il avait basculé dans un autre univers. Un univers où une otite purulente interne se soigne avec une aspirine. Mais tout ça, je ne l'apprendrai qu'un mois plus tard, quand je lirai le rapport de l'autopsie.

Annick est morte. Au milieu du salon, Serge et moi pleurons, réfugiés dans les bras l'un de l'autre. Janine est là. Est-ce moi qui l'ai appelée? C'est sans importance. Elle est là. Elle est la seule personne que j'ai envie de voir. Il fait noir. Personne ne songe à allumer la lumière. Où est Annick? À la morgue. Tout va si vite... Serge s'est remis à boire; qui pourrait le lui reprocher? Bois, mon amour, bois, si ça peut t'apporter un peu de paix. Personne ne parle. Gamin hurle à la mort près du ber vide. Serge le frappe. C'est la première fois qu'il bat son chien. Après, il va se coucher. Il dormira douze heures.

Je m'écrase dans un fauteuil. Gamin ne hurle plus, il est couché à mes pieds. La première nuit va commencer. Le deuil, le manque, est si récent que je ne réalise pas encore que l'être aimé n'est plus là, qu'il ne sera plus jamais là. Je pleure, tout en essayant de nier l'évidence. Puis mon cœur vacille. Je comprends. Dieu, ayez pitié de moi! Janine pleure avec moi. Elle n'essaie même pas de me consoler, il n'y a rien à faire, rien à dire. Elle est là, c'est tout ce dont j'ai besoin. Parfois je m'assoupis. Quand j'ouvre les yeux, un moment d'oubli me fait demander à Janine, dans un réflexe machinal: «Tu veux boire quelque chose?» Puis la réalité me frappe encore: Annick est morte. À l'intérieur de moi, c'est le vide total. Ma détresse est si grande qu'il n'y a de place pour aucune autre émotion. La nuit passe. Je me dis que papa et maman vont arriver d'un instant à l'autre.

Quand Serge s'éveille, il va et vient dans l'appartement. Il fait jour. Je n'ai toujours pas bougé de mon fauteuil. Serge entre dans le salon, portant dans ses bras le ber, dont il a retiré le matelas et la literie. J'observe chacun de ses mouvements, hypnotisée. Que va-t-il faire? Sans dire un mot, il dépose le ber sous les fenêtres du salon, là où luit la lumière du jour. Puis il y range soigneusement toutes les bouteilles d'alcool de la maison. D'une voix ferme, qui n'appelle aucun commentaire, il se retourne vers moi: «Voilà! C'est un bar! Avant, il n'y a rien eu. Il n'y a jamais rien eu, tu m'entends!»

J'entends mais je ne comprends pas. C'est l'horreur. Serge est un monstre! C'est le lit du bébé! Du bébé mort! Je hurle. Je me précipite vers lui et le frappe à coups de poing et à coups de pied. Mais il reste inflexible.

«*C'est un bar.*»

Je mettrai des années à comprendre sa réaction. Je suis trop jeune, trop égocentrique; pour moi, il n'y a qu'une seule façon de souffrir, la mienne. Je ne sais pas encore que les êtres humains réagissent comme ils le peuvent aux événements qui les dévastent. Serge était en miettes. Le dernier souffle de son enfant avait emporté son espoir de vivre. C'était une douleur insupportable. Il préférait nier.

Serge et moi ne reparlerons plus jamais de cette mort et un fossé se creusera irrémédiablement un peu plus chaque jour entre nous. Quand mes parents repartiront, ils emporteront avec eux les vêtements d'Annick. Puis la table à langer. Et la commode. Bientôt, il ne restera plus rien d'Annick. Il n'y a jamais rien eu. Il faut oublier. Prendre sur soi.

Le téléphone sonne sans arrêt. Condoléances. Sympathie. De toute ma vie je n'ai entendu autant de conneries.

«Vous êtes jeunes, vous en aurez d'autres.»

«Elle était si petite. À cet âge, on n'a pas le temps de s'attacher.»

«Essaie de ne plus y penser. Le temps arrange bien les choses.»

J'entre dans une épouvantable colère. De quoi avez-vous si peur? Que mon chagrin perturbe votre petite vie bien rangée? Allez vous faire foutre!

Puis, le lendemain, je trouve un mot, un tout petit mot, dans la boîte aux lettres:

Je ne sais pas quoi vous dire. Mais je vous aime.

Pierre Nadeau

Merci, Pierre. Il n'y avait que cela à dire. J'ai conservé ce mot. Il m'a fait tant de bien.

C'est mardi. On enterre Annick au cimetière de la Côte-des-Neiges. Pas en terre sainte, puisqu'elle n'avait pas encore été baptisée. Son baptême était prévu pour le début du mois de juillet. Vous pouvez bien la jeter dans la fosse commune, si vous voulez, je m'en fous! Je ne suis même pas là pour vous voir. Je travaille. Je suis en studio pour un épisode de *Joie de vivre*. C'est du direct, impossible de me faire remplacer. Il ne faut pas me demander comment j'ai fait, je n'en sais rien. Je ne suis pas sous l'effet de calmants; j'ai refusé la bienheureuse injection que le médecin m'a proposée car il ne faut pas que j'oublie mon texte. Mais où et quand ai-je mémorisé ce texte? Je ne m'en souviens plus. Pendant qu'on enterre ma fille, dans l'émission on filme le baptême d'un petit bébé. Un vrai bébé que je tiens dans mes bras puisque je suis porteuse. La réalité dépasse la fiction. Mes camarades m'entourent de leur tendresse discrète. Je n'ai pas pleuré. Pas hurlé. On m'a cru courageuse mais il n'en était rien. J'entends encore l'auteur: «Cette petite a une force peu commune. Elle a l'âme musclée.» Faux. J'avais le cerveau détraqué. J'étais comme assommée, incapable d'assumer la moindre émotion, sans réactions. J'étais hors de mon corps, là où l'air était encore respirable.

Où était Serge? En tournage au réservoir Gouin. Cette expédition était organisée depuis longtemps et l'équipe avait été réservée; impossible de reporter ce tournage. J'ai su plus tard par un caméraman de l'équipe que Serge avait refusé qu'on lui parle de la mort de sa fille. Il avait bu sa bouteille de scotch par jour.

Je n'ai pas de photos de la mort d'Annick. Que des coupures de journaux jaunies et l'empreinte de son pied à la naissance pour souligner son passage sur cette terre.

C'est l'entrée à la cathédrale Marie-Reine-du-Monde. Dans quelques minutes, Andrée Boucher deviendra Mme Serge Deyglun.

Source : Échos-Vedettes

Elle se croyait sobre, chic. Mais son décolleté fera scandale.

Source : Échos-Vedettes

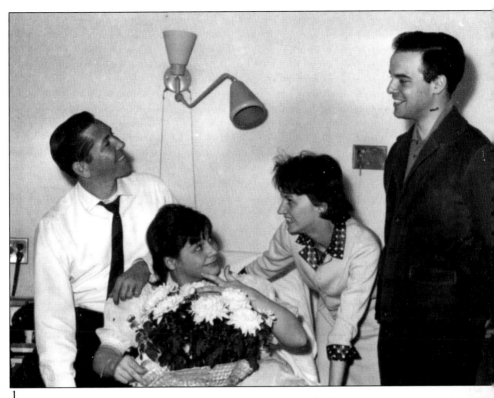

1

2

3

1. Annick vient de naître. Pour partager ce
grand moment de bonheur avec les
nouveaux parents, des amis très chers,
Pierre Nadeau accompagné de sa femme,
France Johnson. *Source : Échos-Vedettes*

2. Serge sur une banquise au large des Îles
de la Madeleine. Il a apporté avec lui le bar
portatif qu'Andrée lui a offert pour Noël.

3. Un des deux blanchons ramenés du
fameux voyage aux Îles de la Madeleine.
Ici, Andrée avec le cameraman Uwe
Koneman.

1

2

3

1. Andrée après la cure de sommeil qu'elle s'impose à la clinique Vogel afin de contrer la dépression qui suit sa séparation d'avec Serge Deyglun.
Source : Échos-Vedettes

2. Au cours du téléroman *Joie de vivre*, aux côtés de l'auteur Jean Desprez et du réalisateur Florent Forget.

3. C'est alors qu'elle jouait dans *Les Gueux au paradis*, au théâtre Stella, qu'elle a appris que son mari la trompait.

1. En compagnie de Paul Berval et de Paul Desmarteaux, à l'époque des cabarets. *Source : Échos-Vedettes*

2. Dans *D'Iberville*, aux côtés d'Albert Millaire qu'elle admirait tant au Conservatoire. *Source : Échos-Vedettes*

3. Elle renoue avec la chanson, mais cette fois en adoptant le style « yé yé ». Elle fera deux disques. *Source : Échos-Vedettes*

1

2

1. Au restaurant *La Coucaracha* de son amie Denise Filiatrault, où elle se sent comme chez elle. En compagnie de
Sophie Laurin, du coiffeur et ami Pierre David et d'un copain, Normand Morin.

2. Un nouvel amoureux, Patrick, lui redonne beaucoup confiance en elle. Derrière eux, Alain Delon qui n'est pas là pour rien...
Source : Échos-Vedettes

1

3

2

1. Incroyable mais vrai, meneuse de revue aux *Folies Royales*!

2. Au Café Princesse du Café Saint-Jacques, en compagnie de Claude Séguin et Léon Lachance. C'est de là que quotidiennement ils animent l'émission *Les Trois Mousquetaires* diffusée sur les ondes de CKVL.

3. Au dernier *Gala des Artistes*, Andrée Boucher est en nomination. Elle est accompagnée du directeur de *Photo-Vedettes*, Marc Cogoli. Elle porte une création du costumier Yvon Duhaime. *Source : Échos-Vedettes*

1. Dans *Les Belles Histoires des Pays d'en Haut*, la « belle Artémise » devient l'épouse d'Alexis, incarné par Guy Provost.
Source : Échos-Vedettes

2. Artémise prend son bain. La célèbre scène de la cuve qu'Andrée Boucher relate avec plaisir.
Source : Échos-Vedettes

1

2

14

J'ai donné à Marjorie son congé. Elle va accoucher dans quelques semaines et voir son bébé est au-dessus de mes forces. Serge lui a accordé une généreuse prime de départ et elle travaillera chez une de mes amies. Adieu, Marjorie.

Un après-midi où il fait un temps magnifique, belle-maman Mimi m'entraîne au cimetière. Nous sarclons, bêchons, plantons des fleurs sur la tombe d'Annick. Seule une petite croix blanche, semblable à des centaines d'autres, marque son emplacement. Belle-maman me dit qu'il faudrait que je prévoie une plaque, une stèle, quelque chose de plus définitif que cette croix anonyme. J'acquiesce, mais je n'en ferai rien. J'ai la conviction que l'âme de mon enfant n'habite pas cet endroit. Je ne retournerai jamais au cimetière.

Je m'informe auprès du curé de ma paroisse pour savoir s'il ne connaîtrait pas une famille dans le besoin à qui je pourrais offrir la layette d'Annick. Oui. Une femme doit bientôt accoucher d'un sixième enfant et le père est sans travail. Je téléphone à maman pour que papa me rapporte les effets d'Annick. Elle hésite: «Même le trousseau de baptême?»

«Oui, maman. Et la table à langer, les lampes, la commode, les animaux en peluche. Tout.»

J'exige du curé l'anonymat. «Si vous tenez absolument à dire quelque chose, dites que c'est un cadeau d'un ange.»

Je repeins la chambre de Marjorie, j'achète un mobilier d'enfant, je confectionne des rideaux, je décore. Il faut que ma fille aînée se sente chez elle quand elle viendra rester avec nous. Car elle va venir, c'est sûr. Mais quand?

J'ai condamné la chambre d'Annick, dont je tiens la porte toujours close. Gamin se couche devant la porte et gémit. Moi, je ne pleure plus. Je suis rongée par une terrible colère. Pourquoi est-ce arrivé à moi? À nous? Il y a tant d'enfants dont on ne veut pas. Des enfants maltraités. Pourquoi la mienne, qui était tant aimée? Injuste! C'est injuste! J'en veux à la terre entière, j'en veux à Dieu, je ne peux même plus prier. Mais cette colère reste sourde. J'ai les lèvres bleuies à force de les crisper pour ne pas laisser échapper de hurlements. Je n'ai jamais su exprimer mes colères. À la maison, seul papa avait le droit de s'emporter, de crier, de frapper sur les murs. De plus, j'ai peur quand on crie après moi. Alors je me tais.

Les confrères du pédiatre qui a laissé mourir notre fille ont beau nous offrir leur appui, leur témoignage, advenant une poursuite, nous déclinons l'offre. Merci tout de même. Ce genre d'appui est rare parmi les membres de cette corporation. Mais remuer toute cette boue est au-dessus de nos forces. Ce médecin aura toujours sa conscience pour lui rappeler son geste. C'est suffisant.

Serge s'est remis à boire, plus que jamais. J'achète de nouveau sept grosses bouteilles d'alcool par semaine en faisant mon marché. Et moi, je mange. J'ai toujours faim. Une faim insatiable. Je suis comme un gouffre. Même si nous ne recevons personne à dîner, je passe des heures à cuisiner, envoûtée par la nourriture. Potage à la crème, oie au clavados, gâteau au kirsh recouvert de crème fouettée et piqué de fraises des champs. Vers vingt-deux heures, quand Serge, repu d'alcool et de nourriture, va se coucher, je me retrouve seule à la cuisine, en robe de chambre, et j'enfourne un autre repas. De préférence des tranches de pain, garnies de bacon et de fromage gratiné. Certains soirs, j'engloutis jusqu'à dix tranches. Puis je vais me coucher... dans la chambre de ma fille aînée pour ne pas déranger mon mari. Je lis jusqu'à cinq heures du matin, puis le lendemain je recommence. Manger est mon obsession, mon idée fixe. Qu'est-ce qu'on a mangé hier? Qu'est-ce qu'on va manger demain? Comment apprêter les restes? Je fouille fébrilement mes livres de cuisine. En quatre mois, je prends vingt-trois kilos. Avec les dix kilos qu'il me restait à perdre de ma grossesse, je suis à l'étroit dans ma peau. Serge fera une crise de goutte et Gamin, une crise de foie.

Entre Serge et moi, sexualité zéro. Pourtant, il m'arrive de sentir monter en moi des désirs sauvages. Je voudrais faire l'amour, là, tout de suite. Pas pour faire l'amour, mais pour faire un autre enfant, pour faire acte de vie contre la mort. Je me sens anormale, honteuse. Serge me repousse. Je le comprends. Je me fais horreur. Je porte la responsabilité d'avoir consulté le pédiatre «assassin». J'ai détruit la raison de vivre de mon mari. Comment me pardonner? Comment me faire pardonner? Parle-moi, Serge! Je ne veux pas de cette tendresse douceureuse, de ce ton de commisération que l'on emploie avec les grands malades. Hurlons, pleurons, explosons ensemble. Après, il sera peut-être possible de rebâtir.

Mais rien n'est dit. Chacun se mure dans sa solitude et se débrouille avec sa propre souffrance.

Il est déjà trop tard pour que Serge et moi nous confiions l'un à l'autre, car nous sommes vite repris par le rythme trépidant des journées de travail. Artek Film, la maison de production de Serge, entreprend le tournage d'un premier documentaire. Et moi, je reprends mon rôle dans le radio-roman *Docteur Claudine*, à CKVL et je continue *Joie de vivre*.

Quand mon travail est terminé, je me rends en voiture dans la rue où habite ma fille. Je veux la voir. Simplement la voir. Un jour, je l'aperçoisqui joue sur la galerie, à l'avant de la maison. Je freine abruptement et je la dévore des yeux. Je voudrais me précipiter vers elle, la serrer dans mes bras et la couvrir de baisers, mais je ne bouge pas. Il faut attendre le procès. Je reviendrai inlassablement, semaine après semaine, sans jamais faire un geste qu'on pourrait me reprocher. Le soir, chez moi, un grand chien noir m'attend. La nuit, je l'appelle «mon bébé».

La rumeur court à Radio-Canada que Jean Desprez s'apprête à retirer de son téléroman *Joie de vivre* certains personnages qui parlent la langue de la rue. C'est une sorte d'épuration culturelle. Mon personnage est de ceux-là. Les pressions sont fortes sur Radio-Canada. Cette épuration fait suite à la publication du livre du Frère Untel, qui dénonce avec acharnement le joual, le parler québécois qui cherche à gagner ses lettres de noblesse. Honni soit le langage de la rue. C'était bien avant la consécration des *Belles-Sœurs* de Michel Tremblay.

L'auteur s'exécute et bannit mon personnage. Je me retrouve sans travail. Je n'en cherche d'ailleurs pas. On ne me voit plus au théâtre. Je ne fréquente plus les endroits où je pourrais me faire voir. Je n'ai pas chanté depuis la *Butte à Mathieu* et je ne travaille pas de nouvelles chansons avec mon pianiste. Loin des yeux, loin du cœur, on ne pense plus à moi dans le métier et, pour être franche, je crois que ça m'est égal.

J'ai alors vingt-quatre ans. Je me contente de vivre par procuration, à travers mon mari. Je le suis partout. Je participe à des expéditions passionnantes. Il m'emmène à la chasse aux canards à Montmagny. À l'affût dans des barques à fond plat, nous attendons la «passe» du matin, cachés dans les joncs. Nous allons aussi à la chasse aux loups, dont la prolifération menace les chevreuils d'extinction. Avec la peau des loups, on me confectionne un chapeau et des bottes. Je crie grâce quand on me propose aussi une ceinture. Mais surtout, surtout, je pourrai dire que j'ai chassé l'orignal.

Celui qui n'a jamais ressenti la fièvre qui s'empare du chasseur n'a rien vécu. C'est une sensation unique. Je me souviens du premier orignal que j'ai abattu. Il avait une superbe ramure. Un dix points parfait. Nous avons passé six jours dans les bois à l'attirer, à le «caller». À imiter le jet d'urine de la femelle en versant l'eau d'une boîte de conserve sur la surface d'un lac. À identifier les bruits, les craquements, les souffles, les odeurs. À déjouer les vents pour qu'ils n'apportent pas notre odeur jusqu'à l'animal. Il faut une patience infinie. Soudain, les chasseurs-rabatteurs (qu'on appelle chiens) aperçoivent un mâle. Ils le rabattent sur ma position. Je suis seule. Je l'entends. Il est puissant. Ses bois énormes écartent les feuillus sur son passage. On dirait qu'il dévaste la forêt. Puis, soudain, il est là, devant moi. J'épaule, puis tire. Une seule balle, à la base du cou, là où la bosse commence. Il plie les genoux. Je l'ai! Je l'ai! Je tremble de tout mon corps, en proie à une sorte de *buck fever* à retardement. Un autre chasseur l'achève. Il faut maintenant le tirer hors de l'eau, l'ouvrir, l'éviscérer, le suspendre à un arbre pour le mettre hors d'atteinte des prédateurs.

Le soir venu, nous mangeons le foie encore chaud. C'est moi qui le fait revenir dans une poêle, sur le feu, accompagné de champignons sauvages. Autour de nous, ça sent le sapinage, la charogne, l'être humain mal lavé et le sang chaud. Le gin coule à flots. Ici, il faut tuer pour manger. J'en ai la tête vide et le corps apaisé. Dans les bois, la mort me semble naturelle, et je ne m'assombris pas quand le jour décline car les ombres y sont synonyme de paix et non d'angoisse. La chasse est ma nouvelle passion. J'aime l'odeur de la poudre, le cliquetis des armes à feu, le contact cru, franc, direct avec les hommes. Je cherche à leur plaire, à mériter leur respect, sans utiliser une séduction de femelle. Cette camaraderie un peu brusque me convient. Les hommes d'alors ne parlaient pas de leurs émotions, et moi je ne livrais pas les miennes. Comme me l'avait appris ma mère: «On ne se répand pas sur les autres.»

Quelque temps plus tard, à la maison, je me considère avec lucidité dans une glace. Je suis sans pitié pour moi-même. Andrée, tu es énorme! Je n'entreprends pas de régime, je ne connais même pas le mot. Je décide tout simplement de ne plus manger du tout. Enfin, juste pour dire que je ne tombe pas d'inanition. Quand je me joins à une expédition, où je suis forcée de faire comme tout le monde, c'est-à-dire d'engloutir œufs, bacon et saucisses, je me fais ensuite discrètement vomir, les doigts enfoncés dans la gorge. La nourriture me fait horreur. Je fume comme une cheminée, je bois du café noir et mon gin, sec. J'ai entendu dire que l'alcool blanc ne fait pas grossir. Ça semble se vérifier car je fonds à vue d'œil. Quelques mois plus tard, je suis allégée d'environ trente kilos. J'ai mis mon corps au pas. Il m'obéit et j'en suis fière.

Mais la nourriture est encore pour moi une obsession. Qu'est-ce que j'ai mangé hier? Qu'est-ce que je ne dois pas manger aujourd'hui? Comment faire pour que mes proches ne se rendent pas compte que je ne mange plus? Je ne pense qu'à ça. Cette idée fixe occupe toute ma vie. Je ne cesse pas pour autant de recevoir des gens à la maison et de cuisiner. Mais je ne goûte plus à rien, je cuisine machinalement. Mon humeur n'est pas toujours au beau fixe, je suis souvent nerveuse, irritable, impatiente. Fréquentable tout de même, sinon mon mari ne m'aurait pas imposée à ses amis et collaborateurs.

Tel maître, tel chien, dit-on. Gamin aussi a de sérieux problèmes avec la nourriture. Au cours d'une expédition de pêche à la ouananiche, au lac Saint-Jean, il dévore les cinq lapins domestiques de notre hôte. La fourrure aussi. Tout rond. Il «a la boule», comme dit le vétérinaire. Il est malade comme... un chien. Je m'affole exagérément. J'ai reporté toute mon affection sur cet animal et je le traite comme un enfant, je ne veux pas le perdre lui aussi.

La date du procès a finalement été fixée, il aura lieu dans quelques semaines. L'avocat semble si convaincu de son issue que je me sens portée par un nouvel espoir. Je vais revoir ma fille. J'attends mon enfant, je ne pense et ne parle que de ça. Que l'attente de ce procès me semble longue! Heureusement, Serge me confie un travail passionnant. Nous partons pour la baie James afin d'y tourner un documentaire sur les outardes, mais les assurances ne couvrent pas les déplacements d'une scripte. Puis-je faire ce boulot? Bien sûr! J'assiste au montage des productions précédentes, en studio, aux côtés du réalisateur, et j'apprends le métier de scripte.

Quand nous arrivons à Rupert House, l'hydravion Norsman survole depuis des heures une immensité trouée de lacs. Des lacs qui n'ont pas de nom, parce qu'ils sont trop nombreux. «Là où la main de l'homme n'a jamais posé le pied», comme un journaliste de l'époque a décrit l'endroit! L'épinette fait place à la toundra, l'eau de la baie est noire, c'est le Grand Nord, le vrai. Bien que ce soit seulement la fin de septembre, il faut faire vite car dans deux semaines les glaces vont prendre et l'hydravion ne pourra plus décoller. Les Amérindiens nous aident à décharger l'équipement. Les hommes installent leur quartier dans un chalet de bois, tandis qu'on m'assigne une tente, à l'écart. Les hommes se sentent plus à l'aise si je ne dors pas avec eux. Moi aussi. Le fond de ma tente est tapissé de plusieurs couches de sapinage ; l'odeur me rappelle les sapins de Noël de mon enfance, à Macamic.

Dès l'aube, nous entreprenons une longue et pénible marche vers les caches, par un sentier baptisé, non sans raison, Cardiac Swamp. À cause du poids du sac à dos et du fusil, mes cuissardes s'enfoncent à chaque pas dans le sol glaiseux, et l'effort que je dois fournir pour les en retirer est épuisant. Des caméras enregistrent notre lente progression.

On dit de l'outarde qu'elle est l'oiseau le plus intelligent. Pour être plus précis, disons plutôt qu'elle est méfiante ; ses sens sont très aiguisés et elle perçoit tout. Aussi, lorsque nous les attendons dans nos caches, prêts à tirer, pour la «passe du matin», nous avons beau disperser nos appelants dans la toundra, les oies ne descendent pas. Elles ne se laissent pas berner aussi facilement. Il faut ruser davantage. Ce n'est que lorsque les guides amérindiens se mettent à jacasser avec elles qu'elles descendent finalement. Je suis à ce point impressionnée par le spectacle grandiose de leur vol, qui obscurcit le soleil, que je suis incapable de tirer. Ce n'est qu'à la «passe du soir» que j'épaulerai, pour réussir un «doublé», c'est-à-dire faucher deux oiseaux en deux tirs consécutifs.

Le lendemain, seule avec un caméraman, je monte en canot vers le campement de nos guides amérindiens. Des peaux sèchent un peu partout, tendues par des cordes. Une immense tente, dont le sol est recouvert de branches de sapin, abrite une seule famille, plus d'une trentaine de personnes. Quand j'entre sous la tente, j'ai l'impression d'entrer au cœur même de la vie. Tous m'adressent un immense sourire. Des enfants jouent autour de leurs grands-parents occupés à réparer des filets de pêche. Des femmes s'activent devant un poêle à bois au-dessus duquel pend une oie, mise à fumer. La graisse tombe goutte à goutte dans une assiette à tarte, composant une sorte de cretons. Une Amérindienne m'offre d'y goûter. Je lui dis que c'est délicieux. Au même moment, j'entends son bébé pleurer. Je le tire de son hamac et le berce en lui fredonnant une berceuse. Il vient à peine de s'endormir que des larmes me montent aux yeux. Cette mère devait sentir en moi l'éveil d'un douloureux souvenir, car elle s'approche pour me caresser doucement la tête. Elle a un sourire plein de tendresse. Une telle paix m'a alors envahie que j'aurais voulu vivre là. Ne jamais revenir.

Au retour, quand l'hydravion se pose à La Sarre, un message urgent m'attend. Papa a fait un infarctus, il se bat entre la vie et la mort. Dans une course contre la montre, je conduis ma voiture à une vitesse suicidaire jusqu'à l'hôpital de Shawinigan. Quand j'aperçois mon père, sous la tente à oxygène, c'est un choc. Je reconnais à peine ses traits, on dirait qu'il a fondu. Heureusement, je reçois un appel de mon mari, rassurant. Il s'inquiète pour papa et me suggère de lui prendre une chambre privée, dont il assumera les frais. Il dit pouvoir se débrouiller seul à la maison. Il me conseille de rester chez mes parents pour prendre en main la convalescence de mon père. Serge est toujours l'homme bon et généreux que j'ai épousé. Je l'aime toujours. À ce moment-là, tout aurait pu encore être sauvé entre nous. Il aurait suffi de si peu, quelques mots, un abandon, il aurait fallu lâcher prise, et notre douleur commune aurait pu devenir supportable. Mais il n'y avait que le silence, où nous parlions des problèmes des autres.

Papa survit, mais une longue convalescence s'impose. On lui conseille de se ménager. Il s'entête à faire le contraire. Je revois encore maman, du haut de l'escalier, inquiète, lui crier: «Gaston, laisse ton fils monter les boîtes du marché! C'est trop lourd pour toi!» Humilié, papa saisit alors une boîte et monte rapidement. Trop rapidement. Son teint est gris et sa respiration sifflante. «Continue comme ça et tu vas mourir! insiste ma mère. C'est ça que tu veux?» Papa ne répond pas. Peut-être cherche-t-il tout simplement à s'assurer que maman tient encore à lui.

Quand elle manquera à son tour de mourir, quelques mois plus tard, à la suite d'une opération de la vésicule biliaire, papa menacera de se tirer une balle dans la tête si elle ne guérit pas. Comme si elle le faisait exprès. La maladie, chez l'un ou chez l'autre, les met hors d'eux. «Il ne faudrait pas que je parte avant votre père», nous confie maman. «Si je mourais avant votre mère, il faudrait bien vous en occuper», répète papa. Ils s'aimaient encore, d'un grand amour exprimé avec maladresse. Ils étaient à la fois incapables de concevoir la vie l'un sans l'autre et exaspérés de vivre ensemble.

Je reviendrai à Montréal pour le procès. Celui-ci sera tellement odieux que j'en ai conservé la transcription pour être sûre de n'avoir pas rêvé. Une fois le procès terminé, mon avocat se montre pourtant des plus optimistes, convaincu que nous allons gagner. Nous allons même célébrer cette victoire au restaurant. Je ne connais rien à la loi, mais je sais que le juge, qui rendra son verdict dans quelques semaines, n'éprouve aucune sympathie pour moi. Pour lui, je ne suis pas une mère, mais une actrice, d'une race qui lui inspire le mépris. Il me l'a d'ailleurs bien fait sentir en cour. Au cours de sa plaidoirie, l'avocat de IL a lancé: «Votre Seigneurie, cette femme est incapable d'élever un enfant. La preuve, elle en a déjà laissé mourir un.» À ces mots, j'ai bondi, révoltée, mais seul un maigre «Oh!» est sorti de ma bouche. Le juge m'a jeté un regard glacial: «Assoyez-vous, madame. Vous n'êtes pas au théâtre ici!»

Le jugement accordera l'enfant à sa grand-mère.

Mon avocat me conseillera de porter la cause en appel mais je n'y crois plus. J'accepte le verdict. Sans colère. Sans révolte. Tous ces gens ne peuvent avoir tort. Je dois être une mauvaise mère et je suis punie pour la mort d'Annick. Je sais que je n'aurai plus jamais d'enfant. Je ne le mérite pas. «Une petite bonne à rien», avait prédit maman.

15

Six mois plus tard, je peux enfin exercer pour la première fois mon droit de visite accordé par la cour. Malheureusement, ce n'est plus ma fille que j'accueille à la maison, mais une inconnue. Intimidée, c'est à peine si elle m'adresse la parole. Elle reconnaît le chien Gamin mais ne reconnaît pas Serge. Quand je lui montre sa chambre et les jouets que nous lui avons achetés, elle me dit «Merci, madame». Puis elle se met à pleurer et veut rentrer chez elle. Je me dis: ne paniquons pas. Accordons du temps au temps. Je dois l'apprivoiser, ne pas la brusquer.

Mais comment fait-on pour créer une complicité avec une enfant dont les visites nous sont accordées au compte-gouttes? En effet, quand je vais la chercher chez la grand-mère, accompagnée d'un témoin, on refuse la plupart du temps de me la confier. Tous les prétextes sont bons: elle est grippée, ou elle est partie en visite chez une tante, quand on ne prétend pas carrément qu'elle ne désire pas me voir. Un jour, devinant la présence de ma fille derrière la porte entrebâillée, je lui demande: «Ma poupoune, c'est vrai que tu ne veux pas venir avec moi?» Je l'entends alors qui sanglote: «Je ne veux pas te voir, je ne veux pas te voir!» Elle y met une telle insistance que je ne peux m'empêcher de penser qu'on s'est acharné à l'en convaincre. Sur ce, la porte se referme.

Jamais ma fille ne dormira dans sa chambre et je devrai attendre des années avant qu'elle montre envers moi des mouvements de tendresse spontanés. Dans ce temps-là, je ne blâmais personne. Simplement moi. Je me disais que je ne devais pas avoir la bonne façon de m'y prendre avec elle. Et j'essayais de ne pas imposer mes angoisses à mon mari. J'estimais qu'il avait déjà fait sa part. Il avait payé l'avocat, les jouets, il avait surmonté avec moi le stress du procès; je ne pouvais pas lui en demander plus.

La vie est subtile. Elle nous accorde des pauses, elle entremêle joies et peines, transforme des sanglots en rires avant de nous faire repasser du rire aux larmes. Ainsi, les déplacements de mon mari me font connaître, parallèlement, des heures exaltantes, me faisant oublier pour quelques jours les relations pénibles avec ma fille. Je pars avec son équipe à la pêche aux petits poissons des chenaux à Sainte-Anne-de-la-Pérade, je pose des collets dans les bois, je chasse l'ours polaire dans l'Arctique et le faucon dans l'État de New York.

Serge produit un jour un documentaire sur les rivières souter-raines et le réseau des égouts de Montréal. Encore une fois, je lui sers d'assistante. Habillés de longs cirés noirs, chaussés de bottes de caoutchouc et coiffés de casques de mineur munis d'une lampe, nous remontons en chaloupe le sombre cours des canalisations. Pendant que les caméras enregistrent nos déplacements, je note le métrage de la pellicule et l'ordre des scènes. À chaque embranche-ment, le nom des rues nous sert de points de repère. Nous décou-vrons des rivières oubliées. Soudain, sous le feu de ma lampe, sur un mur de pierre, j'aperçois des centaines de petites lueurs qui brillent dans le noir. Qu'est-ce que c'est? «Des rats!», me répond le pompier qui nous sert de guide. Il y en a des centaines, gros comme des chats. Je plonge aussitôt au fond de la chaloupe où je m'entortille dans la bâche, suant à grosses gouttes et éprouvant un violent haut-le-cœur. J'ai bien failli mourir étouffée. Mais même une offre d'un million de dollars ne m'aurait pas fait sortir de là. J'en ai oublié de noter le métrage de la pellicule et je me suis fait copieusement engueuler par Serge en rentrant à la maison.

Les rats, c'est ma phobie. Toutes les catégories de rats. Même l'inoffensif hamster, ce n'est pas peu dire! Au retour d'une expédi-

171

tion de chasse, à laquelle je n'ai évidemment pas participé, Serge tire un rat musqué de sa gibecière et le pose sur la table de la cuisine. Poils collés au corps, moustaches, longue queue, c'est un rat, il n'y a pas de doute. Serge me demande si je saurai le faire cuire. Trop orgueilleuse pour dire non, je l'expédie au salon avec ses compagnons de chasse et, pendant qu'ils prennent l'apéritif, j'apprête la bête. Les chasseurs l'ont éviscérée, mais il reste à la dépiauter et à lui couper la tête et la queue. J'en ai la nausée, mais l'orgueil l'emporte. Dans une cocotte, je fais revenir le rat avec des lardons et des champignons, et je couvre le tout d'un vin rouge de grand cru. Je laisse mijoter. C'était beaucoup d'honneur à faire à un rat, tout musqué fût-il. Bientôt, une odeur pestilentielle envahit l'appartement. Pour être plus précis, ça sent la charogne. Je préviens Serge que je vais manger au restaurant. Il s'esclaffe. Et pendant que je m'exécute, les camarades chasseurs, quelque peu éméchés, sans doute par défi, pour prouver que les hommes ne font pas de chichi tandis que les femmes ne font que des caprices, avalent sans rechigner la bête. J'ai appris plus tard qu'ils avaient oublié de retirer les glandes anales. L'odeur a persisté longtemps. Comme c'était l'hiver, on a gelé comme... des *rats*, car j'ai dû tenir les fenêtres ouvertes pendant trois jours. J'ai aussi fait brûler une multitude de bâtons d'encens, transformant l'appartement en véritable temple bouddhiste.

Pendant tout ce temps, j'essaie toujours d'établir un véritable contact avec ma fille. C'est une obsession. Je sens que je suis sur le point d'y parvenir. Et voilà qu'au cours d'une de ses visites elle m'appelle «maman». C'est la première fois. Ça y est! J'ai réussi! Je désespérais d'entendre ce mot dans sa bouche. Mais c'est un faux bonheur. La grand-mère a du sentir qu'il se passait quelque chose parce que, les semaines suivantes, elle me refuse le droit d'emmener ma fille chez moi. À force d'être victime de ce petit jeu sadique, mes nerfs sont à vif. Je m'emporte pour des peccadilles et je termine infailliblement dans les larmes. J'ai beau avoir honte de mon attitude, je ne me contrôle plus. Évidemment que le torchon brûle entre Serge et moi, je suis devenue pour lui et ses amis une véritable emmerdeuse.

Serge continue malgré tout de m'emmener avec lui dans ses expéditions. Un voyage de pêche s'annonce mémorable. L'équipe de l'émission *Les Couche-tard* a amassé une cagnotte constituée des amendes infligées aux retardataires sur le plateau. La somme est considérable. On demande à Serge d'organiser avec cet argent une expédition de pêche. Outre les animateurs Roger Baulu et Jacques Normand, le groupe comptera Gérald Tassé, qui avait agi comme imprésario à mes débuts comme chanteuse, Gilles Constantineau, mon cousin et premier amour de ma vie, le réalisateur Nicolas Doclin, chez qui j'allais déguster des cafés à Radio-Canada, et le réalisateur Jean Bissonnette. «Biss», comme le surnomme le milieu artistique, jouit déjà d'une grande notoriété. C'est un homme d'une grande humanité, qui aime ses artistes et impose le respect. Tout ce qu'il entreprendra aura du succès, que ce soit *Au P'tit Café*, *Moi et l'autre*, *Appelez-moi Lise* ou *L'Autobus du show-business*, pour ne nommer que quelques-unes de ses émissions. Nos chemins se croiseront souvent au cours de ma carrière.

Serge nous emmène au club privé Kan-à-Mouche Lodge, à Saint-Michel-des-Saints. La clientèle se compose en grande partie de riches Américains. Les chalets sont rustiques mais luxueux, enfouis dans la verdure, répartis autour d'un bâtiment qui sert de salon et de salle à manger. Dans la pièce, il y a une imposante cheminée de pierre et des meubles de bois de style canadien. On y déguste le produit de sa pêche, apprêté par un chef de renom, tout en observant des ballets de truites sautant sur la surface du lac. Le club compte cinq ou six lacs, dont certains ne sont accessibles que par hydravion; pour se rendre au petit lac Taureau, il faut faire un long portage. La propriétaire du club porte un nom prédestiné pour ce genre d'entreprise : Carmel Doré. La rumeur veut qu'elle ait déjà exercé le plus vieux métier du monde et que, devenue «Madame», elle ait investi le fruit de ses placements dans ce club. Eh bien, chapeau! Elle a bien géré ses affaires car le Kan-à-Mouche Lodge vaut une petite fortune. Compter parmi ses membres coûte un bras, une jambe, et tout le reste! Mais elle vous en donne pour votre argent. Le nec plus ultra : un hydravion vous apporte du champagne frappé alors que vous pêchez au milieu d'un lac privé.

Le lendemain de notre arrivée, mon mari divise les invités en groupes, assignant à chacun son lac. On ne risque pas de se marcher sur les pieds. Au lever du jour, je me retrouve donc seule, en pleine nature, sur le lac Taureau, avec un jeune Savoyard, cadre chez Renault Canada. Nous avons marché jusqu'au lac solitaire, transportant dans nos sacs à dos des provisions pour deux jours. Après avoir pêché toute la journée, une pluie diluvienne nous surprend au milieu du lac au moment où le soir tombe. Nous nous réfugions dans un chalet, sur la rive du lac. Nous sommes trempés jusqu'aux os et je grelotte. Le jeune Savoyard allume dans la cheminée un feu d'enfer. Nous mettons nos vêtements à sécher, puis nous nous enveloppons dans des couvertures. Dehors, dans la nuit noire, les loups se mettent à hurler. À l'intérieur, il fait bon. Trop bon. Nous sommes jeunes, en santé, et nos corps se rapprochent, irrésistiblement attirés l'un par l'autre. Nous sommes seuls au monde. Le temps est suspendu. Un désir sauvage s'empare de nous et nous jette dans les bras l'un de l'autre. Un désir puissant auquel nous ne résistons pas. Un désir qui appelle sans cesse au recommencement.

Le retour au club se fait dans un silence coupable. Le jeune Savoyard se sent malheureux d'avoir trompé Serge, un ami, et moi je ne sais plus que penser. Mon corps, privé de sensualité depuis si longtemps, ne regrette rien. Toutefois, je voudrais que Serge n'en sache rien. Je ne veux pas lui faire de peine. C'était un geste purement physique, ne dramatisons pas. Et quelque part, je ne suis pas certaine que Serge n'ait pas orchestré cette rencontre. Se pourrait-il qu'il ait voulu m'offrir un plaisir qu'il ne peut plus, ou ne veut plus, me prodiguer ? Cela lui ressemblerait assez.

Quand le jeune Savoyard et moi entrons dans la salle à manger, je sens tout de suite qu'on nous regarde drôlement. Tous s'arrêtent de parler. Serge s'enquiert de notre expédition mais je sens qu'il lit sur mes traits le plaisir que j'ai tiré de l'aventure. Est-ce que ça se voit tant que ça ? Ou était-ce prévisible pour tous, sauf nous ? J'ai l'impression d'avoir été manipulée. Ce qui devait être un voyage de rêve était devenu un cauchemar.

16

Serge ne m'a adressé aucun reproche, nous n'avons pas reparlé de cette... appelons cela une aventure, à défaut de trouver un autre mot. Pour lui, il ne servait à rien d'être «plus catholique que le pape» et il n'accordait aucune importance à l'aventure. De mon côté, je n'éprouve aucun regret, encore moins du remords, puisque je suis restée fidèle à mon code moral: ne faire de mal à personne. Je suis en paix avec ma conscience. Cet été-là, celui de 1963, sera la saison de tous les enchantements, le calme avant la tempête.

Avec ma fille, les relations deviennent plus faciles. Non pas que je la voie plus souvent, mais, quand nous sommes ensemble, je sais comment m'y prendre pour l'amuser. Elle va bientôt avoir quatre ans. C'est une grande fille éveillée et curieuse, je peux l'emmener voir des spectacles de marionnettes et des films. Elle adore aussi manger au restaurant et patauger dans la piscine d'un couple de nos amis. Elle ne s'ennuie plus avec moi et m'associe au plaisir. Il faut dire qu'à chaque fois que je l'ai pour quelques heures, je me creuse la tête pour trouver des activités. J'aimerais approfondir ma relation avec elle, pousser plus loin son éducation, mais je n'en ai pas la possibilité car je suis trop peu souvent avec elle. Comme tous les conjoints qui n'élèvent pas eux-mêmes leur enfant et n'ont que des droits de visite très limités, je suis celle qui gâte, qui achète, qui amuse, qui ne gronde jamais, de peur d'être boudée et de gâcher la journée. Les enfants apprennent vite à marchander leur amour selon leur intérêt. Ma fille ne fait pas exception à la règle.

Le lendemain d'une sortie, si je téléphone pour savoir si ma fille s'est bien amusée, la grand-mère me répond immanquablement qu'elle a été malade toute la nuit, que je l'ai mal nourrie et que je l'excite trop. Peut-être a-t-elle raison? Qui pourrait me le dire? Comment élever une enfant à distance? On dit que l'instinct maternel supplée à toutes les ignorances, que c'est une sorte de science infuse! Se pourrait-il que je n'aie pas la fibre maternelle? J'essaie de me raisonner. J'aime ma fille, je la vois, n'en demandons pas plus pour le moment et essayons de profiter de l'instant présent. Il est si intense, si riche.

Par ailleurs, la vie trépidante que m'offre mon mari me permet d'oublier les relations tendues avec la grand-mère. Je participe à des expéditions qui me font découvrir avec émerveillement les lacs et les forêts de mon pays: pêche à la truite grise, à la truite mouchetée ou à la truite saumonée, pêche à l'esturgeon, à l'achigan à grande gueule, à l'achigan à petite gueule, à l'éperlan, à la ouananiche, à l'omble de l'Arctique, au saumon combatif de la rivière Moisie. Par moments, le plaisir de la découverte, au cours de nos voyages de pêche ou de chasse, me donne l'impression d'échapper à la médiocrité.

Ainsi, une expédition mémorable fut celle de la chasse au caribou. À l'exception de la chasse à l'ours polaire, lorsque l'animal traqué se dresse sur ses pattes de derrière tel un mur de muscles et de crocs et que l'on se dit que si on le rate, lui ne nous fera pas de cadeau, je n'ai pas connu de moment plus intense. Je me revois encore, avec nos guides amérindiens, tous l'oreille collée au sol pour entendre venir au loin la harde. La terre tremble. Comme un train en marche. On s'imagine déjà piétiné, emporté par la funeste galopade. Quand la harde se précipite vers nous, je suis tellement impressionnée que j'en oublie de tirer. C'est un spectacle inoubliable. Une force aveugle. Tumulte et chaos. Et dévastation, après son passage. Rien ne m'a jamais laissé une telle impression de puissance.

À la fin de la saison de chasse, l'appartement ressemble à un studio de taxidermiste ou à un musée d'histoire naturelle. Sur un mur du salon, une ramure de caribou côtoie une tête d'orignal, sur un autre, on peut voir mon premier saumon, et une patte de grizzly a été transformée en cendrier. Une peau d'ours polaire est étendue devant le foyer. Le taxidermiste lui a confectionné une petite langue en feutre rouge, un peu ridicule, qui donne l'illusion qu'il tire la langue. Tout de même, pour s'étendre devant un feu de foyer, je ne connais rien de plus sensuel.

Serge m'apprend alors que nous sommes invités à l'ouverture d'un club de tir, à Monaco, qui sera présidée par Leurs Altesses le prince Rainier et la princesse Grace. Je suis folle comme un balai. Comment fait-on la révérence? Quelle différence y a-t-il entre la petite et la grande révérence? Il s'agit de ne pas faire honte à mon mari. Je me fais donc enseigner par une danseuse de ballet les différents types de révérences et je m'exerce tous les soirs devant mon miroir. Puis je me fais confectionner une robe pour l'occasion. Le carton d'invitation de Leurs Altesses sérénissimes précise: «à dix-sept heures»; alors, je fais copier par une couturière une robe de cocktail que porte Sophia Loren dans un magazine. Une robe en mousseline noire, au décolleté empire, qui me gonfle les seins jusqu'aux yeux. Une robe de princesse, j'en suis convaincue. Mais je déchanterai vite en exécutant ma révérence devant la princesse Grace. C'est une *vraie* princesse, *elle*. Sobre, élégante, vêtue d'un tailleur de soie. J'ai l'air d'être déguisée en... ce que je suis: une petite actrice qui ne connaît rien aux civilités du grand monde, le grand monde qui n'a pas été revu et corrigé par le cinéma hollywoodien.

Je n'ai jamais su m'habiller d'une façon appropriée aux situations. Ainsi, le lendemain, au club de tir, les femmes portent des ensembles de grands couturiers, des vêtements décontractés qui, à première vue, n'ont l'air de rien mais coûtent une petite fortune, alors que je suis vêtue d'un jeans et d'une veste de peau à franges, à la Davy Crockett. À la hauteur de l'épaule droite, la peau porte l'empreinte de la crosse de mon fusil. Mon mari a-t-il honte de moi? Non. Il s'en préoccupe comme de sa cinquième chaussette. Pour ce qui est de la tenue vestimentaire, lui-même ne se met pas en frais pour plaire à qui que ce soit. L'important, c'est de bien tirer et de défendre l'honneur du Québec. Résultat: aucun pigeon d'argile ne nous échappe. Si nos habits nous donnent l'air de vrais colons, nos coups de fusils, eux, nous transforment en champions.

Je peux dire qu'à cette période de notre vie Serge et moi sommes heureux. Mais notre bonheur reste fragile, à tout moment menacé par ma fébrilité émotive et par son alcoolisme. J'ai constamment peur qu'il meure. Sa santé commence à montrer des signes inquiétants de détérioration. Malgré ses trente-quatre ans, il a déjà subi deux crises de goutte, son foie est anormalement enflé et il vomit tous les matins. Son médecin me prévient qu'il doit absolument diminuer sa consommation d'alcool et manger légèrement. J'essaie de persuader Serge de se joindre au mouvement des Alcooliques anonymes, mais il me convainc que ce n'est pas fait pour lui. Il m'impressionne: comment peut-il livrer quotidiennement des chroniques d'une indéniable qualité dans cet état? Il est fait de fer.

C'est alors que je constate que je suis de nouveau enceinte. Je me revois, assise par terre dans le petit bureau de Serge, mes bras enserrant mes genoux pour les empêcher de trembler, attendant le moment propice pour lui apprendre la nouvelle. Je ne suis pas sûre que l'enfant soit de lui. Il pourrait être celui du jeune Savoyard avec qui j'ai eu une aventure d'un soir au Kan-à-Mouche Lodge. Bien des femmes ne se seraient pas embarrassées d'aborder cet aspect de la question. Elles se seraient contentées d'accoucher dans une relative culpabilité. Mais moi, il faut que je parle. Doit-on dire la vérité à tout prix? Est-ce de la lâcheté ou de l'honnêteté? J'attends quelques minutes, le temps que Serge ait fini de rédiger sa chronique. Il allume sa radio à ondes courtes, qui le met en contact avec des interlocuteurs du monde entier, signe qu'il a presque terminé. La machine à écrire se tait enfin. Je *dois* parler.

— Serge...

Il me regarde.

— Je suis enceinte.

– C'est bien. On va avoir un enfant.

Il range ses feuilles dans une enveloppe. La conversation semble terminée pour lui. Je me dis qu'il n'a certainement pas compris ce que j'essaie de lui dire.

– Serge, tu sais très bien que j'ai eu une aventure. Je ne sais pas de qui est cet enfant que je porte.

Il se lève lentement, s'apprêtant à partir. En me regardant, il me dit:

– Tu fais ce que tu veux, mais pour moi il n'y a pas de problème. Tu peux aussi avoir des amants, si tu veux. Sois discrète, c'est tout ce que je te demande. Bonne journée.

La porte s'est refermée. J'entends ses pas dans l'escalier et les aboiements heureux du chien, qu'il emmène pour une balade en voiture.

Je reste recroquevillée, incapable de bouger, sidérée. Je n'arrive pas à y croire. Ai-je bien entendu? «Il n'y a pas de problème.» Et si j'accouchais d'un bébé blond aux yeux bleus, qui ressemblerait à l'autre, il n'y aurait toujours pas de problème?

Non, il n'y en aurait pas eu. Je le sais aujourd'hui. Serge était au-dessus des règles et des conventions sociales, il se foutait des normes, des idées, des usages de son époque. Cet enfant, il l'aurait élevé comme le sien. Et il m'aurait vraiment permis d'avoir des amants. De tous temps, il y a eu des femmes qui se sont accommodées d'un tel arrangement. Qu'est-ce qui me retient de faire comme elles? Pourquoi cette solution me trouble-t-elle? Pourquoi ai-je tant de peine? C'est que j'interprète l'ouverture d'esprit de Serge comme un manque d'amour de sa part. Dans ma tête, il ne m'aime plus. S'il m'aimait, il voudrait me garder pour lui, il me voudrait fidèle, il serait jaloux. Je conçois encore l'amour comme quelque chose d'absolu. Je suis trop jeune, trop entière, pour savoir qu'il peut revêtir de multiples visages. Je ne veux pas d'amants, je veux mon mari. Si seulement il y avait quelqu'un pour me conseiller!

Nous célébrons notre anniversaire de mariage au restaurant *Saint-Tropez* et je bois à m'en rendre malade. Comment puis-je célébrer ce que je considère comme un deuxième échec amoureux? Je ne comprends toujours rien à l'attitude de mon mari. Je me sens nulle. J'ai vingt-cinq ans.

Je vais consulter un gynécologue. Peut-être a-t-on fait une erreur lors du test de grossesse? Non. Il n'y a pas d'erreur. Il m'apprend que je suis enceinte de trois mois. Il s'étonne que je ne m'en sois pas rendu compte plus tôt. Je lui explique que depuis la mort d'Annick mon cycle menstruel est complètement déréglé, qu'il peut s'écouler quatre mois sans qu'apparaissent mes règles. Et puis, bon Dieu! je peux compter sur les doigts d'une main les relations sexuelles que j'ai eues depuis un an, aussi bien avec mon mari qu'avec l'amant d'un soir. Je veux bien croire qu'il suffit d'une seule fois, mais je me sens comme une vache qui se retrouve pleine chaque fois qu'on la mène au taureau. Je ne peux m'empêcher de penser aux avertissements de maman: «Fais attention, ma petite fille. Il y a des femmes qui tombent enceinte chaque fois qu'elles voient une paire de culottes.»

Je n'ai pas fait attention, maman. Je suis enceinte et je ne veux pas d'enfant. Un jour, peut-être, mais pas dans ces conditions. J'en ai laissé mourir un et, quant à l'autre, la cour m'a jugée inapte à l'élever: je *ne suis pas faite* pour être mère. Je ne *dois* plus avoir d'enfant. Je ne *veux pas* d'enfant d'un autre homme que de mon mari. Je ne *veux pas* d'amants. Puis, par moments, je veux. Puis je ne veux plus. Je prends finalement la décision de me faire avorter, avec l'espoir qu'ensuite mon mari et moi pourrons repartir à zéro.

Je profite de l'absence de mon mari, qui est allé chasser le chevreuil à l'île d'Anticosti, pour me rendre chez l'avorteur, dans la grande maison d'Outremont, où la musique joue toujours à tue-tête. J'en ressors brisée, anéantie. Qui avais-je l'intention de tuer? L'enfant ou moi? Dans les deux cas, c'est réussi. Car je sais maintenant qu'à l'intérieur de moi il y a quelque chose qui est irrémédiablement mort. Je ne désire plus vivre. J'aurais dû y penser avant. J'ai perdu l'estime et le respect de moi-même. L'avorteur m'a conseillé de m'aliter mais je marche tout l'après-midi, puis une partie de la soirée, arpentant Montréal comme une automate. Je ne bois rien, ne mange rien, sans ressentir ni fatigue, ni faim, ni soif. J'erre comme un zombie. Mes pas me conduisent au bas de l'escalier de la boîte *Chez Clairette*, rue de la Montagne. Je monte vers la lumière. Vers la musique. Vers la chaleur d'êtres humains. Il me semble que moi aussi j'étais un être humain il n'y a pas si longtemps. Je prends place à une petite table, près du bar, et j'écoute chanter celle que l'on appelle la Mère Supérieure. J'ai froid. Je commande un scotch double. Puis un autre. Et un autre. Le médecin m'avait pourtant prévenue: pas d'alcool! Deux hommes viennent s'asseoir à ma table et je ne fais rien pour les en dissuader. Ils se présentent, ce sont des Algériens. Charmants. Ils me font la cour à tour de rôle et doivent déjà se demander lequel finira la nuit avec moi. En me levant, je dis que je veux rentrer... avec les deux. «Où habitez-vous?» Ils sont soufflés, ils n'arrivent pas à croire à leur bonne fortune.

Un taxi, un appartement anonyme, un salon, un tapis sur lequel je suis étendue, à demi-nue. On me caresse et je ne dis rien. Un sexe me fouille sans deviner que j'ai deux mètres de coton à l'intérieur du corps. Un cri. Mais ce n'est pas le mien. Un cri d'horreur. Le sang jaillit de moi comme d'une fontaine. J'ai taché le tapis. «Va-t'en! Va-t'en! On veut pas avoir de problèmes! On va appeler un taxi! Le payer! Mais va-t'en!» À la salle de bains, je parviens à stopper l'hémorragie avec des kleenex. Je procède avec méthode, sans paniquer. Puis je regagne mon appartement pour me mettre au lit. Je me sens faible. Dieu que je me sens faible. En même temps, une paix m'envahit. C'est fini. Je vais mourir. C'est ce que j'ai voulu. Je connaissais les conséquences de mon geste. Et je sombre, aspirée par le néant. Dans un gouffre sans fond.

Quand j'entrouvre faiblement les yeux, j'aperçois la tête de Serge qui se découpe dans un rayon de soleil radieux. Mais qu'est-ce qu'il fait là? Il discute avec un médecin. J'entends des bribes de leur conversation. Je perçois leur désarroi: «Elle n'a que vingt pour cent de chance de s'en sortir. C'est une course contre la montre. Une ambulance, vite!»

Un peu plus tard, j'entrouvre encore les yeux. Cette fois, je suis dans un lit, à l'urgence de l'hôpital Notre-Dame. Un prêtre m'administre l'extrême-onction. J'ai une envie irrésistible de lui parler. De le prévenir: tout cela ne sert à rien, je suis déjà morte. Je ne suis plus à l'intérieur de mon corps. Je vois la pièce, et je me vois étendue sur le drap blanc. Je vois le tout d'en haut. Comme si je planais sur la pièce. Je flotte dans l'air. Je vois distinctement Serge, papa, maman, mon frère et ma sœur qui pleurent. Je ressens une immense tendresse pour eux. Je leur parle. Écoutez-moi. Je suis bien. Ne pleurez pas. Je ne souffre pas. Je n'ai pas souffert, à peine un court moment d'inconfort quand mon cœur s'est mis à espacer ses battements. Une sensation d'étouffement, puis plus rien. Comme si je m'étais soudain diluée dans le matelas. Ne pleurez pas. Je suis avec vous. Je suis bien. Il me semble que j'essaie de formuler le mot «bien» pour leur faire comprendre mon état, mais ce que je ressens est au-delà de toute formulation.

Dans la pièce, il y a des gens, des machines, des fils, des écrans; on s'active autour de la forme humaine qui gît dans le lit mais ça ne me concerne plus. Une grande force m'aspire tel le ressac d'une lame de fond. Je tourne, tourne et... J'aperçois une lumière intense. En fait, c'est plus qu'une lumière, c'est... indescriptible, presque surnaturel. Et j'entends une musique qui n'en n'est pas une. Une sorte de murmure échappé de milliers de bouches closes. Cette lumière et ce murmure m'enveloppent et me remplissent d'un bonheur inconnu jusque-là. Une forme s'avance vers moi et je sais avec certitude que c'est Annick. Je tends les bras. Je viens vers toi, mon aimée!

J'ouvre les yeux et me retrouve dans les bras de maman, qui m'étreint. Que s'est-il passé? J'ai été cliniquement morte pendant deux minutes. Je l'apprendrai quinze ans plus tard, quand un infirmier de la salle des plâtres acceptera de me donner une copie d'une page de mon dossier médical. Je venais d'avoir une E.M.I., une Expérience de Mort imminente (N.D.E. en anglais, *Near Death Experience*). Je ne le savais pas, cependant, puisque aucun livre n'avait encore été publié sur le sujet. J'en étais quitte pour me croire mûre pour l'asile.

Dans les pages d'un vieil agenda de mon mari, que j'ai conservé, j'ai découvert une annotation à cette journée du 31 octobre 1963: «Retour plus tôt que prévu de l'île d'Anticosti.» C'est ce retour prématuré qui m'a sauvée.

On trouve aussi, à la date du lendemain: «Fausse couche – Andrée.» Et, le soir: «Andrée hôpital – opérée – OK.»

Serge sait que j'ai subi un avortement, mais nous n'en n'avons jamais plus parlé. Pour lui, et officiellement, j'ai fait une fausse couche. Le code pénal punissait de deux ans de prison l'avortement provoqué. Personne n'a jamais su non plus que j'avais voulu mourir. J'ai toujours tenu secrète ma tentative désespérée.

Dans les jours qui suivent, je confie à deux infirmières la troublante expérience que m'a fait vivre ma mort. Elles m'écoutent attentivement, me caressent les cheveux, puis m'administrent un calmant. Ensuite, elles rédigent leur rapport. Le lendemain, je suis transférée à l'étage psychiatrique. Le diagnostic du psychiatre: Délire paranoïaque. Il veut me mettre sous traitement. Je propose de revenir le voir en consultation externe, mais il ne veut pas entendre parler que je quitte l'hôpital. Il refuse de signer mon congé. Dans le dossier, il écrit: «Voir mari pour internement.»

À cette époque, selon le code Napoléon, la femme est toute sa vie considérée comme une mineure, d'abord sous la tutelle de son père, puis sous celle de son mari. On fait d'elle ce que l'on veut.

J'orchestre donc mon évasion avec l'aide de la femme de l'associé de mon mari. Elle m'apporte des vêtements, un chapeau, des verres fumés, un plan de l'hôpital qu'elle a elle-même dessiné, ainsi que l'horaire des changements du personnel. Le plan a été méticuleusement pensé, minuté; nous répétons mon évasion à chacune de ses visites. Tout est prêt. Ce plan aurait assurément réussi mais une solution plus simple se présente. Je reçois la visite de mon gynécologue. Nous discutons longuement. Il m'écoute, attentif, et semble comprendre la troublante expérience que m'a fait traverser ma mort clinique. Je lui demande: «Docteur, est-il possible qu'il y ait des choses que nous ne comprenions pas maintenant mais pour lesquelles nous aurons peut-être une réponse plus tard?» Il sourit, acquiesce et me signe mon congé. Le psychiatre s'est fait tirer l'oreille encore deux jours, puis il a signé lui aussi.

J'ai échappé à l'enfer de l'internement mais je ne suis pas délivrée de moi-même pour autant. On prétend que ceux qui sont revenus d'une mort clinique accordent à la vie un prix inestimable. Pas moi. Je vis toujours avec les remords d'avoir enlevé la vie à un enfant, en plus d'avoir raté ma mort. Et je vois dans les yeux de mon mari que mon avortement a coupé les derniers liens qui nous retenaient l'un à l'autre. Mais encore une fois, rien n'est dit. Simplement une annotation dans son agenda:

«*Ahora, estoy cierto que no hay solución a este problema... la chica está loca.*» C'est-à-dire: «Maintenant, je suis certain qu'il n'y a pas de solution à ce problème... La fille est folle.»

On me propose un joli rôle dans *Les Gueux au paradis* au théâtre Stella, devenu depuis le Théâtre du Rideau vert. J'accepte. Je veux jouer, m'oublier un moment dans la peau d'un personnage. Mais surtout, je suis portée par une nouvelle quête. Je veux, le soir de la première, épater mon mari. Il va retrouver la femme qu'il a aimée, la comédienne, la chanteuse dont il était si fier. Comme si je cherchais à lui dire: «Regarde, Serge, je suis encore là!»

Mais mon mari s'endort au deuxième acte. Il m'avait pourtant prévenue: «Ne m'oblige pas à y aller, c'est trop tard pour moi.» J'ai insisté et, voilà, il dort. J'obtiendrai d'excellentes critiques, mais il ne les lira pas. Je ne l'intéresse plus. J'en éprouve une douloureuse peine.

Tout au cours des représentations de cette pièce, je sens que mes camarades me regardent drôlement. Je lis dans les yeux de certains une sorte de compassion, et décèle dans ceux des autres une lueur de méchante ironie. Un soir, pendant que je me maquille, je raconte à ma compagne de loge que je vais bientôt aller aux îles de la Madeleine à la chasse aux phoques. Je vante la gentillesse de Serge qui m'emmène partout avec lui, j'insiste sur la chance que j'ai d'avoir un mari comme lui. J'essayais peut-être de me convaincre que notre couple ne battait pas de l'aile. J'essayais sûrement aussi d'en convaincre les autres. Je ne voulais surtout pas faire pitié. Il fallait créer l'illusion du bonheur. «Tu es la reine des bullshitteuses», me dira un jour le réalisateur Jean Bissonnette. De sa bouche, c'était un compliment. Créer l'illusion de la perfection en tout, cacher ses misères, ses faiblesses, ses défauts, c'était une règle d'or dans le milieu du show-business, une règle dont j'avais fait un mode de vie, presque une religion. Donc, je fais le panégyrique de mon couple et réussis à me convaincre que tout va très bien, lorsque le comédien André Montmorency bondit de sa loge et se plante derrière moi, fâché. Il me lance: «T'es en train de faire une folle de toi, fille! Ton mari a une maîtresse. Tout le monde le sait sauf toi.» Et devant mon scepticisme, il ajoute: «Fais ton enquête. Elle s'appelle mademoiselle X et travaille comme journaliste à Radio-Canada.»

Mon sang se glace dans mes veines. Je reste sans voix. Mon mari a une maîtresse! Non seulement quelqu'un avec qui il fait l'amour, mais une complice avec qui il partage des moments de tendresse. Ils ont une vie commune. En quelques secondes ma décision est prise, je vais reconquérir mon mari. C'est une obsession. Il est tout ce qu'il me reste. Laissez-le moi!

Tous les moyens me paraissent bons. Je refuse un rôle à la télévision, qui aurait pu s'avérer déterminant pour ma carrière, et, dès la fin des représentations des *Gueux au paradis*, je me présente en catastrophe à l'hôpital. Vite: une chirurgie esthétique du ventre et des seins! Un médecin, ami de mon mari, qui travaille à cet hôpital m'a confié que Serge ne me trouvait plus désirable. Lorsque je me couche à ses côtés, il a l'impression que je me répands. Quelle horreur! Je suis pressée d'agir, je veux un ventre et des seins de jeune fille, sinon je vais être répudiée. C'est normal qu'il me trompe, je suis si moche. Je ne m'enquiers pas des compétences du plasticien qui va m'opérer, puisqu'il m'a été recommandé par l'ami médecin de mon mari.

Je n'ai pas souffert une seconde. L'ami médecin a donné ordre aux infirmières de m'injecter de la morphine aussi souvent que j'en faisais la demande. J'use et j'abuse de ce droit aussi souvent que possible. Quand mon mari vient me rendre visite, il est d'une humeur exquise. Je crois que ma démarche l'épate un peu. Cette décision rapide, efficace, c'est du «vieux Andrée, pure laine». Je ne niaise pas avec le *puck*, comme on dit. Je ne suis plus celle qui souffre et qui se pose des questions existentielles, je suis de nouveau «trippante», amusante, énergique. Il me rend visite de plus en plus souvent. J'en suis heureuse, car j'estime que c'est du temps volé à l'autre. Je suis convaincue que tout va bientôt reprendre entre nous. Mon optimisme est inébranlable.

Quinze jours plus tard, on m'enlève mes bandages. Un monstre! Je suis devenue un monstre! Une large cicatrice rouge violacé, boursouflée, traverse mon ventre d'une hanche à l'autre, à la hauteur du nombril. Où est la mince ligne dissimulable sous un bikini que l'on m'avait promise? J'ai un sein plus gros que l'autre, un mamelon qui louche. Les cicatrices sont horribles. Je fais une crise de nerfs épouvantable, ce chirurgien est un boucher. L'ami médecin de mon mari tente de me rassurer; les cicatrices vont blanchir, et puis, il sera toujours possible de recommencer l'opération plus tard. Recommencer! Oui, bien sûr que je vais recommencer, me mutiler ne me fait pas peur, mais en attendant je n'ose plus me déshabiller devant mon mari.

Et puis je suis en sevrage de morphine. J'ai passé quinze jours gelée comme une balle et on me lâche dans la nature sans même me prescrire un calmant. Je plonge dans un état dépressif épouvantable, je n'arrête pas de pleurer. Je sais que mon attitude est dévastatrice pour mon couple, mais je n'ai plus aucune maîtrise de mes émotions. J'accuse, je proteste, je rage, bref, je suis infernale. Je sais, pour y avoir assisté, que mon mari et son ami médecin font à l'occasion des *trips* de Sparine, un dérivé de la morphine. J'en veux, j'en quémande à genoux. Je vais jusqu'à menacer cet ami: «Ou tu m'en donnes, ou je dis à l'hôpital que tu t'approvisionnes en narcotiques à même la pharmacie.» Je viens de signer mon arrêt de mort.

Quelques jours plus tard, je surprends mon mari au téléphone au salon. M'apercevant, il adopte un ton évasif. Cela ne me dit rien de bon. Un instinct animal guide mes pas. Je m'éclipse à la cuisine et soulève délicatement le combiné. Ce que j'entends me laisse interdite.

— Elle est folle, dangereuse, affirme l'ami médecin.

Et mon mari d'approuver:

— Il faut la faire interner. Le psy avait raison.

— Facile à faire. Il suffit de ta signature et de la mienne, et on n'aura plus de problèmes avec elle.

Ils poursuivent de leurs voix pâteuses, satisfaits d'avoir trouvé la bonne solution, puis terminent leur entretien. Je dépose le combiné. Je tremble de tout mon corps et claque des dents. Sans attendre, j'appelle mon amie Janine. «On veut m'interner!»

Puis j'appelle papa. «Je ne suis pas folle, papa. Viens!»

Janine arrive quelques minutes plus tard. Elle ne dit pas un mot mais darde sur Serge un regard tellement éloquent qu'il prend un sourire embarrassé d'enfant que l'on vient de surprendre la main dans la jarre à biscuits. À cette heure, l'alcool ne lui laisse plus le loisir de peser les conséquences de ses actes. Mais il sait confusément qu'il a fait quelque chose qu'il n'aurait pas dû faire. Nous nous assoyons tous trois au salon et, quand papa et mon frère arrivent, quarante-cinq minutes plus tard, nous avons l'air de faire causette. Papa avait parcouru la distance Shawinigan-Montréal en un temps record; mon frère m'avouera plus tard n'avoir jamais eu si peur de sa vie.

Sans élever la voix, papa dit à mon mari: «Tu sais comme je t'aime et te respecte. Mais si jamais tu touches à un cheveu de ma fille, je te tire une balle dans la tête.»

Nous nageons en plein mélodrame. Mais Serge ne se sent plus concerné. Très poliment, il dit bonsoir à tout le monde et va se coucher. Quand il s'éveillera le lendemain, il ne se souviendra plus de rien... ou de si peu. Et, une fois de plus, nous n'en reparlerons pas. Mais à partir de ce moment, je vivrai dans la peur, l'âme jamais tranquille.

Pourquoi, peu de temps après cet incident, Serge m'emmène-t-il à la chasse aux phoques aux îles de la Madeleine? Habitude ou dernière tentative de sauver notre couple? Je ne sais pas. Mais j'y vais. Je suis sevrée de la morphine, je maîtrise de nouveau mes émotions, je reprends espoir en des jours meilleurs. Nous logeons à Cap-aux-Meules et je suis tout de suite conquise par la chaleur et le sens de l'hospitalité des Madelinots. L'océan couvert de glaces me rappelle les vastes espaces enneigés de mon Abitibi natale. Nous sommes venus pour tourner un court métrage sur les phoques du Groenland, que les autochtones appellent loups-marins. Toute l'équipe porte des combinaisons en duvet d'eider. Nous en faisons l'essai pour une compagnie qui désire en tester la fiabilité, c'est-à-dire voir si elles peuvent résister à des températures de moins quarante degrés.

Je suis loin de me douter que nous allons bientôt assister à des scènes d'une cruauté sans nom. Un hélicoptère nous conduit au loin sur les glaces, parmi une meute de chasseurs commerciaux venus du monde entier. Nous évoluons parmi le troupeau de phoques. Soudain, n'en croyant pas mes yeux, j'aperçois des chasseurs courir après les blanchons, allant jusqu'à les arracher des mamelles de leur mère. Puis ils les assomment d'un coup de gourdin sur le museau. Avec un couteau, ils les écorchent. Parfois, le blanchon n'est qu'étourdi, il se traîne sans peau sur la glace pendant que la mère se lamente avec des sons presque humains. Il y a du sang partout. Il faut que les chasseurs fassent vite pendant qu'ils ont un troupeau sous la main.

L'équipe en a la nausée. Personne ne tire. Nous nous contentons de filmer. Ce qui devait être un documentaire sur la chasse aux phoques deviendra une dénonciation du massacre des phoques. Moi qui n'avais jamais éprouvé de sentimentalité à la chasse, je craque. Je pose un genou sur le sol et épaule ma carabine. Je m'apprête à faire feu sur un chasseur. Mais mon mari se jette sur moi et me pousse violemment par terre. Dans ses bras je sanglote comme une enfant. Je n'irai plus jamais à la chasse. Je le jure. Et je ne veux plus tirer.

Nous revenons à Montréal avec deux blanchons que nous avons adoptés. Ils vivent avec nous dans la maison. Avec leurs beaux yeux cernés de noir, ils sont irrésistibles. Mais ils se montrent envahissants, aussi. Ils commencent à muer, et ils s'amusent à glisser du salon à la cuisine sur le bois verni du plancher. Le chien Gamin hurle, terrifié. Pour que les blanchons ne suffoquent pas j'ai éteint le chauffage et le froid nous transit. Il m'arrive de les laisser patauger dans la baignoire. Ils me glissent des mains avant que je n'aie eu le temps de les éponger et je dois courir derrière eux à travers la maison avec une serpillière. L'appartement est une véritable soue à cochons. Mais mon mari et moi nous amusons comme des enfants. Nous jouons par terre avec eux, nous leur caressons le ventre, je leur donne des becs, je les aime. Les nourrir pose toutefois un sérieux problème. Le lait maternel des phoques a une teneur en gras très élevée, l'équivalent de la crème à trente-cinq pour cent. Je leur donne donc à téter des biberons de crème. Puis je lave les biberons. Et je recommence. Ils grossissent à vue d'œil. Aussi, après quelques jours, nous crions grâce et demandons au zoo de Granby de venir les chercher.

Longtemps, je leur rendrai visite le dimanche, m'amenant avec deux sacs de poissons frais: «Bonjour, mes bébés! Maman est là avec des bonbons!» Ils accouraient vers moi parce qu'ils avaient faim. Moi, j'étais convaincue qu'ils me reconnaissaient.

Mai est venu. La nature explose, comme si la vie renaissait. Mais mon amour tire à sa fin. Serge vient de m'annoncer qu'il me quitte et qu'il va habiter avec sa maîtresse, «l'autre femme». Elle a gagné. Je le supplie de n'en rien faire; il pourra la voir aussi souvent qu'il le désire, dormir chez elle s'il le veut, ne revenir à la maison que pour changer de vêtements, je m'en accommoderai. Je ne lui adresserai aucun reproche, je vais cuisiner, me faire belle et puis... un jour, peut-être? Mais sa décision est irrévocable. Il n'a pas renouvelé le bail. Bientôt – le 1er juin –, un nouveau locataire prendra possession de l'appartement; je dois me chercher un autre endroit.

— Mais, Serge, je n'ai pas un sou!

— Je vais te donner trente dollars par semaine, le temps que tu te trouves du travail.

— Pourquoi tu ne m'aimes plus? Pourquoi me traiter aussi durement?

— Tu n'as rien à voir avec celle que j'ai épousée. Maintenant, tout ce que tu sais faire, c'est d'écrire un montant sur un chèque déjà signé. Tu es devenue une petite bourgeoise insignifiante.

J'aimerais mieux le savoir mort que de penser qu'il va refaire sa vie avec une autre. Penser qu'il va peut-être... (j'ose à peine le formuler) avoir un enfant avec cette femme. Un autre enfant qu'Annik. J'ai pensé à tuer cette femme. En fait, je n'y ai pas simplement pensé, j'ai failli le faire. Une pulsion meurtrière m'a conduit, à la porte de Radio-Canada. J'ai attendu cette femme qui m'avait volé ma vie. Assise dans ma voiture avec mon «12», je guette sa sortie, à l'affût, comme à la chasse, pendant d'interminables heures. Il pleut des cordes, personne ne remarque ma présence. Soudain... la voilà. Serge l'accompagne. La douleur de les voir ensemble m'enlève tous mes moyens. Les larmes m'aveuglent, je me sens molle comme une poupée de chiffon. Ils sont passés près de moi sans me voir. J'ai pensé retourner l'arme contre moi. J'ai hésité. Je ne l'ai pas fait, mais il aurait suffi de peu, d'un moment de folie passagère. Quelques années plus tard, devenue animatrice à la radio, un débat me tiendra à cœur: l'interdiction de posséder une arme à feu chez soi. Quand le désespoir s'empare de soi, on ne fait preuve d'aucun discernement, on ne pense qu'à assouvir une rage aveugle.

Je n'ai d'autre choix que d'aller habiter chez mes parents, à Shawinigan, le temps de me retourner. Mais d'ici là, selon l'avocat qu'a consulté papa, je ne dois pas quitter le domicile conjugal avant mon mari. Ce geste pourrait être interprété en cour comme une désertion et je perdrais tous mes droits. Quels droits? Je n'en sais rien et je m'en fous.

Un camion de déménagement vient chercher les objets et les meubles pour les entreposer au garde-meubles. Selon le contrat de mariage, ils m'appartiennent, mais je n'ai pas de domicile, alors...! Belle-maman Mimi hérite du mobilier de chambre à coucher victorien, une splendeur qu'elle m'avait conseillé d'acheter au début de ma vie conjugale. C'est bien qu'il lui revienne, il sera superbe chez elle. De toute façon, je ne veux rien. On m'a tant répété que je ne méritais même pas un linge à vaisselle, que mon attitude était celle d'une folle et d'une méchante femme, qu'il ne me viendrait pas à l'idée de réclamer quoi que ce soit. On m'accuse d'avoir gâché le vie de Serge. Je le crois, et le croirai très longtemps. Ma vie à moi, personne ne s'en préoccupe, avec raison, puisque moi-même je n'y accorde que peu d'importance.

Papa se présente à la porte avec sa vieille familiale. La maison est vide et propre. J'ai tout lavé, cuisine, salles de bains, j'ai ciré les parquets. Le nouveau locataire n'aura qu'à glisser ses pantoufles sous son lit. Pas question pour moi de passer pour une malpropre, pour une femme qui ne sait pas tenir son intérieur.

«Petite bourgeoise insignifiante», a dit Serge.

Quand papa m'aperçoit, il fond en larmes. Moi, depuis le temps que je pleure, mes larmes se sont taries. Je suis assise au milieu du salon vide, sur une caisse de bières, parmi des housses et d'autres caisses qui contiennent mes effets personnels, la tête de Gamin appuyée sur mes genoux. J'attends qu'on me transporte ailleurs. Peu m'importe où.

— C'est tout ce que tu as? s'enquiert papa.

— Ça et trente dollars par semaine. Serge est dégueulasse.

— Attention à ce que tu dis, ma petite fille. Dans une séparation, les torts sont toujours partagés.

Papa a raison. Mais venant de lui qui m'a toujours appuyée, donner raison à Serge me blesse terriblement et m'enlève mes dernières défenses. Peut-être la haine et la colère m'auraient-elles rendue plus combative.

17

Shawinigan est alors une ville en plein essor, une sorte de Silicon Valley du Nord. De nombreuses multinationales s'y sont installées afin de bénéficier de l'électricité bon marché du barrage hydroélectrique. Les industries fonctionnent jour et nuit, des montagnes de bois sèchent dans la basse ville, tandis que des milliers d'arbres – la pitoune – descendent lentement sur la rivière. Au loin, le vrombissement des gigantesques chutes. Le centre ville est le cœur d'une intense activité. Autour de la 5e Avenue s'agglutinent des boutiques, des restaurants, un cinéma, et une roulotte à patates frites qui sert un curieux mélange frites-sauce et choux, sans doute l'ancêtre de la fameuse «poutine» nationale. Le samedi soir, ce lieu devient le point de rendez-vous d'une jeunesse qui se fait belle pour «aller flamber». Quelle belle expression pour définir l'ardeur de la jeunesse. Flamber... flamber sa vie.

Moi, je ne vais pas «flamber» sur la 5e. J'en ai perdu le goût, ma jeunesse est passée. Sans compter que maman veille au grain. Je suis une femme mariée (on n'est pas obligé de crier sur les toits que je suis séparée), et je dois me comporter comme telle. Je ne sors que pour faire faire un tour à Gamin sur la magnifique promenade qui longe le Saint-Maurice. Parfois, je fais une halte chez l'oncle Anatole et tante Blanche, dont les enfants sont pensionnaires dans diverses institutions du Québec.

Mes parents habitent dans la côte de la 4e Avenue, au troisième étage d'un ancien entrepôt converti en appartements.

L'immeuble appartient à l'oncle Anatole, l'associé de papa à la taverne. Maman adore le vaste logement. Elle aime aussi la ville. Elle travaille au greffe de la cour municipale. Elle est heureuse de pouvoir profiter de la présence de sa sœur Blanche avec qui elle peut placoter et magasiner. Ma jeune sœur est pensionnaire, mon frère a abandonné un emploi intéressant pour aider papa à la taverne, lui qui se remet difficilement de son infarctus.

Grand-maman se fait vieille et s'ennuie. Elle va de sa chambre (toujours la plus belle) au salon, où elle regarde des matchs de lutte à la télévision. Pourquoi la lutte ? Cela lui ressemblait si peu comme divertissement. Peut-être se défoulait-elle de cette façon des affrontements avec ma mère. Car maman ne se montre pas tendre avec elle. Elle la juge sévèrement, se moquant, entre autres choses, de son engouement pour la lutte. J'apprendrai, quelques années plus tard, que grand-maman «s'oubliait» dans son lit et que maman devait laver des montagnes de vêtements et de draps souillés ; celle-ci se sent traitée, en retour, comme une bonne à tout faire. La promiscuité les faisait vivre toutes deux dans une grande misère morale, promiscuité qui s'est étalée sur plus de trente-deux ans. J'en ai froid dans le dos rien qu'à y penser. Grand-maman sera bientôt placée dans ce qu'on appelait alors un foyer. Quand mes parents déménageront définitivement à Montréal, eux-mêmes à bout de force, grand-maman ne sera pas du voyage. Je ne lui ai jamais rendu visite, et, aujourd'hui encore, j'ai du mal à me le pardonner. Égoïste Andrée, ingrate, sans cœur : je me suis traitée de tous les noms. Mais le fait est là, je l'ai abandonnée, elle qui m'aimait tant. La seule personne qui ait cru en moi.

Heureusement que Gamin est là pour alléger l'atmosphère qui règne dans la maison. Il ne ménage pas cabrioles et câlineries pour nous communiquer sa joie de vivre. Le soir, sur la galerie, il attend papa à son retour du travail. Chaque fois c'est le même rituel. Il aperçoit au loin papa qui monte la côte de la 4e Avenue, le dos courbé, comme s'il portait toutes les misères du monde sur ses épaules. J'ouvre la porte et Gamin court à perdre haleine vers lui, sautant autour de lui comme un ressort fou. Puis, tous deux disparaissent au coin de la rue. Je sais qu'ils vont ensemble manger des cornets de crème glacée trempée dans le chocolat. Ça leur est interdit, mais les joies sont si peu fréquentes dans cette maison que j'aurais mauvaise grâce de faire la police.

À l'occasion, je reçois des nouvelles de mon mari par mon amie Carole, la femme de l'associé de Serge. C'est toujours elle qui téléphone car je n'ai pas les moyens de payer des interurbains.

Maman me suggère de postuler pour un emploi à la station affiliée de Radio-Canada à Trois-Rivières. Présentatrice, lectrice de nouvelles, animatrice, pourquoi pas? Je n'ai rien à perdre. À ma grande surprise, on répond favorablement à ma lettre et, après une audition, on parle déjà de contrat. Je demande quarante-huit heures de réflexion. Mes parents sont enthousiastes; cet emploi représente l'espoir que je sois repêchée, dans quelques années, par la maison mère et que je bénéficie d'une sécurité de fonctionnaire jusqu'à la fin de mes jours. D'après le salaire proposé, maman me calcule déjà un budget serré: je pourrais vivre avec eux, m'acheter une voiture et, dans quelques années, j'aurais assez d'économies pour m'acheter une maison, peut-être même un chalet à Lac-à-la-Tortue. Je panique. Il me semble que tous les jours de ma vie sont planifiés jusqu'en l'an 2000. C'est pourtant la voix de la sagesse. Faut-il l'écouter? Mais je suis si peu en état de prendre une décision qui engage mon avenir. Je suis dans un état de grande détresse psychologique. Et puis la planification à long terme n'a jamais été mon fort. C'est finalement mon amie Carole qui m'apporte la solution en me demandant: «Est-ce la vie que tu souhaites avoir?» Non.

Je veux reprendre ma carrière de comédienne et de chanteuse, retourner auprès de ma fille, près de mon mari, au cas où celui-ci mettrait un terme à sa relation avec sa maîtresse. De plus, la vie quotidienne auprès de mes parents me paraît si terne, si grise. J'ai l'impression que la morosité s'attrape comme une maladie. Je me connais, je suis terriblement influençable; tel un caméléon, je prends la couleur des murs de mon environnement. Par moments, je regretterai cette décision. Quand les contrats se feront rares, il m'arrivera de penser que j'aurais pu avoir une vie rangée, bénéficier d'une sécurité financière et d'une paix émotive. Mais ces regrets ne dureront jamais longtemps.

Je quitte donc mes parents, cette fois presque définitivement. J'ai la conviction que je ne peux plus rien pour eux, sauf les attrister davantage.

Dès mon arrivée à Montréal, Carole et moi partons à la recherche d'un endroit où me loger. Mon budget est restreint et, selon la loi encore en vigueur à cette époque (une femme en séparation de biens ne pouvait s'engager par contrat), je ne peux signer de bail sans l'assentiment de mon mari. Je trouve quelque chose dans une maison de chambres de la rue Saint-Luc, à proximité de Radio-Canada. Huit dollars par semaine. La chambre a la dimension d'un placard. Je rapporte quelques effets du garde-meubles. Mes anciens rideaux de salle à manger, rayés blanc et bleu, habillent l'unique mais grande fenêtre. Une des tentures du salon sert de couvre-lit, tandis que ma valise du temps du pensionnat me sert de table de toilette et de garde-manger. Je cache le prélart craquelé et troué avec le tapis tressé de mon ancien hall d'entrée. Sur le cache-radiateur, un réchaud à deux éléments, un poêlon, quelques assiettes. Sur les murs, des photos de mon mari et de mes filles. Je garde au fond de mon placard ma carabine et mes deux fusils, dissimulés derrière mes vêtements. Ça me rassure. La chambre voisine abrite un type bizarre, une sorte de clodo sans âge, que j'entends marmonner à travers le mur et gratter sa guitare jour et nuit. Nous partageons avec une infirmière anglophone l'unique salle de bains de l'étage. L'endroit est drôlement fréquenté. Des bruits de bagarres et des cris retentissent régulièrement. Les lendemains de cuites, une écœurante odeur monte de l'entresol et s'infiltre partout. L'infirmière et moi réussissons malgré tout à garder notre étage à peu près convenable.

Mais ce n'est pas l'avis de papa quand, une semaine plus tard, il m'apporte mes vêtements et m'amène mon chien. Il pleure et ne cesse de se blâmer:

– Pardon, ma grande. Pardon de te laisser vivre dans un taudis. Je suis un raté. Je ne peux même pas faire vivre mes enfants décemment.

– Papa! Je ne suis plus une enfant. Tu ne me dois rien. Cette vie est mon choix. Et ça ne durera pas, je te le promets.

Il reste inconsolable. Non seulement ma situation le désespère-t-elle mais, en plus, se séparer de Gamin lui crève le cœur. Il est son rayon de soleil. Je le lui confierais volontiers, mais Gamin appartient aussi à Serge, qui vient à l'occasion le chercher pour aller à la chasse.

Que mon mari m'ait confié ce chien, auquel il tient comme à la prunelle de ses yeux, m'étonne. Et me comble. Je me dis que c'est peut-être une façon qu'a trouvée Serge pour garder un lien avec moi. Peut-être m'aime-t-il encore? Tout n'est donc pas terminé. Maudit espoir qui ne veut pas mourir! J'apprendrai plus tard que la maîtresse de Serge était allergique aux chiens.

Encore aujourd'hui, après trente ans, il m'arrive de rêver à Gamin. Quand il était avec moi pour quelques jours, un soir je dormais dans le lit et lui par terre, et le lendemain c'était l'inverse. Je me privais de manger pour lui procurer sa nourriture, pour lui acheter des médicaments. Il était tout ce qui me restait à aimer, à protéger. Quand il était là, je me forçais à sortir pour le faire courir. Quand Serge le reprenait, je sombrais dans une véritable léthargie.

Un jour, Serge décide de ne pas me le ramener. Je le supplie mais il n'y a rien à faire. J'apprends qu'il l'a confié au chenil du club de tir La Roue du Roy, à Hemmingford. Peu de temps après, je reçois un appel du propriétaire:

– Viens chercher le chien. Il ne mange plus. Il se laisse mourir.

– Mais... je... je ne peux pas. Il n'est pas à moi.

Quelques jours plus tard, Gamin mourait... de chagrin.

Gamin avait été comme un enfant du divorce. Comme un enfant dont les conjoints se servent pour se faire souffrir mutuellement. Serge m'avouera plus tard qu'il avait éprouvé à sa mort une peine immense. Mais il m'en voulait tellement d'avoir tout détruit. Quant à moi, peut-être suis-je un monstre, mais j'ai autant pleuré à la mort de Gamin qu'à celle de ma fille. Quand la vie nous a tout repris, que nos bras étreignent le vide, l'amour inconditionnel d'une bête se substitue à l'amour humain et nous rattache à la vie.

Durant cette période, il m'arrive de dormir quinze heures d'affilée ou de rester immobile, les yeux au plafond, sans me rendre compte que la nuit est venue, sans avoir vu le jour. Il m'arrive de ne pas me laver ni de m'habiller pendant deux ou trois jours. Quand j'émerge, c'est pour rendre visite à Janine Sutto, qui habite maintenant Westmount, rue Prince-Albert. J'essaie de ne pas trop m'imposer, mais je m'impose quand même. Il fait si bon chez elle. Ses jumelles, Catherine et Mireille, se préparent à aller dormir, leurs chemises de nuit embaumant l'huile de bain. De la pièce voisine, on entend le clic-clic de la machine à écrire du mari de Janine, Henri Deyglun, le père de Serge. Nous nous retrouvons seules, Janine et moi, et pendant qu'elle occupe ses mains à coudre, car elle ne reste jamais inactive, je la presse de questions: «Est-ce qu'il m'aime encore? Aime-t-il vraiment cette autre femme? Crois-tu qu'il va me revenir? Qu'est-ce que je devrais dire? Qu'est-ce que je devrais faire pour lui plaire?»

Pour Janine, la situation est délicate. Je suis pour elle une amie, mais elle aime et respecte aussi Serge, son beau-fils. Elle m'écoute sans jamais se lasser. M'encourage à ne pas me disperser, évoque des retournements toujours possibles, des surprises que la vie nous ménage parfois. Je bois ses paroles. Je les interprète à ma façon, je les déforme. Je crois ou *veux* entendre que Serge va me revenir et qu'il m'aime. Je fais mon miel avec tout. Et quand je repars, souvent aux petites heures, après avoir empêché Janine de se reposer, elle qui travaille dur, je suis gonflée d'un espoir insensé, qui m'aide à vivre.

Parfois, j'arrive chez elle dans de drôles d'états, après avoir consommé drogues, pilules ou alcool. Elle ne m'adresse aucun reproche. Je finis par m'endormir par terre ou sur un canapé et elle m'enveloppe dans une chaude couverture. Au petit matin, Catherine et Mireille, que nous appelons Kiki et Youyou, me réveillent avec leurs brusques caresses. Elles semblent trouver normal que je sois là. Je souris malgré ma gueule de bois et j'accepte un café.

Chère Janine, qui était toujours là quand j'en avais besoin. Une amie sans peur et sans reproche, un cadeau du ciel.

Une seule fois elle a montré envers moi de la colère. Quand je lui ai dit que Serge était dégueulasse. Sans qu'elle élève la voix, sa sentence est tombée comme un couperet: «Fillette (elle m'appelle toujours fillette quand je dis des imbécillités), n'oublie jamais que les gens nous traitent comme on leur donne le droit de nous traiter.»

Je mettrai des années à comprendre le sens véritable de cette phrase. Mais une fois que je l'aurai faite mienne, elle deviendra déterminante pour moi. Si on a pour soi-même du respect, de la tendresse, et pourquoi pas un peu d'amour, on devient invulnérable. Si on se fait «baiser» dans le sens le plus vil du mot, c'est que ça fait notre affaire, que quelque part au fond de nous, on croit qu'on ne mérite pas mieux. Être une victime, c'est un choix. On a toujours le choix de dire non, de ne pas se laisser bouffer, de ne pas se laisser envahir par les autres.

Où sont passés ceux que je considérais comme mes amis? Tous ceux que je recevais, ceux chez qui j'étais reçue. Je n'ai pas osé prendre contact avec eux et ils n'ont pas cherché à le faire. Ce sont en majorité des couples, et dans ce temps-là on invitait rarement une femme seule, comme si elle constituait une menace. Ces amis fréquentent Serge et sa nouvelle femme. C'étaient des amis du couple que nous formions, pas les miens. La leçon a porté ses fruits car, depuis, je cultive jalousement mes amitiés. L'amitié m'est précieuse, elle dure parfois toute une vie. Quand les exigences de ma carrière m'accordent peu de temps pour voir mes amis, j'écris, je téléphone, je garde le contact. Bonne fête! Bon voyage! Merde pour ta première au théâtre! Bonne chance dans ton nouveau boulot! Je suis là. Je serai toujours là.

18

Tous les jours, je prends trois autobus, puis le train, pour aller voir maman à l'hôpital de Cartierville. Un trajet interminable. Elle a subi une opération à la hanche, presque tout son corps est prisonnier d'un plâtre qui monte des chevilles jusque sous les seins. Et l'été est lourd et moite. Avec une règle, elle gratte sous son plâtre d'exaspérantes démangeaisons. Le reste de la famille étant à Shawinigan, elle n'a que moi qui lui rends visite régulièrement. J'arrive toujours les bras chargés de chocolats belges, de saumon fumé, d'assortiments de biscuits, de pâtisseries, de fromages français, de vin, un rosé dont maman ne boit qu'un seul verre, un rosé qui fait briller ses yeux, qui ramène un sourire sur sa bouche crispée par la douleur et l'impatience. Maman se demande où je me procure l'argent pour acheter tout ça. J'invente n'importe quoi. Que Serge me donne plus d'argent, que je travaille à la radio, que... En fait, je n'ai pas un sou. Mais j'ai réussi à me procurer une carte de crédit du magasin Eaton, qui possède alors une des meilleures épiceries fines de Montréal.

Jamais maman ne se plaint. Les infirmières disent que c'est une sainte, elles admirent sa capacité de transcender sa souffrance. Moi, elle me fait peur. J'aime les êtres charnels, accessibles. Comment compose-t-on avec une sainte? Un baiser et je me sauve. Essayer de ne pas lui ressembler sera une des grandes préoccupations de ma vie. Je suis encore jeune et, pour moi, déifier la souffrance est un bien mauvais exemple à donner à ses enfants. Il me semble que ma mère se réfugie dans la souffrance et que c'est une façon pour elle de fuir la vie. À ce point, cela me paraît presque un vice. Je découvrirai plus tard que maman et moi nous ressemblons beaucoup. *Ma mère, mon miroir*: combien juste est cette expression qui servira, plus tard, de titre à un livre.

Je n'ai pas de travail, je vis entre parenthèses. Dans un état végétatif, presque devenue un pied de céleri. J'espère toujours un rapprochement avec l'homme aimé et je vois peu ma fille. Je n'ai pas d'argent pour la sortir, pas d'endroit où je pourrais la voir. Chez la grand-mère, je dérange. Chez moi, c'est trop petit. Quand nous nous voyons, j'ai l'impression qu'il faut absolument que je lui procure des divertissements exceptionnels, car aucune expérience quotidienne ne nous lie. Ce n'est pas moi qui la console quand elle a du chagrin, ni qui la soigne quand elle est malade. Je sens qu'elle me considère maintenant comme une grande sœur qui a déjà été amusante mais qui ne l'est plus. Les enfants fuient avec raison les mines de carême. Hormis la fuite, ils n'ont aucun moyen de défense contre la dépression d'un adulte. Ma fille m'appelle maintenant Andrée. Je suis si peu une maman.

Je n'ai pas d'argent, et pourtant, j'aurais pu en avoir. Lili, la directrice d'un réseau de call-girls, qu'on appelle aujourd'hui agence de rencontre, me propose, ayant appris mon dénuement, de me joindre à son écurie. Elle dirige un cheptel de ravissantes jeunes filles, élégantes, souvent cultivées et saines. Elles sont très prisées dans le milieu des affaires, lors de congrès. C'est d'ailleurs dans un de ces congrès, où j'accompagnais Serge que j'ai rencontré Lili et certaines de ses filles. J'étais toujours la seule femme légitime du groupe. Lili et moi avons tout de suite fait amie-amie. Son humour était décapant et le regard qu'elle posait sur ses clients était caricatural. Elle me confiait les fantasmes et les performances de chacun de ces messieurs. J'avais ensuite peine à retenir un fou rire quand je conversais avec eux. Eux qui étaient si distingués avec leur costume, leur col empesé et leur cravate, j'imaginais ce qu'ils pouvaient avoir l'air... ailleurs. Lili me faisait alors un clin d'œil. Nous

nous amusions comme des folles. À la fin du congrès, Lili et sa troupe vidaient les lieux et les «légitimes» débarquaient. Leurs conversations tournaient autour de la réussite de leur mari, du prix de leur vison, de leurs bijoux achetés à Paris, de leur dernier voyage en Europe, de la décoration de leur maison. Je réprimais difficilement des bâillements d'ennui. Dieu qu'elles étaient snobs!

Lili propose donc de m'avancer cinq mille dollars. «Tu te loues un joli appartement dans une conciergerie. Tu achètes des meubles, des sous-vêtements sexy et on part en business ensemble. Je garde quarante pour cent des gains, plus le remboursement du prêt.»

J'ai refusé. Comme pour le «mixage» dans les clubs, je suis incapable de me faire payer pour ça. Je veux bien me donner, et Dieu sait que je ne m'en suis pas privée dans ma vie, mais je choisis la personne à qui je me donne. C'est la seule marque de respect que j'accorde encore à ce corps que je malmène.

Je mettrai des années, comme comédienne, à mériter un salaire comparable à celui que m'offrait Lili.

Week-end d'évasion! Une journaliste, qui habite en face de chez moi, me propose d'aller entendre le jazzman Gerry Mulligan, à Toronto. Elle paie l'essence et moi, je fournis la voiture, empruntée à mon amie Carole. J'ai déjà eu l'occasion d'apprécier l'immense talent de Mulligan pendant mon séjour à New York. Quant à la journaliste, il a été son amant et c'est maintenant un copain qu'elle aimerait saluer. Une amie de la journaliste nous accompagne. Nous nous retrouvons dans une chambre du bel hôtel York, à Toronto. Pendant que nous nous préparons pour assister au spectacle, la journaliste appelle Mulligan. Au téléphone, elle minaude d'une voix langoureuse. Ensuite, elle change trois fois de robe, se fait un chignon, puis le défait, ce qui me fait conclure, en riant: «Toi, ma vieille, t'as encore un gros *kick* sur ce gars-là!» Elle nie avec véhémence: il n'y a plus rien entre eux, c'est un copain, elle l'aime beaucoup, point à la ligne. Je n'ai aucune raison de ne pas la croire.

202

Gerry Mulligan est une grande star. La salle est bondée. En entrant sur scène, il salue la journaliste et regarde qui l'accompagne. Son regard ne me quittera plus de tout le spectacle. C'est tellement évident que je lui plais, et réciproquement, que je sens le besoin de faire une mise au point avec la journaliste.

– Tu es certaine que ce type ne te dit plus rien?

– Plus que certaine. Si tu veux rentrer avec lui après le spectacle, ça ne me dérange pas du tout.

Cette nuit-là, j'ai donc partagé la chambre de Mulligan.

Gerry avait un batteur, Dave Bailey, je crois. Avant que je quitte la chambre, Gerry a un renseignement à lui demander. Je m'offre de composer le numéro de sa chambre, mais Gerry me dit:

– Il n'habite pas au York. Il est dans un motel, en banlieue.

– Comment ça?

– Parce qu'il est noir et que les grands hôtels n'acceptent pas les Noirs.

On voulait bien écouter Dave Bailey jouer divinement, mais pas dormir sous le même toit que lui! On est en 1965.

Quand, le dimanche soir, la journaliste, sa copine et moi rentrons à Montréal, il fait un temps de chien, le brouillard est à couper au couteau. J'en suis réduite à sortir ma tête de la voiture pour distinguer la ligne blanche. À l'arrière, les deux filles papotent comme des pies. À mots à peine voilés, elles se paient ma tête.

– Les femmes sont toutes des *bitchs*, dit l'une.

– Tu peux pas faire confiance à une amie. T'as pas le dos tourné qu'elle te vole ton *chum!* renchérit l'autre.

– Toutes des dégueulasses!

Lorsque nous sommes parvenues à mi-chemin, à cause du brouillard et leurs imbécillités, je suis hors de moi. C'en est trop. J'immobilise la voiture sur l'accotement et les somme de descendre. Elles font mine de ne pas comprendre. Je lance: «Tu n'avais qu'à me le dire que cet homme te plaisait! Je ne l'aurais pas touché, même pas avec une perche de dix pieds.» C'était vrai. Toutes mes copines le savent.

Toutes deux se tairont pendant tout le reste du voyage. Mais la journaliste m'en tiendra rancune. Quand j'irai lui réclamer un ravissant service à chocolat chaud en porcelaine translucide hérité de grand-maman, le seul bel objet que je possède et que je lui ai prêté, elle me claquera la porte au nez: «Ça t'apprendra, salope!» Et je fis mon deuil de la belle porcelaine. Un service à chocolat, fût-il ancien et ravissant, n'était pas trop cher payer pour un week-end d'évasion dans les bras d'un homme qui me plaisait et que j'admirais.

Ma fille aura bientôt cinq ans et je dois absolument trouver de l'argent pour lui offrir un cadeau d'anniversaire. Je vends mes armes à feu. Ça représente pas mal d'argent, que je cache sous mon matelas. Je paie ma chambre pour plusieurs mois et j'emmène ma fille au théâtre, au cinéma, et voir les Ice Capades. Je sais que ce sont des dépenses folles, mais j'ai toujours été une cigale.

Pourquoi suis-je, à ce moment, sans travail? Le travail ne m'a pourtant jamais fait peur. Et j'habite à côté de Radio-Canada. Qu'est-ce qui me retient d'entreprendre une tournée des réalisateurs? Ou de me servir des relations de Janine? C'est que je bois. Toute seule, comme une grande. Je bois et je dors. L'alcool me permet de tout oublier. J'arrive ainsi à me convaincre que, non, je n'ai jamais eu d'enfants, je n'ai pas subi d'avortements, mon mari ne m'a pas quittée. Tout va bien. J'oublie.

Noël arrive et je ne vais pas chez mes parents. J'espère encore un miracle. Serge voudra peut-être réveillonner avec moi? Je suis chez Janine où je décore l'arbre de Noël avec les jumelles. Vers vingt-deux heures, je dois partir parce que Serge va arriver pour le réveillon avec sa maîtresse. C'est la maison de son père et Janine a fait pour moi ce qu'elle pouvait. Quand je sors de chez elle, il neige. Je marche dans la rue Sherbrooke, parmi les passants qui se rendent vers leur lieu de réjouissances, seule. On ne m'a pas autorisée à voir ma fille pendant les fêtes. Noël. Seule. Je bois à en perdre la raison. Je ne reprends conscience qu'après le nouvel an, malade comme un chien. C'est la première fois que l'alcool me met dans cet état. Sale, tremblant de tous mes membres, je me traîne jusqu'au téléphone public du rez-de-chaussée pour appeler Carole : « S'il te plaît, viens ! »

Elle me fait couler un bain, change mes draps et aère ma chambre, puis me paie au restaurant une soupe aux légumes. Je lui promets de me prendre en mains.

Je tiens promesse. Enfin... presque. Je m'astreins à une discipline. Je me lève le plus tard possible, puis je prends un long bain. Je me fais ensuite un chignon. C'est long et laborieux, je crêpe mes cheveux jusqu'à ce que le résultat ressemble à une pièce montée. C'est la mode. Et ça occupe le temps. Voilà au moins trois heures passées sans boire. Puis je me maquille soigneusement et je sors. Je passe des heures à bouquiner, à feuilleter des magazines dans une librairie de la rue Peel. Je ne lis plus de livres car je n'arrive pas à me concentrer. Puis je rentre chez moi pour boire. Mais je me suis tracé comme ligne de conduite de ne jamais boire avant le coucher du soleil. Heureusement, c'est l'hiver et il fait noir tôt.

Une parenthèse dans cette grisaille : j'obtiens un joli petit rôle dans le film *La Corde au cou*, de Claude Jasmin. Une scène d'amour, à peine quelques jours de tournage. Puis je retourne à ma divine bouteille.

Voilà qu'un jour trois coups de sonnette retentissent à la porte de la maison. Trois coups ? Ma chambre porte le numéro trois, c'est donc pour moi. Je me rends à l'entrée et ouvre. Simone ! Je n'en crois pas mes yeux. Simone, ma merveilleuse femme de ménage du temps où j'habitais avec Serge. Simone, qui a tout vécu avec nous, la naissance et la mort d'Annick. Elle a été la dernière à quitter le navire au moment de notre séparation et en a éprouvé un immense chagrin. Mais comment m'a-t-elle retrouvée ? « Quand on veut, on trouve ! » dit-elle. Elle a les bras chargés de produits de nettoyage. « Je m'en viens faire ton ménage, ma p'tite fille. Montre-moi où tu habites. »

J'essaie de lui faire comprendre que je vis dans un placard, qu'il n'y a rien à nettoyer, que je n'ai pas d'argent pour la payer. Mais elle ne me croit pas et interprète mes propos comme un refus de la voir. Je perçois une certaine tristesse, alors je me résous à la faire entrer. «Parfait! lance-t-elle. Maintenant, ma p'tite fille, va prendre l'air et reviens pour le souper!»

À mon retour, je découvre qu'elle a lavé les murs, le plancher, la fenêtre, la salle de bains. Tout brille et reluit, ça sent comme du temps des jours heureux. Sur mon ancienne valise de couvent qui me sert de table, elle a disposé un fromage, du pain et du beurre. Elle va souper avec moi. Pour fêter ça, je m'envoie trois scotchs bien tassés en guise d'apéritif. «Tu bois trop», me prévient-elle. J'acquiesce. «Tu ne devrais pas, ma p'tite fille. Tu vas te faire du mal.» Sa voix est si douce, si tendre, que je fonds dans ses bras en lui promettant de ne plus boire. Plus une goutte.

Et j'ai tenu parole pendant un bon bout de temps.

Simone était-elle une envoyée du destin? Certains diront que oui. J'aurais pu la repousser, lui dire de se mêler de ses affaires, j'aurais pu ne pas voir cette main tendue vers ma détresse. Mais je pense que dans la vie, si on sait être attentif, il y a toujours quelqu'un qui survient au bon moment pour nous venir en aide. Il faut être à l'écoute. Il suffit d'ouvrir son cœur, ses yeux, et on voit. Simone était le train de la chance, celui qui ralentit mais qui ne s'arrête jamais. À moi de courir un peu pour monter à bord. Je ne sais pas dans quel gouffre j'aurais sombré si Simone n'était pas venue.

Pendant trois mois, je ne touche pas à une goutte d'alcool. Mais je compense. Je mange comme une défoncée, je prends de véritables «brosses» de nourriture. Le soir, à l'heure où j'avais l'habitude d'enfiler mes apéritifs, j'engouffre deux énormes tablettes de chocolat Toblerone et une bouteille de Coke, format familial. Il m'arrive de renouveler mes provisions pendant la soirée et d'y ajouter un sac de croustilles, format familial lui aussi. Le lendemain, je suis affligée de ce qu'on pourrait qualifier de «gueule de bois des calories vides». Quand l'été arrive, je suis énorme et j'ai le foie en compote.

Je me rends alors chez un médecin, qui deviendra plus tard un des grands spécialistes de l'obésité, de ceux qui feront fortune avec les cures d'amaigrissement. Il est alors actionnaire d'un petit hôpital privé. Il me propose quelque chose qui me paraît génial, une cure de sommeil. J'emprunte la somme nécessaire à une maison de crédit. L'assurance-maladie n'existe heureusement pas encore et la société n'a pas à faire les frais de cette imbécillité. À mon arrivée, l'infirmière me fait l'éloge de la chambre, me faisant remarquer qu'elle jouit d'une vue imprenable sur le carré Saint-Louis et sur les Laurentides, mais je rétorque que ça ne servira pas à grand-chose puisque je vais dormir. Une injection intraveineuse et... bonsoir, elle est partie ! Pendant trois semaines, je maigris d'un demi-kilo par jour, seulement nourrie au moyen d'un soluté. Quand j'ouvre les yeux, on m'alimente au compte-gouttes. À mes côtés, j'aperçois un journaliste, mon cousin Gilles Constantineau. Drôle de coïncidence ! Il vient faire enquête sur cette cure, glaner des détails, des impressions. Mon expérience a fait jaser, la cure de sommeil étant très populaire aux États-Unis pour traiter les cas de dépression. Ici, suis-je une pionnière ou un cobaye ? Je vois à son petit sourire sarcastique que je devrai me montrer très éloquente pour arriver à le convaincre de l'efficacité de la cure. Hélas, je cherche mes mots, le cerveau encore embrumé. Je ne l'ai pas convaincu mais, au moins, j'ai perdu près de dix kilos.

Je ne m'en tire pas mal, finalement. Mes prochains régimes me laisseront nettement plus amochée. Je cravacherai mon corps à coup de coupe-faim (du *speed*, un excitant qui oblige à consommer des calmants) et de diurétiques qui drainent en même temps que l'eau du corps le potassium qui nourrit le système nerveux et les muscles. Certaines femmes qui abuseront de ces méthodes ressembleront à de petites vieilles avant l'âge de trente ans. Certaines en mourront. Je me souviens, par exemple, d'une journaliste et d'une propriétaire de restaurant, mortes d'un arrêt cardiaque. Mortes minces, à l'image des mannequins de magazines auxquels nous voulions ressembler. Nous étions folles !... Sommes-nous si différentes aujourd'hui ?

Mon cousin vient à peine de quitter ma chambre qu'un autre projet grandiose se dessine dans ma tête. Sans doute faisait-il partie d'un plan quinquennal. Je fais venir une plasticienne renommée et lui demande de réparer les dégâts causés par ma première chirurgie esthétique.

Allez hop, on remet ça! Deux jours plus tard, je me retrouve au bloc opératoire. Les prothèses en silicone pour les seins n'ont pas été livrées à temps, mais la plasticienne ne juge pas essentiel de me réveiller pour me demander mon avis; elle me refile des prothèses... un point plus grand. Élimination des cicatrices, restructuration des mamelons pour qu'ils ne louchent plus, nouvelle opération du ventre. Au réveil, je suis emballée comme une momie mais la plasticienne m'assure que je vais être magnifique.

Quand, deux semaines plus tard, mon cousin revient faire une séance de photos pour appuyer son reportage, je suis mince comme un fil, vêtue d'un maillot de dentelle noire, exhibant des seins hollywoodiens. Sur la terrasse de l'hôpital, je regarde l'horizon, vers un avenir qui semble plein de promesses. J'ai gommé les cicatrices de mon corps et, sous l'effet des calmants, je suis réconciliée avec moi-même. Je n'ai plus qu'une obsession, reconquérir mon mari, repartir à zéro.

Une occasion se présente: Serge et moi sommes invités, séparément, à une garden-party chez mon amie Carole. Outrageusement bronzée, je porte une longue robe de soie orange que Carole m'a prêtée. Mon mari est là mais nous ne sommes pas mis en présence l'un de l'autre. Est-ce qu'il m'observe? Sous l'éclairage tamisé des lanternes chinoises, je joue le grand jeu de la séduction, me promenant d'un invité à l'autre, charmante. Je ris et parle fort dans l'espoir d'être remarquée. Je suis tout, sauf discrète. J'ai doublé ma dose de coupe-faim. Je danse, multiplie les sparages, infatigable, l'œil brillant. Serge ne m'adresse toujours pas la parole. Alors, j'en rajoute. Je danse seule autour de la piscine, déchaînée. Serge m'ignore. En désespoir de cause, aux grands maux les grands remèdes: comme les héroïnes des grands films américains, je me jette tout habillée dans la piscine. Quand j'en ressors, j'ai la robe collée au corps et je me crois irrésistible. Mais Serge est parti. Sans même m'avoir saluée.

C'est l'été et ma chambre est devenue un véritable four. De plus, on refait, sous ma fenêtre, les canalisations, découpant le trottoir à coups de marteau-piqueur. Mon lit tremble comme un vibrateur, impossible de trouver l'oubli par le sommeil. Pour tuer le temps, je marche inlassablement dans les rues ou lis des magazines sur un banc de parc. Je rencontre parfois des gens du métier. Comment vas-tu? Je vais bien. Je ne vais tout de même pas leur raconter que je suis dans la merde jusqu'au cou. Un jour, je tente l'expérience, je réponds: «Ça va mal.» Et la personne enchaîne machinalement: «Bravo. Continue comme ça.» Personne n'écoute personne. Je demeure cependant optimiste, car les coupe-faim me donnent une énergie du tonnerre. Ma carrière va de nouveau démarrer, mon tour s'en vient, je le sens, je le veux. Je vais bientôt redevenir quelqu'un, je vais éblouir Serge, il va m'aimer de nouveau. Je ne pèse que cinquante et un kilos, je me sens légère, je n'ai jamais faim. Je ne bois que de la vodka, de l'alcool blanc, pour ne pas prendre de poids.

Un jour, le téléphone sonne au rez-de-chaussée. Quelqu'un crie: «Numéro 3, c'est pour toi!» Je dévale l'escalier. C'est un autre de mes cousins (c'est lui qui me laissait chanter, la nuit, sur la scène des *Scribes*). Il est recherchiste à Télé-Métropole. Un nouveau quiz entre en ondes en septembre, *Qui dit vrai?*. Est-ce que ça me tenterait d'y participer? Je hurle au téléphone: «Oui, oui, oui!» Il veut me rencontrer, j'arrive. J'y suis. C'est la première fois que je travaille à Télé-Métropole, aussi croit-il bon de me prévenir tout de suite: «Fais oublier que tu viens de Radio-Canada. Sois naturelle. Ne parle pas pointu.» À tort ou à raison, Radio-Canada est alors considérée comme une station culturelle et Télé-Métropole comme une station populaire. L'une est snob, l'autre *cheap*.

Comme je ne sais pas faire autrement que d'être naturelle, je ne crains rien. Même qu'à ce moment-là j'avais plutôt tendance à exagérer dans l'autre sens, adoptant à l'occasion un accent de charretier, un ton de poissonnière. Je réagissais contre l'accent pointu d'une partie du milieu artistique de l'époque, dont la fausseté me faisait grincer des dents. Un accent que même les Parisiens n'avaient pas. Ainsi, un jour, une comédienne assez pincée m'aborde dans la rue: «Ma chérie, ton petit tailleur est un bijou. Ravissant!» Je lui rétorque aussitôt: «Ben voyons donc, crisse! C't'une vieille affaire, ça fait cinq ans que je le porte!»

J'ai toujours aimé provoquer, choquer. Quelle niaise je suis, qui ne connaît rien à la diplomatie et refuse de jouer le jeu! Ma carrière aurait progressé beaucoup plus vite si j'avais été moins «redresseuse de torts». Si j'avais montré plus de souplesse.

Au début, je prends mon rôle dans *Qui dit vrai?* très au sérieux. Avec l'acharnement d'un Hercule Poirot, le célèbre détective des romans d'Agatha Christie, je tente de déceler lequel des trois concurrents dit la vérité. Mon cousin doit même me prévenir: «Ma belle Andrée, cette émission est un jeu. Aie au moins l'air de t'amuser.»

Bien oui, pourquoi pas? Dieu que je n'étais pas détendue! Que je manquais de légèreté. Amusons-nous donc, à défaut de faire fortune, car ce n'est sûrement pas avec cette émission que je vais m'enrichir. Télé-Métropole est une station de télévision privée qui se doit d'être rentable, elle tient les cordons de la bourse serrés... très serrés. Comme, en plus, je dois m'habiller à mes frais, autant dire qu'il ne me reste presque rien. Mais je m'en fous, je travaille, je suis sous les feux des projecteurs et l'équipe de techniciens devient une véritable famille.

De plus, je crois que je suis amoureuse.

Patrick. C'est sans doute une quête d'insouciance et de légèreté qui m'a jetée dans les bras de cet homme. C'était un Martiniquais, métissé, fils d'un riche médecin, qui avait étudié dans les plus grands collèges de France. Il veut entreprendre une carrière de chanteur au Québec. Une imprésario l'a entendu chanter en Martinique et elle l'a ramené dans ses bagages; elle l'héberge en attendant que ça démarre pour lui. Avant son départ, il a vendu l'hôtel que son père lui avait acheté en Guadeloupe. Il n'avait vraiment pas la bosse des affaires. C'est un grand enfant. Il ne fait que ce qu'il aime, c'est-à-dire danser, chanter, jouer du piano et de la guitare, composer des chansons. Au moment de notre rencontre, il se rend régulièrement en France et en Martinique, tentant de mettre sur pied un agence pour chanteurs. Cultivé, raffiné, il a du goût et des manières exquises. Il est plein de charme, attentif et prévenant.

Je crie sur tous les toits que je suis amoureuse. Si je crie si fort, c'est que je n'arrive pas vraiment à m'en convaincre. Mon amour pour Serge n'est pas mort. Patrick, c'est le repos du guerrier, c'est rire, danser, m'amuser, arrêter de réfléchir, arrêter de ressasser ma peine. Avec lui, j'oublie les grandes douleurs du passé. Je ne veux plus souffrir.

J'ai un amoureux... mais je ne lui resterai pas fidèle.

19

Patrick vient vivre avec moi. Pour onze dollars par semaine, je loue la chambre numéro 4 que vient de quitter le guitariste clochard, mais garde la chambre numéro 3, la petite, à huit dollars, pour éviter qu'un autre énergumène s'y installe. Celle-ci nous sert de cuisine et d'espace de rangement. Patrick reçoit de son père une allocation mensuelle de trois cents dollars, mais je ne veux pas que cet argent serve à payer le loyer. Je tiens à le payer moi-même. Ainsi, c'est *chez moi*. Jusqu'à ce jour, j'ai eu deux hommes dans ma vie, j'ai habité *leur* appartement, et les deux m'ont foutue à la porte. J'ai compris. On ne m'y reprendra plus. Pour le même prix, j'aurais pu louer un logement un peu plus vaste, mais l'idée ne m'en est même pas venue.

Patrick est mon porte-bonheur. Porter bonheur à quelqu'un, n'est-ce pas tout simplement de croire en lui? Un autre contrat s'ajoute à mon quiz: je deviens animatrice à la station de radio CHRS, Radio-Soleil – le samedi matin, de six heures à dix heures. La station est située dans les bâtiments du motel *La Barre 500* , sur la Rive-Sud. J'y loue une chambre le vendredi soir car je n'ai pas de voiture et aucun autobus ne dessert l'endroit à quatre heures du matin. L'émission a pour titre *Réveil.* On ne me fournit pas de technicien, autrement dit je fais tout, je me débrouille toute seule. On m'enseigne quelques rudiments de la mise en ondes: comment choisir et faire tourner les disques, insérer les cassettes des annonces publicitaires, découper les nouvelles dont je dois faire la lecture à toutes les heures. Puis, on me lâche dans la fosse aux lions. Suis-je prête? Oui. À Dieu vat! Le premier matin, j'arrive à la station à cinq heures pour préparer mon *set-up*, puis j'appuie sur le bouton magique qui met la station en ondes. «Bonjour à tous, je vous souhaite un réveil heureux», et c'est parti. Il m'arrive de confondre les manettes et de mettre la station hors d'ondes. Pendant un certain temps, je parle, je chante, je fais tourner des disques. Tout à coup, le téléphone sonne. C'est mon patron, Jacques Dufresne, un amour d'homme, qui me dit: «Si tu ouvrais ton micro, on t'entendrait mieux et tu aurais plus d'auditeurs.» Je bafouille des excuses, reprends le contrôle de la technique et ça va.

Après un an, je suis remerciée pour cause de «voix de couchette». Il paraît que j'anime mon émission matinale avec une voix un peu trop lascive. De plus, mon choix de musique n'est pas très approprié: chansons à texte et musique instrumentale, des «*plains collés*», qui conviendraient mieux à une émission de nuit. «Tout le monde doit te ronfler au nez», me dit M. Dufresne, en me glissant mon dernier chèque de paie. La leçon portera ses fruits. Quand j'animerai, quelques années plus tard, une autre émission le samedi matin, à la station CJMS, je serai si dynamique – du genre «Debout, les morts! Levez-vous, il fait beau!» – que des auditeurs me téléphoneront pour me demander de «respirer un peu par le nez». Un juste milieu s'impose.

Avec Patrick, je m'amuse. Pour lui, la vie n'est qu'un jeu. Il y a si longtemps que je n'ai pas été jeune, insouciante. On se lève tard, on soupe au restaurant tous les soirs, puis on va danser jusqu'aux petites heures au *Loup-garou*, boulevard Dorchester. Après la fermeture, il «jamme» avec des musiciens. Je redécouvre le jazz et le rock et apprends à aimer la musique des Antilles françaises. On boit du scotch, parfois on fume un joint. Avec les amphétamines que je prends, les diurétiques et les calmants, c'est un mélange plutôt explosif. Je ne me considère pas comme une alcoolique, car tout le monde boit; non plus comme une droguée, car mes médicaments sont obtenus sur ordonnance. Mon cerveau est «sous influence»... légale.

J'ai remboursé en un seul montant l'emprunt contracté auprès de Household Finance pour couvrir les frais de ma cure de sommeil et de la chirurgie plastique. On ne m'a pas félicitée, loin de là. Je me suis fait engueuler comme du poisson pourri. Je n'avais apparemment pas le droit de tout rembourser en une fois; il fallait respecter les mensualités (je comprends, aux taux d'intérêt qu'ils exigeaient, c'était comme si un emprunteur remboursait sa dette en un seul versement un désastre). Mais j'insiste. On me fait des menaces. Je veux appeler la police. On se calme. Je rembourse. C'est fini. Je n'ai plus de dettes. Ah, j'oubliais, il me reste à payer le solde de ma carte Eaton. On me presse, mais je n'ai plus un sou. Plus tard. J'ai besoin d'un manteau pour l'hiver, mais avec quel argent me le procurer? Patrick a une idée géniale. Il m'emmène chez Reitman's, un magasin bon marché, où il me fait acheter une épaisse et chaude robe de chambre en peluche rouge. Il demande à la vendeuse d'en modifier la longueur et de changer les boutons. Pour un moment, je me serais crue chez un grand couturier. Il déniche une large ceinture en plastique noir. On la boucle et voilà. C'est original et d'avant-garde: de la fourrure synthétique vingt-cinq ans avant que ça devienne la mode. Et je m'étonne, après, que les gens trouvent que je suis un peu hurluberlu!

Patrick et moi allons passer plus d'un mois en vacances à la Martinique, un cadeau de son père. Je découvre les Antilles, merveille des merveilles. Beau-papa habite à Balata, le Westmount de Fort-de-France, une somptueuse résidence enfouie sous une végétation luxuriante. De la petite route qui serpente à travers les collines, la maison est invisible. On y accède par une allée bordée de palmiers royaux (ou peut-être étaient-ce des ifs) qui semblent se tenir au garde-à-vous telle une haie d'honneur. La maison est de style colonial, elle rappelle celles des riches planteurs de la Louisiane. Ornée d'imposantes colonnes et d'une véranda, qui sert de pièce à vivre, elle est entourée de plusieurs dépendances: garage, laverie, quartier des domestiques. Jardiniers, cuisinières et bonnes à tout faire s'activent sur le domaine. Première volupté, l'odeur. L'air embaume. La végétation est luxuriante, il y a des fleurs partout, de toutes les couleurs: fleurs sauvages le long des bâtiments, hibiscus et bougainvilliers qui grimpent aux murs et débordent de vases immenses. Je suis stupéfaite devant tant de beauté. L'odeur est enivrante.

L'intérieur de la grande maison n'est que luxe et raffinement. Des toiles de maîtres, des vases de la dynastie chinoise Ming, une armoire vitrée exposant un service en porcelaine que l'extrême finesse rend translucide. Le luxe est partout, dans le grand salon, la salle à manger, de même que dans un petit salon chinois que personne ne fréquente mais qui contient des faïences et des bibelots inestimables. Comment Patrick a-t-il pu quitter cet univers et accepter de vivre dans notre chambre minable? Une question me brûle les lèvres: n'est-il pas utopique de garder des objets si fragiles dans un pays qui subit fréquemment des tremblements de terre? Patrick m'explique que des caisses d'acier ont été prévues à cet effet, dans la cave. Mais, j'insiste, un tremblement de terre n'est jamais prévisible. Patrick hausse les épaules: «C'est le choix de ma belle-mère. Mon père préfère les choses simples.»

Sa belle-mère, c'est Germaine, la deuxième Mme Vatran, plus docteur que le docteur lui-même. C'est une métropolitaine (une Française née à Paris), qui s'habille chez les grands couturiers et porte une étole de vison à la moindre baisse de température, c'est-à-dire lorsqu'il fait à peu près dix-huit degrés Celsius. Sèche, maigre, presque cadavérique, elle est élégante et hautaine. Patrick ne peut pas la sentir et j'avoue qu'elle ne me plaît pas. Quand nous prenons le soleil au jardin, elle s'exhibe, nue comme un ver, ne comprenant pas que je n'en fasse pas autant. Je lui réponds que la présence des domestiques me gêne, que je sais les Martiniquais plutôt prudes et que je ne voudrais en rien les choquer. Elle s'esclaffe: «Ce ne sont que des serviteurs.» Je l'aurais battue. Son mépris pour tous ceux qui n'étaient pas de son rang ou de sa race me faisait entrer dans une colère noire.

Elle surveille tout ce que je mange: pas de sauce, c'est trop riche, pas de vin le midi, pas de ceci, pas de cela. Elle m'énerve. Si son mari accepte sans piper toutes ses remarques, il n'en est pas de même pour moi. Je ne peux résister à la cuisine créole, et barboter dans la mer constitue mon seul exercice, alors je gonfle comme un ballon. Durant mon séjour, je grossis de sept kilos. Des serviteurs accomplissent les moindres tâches, je n'ai même pas à faire mon lit. Je n'ai jamais vu ça, c'est un rêve, mon *Dynasty* à moi.

Le docteur Vatran est *le* chirurgien-ophtalmologiste de la Martinique. Nous nous entendons très bien tous les deux et il m'emmène souvent faire la tournée des hôpitaux. De cette façon, je parcours l'île entière et découvre de petits villages reculés, que le modernisme semble avoir épargnés. Il m'emmène un jour manger chez la doudou de Patrick, celle qui lui a servi de nourrice après le divorce de ses parents. C'est une vieille dame toute ronde, au sourire éclatant de blancheur et à la peau noire comme l'ébène. Elle porte encore le costume traditionnel et est coiffée d'un madras. Elle me serre sur son cœur, heureuse de rencontrer la femme de Patrick, son petit. Elle embaume la vanille, le savon, les confitures. Elle me fait déguster sa cuisine: un colombo de mouton, une viande qui a mariné trois jours, et des acras de morue si pimentés que mes yeux se mouillent de larmes. Je viens de découvrir les «piments oiseaux». Encore aujourd'hui, j'associe l'odeur de ces petits piments à celle des vacances. Ils embaument le soleil, de véritables aphrodisiaques. À ce moment-là, je les croquais à pleines dents, comme si je mordais dans une pomme. Mes oreilles bourdonnaient et ma bouche brûlait comme si elle était en feu. J'en mettais dans tous les plats, sur chaque bouchée; c'est tout juste si je ne m'en parfumais pas.

Quand les épiceries antillaises apparaîtront à Montréal, je serai une des premières à les fréquenter. Et quand, vingt ans plus tard, une diète contre l'arthrite me forcera à condamner certains aliments, ce sont les «piments oiseaux» qui me manqueront le plus. Mais j'en avais déjà beaucoup abusé et mes intestins étaient devenus en verre filé, une rape à légumes, une passoire pleine de trous, brûlés.

Le juste milieu, connaissais pas!

Au cours de ses tournées médicales, le docteur Vatran me fait aussi visiter des hôpitaux. Des malades au comportement étrange se promènent dans des jardins entourés de hautes grilles. L'alcoolisme est alors un fléau en Martinique. Les alambics se multiplient, les gens pauvres consomment de l'alcool frelaté, avec comme résultat que beaucoup d'entre eux souffrent de déséquilibre mental ou sont devenus aveugles. L'alcool détruit: c'est la première fois que je suis mise en présence de cette réalité. J'aurais dû en tirer une leçon et arrêter de boire. Mais non, j'estime que je ne suis pas comme ces gens malades et que l'alcool n'a aucun effet néfaste sur moi.

Il faut dire que le climat de la Martinique ne se prête pas aux remises en question, il favorise plutôt la détente et le farniente. Sur cette île de rêve, j'ai l'impression de redécouvrir mes sens. Les alizés, ces vents doux qui caressent la peau, sont une véritable jouissance. Et la langue créole est douce à mon oreille. C'est une sorte de chant, de mélodie qui me charme, que je comprendrai davantage à chacun de mes voyages. La musique créole me séduit aussi. Pendant des nuits entières, je danse ce qu'on appelle la «béguine». Enfin... j'apprends à danser. Car la première fois que Patrick et moi nous trémoussons sur une piste, il me lance, avec un regard réprobateur: «Pas bougé bonda.» Ce qui signifie en créole: «Ne remue pas ton derrière comme ça.» Il n'y a que les femmes blanches pour se déhancher outrageusement, les femmes noires ondulent des hanches de façon sensuelle mais jamais grossière, habitées par le rythme. Depuis, je tiens mon popotin bien sage et j'essaie d'épouser la sensualité naturelle des danseuses de l'île.

Les fins de semaine, le docteur Vatran nous emmène à bord de son voilier, qu'il a racheté au navigateur français Éric Tabarly, et nous voyageons d'une île à l'autre. Un «ti-punch» à la main (rhum blanc, sirop de canne et limette), je me laisse bercer par le mouvement des vagues, la tête vide, le cœur en paix. Un bonheur animal m'habite. Je suis tout entière vouée au moment présent. Je reviens tellement bronzée de ces excursions en mer qu'au marché de Fort-de-France on s'adresse à moi en créole. On me prend pour une mulâtresse.

Quand je fais mes achats au marché, je ne comprends rien à la monnaie française, moi qui ai déjà du mal à compter mes dollars. La France vient de changer de monnaie et la Martinique se met à l'heure. Il y a donc des anciens et des nouveaux francs. Au moment de payer, j'ouvre mon sac et je dis: «Servez-vous.» Les commerçants prennent en riant la somme nécessaire et me remettent la monnaie. On ne m'a jamais volé un sou. Je le sais, car un soir Patrick et moi avons vérifié les comptes.

L'île me paraissait un paradis terrestre, mais elle ne l'était pas forcément pour tous les Martiniquais. Les Blancs détenaient toujours le pouvoir de l'argent et les hauts postes de la magistrature, tandis qu'un racisme plus subtil se manifestait entre les Noirs eux-mêmes. Ainsi, les quarterons (un quart de sang noir, de type latin ou indien) étaient mieux perçus que les Noirs à la peau d'ébène.

Au retour, sur le vol d'Air France, j'ai été heurtée à ce racisme bêtifiant. J'étais assise à côté d'une jeune et ravissante femme blanche, une «béké», c'est-à-dire une descendante de riches colons français habitant la Martinique depuis plusieurs générations. Elle considérait les Noirs comme des serviteurs, précisant qu'il n'y a pas si longtemps c'étaient des esclaves. Elle m'a demandé où j'habitais à Fort-de-France.

— Chez le docteur Vatran.

Elle a sursauté.

— Mais le docteur Vatran, c'est un Noir!

— Si vous voulez, madame. Chocolat au lait écrémé.

Elle ne m'a pas trouvée drôle du tout. Quand, quelques minutes plus tard, nous avons fait escale à Antigua, elle a exigé un autre fauteuil.

J'aimais Patrick, j'appréciais son charme, sa bonté, son talent, et surtout cette insouciance d'adolescent qui le rendait imperméable aux soucis quotidiens. Mais il n'était pas l'homme de ma vie. Travailler, rire, danser, m'évader de mes angoisses, c'est ce que je demandais pour le moment à la vie. Et c'est ce qu'elle me donnait. On obtient toujours de la vie ce qu'on lui demande. Patrick essuyait les comparaisons avec mon mari et je n'en avais pas terminé avec Serge. J'avais encore des choses à lui prouver.

Le 18 décembre, jour de l'anniversaire de mon mari, je fais quelque chose dont je suis fière. Je lui fais parvenir une carte de souhaits contenant un billet de cent dollars et dans laquelle j'ai écrit:

Pour tes petites dépenses. Ah... ah... ah!

De la part de ta petite sauvagesse qui sait faire autre chose dans la vie que d'apposer un montant sur un chèque déjà signé.

Et dans ma tête, je n'ai pas fini de l'épater. Attends un peu!

Il faut dire que je commence à gagner honorablement ma vie. Je viens de signer un contrat avec Radio-Canada et je vais incarner Artémise dans le téléroman *Les Belles Histoires des Pays-d'en-Haut*. En ce printemps 1966, l'émission existe depuis dix ans déjà et elle passera bientôt de trente à soixante minutes. Comment ai-je obtenu ce rôle, par quel miracle, moi qui ne fréquente personne susceptible de me donner un coup de pouce?

Un matin, Patrick me dit: «Pourquoi ne vas-tu pas faire une tournée des réalisateurs? Fais-toi belle et vas-y. C'est à deux pas.» J'ai perdu depuis longtemps mon esprit d'initiative et ma détermination, mais les encouragements de Patrick me stimulent. «J'ai confiance en toi. Je veux que tu reviennes avec un contrat», me lance-t-il avant de partir. À vos ordres, chef!

À Radio-Canada, je me promène donc d'un bureau à l'autre, renouant connaissance avec les réalisateurs, qui sont tous surpris de me voir: «Bonjour! Comment vas-tu?» «Il y a longtemps qu'on t'as vue! Tu es en beauté.» «Que deviens-tu? Où te cachais-tu?» Mon dernier arrêt sera pour Bruno Paradis, qui réalise

Les Belles Histoires. Je le connais peu, aussi suis-je très étonnée quand il me lance :

— Qui vous a prévenue que je cherchais à vous rejoindre ? Vous êtes introuvable.

— Vous cherchez à me rejoindre ! Pourquoi, monsieur ?

— Parce que j'ai un beau rôle à vous offrir.

N'en croyant pas mes oreilles, je m'assois étonnée. Il poursuit :

— L'auteur, M. Grignon, s'est souvenu de vous. Il aimait bien votre interprétation du rôle d'Annie Greenwood dans son radio-roman *Un homme et son péché*, à CKVL. Physiquement, vous êtes exactement son Artémise. Acceptez-vous ?

Si j'accepte ! À quelle heure le maquillage ? Je bondis de mon siège et l'embrasse sur les deux joues. Il ajoute une recommandation.

— Il va falloir prendre du poids. M. Grignon veut son Artémise pulpeuse et bien en chair.

Je lui ai répondu : «Oui, bien sûr», mais je n'en ferai rien. Je préférerai «tricher» mon poids avec la costumière. Il faut dire que malgré mes récentes pertes de poids j'ai conservé mes joues de jeune femme en santé et ma poitrine ronde. Celle-ci est si volumineuse que lorsque la costumière laçera mon corset, faisant remonter mes seins jusque sous mon menton, je lui demanderai, à la blague : «Si je me cogne la mâchoire dessus et que je me casse une dent, est-ce que ça va être considéré comme un accident de travail ?» Grâce à mes vêtements confectionnés en lourde étoffe du pays et à la superposition de jupons, j'arriverai à incarner une Artémise bien ronde, appétissante, comme le voulait l'auteur, et ce sans reprendre un seul gramme.

Rester mince : au cours des vingt prochaines années, cette obsession drainera une grande partie de mes énergies et minera ma santé. Je me soumettrai à tous les régimes possibles et imaginables : à cinq cents, à huit cents ou à mille calories, aux hydrates de carbone, aux pamplemousses, aux pommes, au lait fouetté, aux fausses tablettes de chocolat, jeûne protéiné ou jeûne tout court, à l'eau, au bouillon, au jus, avec coupe-faim, laxatifs, diurétiques ou injections. J'aurai tout essayé. J'en ferai un métier, comme si j'avais été un top-model de réputation internationale. Mais mon poids variera constamment: je perds cinq kilos, j'en reprends huit; j'en perds huit, j'en reprends dix. J'habille tantôt du 7, tantôt du 14. À certaines périodes, j'ai les joues si creuses et les yeux si profondément enfoncés dans leur orbite que, sur des photos, j'ai l'air de sortir d'un camp de concentration. J'ai une tête de mort-vivant, un regard halluciné. Mais je me trouve belle. Durant toutes ces années, «le meilleur ami de l'homme» ne sera pas, pour moi, le chien, mais le pèse-personne. C'est d'autant plus ridicule qu'à cause de ma morphologie je ne réussirai jamais à avoir la silhouette dont je rêvais, c'est-à-dire à être filiforme. C'est une névrose qui me coûtera cher. Pas financièrement, car je suis une publicité sur deux pattes, j'ai une grande gueule et aucun spécialiste ne me fera jamais payer les frais de mes cures. Mais je paierai comptant, du prix de mes os, de mes muscles, d'une peau trop sèche qui se relâche et de mon équilibre psychologique. Tête de linotte, comme disaient les bonnes mères au couvent. L'esprit pas plus grand qu'un dé à coudre, chantait Brassens. Et le Christ a dit: «Pardonnez-leur car ils ne savent ce qu'ils font.»

Je suis donc revenue de Radio-Canada avec mon contrat et deux textes des *Belles Histoires* dans mon sac à main. Je crie à Patrick:

— J'ai un contrat! J'ai un contrat!

— J'en étais sûr! répond-il.

J'ai toujours prétendu que c'étaient les hommes de ma vie qui m'avaient faite. Et c'est vrai. C'est pour les conquérir ou pour qu'ils croient en moi, pour ne pas les décevoir ou pour balayer leurs doutes que j'ai construit ma carrière. Dans la joie ou la douleur. C'est par eux que j'ai tout appris. Comme le dirait Marguerite Yourcenar: «Quoi qu'il arrive, j'apprends. Je gagne à tout coup.»

À ce moment-là, l'homme de ma vie, celui pour qui je veux décrocher la lune, bien avant Patrick, bien avant Serge, c'est papa.

Quand je lui téléphone pour lui apprendre la bonne nouvelle, il éclate en sanglots. Il a beau me dire qu'il pleure de joie, depuis quelque temps il pleure pour un rien. De découragement. Il n'en faut pas plus pour décupler mes ardeurs au travail, pour amplifier mon désir de réussite. Le temps presse. Accroche ta tuque, mon papouchka adoré, ça va donner un grand coup! Je vais bientôt réaliser ton rêve: être aimée du public, être connue, reconnue, *être quelqu'un*. Tu vas entrer dans la lumière. Un jour, j'attèlerai les chevaux à la calèche pour que tu puisses y monter et saluer la foule à mes côtés. Bientôt, je le jure.

Au cours des quatre prochaines années, j'incarnerai à la télévision la «belle Artémise». L'expression est de l'auteur. Mais peut-être était-ce vrai, car vingt ans plus tard, l'émission passant en reprise, ma nièce Valérie, âgée de dix ans, en restera ébahie de me voir dans tout l'éclat de ma jeunesse.

— Eh, ma tante! Je viens de voir une vieille émission dans laquelle tu jouais. Tu étais super belle.

Je me rengorge un moment, ne me rendant pas compte qu'elle parle au passé, lorsqu'elle ajoute:

— Est-ce que ça te fait de la peine de ne plus être belle comme ça?

Je tique un peu et me lance ensuite dans une explication confuse où j'explique que chaque âge a une beauté particulière. Puis, soudain consciente que je parle à une enfant, je conclus:

— Oui, ma grande, ça me fait quelque chose.

Personne n'aime vieillir. Mais la vérité sort de la bouche des enfants.

Artémise était la femme d'Alexis, le tombeur du canton, interprété par le comédien Guy Provost. Jouer ce personnage me faisait revivre mon enfance. Il y avait de grandes similitudes entre la vie dans le petit village de Macamic, où j'avais vu le jour, et ce téléroman qui décrivait la ténacité d'une poignée de défricheurs, dans de petits villages reculés des Laurentides, sous la gouverne du curé Labelle. Même courage, même ténacité, mêmes terres de roches. Dans l'un et l'autre cas, mêmes conditions de vie, mêmes personnages, mêmes lieux de rencontre: maigres récoltes, enfants à la douzaine, le quêteux, le magasin général, le bureau de poste. Dès que j'ai endossé le personnage d'Artémise, j'ai été envoûtée. Elle est entrée en moi par tous les pores de la peau, elle m'habitait. J'avais l'impression de la connaître depuis toujours. Artémise la sensuelle. Artémise qui était propre comme un sou neuf, qui se baignait dans la rivière tout l'été mais dont les jupes ne s'imprégnaient pas de l'odeur de poisson pourri, ce qui était pourtant fréquent à son époque.

Je me souviens d'un jour où nous tournions une scène où je prenais mon bain dans une grande cuve de bois. Seules ma tête et mes épaules émergent de l'eau, une eau un peu trouble que rend opaque le savon du pays. Je suis nue dans la cuve parce que, la scène terminée, je dois exécuter un rapide changement de costume en vue d'une autre scène. À peine couverte d'une serviette, je cours me cacher derrière un portant du décor où m'attend l'habilleuse. On me sèche sommairement et hop! chemise, corset, jupons, jupe et chemisier s'abattent sur moi comme par magie. Le coiffeur recompose le chignon de ma lourde perruque, dont les cheveux dénoués tombent jusqu'à ma taille. Un peu de poudre sur mon visage et voilà, je suis prête pour la scène suivante. Le tout n'a duré que trente secondes. Il fallait être de vrais prestidigitateurs. L'ennui c'est qu'il faut répéter ce petit manège plusieurs fois au cours de la journée: trois enchaînements techniques, une générale, et l'enregistrement. Le savon du pays me décape comme un vieux meuble et j'ai les foufounes pleines d'échardes. Quelques voyeurs en ont profité pour se rincer l'œil, agglutinés devant la vitre du studio avec des yeux de grenouille affamée et un sourire niais. L'équipe technique, elle, se montrait toujours très respectueuse envers les comédiens, surtout lors de scènes délicates.

La moindre tâche ménagère devait être exécutée avec un réalisme parfait. Par exemple, mon personnage devait manipuler avec dextérité un métier à tisser. Radio-Canada m'a donc fait suivre des cours de tissage et, d'émission en émission, j'ai confectionné une longue pièce d'étoffe. J'actionnais le pédalier et glissais la navette entre les fils de la trame tout en disant mon texte. J'avais si bien appris la manipulation du métier à tisser qu'aucun des mouvements que j'exécutais ne me distrayait. Si un fil se brisait, je savais le réparer avec naturel, sans jamais quitter l'âme de mon personnage et tout en continuant à échanger des répliques avec mes partenaires. Ce naturel caractérisait tous les gestes des personnages et c'est lui, je crois, qui conférait à l'émission un rythme qui transportait si aisément le téléspectateur à une autre époque, car ainsi c'est tout le récit qui se trouvait imprégné de vraisemblance et de vérité.

Pour bien accomplir tous les gestes liés à la vie d'autrefois, c'est-à-dire sans avoir besoin d'y penser, les exécutant de façon mécanique, il était primordial de bien savoir son texte. Le grand acteur américain Spencer Tracy, à qui un débutant demandait un jour des conseils pour devenir un bon comédien, avait répondu: «*Know your lines*». Il avait raison. Savoir son texte sur le bout des doigts, comme si on le réinventait, est essentiel. Cela ne donne peut-être pas du talent, mais cela permet de s'oublier au profit de la situation et surtout d'écouter son partenaire.

J'ai toujours cherché à plaire, à séduire, que ce soit le public ou mes camarades de travail. Pendant un tournage extérieur à Sainte-Adèle, je suis appelée à tourner une scène avec le comédien Paul Dupuis. Je le connais peu et il n'est pas très liant, encore auréolé de la carrière cinématographique qu'il a menée à Londres. Il m'impressionne. Comme toujours, lorsque je n'intéresse pas du tout quelqu'un, j'essaie de lui faire du charme, de me faire accepter de lui. Avec Paul, je rame fort. J'entame donc une conversation sur les chevaux, sachant qu'il est un cavalier émérite. Je lui dis que moi aussi j'aime monter. Il me toise avec un sourire sarcastique et laisse tomber sentencieusement: «Avec votre physique, il est impossible que vous soyez une bonne cavalière.» La colère m'aveugle. Pour qui se prend-il? Je vais lui montrer, moi! Je détache un cheval qui broute tout près. Il n'est pas sellé? Tant pis. Je l'enfourche à cru et le lance au galop. Quand je mets pied à terre, fière de moi, j'entends Paul lancer: «C'est bien ce que je disais. Aucune classe.» Je l'aurais frappé. Surtout que je venais de risquer de me rompre le cou car le cheval n'était pas ferré.

Durant cette période, je faisais la navette entre Radio-Canada et Télé-Métropole, ce qui était peu fréquent dans le milieu à la fin des années 1960. À Télé-Métropole, ma participation à *Qui dit vrai?* s'achève mais j'enchaîne avec une émission d'humour hebdomadaire, *Gags à gogo*, mettant en vedette Gilles Latulippe et Paul Berval. À côté de ces grands comiques, je ne suis évidemment qu'une débutante. Cette émission ne comporte pas de texte, elle tient du vaudeville. Pendant trente minutes, nous devons improviser à partir d'un canevas. On nous donne une mise en situation, et le punch final. À nous de nous débrouiller pour meubler l'émission. Et on doit être drôles. Bien sûr, le fameux punch doit être le point culminant de l'émission.

À la première émission, j'éprouve un trac épouvantable. Je ne possède aucune expérience en improvisation et nous tournons en direct. Enfin presque. Il existe depuis peu une nouvelle technique, appelée VTR, qui permet de recommencer l'enregistrement, mais cela entraîne de telles complications qu'à moins qu'un comédien ne rende l'âme, on ne recommence rien du tout. Pour nous, c'est tout comme s'il s'agissait du direct.

Nous entamons donc l'émission. Pendant que Gilles et Paul s'évertuent à faire démarrer l'action, je m'accroche à mon personnage, sérieuse, sans créativité, me contentant de réagir à leurs drôleries. Crispée, je suis ennuyeuse à mourir. Mes camarades peinent pour compenser ma lenteur et mon manque d'initiative. Tout à coup, dans un élan de bonne volonté, je lance une blague, croyant que cette fois ça y est, que j'ai réussi à débloquer. Mais je n'obtiens pas l'effet escompté. Au contraire, les visages de Gilles et de Paul prennent la pâleur d'un drap. Ils semblent sur le point de s'évanouir. Je réalise alors la terrible... mais terrible réalité: ce gag que je viens de livrer, que je crois hilarant, c'est... c'est le *punch final*! Et il reste encore *vingt minutes* à faire. Les vingt plus longues minutes de ma vie... et de la leur. Je n'ose plus ouvrir la bouche. Gilles et Paul font des pieds et des mains pour sauver la situation, ressortant de leur répertoire de vieux troupiers galipettes, gags et improvisations. Ils parviennent à s'en tirer honorablement grâce à leur esprit d'invention et à leur grande expérience de la scène pendant que je me transforme en potiche.

Une fois l'émission terminée, je me glisse discrètement dans la loge de Paul.

— Tu crois que Gilles va me pardonner?

— J'en sais rien. Mais si j'étais toi, je quitterais le studio tout de suite, sans rien demander.

Non seulement Gilles Latulippe ne m'en a pas tenu rancune, mais il me confiera plus tard plusieurs rôles à son théâtre.

Je venais d'apprendre que faire rire un auditoire est le plus exigeant des métiers. Et que jouer la comédie, c'est avoir du rythme, de la vivacité, de l'esprit. Cette leçon me servira toute ma vie, même lorsque je jouerai des rôles dramatiques. Il faut attaquer une réplique, écouter, répondre, ne pas traîner, ne pas «draguer», comme on dit d'un chanteur qui est *offbeat*. Ce fut une grande école.

La réalisation de *Gags à gogo* a été confiée à Pierre Sainte-Marie, qui devient vite pour moi un copain. Nous sortons à l'occasion ensemble et il me prouve un jour sa totale amitié. Je reçois une proposition pour tourner dans une télésérie à Paris. Paris! Je n'ai même pas demandé le titre de la coproduction. Un mois à Paris. Voir Paris. Vivre à Paris. Ce Paris dont m'avait tant parlé grand-maman. Ce Paris qu'il me semblait déjà connaître. Je peux m'absenter des *Belles Histoires* car mon personnage n'est pas de l'émission durant cette période. Mais pour *Gags à gogo*, c'est une autre paire de manches, nous enregistrons chaque semaine. Comment faire pour réaliser mon rêve? Je tourne en rond. On me presse de donner ma réponse, sinon on confiera le rôle à une autre comédienne. Jamais! Il n'en est pas question! Je m'adresse donc à mon réalisateur. «Pierre, fais quelque chose! Je dois me rendre à Paris. On pourrait peut-être enregistrer les émissions à l'avance.» Il m'explique que c'est impossible, à cause du grand chambardement qu'occasionne l'arrivée de la télévision en couleurs. Jamais il n'arrivera à trouver un studio libre. Avec l'acharnement d'un teckel, je ne lâche pas le morceau. Tant que l'haleine du mort fait de la buée sur le miroir, le mort n'est pas mort. Pierre! Pierre! S'il te plaît!

Je me montre à ce point convaincante qu'il parvient à trouver un studio, et mes camarades acceptent de bousculer leurs horaires pour m'accommoder. Une fois les émissions enregistrées, Pierre pousse la gentillesse jusqu'à me conduire à l'aéroport. Plus vite, Pierre! Je vais rater l'avion! Je tremble d'excitation, de joie, d'émotion. Deux grosses bises, au revoir, Pierre, merci, et je m'envole. Il a certainement fait ouf! Il devait être très soulagé de se débarrasser du paquet de nerfs que j'étais. À mon retour, il m'accueillera en s'exclamant: «Pas déjà!»

Dans l'avion, pendant les sept heures que dure le vol, je ne bois, ni ne mange, ni ne dors. Je suis assise bien droite dans mon fauteuil et je ne bouge pas. Il ne faut surtout pas froisser mes vêtements, endommager ma coiffure ou mon maquillage. Une statue. Mon petit tailleur de coton gaufré blanc, mes bas résille, mes souliers vert lime et mon catogan de même couleur arriveront sans un pli à Orly.

J'accourais à Paris comme à un rendez-vous amoureux.

La série dans laquelle je joue a pour titre *Minouche* et j'y incarne une demi-mondaine du début du siècle. Le rôle est sans importance. Lorsque je regarderai plus tard la série, mon personnage aura disparu, coupé au montage.

Mais pour le moment, je suis à Paris. Euphorique, j'ai l'impression de marcher sur un nuage. Ah! grand-maman, si seulement tu pouvais être avec moi et voir tout ça! Les bruits qui résonnent dans les petites rues étroites, les odeurs de bouffe s'échappant des restaurants, les vieilles pierres, le flot des passants, l'animation des cafés-terrasses, les marronniers en fleur. Tout me transporte de joie.

Mon cachet est plutôt mince et j'habite un hôtel classé une étoile, dans la deuxième plus petite rue de Paris, la rue Dupuytren, carrefour de l'Odéon, dans le VIe arrondissement. Je suis au cœur de la vie culturelle. Ma chambre donne sous les combles (très Mimi Pinson) et la douche est à l'étage du dessous. Il faut payer cinq francs à la logeuse pour l'utiliser. Le plancher de la douche est recouvert d'un caillebotis qui trempe dans une eau glauque. Ça sent mauvais. Je me lave rapidement. Les «waters», comme j'apprends à les appeler, sont des toilettes à la turque. On m'a expliqué qu'il faut s'accroupir après avoir posé les pieds sur les patins, de chaque côté du trou. La première fois, je m'exécute, puis tire la chasse d'eau sans retirer mes pieds des patins. Mon pantalon à pattes d'éléphant est éclaboussé jusqu'aux genoux. Ça va, j'ai compris, je ne le ferai plus. J'apprends vite.

Je marche, j'écoute, je n'ai pas assez d'yeux pour tout voir. Bientôt le VIe arrondissement n'a plus de secrets pour moi, j'en connais le moindre recoin. Le premier soir, je mange dans un bistro fréquenté par des étudiants et des artistes. C'est pas cher et la nourriture est convenable. J'y prends vite mes habitudes, à cause du pittoresque de la patronne. C'est une Française sans âge, encore bien roulée, mais à qui le maquillage outrancier dessine une figure de clown et accentue les rides. Familière, elle accueille chacun des clients par son prénom, avec une grande claque dans le dos ou un baiser retentissant qui imprime sur les joues le dessin de ses lèvres trop rouges. Avec une voix gouailleuse de poissonnière, elle crie à son cuisinier: «Deux spaghettis indisposés!» qu'il faut traduire par «lspaghettis à la sauce tomate». Mais elle a le coeur sur la main et fait crédit à plus d'un. Chère Mado. Un soir où je m'attarde à boire plus que de coutume, je lui fais part d'un désir un peu fou. Je voudrais engager un accordéoniste pour chanter dans ces lieux que décrivent les chansons françaises que je chante depuis si longtemps.

Qu'à cela ne tienne, elle connaît quelqu'un. Marché conclu, nous partons, l'accordéoniste et moi, vers Montmartre. Pendant des heures, je chante *Irma la Douce* dans les marches du Sacré-Cœur, *Paris canaille* à la place Blanche, *Les Escaliers de la Butte* en gravissant les escaliers en question. Puis nous arpentons l'île Saint-Louis et les grands boulevards. Les passants nous regardent et parfois me jettent des piécettes, croyant que je fais la manche. Il est tard quand un gendarme me prie de me taire pour laisser dormir les honnêtes gens. Ça va, monsieur l'agent. C'était un rêve. Je l'ai réalisé. Merci beaucoup !

Le tournage de la série a lieu dans les studios Saint-Maurice, en banlieue de Paris, de grands hangars autour d'un joli parc qui se mire dans un étang. L'endroit réveille en moi le souvenir de tous ces films français qui y ont été tournés. Je m'imagine marchant sur les pas de Jean Gabin, de Michèle Morgan, de Simone Signoret, de Jeanne Moreau et de tant d'autres.

Mis à part les costumes d'époque qui étaient intéressants, le tournage ne m'a laissé que le souvenir d'un texte insipide et d'un rôle insignifiant. Le rôle un peu plus soutenu que tient la comédienne québécoise Denise Saint-Pierre justifie à peine la participation financière de Radio-Canada dans cette production. La France veut bien de notre argent, mais pas vraiment de nos talents. Lorsque la Société Radio-Canada se montrera plus exigeante, je serai une des premières à en bénéficier.

De retour à Montréal, j'arrive en pleine euphorie collective : le Québec tout entier se passionne pour l'Exposition universelle de 1967. L'Expo 67. Patrick a l'idée d'y présenter un spectacle antillais et me demande d'en assurer la direction artistique. Je n'y connais rien mais je fonce. Que ne ferais-je pas pour les hommes que j'aime ? Je réunis six musiciens, dont le jazzman Marius Cultier. Vêtus de leur costume national martiniquais, pendant trois semaines ils feront la fête tous les après-midi à la place des Nations.

Patrick décide de changer son nom pour Pat Beloni, parce qu'il va enregistrer deux disques. Je trouve ça ridicule. Est-ce que je change de nom, moi ? J'aurais peut-être dû. A-t-on idée de s'appeler Boucher quand on est comédienne et qu'on veut faire carrière ? Et pourtant, une journaliste m'a déjà demandé si c'était mon vrai nom.

Patrick et moi enregistrons sur la même étiquette, Apex. J'ai commis deux 45 tours, les seules expériences que je regretterai avoir faites. Je n'ai pas de mots pour décrire cette insignifiance. Bien sûr, c'était fait à la va-vite. La veille de l'enregistrement,

Pierre Nolès, le fameux producteur et auteur-compositeur, me téléphone. Je lui parle du téléphone public de la maison de chambres où j'habite, dans le hall d'entrée, dans le va-et-vient des chambreurs. Pierre Nolès est en train de travailler aux orchestrations et me demande dans quelle «*clef*» je veux chanter, c'est-à-dire dans quelle tonalité. Je n'en sais rien puisque je connais à peine la chanson. Il s'agissait de *Mon credo*, que Mireille Mathieu venait de populariser en France. Pierre pianote quelques mesures: «Tiens, chante donc ça.» Et je m'exécute timidement, parmi les chambreurs qui discutent dans le hall. Ceux-ci affichent un air ahuri. Ils doivent penser que je suis complètement beurrée. Pierre Nolès me suggère d'essayer plus haut: «C'est plus commercial.» Je m'égosille donc encore plus haut. Puis plus haut encore. À la fin, je miaule comme une chatte à qui on a marché sur la queue et les chambreurs foutent le camp. Pierre Nolès, quant à lui, apparemment satisfait, m'annonce qu'on se reverra le lendemain au studio d'enregistrement.

La bande sonore avait déjà été enregistrée, elle était donc définitive. Je me suis époumonée pendant des heures à essayer d'atteindre les notes voulues, m'étouffant dans les aigus, le visage rougi par l'effort, la gorge en feu. Le résultat était minable mais le disque a quand même tourné dans les stations de radio. J'ai même fait des tournées de promotion. Je pourrais prétendre que mon deuxième 45 tours était de meilleure qualité, mais mon sens du réalisme me fera plutôt conclure qu'il était «moins pire.»

Je me souviens d'une photo à la une qui me montrait dans une attitude qui se voulait gamine, les cheveux noués en couettes, des «lulus» comme on les appelait. La photo était coiffée d'un titre: *André Boucher. Je suis assez jeune pour faire du yé-yé.* Heureusement que le ridicule ne tue pas! Il n'y a pas eu de troisième disque. Fini pour moi, la période yé-yé.

Toute la période d'effervescence liée à l'Expo 67, je l'ai passée à Cartierville, chez mon amie la comédienne Denise Filiatrault. Patrick n'est pas là. Où est Patrick? Je ne m'en souviens plus.

Je passe mes journées dans un joli bungalow, au milieu d'un grand jardin, autour d'une piscine. En compagnie de Denise, de ses filles, Sophie et Danielle, d'une amie, Élise Varo, et de la gouvernante. On a baptisé l'endroit «Le Couvent des oiseaux». Nous sommes entre femmes. On rit. On papote. On parle de nos hommes. L'après-midi, j'accompagne parfois Denise qui présente avec Dominique Michel un spectacle d'humour au pavillon du Canada. Je ne visiterai le site de l'Expo qu'à la fin de l'été, quand les parents de Patrick seront de passage à Montréal. Pour le moment, il y fait une chaleur insoutenable et la foule y est trop dense. Alors vivement la piscine et les petits oiseaux!

Ma vie se passe donc principalement à Cartierville, chez Denise. Avec une grande simplicité, elle m'admet dans son cercle d'amis, et sa maison devient la mienne. Elle ne comprend d'ailleurs pas pourquoi je retourne parfois dans ma chambre minable et torride alors qu'on est si bien chez elle. Comment lui dire, sans la blesser, que je vais me reposer d'elle pendant quelques jours, parce qu'elle m'essouffle? Avec elle, tout va si vite. Ma lenteur l'exaspère. On dirait une panthère qui se serait prise d'amitié pour une chatte angora. Étonnant, non? J'aime Denise. D'une façon entière, tout d'un bloc. Parce qu'elle est honnête, sincère, généreuse de son talent, de son amitié un peu bourrue, de sa formidable énergie. Elle n'a pas mauvais caractère, elle a «du» caractère. D'un homme qui met son pied à terre, qui affirme ses opinions, que l'incompétence met en colère, qui sait se faire respecter, on dit qu'il a du caractère. Si une femme se conduit de la même façon, elle a automatiquement mauvais caractère. C'est injuste.

Constamment pressée par le temps, Denise a toujours une nouvelle idée en tête et perdre du temps la rend folle. Cet été-là, j'ai tenté d'adopter son rythme. J'y suis arrivée, mais dans quel état, mon Dieu! Je nous revois encore, dans sa voiture, quand nous nous dirigions vers le site de l'Expo. Tandis que j'avais à peine eu le temps de sortir de la piscine, elle était déjà douchée, habillée, prête à partir. En route, elle fixait sa perruque. (On portait alors des perruques en Kénékalon, dont les cheveux tombaient droit, selon la mode.) Elle terminait son maquillage au feu rouge... ou jaune ou vert, car elle conduisait comme un pied. Quand nous arrivions au théâtre, elle était fin prête pour le spectacle. Comme je n'avais pas sa dextérité, j'avais tout juste eu le temps de nouer mes cheveux mouillés sous un foulard. J'empestais le chlore et, sans maquillage, je ressemblais à la parente pauvre qu'on traîne avec soi par gentillesse. Aussi, je l'accompagnais peu souvent à l'Expo, préférant rester à la maison, à cuisiner.

Denise adorait manger et bien recevoir, et c'est uniquement pour elle que je me suis remise aux fourneaux. Pas question de cuisiner des plats simples tels que du bouilli aux légumes, du pâté chinois ou du macaroni au fromage. Que non! J'ai ressorti mes livres de recettes, et tous les samedis je prépare un grand dîner, un *seven-course meal*, comme on disait, un dîner à sept services. Je retrouve le plaisir de créer des plats exceptionnels puisque Denise ne m'impose aucune restriction budgétaire. Ce fut l'été de tous les excès. Gibier ou poisson nappés de sauces complexes, pièces montées, potages inventifs, desserts fabuleux, orgies de crème, délire de pâtisseries. Denise met les petits plats dans les grands et les invités sont ravis. Qui reçoit-elle à sa table? Surtout des gens du show-business, dont principalement Jean et Denise Bissonnette, les comédiens Benoît Marleau et André Montmorency, Dominique Michel parfois, Élise Varo bien sûr, et Françoise Berd, la fondatrice et directrice du théâtre L'Égrégore. Ce sont de joyeuses et interminables agapes. Cuisiner me comble de plaisir. Déguster aussi. Mais attention, feu rouge, je vais grossir! Et puis zut! on verra à l'automne. La vie est belle et bonne.

Cette même année, à Noël, j'ai travaillé plusieurs jours à l'élaboration du repas de réveillon chez Denise. Une ballottine de faisan en constituait la pièce maîtresse. J'ai recomposé l'oiseau avec ses plumes, la tête et les ailes, au milieu du plat de présentation. (J'ai toutefois omis de traiter ces parties contre le pourrissement. Quand, deux semaines plus tard, j'ai voulu les réutiliser, elles marchaient toutes seules, portées par des centaines de vers.) Même si nous n'étions que huit à table, Denise avait commandé des douzaines d'huîtres. Ce n'était qu'une entrée mais il y en avait pour une armée. Nous en avions tant ouvert que le plancher mouillé de la cuisine ressemblait à une piscine; il fallait s'agripper aux comptoirs pour ne pas glisser. Pour l'occasion, Denise venait d'acheter trois douzaines de flûtes à champagne; elles étaient si minces que leur pied s'émiettait rien qu'à les déposer sur la table. On les a toutes brisées.

Si Denise et moi avons péché pendant cette période, on ne peut pas dire que c'était par simplicité. Nous étions la démesure même. Deux «escoreuses», aurait dit maman. Mais se donner entièrement pour procurer du plaisir à ceux qu'on aime est une si grande joie que nous ne savions pas nous en priver. En Denise, je trouvais la partenaire idéale à ma démesure, un membre du Club de la folie des grandeurs.

Denise m'a fait un jour un très beau compliment. Revenant d'une croisière sur le *France*, bateau réputé pour sa haute gastronomie, elle décrivait à ses amis les plats qu'elle y avait savourés, nous mettant l'eau à la bouche. Puis elle a conclu en riant: «C'était merveilleux, mais Andrée fait de la bouffe aussi bonne.» C'était tellement énorme que personne n'a osé la contredire. Je ne l'ai pas crue, bien sûr, mais ce compliment m'a fait chaud au cœur. Pour elle, j'étais la meilleure.

Les années passeront et, par moments, Denise et moi nous perdrons de vue. Nous avons eu une amitié à éclipses. Mais, même lorsque j'étais loin d'elle, je savais que si j'avais besoin d'elle, Denise serait là. De cette amitié j'ai aussi tiré une conclusion: dans la démesure, il faut être conséquente avec ses choix, il ne doit jamais y avoir de regrets.

L'été 1967 tire à sa fin. Un bel été paisible. Il n'y manque que la présence de ma fille qui grandit loin de moi. Je ne l'ai vue que deux ou trois fois. Lors de ma dernière visite, le grand-père m'a prévenue: «Ne venez plus. Ça ne sert à rien, elle ne veut plus vous voir pour un bon bout de temps.»

Serait-ce vrai? Pour moi, c'était un coup de poignard au cœur. Ce n'est qu'à l'automne que je commencerai à fréquenter l'Expo.

Plus souvent qu'à mon tour, je suis au parc d'attractions de La Ronde avec mon coiffeur et ami Pierre David. Ivres et *stoned*, sur la mescaline ou le LSD, aucun manège ne nous effraie. Quand nous redescendons des manèges, j'ai les jambes coupées mais la bouche fendue jusqu'aux oreilles, gelée comme une balle. Il arrive qu'on me demande de signer un autographe. J'accepte avec plaisir puis, tout d'un coup... je ne me souviens plus de mon nom.

– Comment je m'appelle ?

– Andrée Boucher, font les gens, étonnés.

– Ah oui, c'est vrai.

Et j'ajoute :

– Comment ça s'épelle ?

On m'épelle mon nom, que j'écris en riant. Personne ne me fait la morale. Parfois, une main affectueuse me caresse les cheveux.

Quand vient l'heure de la fermeture et que la musique s'arrête, je pleure. Je ne veux pas que ce bonheur illusoire se termine. Toute cette activité, cette fébrilité, ces cris d'amusement servent à cacher ma peine. Je secoue les colonnes qui supportent les haut-parleurs et je crie : «Musique, s'il vous plaît !» Parfois, un inconnu dénoue mes mains cramponnées à la colonne en me disant : «Va te coucher, ma belle Andrée ! C'est fini. Tu reviendras demain.» Et j'obéis à cette voix rassurante.

Jamais je ne me suis cachée pour faire mes frasques. Je les ai faites sur la place publique, comme si je cherchais à provoquer les gens, à savoir jusqu'à quel point ils toléreraient ma conduite, jusqu'à quel point ils m'aimaient. Les gens m'aimaient-ils assez pour m'accepter telle que j'étais ? Mon besoin d'amour allait jusque-là. Sans cette affection et cette tendresse que m'a prodiguées le public, je ne sais pas ce que je serais devenue.

Le public était ma famille. Une famille que j'avais moi-même choisie. J'étais son enfant.

20

Travail-travail-travail, je n'arrête pas. Une vie de fou. Mais j'aime ça. Le soir, je chante dans les boîtes à chansons. Le jour, je cours répéter *Les Belles Histoires* à Radio-Canada, je me précipite ensuite à Télé-Métropole pour enregistrer un quiz appelé *Elle et lui*, ou l'émission *L'École du bonheur*, animée par Janette Bertrand, puis je reviens enregistrer à Radio-Canada. Dans *L'École du bonheur*, Paul Berval et moi devons improviser un sketch à partir d'une lettre reçue dans le courrier du cœur de Janette Bertrand.

L'après-midi, de quatorze à quinze heures, sur les ondes de CKVL, je coanime une émission appelée *Les Trois Mousquetaires*, enregistrée au *Café Princesse*, une des salles du *Café Saint-Jacques*. Cette salle est un *cruising bar*. Chaque table est munie d'un téléphone qui permet à son occupant de rejoindre l'objet de ses désirs à une autre table. Nous nous efforçons de distraire les couples qui se font et se défont en interprétant des sketches et des chansons. C'est exigeant parce qu'il faut se renouveler quotidiennement. Il arrive qu'on se casse le gueule royalement. Surtout que tous les couples qui se regardent dans le blanc des yeux, absorbés par le jeu de la séduction, n'ont pas forcément le temps de nous écouter. Un jour, ayant raconté une histoire drôle dont le punch reste sans effet, j'entreprends de la raconter de nouveau, croyant que les gens n'ont pas pigé. C'est alors qu'une voix tonitruante monte de la salle: «Ferme ta gueule! On l'a comprise ton histoire! Est plate!» Je ne risquais pas de m'enfler la tête.

C'est peut-être le fait de travailler dans un bar de drague qui m'a donné l'idée de tromper Patrick. Car mon amour pour lui se transformait un peu plus chaque jour en une relation amicale et fraternelle. Je ne l'admirais pas et j'ai toujours eu besoin d'admirer les hommes de ma vie. De nature plutôt indolente, il se retrouvait souvent sans travail et se laissait porter par la vie, encaissant régulièrement les chèques de son père et laissant filer de belles occasions d'entamer une carrière de chanteur. Je lui étais toutefois reconnaissante d'avoir cru en moi et jamais je ne l'aurais mis à la porte de chez moi.

Ma première infidélité s'est présentée sous les traits d'un boxeur. Ce champion à la retraite était un être timide, doux, tendre, doué d'un charme dévastateur. En le voyant, j'ai tout de suite éprouvé un pincement au cœur: oui, oui, oui, «dévastez»-moi, monsieur! J'ai longtemps eu un faible pour les types baraqués, les motards, les boxeurs, et surtout les beaux «camionneurs». Je prétends encore aujourd'hui que mon conjoint actuel est une erreur de vieillesse.

Cet homme m'a fait découvrir les boîtes de musique country. J'adorais ces endroits, car j'y retrouvais les mélodies qui avaient bercé ma jeunesse, celles des hôtels de mon père. C'est une musique qui parle de choses vraies, une musique dont la nostalgie me fait vibrer. Et puis, pour ce qui est des goûts, j'aime tout. Je voudrais avoir la possibilité de tout voir, de tout entendre, de tout découvrir, de tout connaître. Ne pas me limiter à un seul courant d'idées. Aimer autant Renoir et Riopelle que Matisse et Magritte, Brel et Ferland que Jimmy Hendrix et les Doors, Stefan Zweig et Colette que Danielle Steel. Je ne veux pas être prisonnière d'un moule, mais plutôt découvrir les choses à mon rythme sans me préoccuper des modes. Et au diable le *politically correct*. C'est trop triste.

J'emménage dans un grand studio au onzième étage d'une conciergerie de la partie ouest du centre ville, rue Saint-Marc. De mes fenêtres, je vois le Saint-Laurent et l'horizon à perte de vue. Les murs sont frais peints, les planchers de bois brillent, le soleil inonde le studio. C'est la première fois qu'un appartement me procure un sentiment de sécurité. Je ne suis plus une nomade qui vit dans le provisoire. Mon décor me plaît: deux matelas recouverts de courtepointes colorées, posés en angle sur le sol, des tonnes de coussins, une grande commode, une chaise longue en rotin, des posters sur les murs, une vraie table dans le coin dînette. Mais surtout, des murs sans fissures, des planchers de niveau, et des lavabos, un bain et un cabinet de toilette neufs. Que me faut-il de plus?

Patrick est souvent absent. Il voyage entre Paris et Montréal afin de mettre sur pied son agence pour chanteurs. Il m'impliquera dans son entreprise, mais ça foirera, évidemment. Avec le piètre sens des affaires de Patrick et mon peu de sens pratique, c'était prévisible.

Les locataires de mon nouvel immeuble forment une petite famille. Nous nous connaissons à peu près tous, et nous prenons souvent l'apéritif chez l'un ou chez l'autre. Un ami de mon mari, le docteur Blackburn, et sa femme Ruth habitent au dernier étage. Est-ce que j'avais, inconsciemment, un plan en tête en venant habiter là? Est-ce que j'espérais une ultime tentative de rapprochement avec Serge? Probablement. Une autre question me trouble. Comme je n'ai loué qu'un studio, ai-je perdu l'espoir de vivre de nouveau avec ma fille? Chut, Andrée!, ne te questionne pas trop. Roule-toi un joint, ouvre une bouteille de vodka, mets la musique plus fort et ne pense pas à ça. Ça fait trop mal. Travaille, puisque c'est là que tu te montres le plus efficace.

Je répète à cette époque *Monica la Mitraille*, une comédie musicale basée sur la vie d'une célèbre braqueuse de banque qui avait défrayé la manchette des journaux. Denise Filiatrault incarne Monica et moi, je joue son âme damnée. Je suis son chien, son ombre. Et j'en suis follement amoureuse. Mon personnage veille sur Monica, prête à ramper pour mériter un seul de ses regards; c'est une *butch*, mal dans sa peau, vêtue et coiffée comme un homme. Les divers événements tragiques de ma vie m'avaient rendue trop fragile émotivement pour assumer ce rôle. Le personnage s'imprègne en moi avec une telle force que j'en viens à le confondre avec ma propre personnalité. À mesure que les répétitions progressent, j'acquiers la conviction que moi aussi je ne suis qu'un chien, que l'ombre de quelqu'un. Je n'ai plus aucune estime de moi-même. Dans la scène finale, où nous chantons un hymne funèbre à la mémoire de Monica, chaque fois que je chante les mots «Monica est morte», ce sont plutôt les mots «Andrée est morte» qui résonnent dans ma tête.

Nous n'avons donné que trois représentations à la Place des Arts. Le producteur, Sam Gesser, produisait en même temps un spectacle de ballets africains qui venait d'être frappé d'interdiction. Une loi municipale permettait d'exposer un corps nu sur une scène... à la condition qu'il reste immobile. Les seins des danseuses africaines bougeaient évidemment au rythme effréné des tam-tam. Horreur! C'est Monica la Mitraille qui en fait les frais. Sam Gesser s'en sert comme moyen de pression afin d'inciter les autorités à faire preuve de plus de souplesse: pas de ballets africains, pas de *Monica*. Devant l'entêtement des autorités municipales, il préfère finalement déclarer faillite. Nous avons dû interrompre les représentations... et nous n'avons jamais été payés. Deux cents heures de répétitions à l'eau.

Pendant que je participais aux séries *Les Belles Histoires*, *D'Iberville* et, à l'occasion, *Moi et l'autre*, et que je chantais dans les boîtes à chansons, j'ai aussi trouvé le temps de suivre des cours de danse avec le célèbre danseur et chorégraphe Georges Reich. Pour me perfectionner. Sans grands résultats, hélas! Quand on naît pataude, on meurt pataude. J'arrive parfois à exécuter des chorégraphies, mais à la condition qu'elles soient *très* simples.

Aussi est-ce à mon grand étonnement que Georges Reich m'approche pour remplacer au pied levé la meneuse de revue de son dernier spectacle aux *Folies royales*, un *supper club* chic de l'Ouest de la ville, rue Sherbrooke. Sa meneuse de revue est tombée malade. *Meneuse de revue, moi!* Y pense-t-il sérieusement? Oui. Il dit que j'ai le charisme et le panache nécessaires, que je peux chanter et faire la présentation des numéros en anglais et en français. Il simplifiera les chorégraphies, convaincu que les spectateurs n'y verront que du feu et que je me révélerai une grande illusionniste.

Je demande d'abord conseil à Patrick. Une fois de plus, il croit en moi et me répond que je vais faire cela comme une reine. Deux hommes qui croient en moi: il ne m'en faut pas plus pour relever le défi. L'expérience me semble palpitante. Comme nous ne disposons que d'une semaine pour faire de moi une meneuse de revue, nous répétons jour et nuit. Oh! bonne mère! comme disent les Provençaux. Dans quelle galère me suis-je embarquée? Jusqu'à ce jour, j'ignorais même que la baguette d'un chef d'orchestre servait à battre la mesure.

Le costumier vient choisir dans mon placard quelques robes que je portais quand je faisais des *club dates*, les pare de boas, de pierreries et d'autres ornements de pacotille, puis dessine pour moi des maillots minuscules qu'il garnit de plumes au derrière. Georges me fait inlassablement répéter la classique descente du grand escalier. En talons aiguilles. Pour éviter que je me casse la gueule, il m'enseigne la technique appropriée. La meneuse de revue doit entamer la descente la tête haute, en fixant le fond de la salle avec un sourire triomphant. Puis glisser le talon de son soulier le long de la première marche. Une fois le pied bien à plat sur la marche, elle avance l'autre jambe. Jamais elle ne doit baisser les yeux ou regarder l'escalier.

C'était le numéro d'ouverture. Je suis arrivée à l'exécuter sans problème. Bien sûr, je devais chanter en même temps.

L'ouverture de la deuxième partie était tout aussi spectaculaire et exigeante. On me descendait des cintres, d'une hauteur de quinze mètres, sanglée dans des lanières de cuir. J'atterrissais au milieu de la scène, où j'attaquais ma première chanson. Pour descendre, pas de problèmes. Mais pour monter là-haut, je devais escalader un système compliqué d'échelles et de poutres. Le premier soir, je descends élégamment du plafond, une jambe pointée vers l'avant, l'autre pliée. Mais je ressens un tel trac que lorsque je touche le sol j'en oublie d'attaquer ma chanson. La baguette du chef d'orchestre tournoie frénétiquement pour me signaler qu'il faut chanter. Mais qu'est-ce qu'il a à gesticuler comme s'il chassait une mouche? Je ne distingue plus rien, je tremble comme une feuille. L'orchestre a dû reprendre cinq fois les premières mesures avant qu'un son sorte de ma gorge. Ou peut-être était-ce davantage un couac.

Je parviens toutefois à me tirer d'affaire et la revue connaît un grand succès. J'ai adoré l'expérience, et si le gérant n'avait pas déguerpi avec la caisse après quelques semaines, j'y serais peut-être encore!

Peu de gens travaillent avec autant d'acharnement que les danseurs. L'un d'eux, qui faisait partie du fameux et classique numéro de french cancan, devait survoler une rangée de danseuses et atterrir dans un grand écart. Un soir que je lui fais remarquer qu'il se réchauffe de longues heures à la barre, uniquement pour exécuter un numéro de dix minutes, il me répond: «Il n'y a pas de miracle, Andrée. Il n'y a que le travail.» Message reçu.

Je ne peux parler des *Folies royales* sans évoquer le personnage de Voula. Lors de la répétition générale en costumes, je constate avec horreur, en me regardant dans le miroir, que là où le collant de danseuse et le maillot minuscule doivent cacher mes parties intimes, la bande de tissu est si étroite que ma toison dépasse de chaque côté. Ces petites touffes de poils noirs donnent un aspect négligé et disgracieux. Les danseuses autour de moi ne semblent pas avoir ce problème. Sous quoi ont-elles dissimulé leurs poils? Se rasent-elles complètement? Quand je les interroge, elles me répondent en chœur: «*We went to see Voula!*»

Voula est une jeune Grecque élevée en Égypte et arrivée depuis peu au pays. Elle pratique l'épilation au sucre, comme le veut la tradition orientale. Après avoir pris rendez-vous, je me retrouve dans une pièce exiguë, à l'arrière du salon de coiffure tenu par la comédienne Denyse Saint-Pierre. Voula me fait retirer ma petite culotte pendant que sur un réchaud une étrange mixture est en train se caraméliser. Cela sent et ressemble à de la tire Sainte-Catherine. À l'aide d'une cuiller, Voula prend un peu de caramel puis, après avoir passé ses doigts sous l'eau froide, elle le pétrit en boulette, qu'elle aplatit ensuite et applique sur ma toison. La sensation est agréable, le caramel est encore tiède, ce qui a pour effet de faire tomber ma méfiance. Mais... aïe! aïe! aïe!... voilà que Voula tire de toutes ses forces sur la plaque de caramel, arrachant les poils comme une touffe de gazon. Le cœur me remonte dans la gorge. Elle recommence plusieurs fois, pour finalement s'exclamer d'un air satisfait: «Voyez, madame, c'est tout propre!»

Je comprends que c'est propre. Mes parties intimes ressemblent à celle d'un bébé. Une fois que j'ai revêtu mon costume de scène, le coup d'œil est impeccable.

Je viens tout juste de recevoir par la poste des photos couleur de mon constat d'adultère. À l'époque, on ne changeait pas de mari comme on change de chemise. Pour obtenir le divorce, mon mari devait produire en cour des photos compromettantes. Il m'avait fait filer pendant trois mois par des détectives privés, qui étaient parvenus à me surprendre les culottes baissées avec mon amant du moment, l'auteur-compositeur-interprète français Jean-Loup Chauby. Les photos ne laissent aucun doute sur ce que les protagonistes sont en train de faire, c'est-à-dire une partie de jambes en l'air.

Le processus juridique s'enclenche, mon mari et moi ne nous parlons plus que par avocats interposés. Mais avant que le divorce soit prononcé, voilà que la vie nous jette encore une fois dans les bras l'un de l'autre. Nous connaissons un moment de passion démente. Une passion comme nous n'en avons jamais connu du temps de notre vie commune. Ce rapprochement a évidemment pu se faire grâce à la complicité du docteur Blackburn et de sa femme, qui habitent la même conciergerie que moi. Tout a été planifié. Un soir qu'ils attendent la visite de mon mari, je prends l'apéritif chez eux, «par hasard». Mon cœur bat à tout rompre. Je vais enfin revoir Serge. J'ai passé la journée à m'y préparer. Récurée, bichonnée, briquée, crémée, maquillée, coiffée, parfumée, le sein agressif dans un soutien-gorge balconnet, le porte-jarretelles que l'on devine sous la jupe courte, les pieds cambrés dans mes talons hauts, je suis la femelle, le fauve sur un sentier de guerre. Ça passe ou ça casse. Ça a passé. Serge m'a d'abord adressé un regard amusé, presque ironique, puis ses yeux se sont allumés d'une première flamme de concupiscence.

– Tu es belle.

– Merci.

– J'ai fait faire les photos du constat d'adultère en couleurs. J'ai pensé que pour une star, c'était mieux.

J'ai ri. Le ton était donné, les retrouvailles se faisaient sous le signe de l'humour. À minuit, il accepte de prendre un dernier verre chez moi... et nous ne nous quitterons plus pour quelques semaines. Parfois il allait retrouver sa future femme et moi je devenais sa maîtresse, celle que l'on cache. Excitant ! Il m'emmène au club de tir, fier de constater que je n'ai pas perdu ma dextérité. Il me fait voir une photo de moi, découpée dans une revue, qu'il garde précieusement dans son portefeuille et qu'il emporte partout avec lui. Depuis notre séparation, lui aussi m'aime encore. Je nage en plein bonheur, convaincue de l'aimer pour toute la vie, et même au-delà de la mort.

Je préviens Patrick. Il s'y attendait, mais éprouve malgré tout une peine immense. Il trouve refuge chez des amis. J'ai toujours trouvé infiniment plus pénible de quitter quelqu'un que d'être quittée.

Pourtant, quelques semaines plus tard, alors que Serge et moi nous aimons dans son bel appartement, à l'ombre de l'Oratoire, ce sera déjà la rupture définitive. Sa femme n'est pas là, mais sa présence se fait partout sentir. Ça m'énerve. Nous fumons, nous buvons... trop. Nous nous endormons, abrutis comme des bêtes, sans mots d'amour ni gestes tendres. Exactement comme avant. Seule différence, maintenant je bois et me gèle autant que lui. À l'aube, je m'habille en douce et je m'enfuis. C'est moi que je fuis. Je ne suis pas assez solide, je fuis cet amour dans lequel je crains de faire naufrage.

Le divorce est prononcé à mes torts. Je demande si je peux continuer à porter le beau nom de Deyglun mais cela m'est refusé. Serge donnera son nom à la merveilleuse jeune femme qu'il épousera bientôt, avec laquelle il sera heureux et dans les bras de laquelle il mourra en 1972, à quarante-trois ou quarante-quatre ans. Après notre divorce, je ne l'ai pas revu et bien sûr on ne m'a pas invitée aux funérailles.

Serge Deyglun était un artiste, un érudit, un homme de chair et de sang. Dans la joie ou la douleur, il m'avait tout appris de la vie. Une vie en accéléré que j'ai eu la chance de partager.

Je revois Patrick. Il vient de conclure un contrat de plusieurs mois avec un hôtel de Trois-Rivières où il présente son tour de chant. Les jours de relâche, il vient habiter chez moi. J'en suis heureuse, j'ai besoin de sa présence. Aimer quelqu'un me permet de garder mon équilibre, c'est ma seule sécurité.

Mes parents vivaient alors à Montréal, car papa avait de nouveau réussi à obtenir un emploi à la Régie du logement. Un poste plus important s'ouvre bientôt. Il voudrait bien l'obtenir, mais ses chances sont minces, cela nécessiterait des appuis politiques, du *pushing*. Laisse-moi faire, papa, je m'en occupe...

Je chantais alors dans la grande salle Wilfrid-Pelletier de la Place des Arts, dans une opérette qui obtenait un vif succès, *La Vie parisienne*, d'Offenbach. Je profite donc de l'occasion pour mettre sur pied mon opération *pushing*. J'organise une soirée, que je veux grandiose, n'omettant aucun détail. J'invite à mes frais papa, maman, le ministre qui pourrait obtenir à mon père de l'avancement, son chef de cabinet, qui est mon complice dans l'affaire, et ma jolie tante Marie-Ange, la sœur de maman, pour faire bonne mesure. Je loue une limousine pour emmener tout ce beau monde à la Place des Arts, et je les installe dans la première loge, côté cour, presque sur la scène. L'attaché de cabinet m'a prévenue que le ministre est myope; qu'à cela ne tienne, une paire de lunettes d'approche l'attend sur son fauteuil. Libre à lui de m'examiner les amygdales pendant que je chante. J'ai fait déposer une énorme corbeille de fleurs pour maman. Tout est en place, le spectacle peut commencer. Quand je chante mon solo, je me tourne vers la loge, m'adressant à mes invités. À mon père, devrais-je dire. Il est si beau, touchant à regarder. Il a l'œil brillant, le sourire radieux, presque illuminé de l'intérieur, il est redevenu quelqu'un d'important, de respectable. Aucune note haute ne me semble inaccessible ce soir-là, je suis transportée, inspirée. Salut, papa! Je t'avais promis que tu entrerais dans la lumière: t'y voilà!

Quand le groupe me rejoint en coulisse, la distribution lui fait un accueil chaleureux, les rires et les blagues fusent, c'est la fête. Puis la limousine nous conduit au restaurant où j'ai réservé une table. La soirée se termine très tard, tout le monde est ravi et moi, je connais l'extase. C'est un des beaux moments de ma vie. De ceux où l'on sait, sans aucun doute possible, pourquoi on vit, à quoi on sert, quel est notre rôle sur cette terre.

Pour ce qui est de papa, il a obtenu sa promotion.

Il y a dans chaque carrière un moment où un artiste croit avoir manqué un rendez-vous important. Mon rendez-vous raté aura été avec l'œuvre du dramaturge Michel Tremblay, que j'aime au-delà des mots. Quand on me propose de jouer dans sa pièce *Lysistrata*, mes horaires à la télévision ne s'y prêtent pas et, en plus, je viens de signer un contrat pour jouer à Toronto dans une comédie musicale industrielle. L'œuvre de Tremblay, je ne la découvrirai qu'au fil des ans, en spectatrice, assise dans la salle. Je me suis un peu consolée de ne pas jouer du Michel Tremblay en me disant que le contrat à Toronto était très lucratif.

Les comédies musicales industrielles étaient un événement majeur dans le monde des fabricants d'automobiles, un gigantesque party, un mégashow préparé à coups de millions et qui durait plusieurs jours. Les compagnies telles que General Motors ou Chrysler invitaient à leurs frais tous les concessionnaires du pays pour le dévoilement annuel de leurs nouveaux modèles. Ils occupaient tout un hôtel et un centre de congrès de Toronto. Le spectacle nécessitait des centaines d'heures de répétitions, avec danseurs, chanteurs et choristes. Sur les mélodies d'une comédie musicale à succès, *Jesus Christ Superstar*, par exemple, on changeait les paroles pour vanter plutôt les caractéristiques des nouvelles voitures: profil aérodynamique, arbre à cames en tête, direction assistée, huit cylindres, 325 chevaux. Mémoriser ces textes, c'était l'enfer.

D'autant plus qu'il fallait y mettre de l'âme. Vanter les mérites d'un silencieux sur l'air de Marie Madeleine pleurant la mort du Christ, faut le faire! Mais le salaire royal justifiait tout.

Ce métier nous fait aussi rencontrer des êtres d'exception. Tel le fantaisiste Claude Blanchard. Sous ses allures de joueur de football, il était bon comme du bon pain, comme aurait dit maman. Ses paupières tombantes lui donnaient un air triste de Saint-Bernard. Attentif à tous, il avait une incroyable aisance, une décontraction qu'il avait acquise au vaudeville et dans les clubs. Je participais alors à une émission d'humour dont il était la vedette, à Télé-Métropole. Du vrai délire: cinquante sketches, des centaines de personnages à interpréter et que quelques secondes pour nous métamorphoser avec les centaines de costumes, de perruques et d'accessoires qui attendaient derrière le décor. Et nous devions être drôles en plus.

Ceci se passait à l'époque où mon mari me faisait filer par des détectives pour obtenir des photos pour le constat d'adultère; bien sûr, je l'ignorais. J'avais toutefois remarqué que des types au visage inconnu me suivaient un peu partout. J'avais aussi découvert chez moi un micro, et une rumeur selon laquelle on voulait me faire casser les jambes m'était parvenue. J'étais terrifiée. Un jour, j'en glisse un mot à Claude, qui se contente de murmurer que c'est sans importance. Mais à partir de ce jour, à notre sortie des studios, il m'ouvre chaque fois la portière du taxi et glisse un billet au chauffeur, lui spécifiant qu'il doit m'accompagner jusqu'à la porte de mon appartement. Claude était respecté de tous, personne n'aurait voulu lui déplaire. Je me sentais en sécurité sous son aile protectrice.

Un peu plus tard, se produisant à la *Casa Loma*, il me demande de lui servir de *straight*. Le *straight*, c'est le faire-valoir, celui qui échange des répliques avec la vedette, mais lui laisse les punchs. À la répétition générale, Claude regarde avec insistance mes jambes et je sens que ce n'est pas un regard admiratif. «T'as de belles jambes mais tes souliers sont horribles.» Et il me glisse quelques billets dans la main tout en me suggérant une boutique chic de la rue Peel où sa femme se procure ses chaussures. Il spécifie: «Tout de suite.» Je m'en suis procuré deux paires, d'une élégance et d'un raffinement exquis, et d'une hauteur vertigineuse. Pour avoir l'air de marcher normalement sur scène, toute la nuit précédant le spectacle je me suis exercée, arpentant de long en large les corridors de ma conciergerie, montant et descendant les escaliers.

Si dans la vie je portais généralement des souliers usés et déformés, qui dépareaient mes toilettes, ce n'était pas par manque de goût, mais parce que j'avais mal aux pieds. Avec le temps, mes genoux se sont mis à enfler, et mes doigts et mes orteils se sont déformés. Maman disait que je faisais de l'arthrite, comme elle. Mais je lui rétorquais: «Jamais de la vie! C'est une maladie de vieux! Je suis en pleine forme.» Et je continuais à crâner en riant: «Je suis faite en acier. Du stock d'avant-guerre.» Je me jurais de ne jamais devenir comme maman. La voir dans son état, percluse d'arthrite, me bouleversait. Aussi je la voyais le moins possible.

Pour éviter de penser et engourdir pour de bon mes angoisses, je continuais à m'assommer à coup de pilules, d'alcool, de joints, de cocaïne, de mescaline, d'acide, et à travailler sans arrêt. Sortir, m'agiter, surtout ne pas rester seule à cogiter.

Pendant les longs mois où Patrick remplit ses engagements à Trois-Rivières, je mène une double vie. Docteur Jekyll et Mister Hyde. Pendant ses absences, mon appartement devient le lieu de rendez-vous d'une partie de la faune nocturne de Montréal. Les virées débutent habituellement à la terrasse *Chez Bourgetel*, à la *Casa Pedro* ou au *Pub*, rue Crescent, et se poursuivent à la *Jazzthèque*. On y «jamme» jusqu'à trois heures du matin puis, pour ne pas casser le party, j'invite tout le monde à finir ça chez moi. Jusqu'à vingt personnes s'entassent parfois dans mon studio. Bien sûr, je tiens bar, pharmacie et frigo ouverts. Il ne me viendrait pas à l'idée de demander un sou à qui que ce soit. C'est un honneur qu'on me fait de vider mon frigo et mes provisions de drogue. Toute cette période est peuplée de grands trous noirs où je ne me souviens plus de rien, avec, ici et là, quelques instants de lucidité.

Mais tous les dimanches, je fais place nette. À deux heures du matin pile, je mets tout le monde à la porte, puis je nettoie l'appartement de fond en comble. À l'aube, j'accueille Patrick pour ses deux jours de relâche, reprenant ma vie de femme rangée. Je l'aime. À ma façon. Je lui consacre tout mon temps, comme si les folles nuits d'ivresse et de bamboche qui viennent de se terminer n'avaient jamais existé. Bien sûr que je suis heureuse avec lui, mais... comment dire? Je sais que l'essentiel de ma vie n'est pas avec lui. Ma vie appartient au feu d'artifice permanent des divertissements.

Je suis à ce point happée par un tourbillon de drogues et de d'alcool que je n'ai conservé de cette période qu'un kaléidoscope de souvenirs fragmentés.

San Francisco. C'est là que j'ai fait la découverte des *mushrooms*, ces fameux champignons hallucinogènes, à consistance de gelée inodore, incolore et sans saveur, que nous avalions avec du beurre d'arachide. J'habitais une commune. Coiffée à la mode afro, les cheveux frisés, dressés sur ma tête comme si j'avais été électrocutée, vêtue de robes indiennes et chaussée de sabots de bois, je me promenais dans les rues, complètement *stoned*, planant dans un monde sans frontières, sans interdits. J'en ai gardé une curieuse et enivrante impression: celle d'échapper enfin, par moments, à la rationalité, à la réflexion, au raisonnement, à mon ultra-lucidité. Mais les rouages de mon cerveau n'arrêtaient pas de fonctionner très longtemps. Hélas. Sitôt «dégelée», je retrouvais ma nature raisonneuse et analytique. Il faut dire que j'ai toujours aimé me confronter aux idées et partager les émotions des autres. Je n'ai jamais été une *peace and love* très endurcie. Je n'étais pas dégelée depuis longtemps avant que quelqu'un me signale: «T'es pas cool.»

Hyannis Port, où j'ai vécu un trip farfelu. Avec des copains, j'avais loué une maison en bord de mer, dans ce refuge d'été de la famille Kennedy, sur la côte Est des États-Unis. Quelques jours après notre arrivée, je fais la rencontre d'un jeune homme, beau et intelligent. Allan. Son sourire ironique ainsi qu'une attitude en apparence calme et sereine lui confèrent une certaine sagesse qui me séduit. Il semble avoir déjà tout compris de la nature humaine. Je me lie d'amitié avec lui. Il m'apprend un soir qu'il est junkie et me demande d'acheter pour lui de l'héroïne. Qu'est-ce que je ne ferais pas pour un homme? Je lui en trouve mais refuse d'en consommer avec lui. Pourquoi? J'ai toujours eu peur des héroïnomanes. De l'héroïne. On peut revenir d'un trip de hash, de coke, mais on ne revient jamais complètement d'un trip d'héroïne. Même dans mes moments les plus décadents, au paroxysme de mes excès, je n'ai jamais perdu totalement la maîtrise de moi-même. Si j'avais consommé de l'héroïne, j'aurais perdu cette maîtrise à tout jamais. J'aurais basculé. Autrement dit, il me restait encore un puissant instinct de survie. Je suis une terrienne, ma tête peut voler très haut, on peut même me la dévisser, mais je garde toujours les pieds sur terre. J'y suis enracinée.

Je refuse donc de consommer avec Allan. Mais je lui demande de me procurer une substance chimique qui me permettra de «prendre mon pied» en même temps que lui. J'avale une capsule d'une substance quelconque pendant qu'il prépare sa dose. Feu, cuiller, poudre, seringue: un rituel presque religieux, le beau rituel d'une mort annoncée. Soudain, son regard bascule et il sourit aux anges. Je suis alors saisie d'une inexplicable frénésie, je me lève et me jette sur mon vélo. Je l'enfourche en imitant les vrombissements d'une Harley Davidson prête à démarrer. Vroum! Vroum! Quelques minutes plus tard, mes amis me voient passer devant la maison, pédalant avec une énergie démente. Vroum! Vroum! J'ai pédalé toute la nuit – cinquante kilomètres –, penchée sur les guidons pour ne pas créer de résistance au vent. Tous les gens du village ont pesté de m'entendre passer ainsi sous leurs fenêtres. Vroum! Vroum! Quand je me suis arrêtée, j'étais une loque. Pendant trois jours, je n'ai pu marcher tellement mes jambes étaient enflées. Mes amis devaient me transporter dans leurs bras jusqu'à la plage, au creux des dunes, où j'attendais patiemment de retrouver l'usage de mes jambes. Nom de Dieu, quelle substance Allan m'avait-il fait avaler pour m'insuffler une telle énergie? De l'essence super sans plomb?

Ce voyage au cap Cod avait failli ne pas se faire. Au moment où je m'apprêtais à partir, maman avait encore une fois exercé sur moi un de ses subtils chantages. Elle avait mal aux pieds et comptait sur moi pour la conduire chez le podiatre. Si elle rate son rendez-vous, me dit-elle, elle va souffrir le martyre. J'ai beau suggérer que mon frère ou ma sœur l'accompagne, peine perdue, il n'en est pas question, c'est moi qu'elle veut. J'ai dû laisser mes amis partir sans moi, ratant ainsi une partie de mes vacances. Je les ai rejoints plus tard, en avion, ce qui m'a coûté extrêmement cher. Je ressentais une épouvantable colère. Mais je ne l'ai pas exprimée. Elle est restée coincée au fond de ma gorge. Maman ne se plaignait jamais, mais elle connaissait si bien les endroits vulnérables de mon cœur. En un regard, un seul mot, elle savait si bien me faire sentir coupable que je ne pouvais rien lui refuser. Je ne réussirai jamais à lui dire non. À une autre époque, elle aurait été chef d'entreprise, une meneuse d'hommes, mais ses dons ne se sont hélas exercés que sur moi. Elle m'a toujours menée par le bout du nez, par le bout du cœur, par la culpabilité, mais j'ai mis longtemps à m'en rendre compte.

M'aimait-elle? Je ne pourrais l'affirmer avec certitude. Elle éprouvait plutôt à mon égard de l'étonnement et je crois qu'elle admirait le fait que je fasse ma vie à ma convenance. Et puis, dans un sens, je la tirais d'embarras. Elle pouvait compter sur moi pour s'occuper moralement et physiquement de papa, dont la santé périclitait. Comme il était souvent déprimé, j'essayais de le distraire et je le gâtais beaucoup. Imperceptiblement, maman me refilait le rôle d'épouse, qu'elle avait longtemps joué et dont elle ne voulait plus. Le couple, c'était maintenant papa et moi. Je me suis inconsciemment laissée prendre au jeu. J'en éprouvais même une certaine fierté, sans me rendre compte que je jouais avec le feu. Je me suis retrouvée avec les responsabilités de la fille aînée, celle qui a les reins solides, sur qui on peut toujours compter pour accomplir des miracles, celle qui sauve les situations désespérées, celle à qui on demande constamment de faire des étincelles, qui illumine le triste quotidien par des actes démesurés. Personne d'autre ne voulait de ce rôle, il m'est donc échu.

Illuminer la vie de mes parents sera mon leitmotiv de la prochaine décennie.

Un Noël, j'ai failli tuer mon père... de bonheur. Il rêvait d'un téléviseur couleur et n'avait pas les moyens de s'en procurer un. Je me rends donc à un magasin d'appareils électroniques et achète le plus gros, le plus cher, celui dont l'écran est le plus large, l'image la plus nette, les couleurs les plus vives. Je pose toutefois une condition au gérant: il doit livrer le téléviseur le 24 décembre, à minuit sonnant. Il hésite un peu, puis acquiesce à ma demande.

Voilà donc qu'à minuit la sonnette de l'appartement de mes parents retentit. Papa se demande qui cela peut bien être. Je lui fais gagner sa chambre en lui disant que c'est le père Noël. Interdit, il se laisse néanmoins entraîner par ma mère, qui me sert de complice. Les livreurs déposent le nouveau téléviseur et remisent l'ancien dans le placard. J'orne l'appareil d'un gros chou rouge et d'une carte de vœux, puis je mets un disque de Noël. Nous installons ensuite papa, les yeux bandés, dans son fauteuil. Quand il retire son bandeau, il ne remarque pas le nouveau téléviseur et s'interroge sur la nature de son cadeau. J'allume alors le téléviseur. La joie est trop intense pour lui. Son cœur malade s'affole. Vite, vite! une petite nitro sous sa langue! Il est blême et a l'œil hagard. Ma surprise est ratée. L'enfer est pavé de bonnes intentions, dit maman. Il n'y a rien à ajouter à cela.

Parmi mes fragments de souvenirs, l'été 1968 tient une place prépondérante. Car toutes les fins de semaine j'obtiens, je ne sais par quel miracle, la garde de ma fille, qui a alors huit ans. Elle consent même à l'occasion à dormir chez moi. Peut-être le fait que mon nouvel appartement ressemble davantage à une maison que ma chambre minable de la rue Tupper y est-il pour quelque chose. Et puis, j'ai appris que ma fille voulait apprendre à jouer du piano, alors j'en ai acheté un. La grand-mère ne m'autorise pas à lui payer des cours mais je parviens à lui enseigner quelques gammes et une jolie sonate que j'avais apprise au couvent. Le dimanche, quand le temps est maussade, elle prend grand plaisir à composer ce qu'elle appelle des symphonies. Elle branche le magnétophone, pince les cordes du piano avec des épingles à linge et compose des airs qu'elle réécoute et perfectionne inlassablement. Cette musique est douce à mes oreilles. C'est celle de la présence aimée, celle du quotidien. Je cuisine à ma fille ses mets préférés, des fruits de mer, et, quand le beau temps le permet, je l'emmène visiter l'Expo, manger au restaurant d'un pavillon et essayer les manèges à La Ronde. J'emmène aussi Mireille, une des jumelles de Janine, avec qui ma fille s'entend bien. Ces sorties coûtent une petite fortune, mais qui me blâmerait de vouloir faire de cet été qui se termine une fête perpétuelle?

Ma fille et moi commençons à développer une réelle intimité, une complicité, ce qui rend son départ chaque fois plus déchirant. De plus, le petit jeu sadique des grands-parents – viendra, viendra pas – me porte sur les nerfs. J'ai l'impression de passer ma vie à attendre ma fille.

Cette même année, la grand-mère me promet cependant qu'à l'occasion de Noël elle autorisera ma fille à venir réveillonner avec moi. J'organise donc une vraie fête en famille. Avec l'aide de Patrick, je dresse un sapin, j'invite papa, maman, quelques amis et leurs enfants, et je popote une bouffe traditionnelle. Je trépigne d'impatience. Un vrai Noël! J'ai acheté des cadeaux pour tout le monde et j'ai promis à ma fille qu'elle agirait comme hôtesse. Elle accueille donc les invités et s'occupe de les servir, sous l'œil attentif de ma mère, bien sûr, puisqu'elle n'a que huit ans. Pour l'occasion, je lui ai acheté une longue robe blanche en broderie suisse, ornée d'un large ceinturon rose. Pierre, mon coiffeur, nous a fait à toutes deux un chignon de circonstance. Qu'elle est belle, ma fille! Et comme elle semble heureuse! C'est une soirée de rêve, une soirée en famille où nous dansons, chantons, échangeons des cadeaux.

Quand les invités repartent, à trois heures du matin, il gèle à pierre fendre. Patrick remet l'appartement en ordre tandis que je lave la vaisselle en fredonnant des airs de Noël. Je vais bientôt aller m'allonger auprès de ma fille, qui dort tout habillée dans le grand lit. Demain, nous nous réveillerons blotties dans les bras l'une de l'autre. Patrick fait preuve d'une grande délicatesse quand ma fille dors à la maison; il campe dans le salon ou va dormir chez un copain. Le téléphone retentit soudain. Nous sursautons. Qui cela peut-il bien être? Je décroche. Non, ce n'est pas le père Noël, c'est le grand-père, le père de IL:

— Vous devez ramener votre fille immédiatement.

— Quoi? Ce n'est pas sérieux. Il est quatre heures du matin. Et de toute façon, à Noël, avec le froid qu'il fait, je ne trouverai jamais de taxi.

Il insiste pendant que j'entends la grand-mère pleurer derrière. Elle se lamente qu'elle est trop inquiète pour arriver à dormir. Le grand-père, cet homme si doux, bonnasse même, hausse alors le ton et se fait menaçant:

— Si vous ne nous la ramenez pas immédiatement, nous prendrons d'autres moyens.

Qu'aurait-il fait si j'avais résisté? Je ne le saurai jamais car je me suis pliée à sa demande. Les lignes téléphoniques des compagnies de taxis étant débordées, Patrick doit se rendre au coin de la rue pour trouver une voiture. Pendant ce temps, je réveille la petite. Elle pleure de fatigue. Sa belle robe blanche gît sur le plancher. Une fois vêtue de son costume de neige, mon aimée s'endort. Ne pas pleurer, je ne dois surtout pas pleurer, pour ne pas l'attrister. Il faut faire comme si la situation était normale.

Le téléphone retentit de nouveau. C'est encore le grand-père, qui me dit de me dépêcher. Il rappelle ainsi aux dix minutes. Je finis par hurler, excédée: «Je fais ce que je peux!» Quand, une heure plus tard, Patrick revient avec un taxi, je prends dans mes bras ma fille endormie et nous nous engouffrons dans la voiture. La fête de Noël était terminée. J'étais inconsolable.

Jamais ma fille ne m'a parlé de la situation aberrante qu'elle subissait, coincée entre la grand-mère et moi. Elle était d'une nature secrète, fermée comme une huître. Un jour, cependant, avec ses mots d'enfant, elle a confié à Mireille, la fille de Janine, la peine qui la dévastait de se voir privée de sa mère. Nous revenions alors, Janine, Mireille et moi, d'un voyage au Mexique, duquel ma fille avait été exclue, la grand-mère refusant, malgré mes supplications, qu'elle m'accompagne. Un dimanche, à La Ronde, Mireille vantait sans malice le petit village mexicain de la côte du Pacifique, les siestes dans le hamac sous les palmiers, les promenades sur le sable chaud, les iguanes dont elle avait si peur, et la mer qu'elle venait de découvrir. Ma fille l'écoutait, bouche bée, quand soudain elle a baissé les yeux et a murmuré: «Moi je n'ai pas eu la mer, j'ai juste eu une grand-mère.» Deux grosses larmes coulaient sur ses joues. Mireille s'est tue. J'étais bouleversée. J'étais presque parvenue à me convaincre que j'étais la seule à souffrir de la situation et que ma fille s'en accommodait.

Habiter avec elle, la regarder vivre, grandir, l'aimer jour et nuit, c'était mon rêve, mon plus grand désir... et mon droit. J'entre-prends donc un nouveau procès avec l'espoir d'en obtenir la garde. Mon avocat me convainc que tout va bien se passer. Le jour de l'audience, j'arpente nerveusement les couloirs du Palais de jus-tice, attendant d'être convoquée, quand soudain j'ai l'impression qu'on m'assène un coup de massue sur le crâne. J'aperçois ma fille, assise sur un banc de bois, tassée contre la grand-mère, une grande et forte femme qui la couve comme une poule couve un œuf. J'ai le cœur qui bat la chamade. Mais qu'est-ce que ma fille fait ici? L'avocat m'avait pourtant juré qu'elle ne serait pas mêlée à tout ça. Le doute s'empare alors de moi. Il me semble que ma fille me regarde comme si j'étais une ennemie. Son regard vif et intelli-gent semble me demander: «Pourquoi ne me laisses-tu pas en paix? Tu vois bien que tu me fais mal!»

Je demande une explication à mon avocat, qui m'apprend que la partie adverse a exigé que ma fille comparaisse en audience privée devant le juge. Elle devra choisir où elle veut vivre, chez maman ou chez grand-maman. Je me révolte:

— Maître! Elle a neuf ans. Peut-on demander à une enfant de cet âge de choisir définitivement, dans une cour de justice, avec qui elle veut vivre?

– C'est comme ça.

Je craque. Je ne peux pas la faire témoigner. Je ne peux pas lui faire ce mal. Je l'aime trop. Peut-être, aussi, ai-je peur de sa réponse? Mon avocat me dit que je vais la perdre si je ne la laisse pas témoigner.

J'accepte de la perdre. Et je renonce à mes droits de mère. La *paix*, c'est tout ce que je peux donner à ma fille. Je signe donc tous les papiers. Je veux simplement la voir avant de partir.

Ma fille me rejoint au milieu du corridor. Tout son petit être est fermé, tendu, sur la défensive. Grand-maman l'observe.

Je lui prends la main. Je veux que tu saches que je t'aime, mon aimée. Que je t'aimerai toujours. Un jour, quand tu seras grande, tu comprendras ce qui s'est passé aujourd'hui.»

Elle ne lève pas les yeux, ne dis rien, ne pleure pas. Je réprime mes larmes pour ne pas la troubler davantage et je glisse dans la paume de sa main un bout de papier froissé. Intriguée, elle lève les yeux vers moi. «C'est mon numéro de téléphone, ma puce. Où que j'aille, même si je déménage, ce sera toujours le même. Tu peux me téléphoner n'importe quand. Maman sera toujours là pour toi.»

Je l'embrasse et cours vers la sortie en sanglotant. La décision que j'ai prise aujourd'hui est terrible. Ai-je eu raison d'agir ainsi? Arriverai-je un jour à m'en convaincre? À me pardonner? J'ai perdu la Foi, et ce don qui l'accompagne, l'Espoir.

Est-ce que je reverrai jamais ma fille?

ıns le brouillard de Hyde Park, refaisant le monde.
ırnage terminé, il me propose de sillonner le pays
epte. C'est dans une Rolls Royce, enfoncée dans une
exhale le vieux cuir, un verre de champagne à la
ırcours la verte, la si belle campagne anglaise.

du voyage, je sens tout à coup la main de Bob qui
ıne. Dieu que cet homme me convient! Va-t-il me
rtager sa vie? Il a tout pour me plaire. Raffiné, plein
de délicatesses, il a du panache, de l'humour et une
ıre d'esprit. Mes espoirs sont vite déçus:

elqu'un dans ma vie, me confie-t-il.

...?

ıme. Je suis homosexuel.

age.

aime ta présence. Veux-tu que nous restions amis?

ement.

amant était jaloux et extrêmement possessif; il en
nent.

s 1960 tirent à leur fin. *Les Belles Histoires des*
✗ aussi. Je suis cependant vite consolée de la perte
nage d'Artémise, car Radio-Canada me propose de
Denise Joyal dans le nouveau téléroman de Régi-
Mont-Joye. Parmi la distribution, il y a Guy Provost,
on père. Nous sommes tous les deux étonnés, car il
nois à peine il jouait mon mari dans *Les Belles*
blague, il me suggère de ne pas mener une vie de
pour éviter que mes excès se lisent sur mon visage.
r un père, mais pas un grand-père. Se doutait-il de
nais?

elque temps, je suis amoureuse d'un jeune musi-
qui a élu domicile chez moi avec son entourage.
ıs que je comptais déjà, l'appartement connaît un
tinuel, c'est un véritable hall de gare. J'abrite et
des gens que je ne connais même pas. Je sais que

21

Les amputés, paraît-il, ont mal à leurs membres coupés. Moi, j'ai mal à mes enfants. Ils ne sont plus là, mais je suis poursuivie par leurs fantômes. Une nuit, je fais un rêve étrange. Annick m'apparaît. Elle n'a pas l'aspect physique d'un bébé mais celui d'une ravissante petite fille de cinq ou six ans. Elle vient se blottir dans mes bras et je sens des ondes de tendresse parcourir tout mon corps. Puis, étrangement, elle me repousse, sans animosité mais avec fermeté. Et j'entends clairement les mots suivants jaillir de sa bouche: «Ne pleure plus. Laisse-moi partir. Je dois aller plus loin.»

Je me réveille brusquement, trempée de sueur, en hurlant comme une démente: «Non! Non! Je ne veux pas!»

Je n'acceptais pas sa mort. Je ne ferai mon deuil d'Annick que plusieurs années plus tard. Aujourd'hui, je sais que la mort n'est qu'un passage vers une autre vie et qu'il faut donner à nos morts le droit de nous quitter. Annick est longtemps restée prisonnière de mon désespoir.

La terre ne s'est pas arrêtée de tourner à cause de ma peine. Des malheurs plus terribles que le mien s'abattaient à cette époque sur la planète. Une sale guerre faisait rage au Viêt-nam. Que pouvais-je y faire? Si peu, à part participer à des manifestations et héberger temporairement des objecteurs de conscience. De jeunes Américains, en âge d'aller se battre, horrifiés par ce massacre qui n'en finissait plus, en désaccord avec la politique de leur pays, désertaient l'armée et venaient trouver refuge au Québec. Je faisais partie d'un réseau d'hébergement et j'en accueillais chez moi, leur offrant pour quelque temps le gîte et le couvert. Ils avaient peur de mourir; je les comprenais, car moi aussi j'avais vu la mort de près. Il n'était cependant pas en mon pouvoir d'apaiser leurs angoisses, non plus que les miennes. Alors je partageais avec eux un peu de mon temps, de mon écoute, de ces paradis artificiels qui font reculer les limites de l'horreur, la rendant parfois tolérable.

Ma relation avec Patrick arrive à son terme et la tendresse et l'amour qu'il me prodiguait me manquent. Mais s'ancre en moi la conviction que je ne les méritais pas. Et le cercle d'amis qui constituait une sorte de cordon de sécurité contre mon autodestruction commence à se clairsemer. Comme dit la chanson du pauvre Rutebeuf:

Que sont mes amis devenus
Que j'avais de si près tenus
Et tant aimés?

Serge s'est remarié. Grand-maman est morte et je n'étais pas à ses côtés. Je ne fréquente plus mon amie Carole et je ne me rends plus chez Janine qu'à l'occasion, pour me ressourcer quand je perds pied. Quant à Denise Filiatrault, nous ne nous parlons que lorsque je la croise à son restaurant.

De nouvelles amitiés se développent, mais elles sont davantage liées à l'univers de la drogue. Je consomme pilules et drogues à un rythme effarant; mon corps n'est plus qu'un vaste laboratoire expérimental, une grande poubelle. Seul mon métier m'allume encore. Mais je le fais sur ma lancée, sans consacrer l'effort nécessaire à la progression d'une carrière. Je ne fais que me maintenir dans la lumière afin de ne pas décevoir les miens.

Ma personnalité subit aussi un changement radical. Je suis moins conciliante, plus directe, moins en contrôle et en proie à un certain désabusement. Ainsi, lorsque j'auditionne pour une impor-

tante publicité télévisée qui
aperçu le producteur de Tor
comme un dieu, que je lui lan
beau.» Un silence apesantit
rire. Il m'explique que le c
beaucoup d'argent et que l
semaine de tournage à Lond
comme disent les publiciste
semaine plus tôt pour des ess
maquillage, et pour s'adapte

Je devrais déjà être à g
rôle. Pas du tout. J'ai le to
certaine de vouloir aller à L
réplique que le fait que les A
cerne pas vraiment. En fait
légèrement «sautée» et drôl

Je passe l'audition, et f

Me voici donc à Londr
coup les Anglais. Polis, ser
tenue et un humour décapan
«rock and roll» quand ils
vestiaire. Quelle différence
teur, des Anglais du Québe
et j'ai droit à une limousine
chercher à cinq heures tren
plateau de tournage. Le ch
cinéma. Bob a pensé à tou
avaler la pilule du réveil ma
Tamise, devant une belle ré
du quartier huppé de Westn
aussi bien tourner à cet end
permis.

Bob est un guide fabul
restaurants indiens et chine
tard dans la nuit, dans Picca

de Chelsea,
Une fois le t
avec lui. J'ac
banquette qu
main, que je

Au cour
presse la mie
proposer de p
d'attentions e
grande ouver

– J'ai q
– Ah ou
– Un ho
– Dom
– Mais
– Certa

Mais so
décidera autre

Les ann
Pays-d'en-H
de mon pers
tenir le rôle
nald Boisvert
qui incarnera
y a quelques
Histoires. À
bâton de chai
Il veut bien j
la vie que je

Depuis
cien, Richard
Avec les cop
va-et-vient c
nourris parfo

Richard ne m'aime pas vraiment, mais c'est sans importance, du moment que j'ai quelqu'un à aimer. Pouvoir dire que j'ai un chum me suffit.

Nous traînons à la *Catalogne*, à la *Casa Pedro*, au *Pub*, au *Boiler Room*, puis hop! tout le monde à la maison. Le party bat son plein nuit et jour. Un groupe s'en va, un autre le remplace aussitôt. Heureusement que je me suis fait une amie, Manon, qui du haut de ses dix-huit ans veille sur moi; elle m'aide à fuir la maison et m'emmène danser dans le Vieux-Montréal. Il y a Pierre aussi – mon coiffeur, mon ami, mon frère, ma sœur –, qui me déguise selon son inspiration et m'emmène faire le tour des boîtes gay où je suis souvent la seule femme. On me tolère parce que je ne dérange personne. Je me retire en moi-même et je danse.

Je ne me souviens pas de la première année de *Mont-Joye*. Il ne subsiste dans ma tête qu'un grand trou noir. Quand apprenais-je mes textes? Mystère et boule de gomme. On m'a assurée par la suite que je n'avais jamais eu de trous de mémoire. Comment était-ce possible? Je cachais bien mes excès. Je n'en portais aucune marque. Je fréquentais assidûment un salon d'esthétique du Westmount Square, tenu par une amie d'enfance, Joëlle Baron. C'est à coup de crèmes et d'ampoules miracles, que je devais appliquer juste avant les enregistrements, qu'elle effaçait de mon visage toute trace de fatigue. Certains jours, cela tenait du ravalement d'édifice. J'avais aussi découvert le collyre, des gouttes pour les yeux qui faisaient disparaître les veines rouges et rendaient à mon œil son blanc immaculé. À la caméra, c'était parfait.

Est-ce que j'étais, comme l'avait dit mon mari, une petite bourgeoise? Non. Je vivais plutôt une délinquance contrôlée. Je ne perdais jamais complètement la tête, et pourtant Dieu sait que j'essayais d'y mettre du mien.

Je me souviens qu'au cours d'une nuit où nous avions consommé beaucoup de mescaline et de vin, j'ai quitté le groupe qui fêtait chez moi pour gagner seule le sauna de ma conciergerie. J'avais réussi à en obtenir la clef, ainsi que celle de la piscine, et je soudoyais le concierge pour qu'il ferme les yeux sur les joyeuses fêtes que j'y organisais parfois après la fermeture. Je règle le sauna au maximum, m'étends nue sur la banquette du haut et me laisse emporter par les douces rêveries provoquées par la drogue. La chaleur du sauna devient torride. Mais pour moi elle est bonne et pénétrante. Il me semble que j'entends des roulements de vagues. Je suis au bord de l'évanouissement. Combien de temps suis-je restée ainsi? Je ne le sais pas, mais quelqu'un a fini par s'inquiéter de mon absence. Quand on me tire du sauna, je suis dans un état de faiblesse extrême, complètement déshydratée. Il a fallu me conduire à l'hôpital.

Une autre nuit où je me soûle au scotch, l'envie me prend de m'endormir tout de suite, là, sur-le-champ. J'avale un, deux, cinq, dix somnifères, je ne sais plus au juste. Heureusement, mon ami Pierre (le coiffeur), inquiet que je ne réponde pas au téléphone, rapplique à la maison. Il m'emmène à l'hôpital Royal Victoria où on me fait subir un lavage d'estomac. J'ai aussi une courte rencontre avec le psychologue. Ça ira? Oui, je jure que je voulais seulement m'endormir. Mais un employé de l'hôpital a déjà appelé un journal à sensation. Le lendemain, on peut lire, en première page: «*Andrée Boucher tente de se suicider*».

Pour mes parents, qui apprennent la nouvelle au kiosque à journaux, c'est une tragédie. Ils pleurent toutes les larmes de leur corps.

Un jour, je disparais de la circulation. J'ai rencontré des copains du temps de ma jeunesse, des motards, des «gars de bicycle». On fait la fête plusieurs jours et je perds complètement la carte. Quand, au bout d'un long *black-out*, j'ouvre les yeux, je me retrouve couchée à même le sol, dans un taudis sur le bord de la voie ferrée, à Saint-Henri. Le chaîne stéréo joue à plein tube mais couvre à peine le ronflement des dormeurs. Je suis malade. J'enjambe les corps et cherche un téléphone. De ma poche de jeans, je tire un papier chiffonné qui ne me quitte jamais et sur lequel j'ai noté le numéro de téléphone d'un ami, d'un fidèle protecteur, un ange gardien, Bondfield Marcoux, un comédien qui joue mon frère dans la série *Mont-Joye*. Je l'appelle.

– C'est moi.

– Où es-tu?

– Je ne sais pas.

– Décris-moi l'endroit.

Je décris ce que je vois par la fenêtre crasseuse et Bondfield vient me chercher. Il me ramène à la maison.

Je ne peux plus vraiment appeler cet endroit ma maison. Il y défile tellement de gens, à toute heure du jour et de la nuit, que je n'y suis jamais seule. Le chanteur Claude Dubois s'amène parfois. Il est jeune, tourmenté, et c'est déjà le talentueux auteur-compositeur-interprète que l'on connaît aujourd'hui. J'éprouve pour lui une immense affection et j'aime sa compagnie. Même si la plupart du temps nous sommes l'un et l'autre sous l'influence d'un alcool ou d'une drogue quelconque, au moins avec lui je peux discuter intelligemment. En effet, contrairement aux autres musiciens, Claude tient des propos cohérents. En général, dans notre tribu, le vocabulaire se résume à peu de mots: triper, freaker, *I dig it*. Tout le monde est *too much* et on s'appelle «bonhomme» ou «bonne femme», *man* ou *woman*. Si quelqu'un ne se contente pas de ces mots, il risque de ne plus être «cool» et on pourrait l'accuser de chercher à briser le «trip» des autres. Je me considère, à ce moment-là, un peu vieille pour me limiter à ce genre de propos et à cette pauvreté intellectuelle. Aussi, quand Claude vient à l'occasion chez moi, je me défoule et n'arrête pas de lui parler. Au cours d'une de ces soirées, nous sommes en profond désaccord sur un sujet quelconque. Drogues et alcool aidant, la discussion vire à l'engueulade. Soudain, il me lance: «Si t'es pas contente, prends donc la porte!»

Et je quitte l'appartement sans réfléchir, ruminant ma colère. Je m'apprête à monter dans l'ascenseur quand soudain, je réalise que je viens de me faire jeter à la porte de chez moi! Je regagne mon appartement, et me campe devant Claude:

– C'est chez moi ici!

– Parfait. Assis-toi, me répond-il, le plus calmement du monde.

Et nous avons repris notre conversation là où nous l'avions laissée.

Ces gens qui vont et viennent dans ma vie, dont j'achète en quelque sorte la présence, et qui occupent mon appartement, sont souvent beaucoup plus jeunes que moi. Il m'arrive donc de me sentir isolée, étrangère à leurs opinions, à leurs aspirations. Dans mes moments de lucidité, je m'interroge : pourquoi est-ce que je vis de cette façon ? Mais mon questionnement est toujours de courte durée.

Un jour, je reçois un appel de ma sœur. Elle enseigne dans une école primaire dont la cour de jeu est mitoyenne avec celle de ma fille. Elle l'a aperçue et a voulu l'aborder, mais la petite s'est enfuie. Je demande à ma sœur de ne plus essayer d'entrer en contact avec elle. En quittant ma fille, je lui ai promis la paix. Il ne faut pas la troubler. Mais ma sœur a à peine raccroché que j'éclate en sanglots. Pourquoi ma fille ne me téléphone-t-elle pas ?

Maintenant que j'ai de nouveau les moyens de me payer ses services, Simone, *ma* Simone, revient s'occuper de l'entretien de mon appartement. Elle ne dit rien, ne me fait jamais la morale. Quand elle arrive, je suis couchée et parfois quelques individus traînent encore dans l'appartement. «Allez, levez-vous ! J'ai mon ménage à faire !» leur lance-t-elle. Et l'appartement se vide en un clin d'œil. Elle glisse des sachets de lavande entre les draps de ma lingerie, dépose un savon en forme de cœur dans la salle de bains, répare la poignée du bahut que nous avons cassée et sable les brûlures de cigarettes sur la table de la cuisine. Ce sont peut-être que de petits riens, des détails, mais ils me raccrochent à la vraie vie et m'empêchent de sombrer dans un chaos définitif. Simone incarne l'ordre. Simone est mon ange gardien.

La tribu qui vit en permanence chez moi compte quelques irréductibles, tels les membres du groupe pop La Révolution française, auteurs de la célèbre chanson *Québécois*. Ce sont encore des adolescents qui courent les rues en quête de plaisir, espèces de troubadours modernes grattant leur guitare un peu partout pour s'assurer une maigre subsistance. Il y a aussi les compositeurs

Richard Tate (mon «amoureux») et Angelo Finaldi, et le parolier François Guy. Ce dernier débarque à l'occasion en coup de vent, petites lunettes à la John Lennon sur le nez. Je le surnomme l'Intellectuel car son étonnante culture lui vaut des sarcasmes de la part des autres. Je leur prépare du bœuf bourguignon, ce qui constitue souvent leurs seuls véritables repas de la semaine.

À quelques rares occasions, j'aurai aussi le plaisir d'accueillir Michel Pagliaro. «Pag», le seul chanteur de la planète à pouvoir vraiment «rocker» en français. Sa musique crue me prend aux tripes. Pag dont le regard intense de myope me sécurise sans que je sache très bien pourquoi. Pag qui semble sage comparé à nous, un jeune homme responsable, doté d'un sens aigu de la famille. Quand il est là, une grande paix m'envahit. Pag au «cœur de rocker», à la fois dur et tendre, de la race des vrais.

Ces jeunes sont des idoles. Et tous rêvent de faire une carrière internationale. Moi, par contre, je ne rêve plus que cela puisse m'arriver un jour. Même si je vis entourée de musiciens, je ne chante plus. Ma seule ambition est de maintenir ma carrière à son point actuel, de gagner l'argent nécessaire à ma consommation de drogue et à celle de mes copains, pour qu'ils continuent de m'aimer.

Et pourtant... Un jour, le téléphone sonne à la maison. Je suis obligée de demander qu'on baisse la musique et qu'on se taise deux minutes, parce que je n'entends même pas la personne qui est au bout du fil. C'est Mme Hogdson, l'éminence grise du service des auditions de Radio-Canada. Elle m'explique quelque chose mais je ne réagis pas, je reste sceptique. Je note malgré tout l'information sur un bout de papier, puis raccroche. Les haut-parleurs se remettent à cracher une musique d'enfer, tandis que le brouhaha reprend, comme s'il n'y avait pas eu d'appel.

J'explique à Richard que Mme Hogdson m'a informée de la présence en ville d'un metteur en scène français. Il cherche une comédienne pour tenir un premier rôle dans une télésérie produite par l'ORTF et Pathé Cinéma. Mais j'ajoute que je n'irai pas à l'audition, que je n'en ai pas envie. Et je m'allume un joint.

Richard n'est pas d'accord avec mon attitude: «Tu devrais y aller. On ne sait jamais.» J'argumente un peu, puis me range à son opinion. Incapable de prendre moi-même une décision, j'ai au moins l'instinct d'écouter ceux qui en prennent pour moi. Mais entre-temps, sortons, allons nous amuser; on a le temps, c'est à onze heures demain matin.

À neuf heures, le réveille-matin sonne. Richard, qui l'a réglé à mon insu, me jette en bas du lit. Encore dans les vapes, je regonfle tant bien que mal ma coiffure afro, qui doit bien faire trente centimètres de circonférence, et je me maquille, me dessinant des yeux pas tout à fait en face des trous. J'enfile mon jeans, chausse des sabots de bois, puis jette sur mes épaules un vieux manteau de renard mité, dont j'avais fait couper le bas à la hauteur de mes minijupes. Le tout me donne un style plutôt étrange, un mélange de Bécassine, de hippie et de Marie-Vison.

Quand le metteur en scène, Jean-Pierre Decourt, m'aperçoit, il est incapable de dissimuler sa déception: «Oh, ce n'est pas ça! Pas ça du tout! Vous n'êtes pas le personnage. Je suis désolé de vous avoir dérangée.» Comme il est vraiment charmant et qu'il ne semble pas particulièrement pressé, je lui propose qu'on discute de sa série.

On a longtemps parlé. De la télésérie à succès *Arsène Lupin*, dont il avait signé la réalisation, et de cette nouvelle télésérie qu'il entreprenait, *Schulmeïster, l'espion de l'empereur.* Il est venu à Montréal pour trouver la comédienne qui incarnera le femme de Schulmeïster, rôle qui sera joué par Jacques Fabbri. Il me parle de Napoléon III, sous le règne duquel se déroule l'action. Je suis férue d'histoire et je trouve la conversation passionnante. Malheureusement, il doit partir, il a un autre rendez-vous à honorer. Je lui suggère de venir chez moi pour poursuivre la discussion: Voulez-vous déjeuner chez moi demain midi? En toute simplicité.» Je ne sais pas ce qui m'a pris. Pourquoi cette invitation?

En toute simplicité, ai-je écrit? Quand il arrive, Simone a nettoyé l'appartement de fond en comble et a jeté toute la tribu à la porte. Allez, ouste! allez faire ça ailleurs! Pierre m'a composé une nouvelle tête ; j'ai un chignon «grand-mère», une autre coiffure à la mode qui me donne un air suranné. J'ai revêtu une longue robe de parfaite hôtesse. Adieu le style hippie. C'est la métamorphose du vampire. En me voyant, Jean-Pierre en est estomaqué. Il s'écrie : «Mais vous êtes exactement le personnage de Suzel!»

Puis il découvre que mon appartement est identique à celui qu'il vient d'acheter à Saint-Cloud, en banlieue de Paris. Curieuses coïncidences? Pour l'appartement, il s'agit vraiment d'une coïncidence, mais pour ce qui est de ma ressemblance avec le personnage de Suzel, admettons que j'y suis un peu pour quelque chose. J'ai carrément couru après le train de la chance; un peu plus et je le forçais à s'arrêter. Le déjeuner se déroule sous le signe de la bonne humeur. Nous nous découvrons des affinités. Quand il quittera Montréal, il me dira à regret :

– J'aurais aimé travailler avec vous, Andrée. Mais le rôle est écrit pour quelqu'un de plus... de moins... enfin, ce n'est pas tout à fait ça. Je suis désolé.

– Peut-être une autre fois, Jean-Pierre. Bonjour, et à bientôt, j'espère.

Je ne croyais pas si bien dire. Trois semaines plus tard, un monsieur de chez Pathé Cinéma m'appelle, disant vouloir parler à mon agent. Je fais signe à la tribu de se taire, puis lui précise que je n'ai pas d'agent mais qu'il peut m'expliquer de quoi il s'agit. «M. Decourt a beaucoup insisté pour que vous jouiez le personnage de Suzel, dit-il. Les auteurs ont récrit les scènes en fonction de vous. Nous aimerions vous faire parvenir les textes et discuter de vos disponibilités en mai, juin, juillet. Si nous pouvons nous entendre du point de vue financier, bien sûr.»

Après lui avoir laissé mes coordonnées et raccroché, je suis restée plantée à côté du téléphone, complètement éberluée. Que s'était-il passé pour que la situation se retourne ainsi en ma faveur? Je ne l'apprendrai que plus tard, mais la semaine précédant la visite de M. Decourt, j'avais accordé une entrevue à un journal et M. Decourt était tombé par hasard sur la photo qui accompagnait ce reportage. J'avais l'air d'un ange, ce qui l'avait séduit. D'où sa déception quand je m'étais présentée à l'audition dans mon espèce de déguisement.

Il y avait aussi eu le concours de Lise Payette, qui jouissait alors d'une popularité et d'une crédibilité sans précédent au Québec. Lors d'un passage à Paris, elle dîne chez des amis, où se trouve aussi M. Mouniers, directeur de Pathé Cinéma. Celui-ci en vient à demander à Mme Payette si elle connaît la comédienne Andrée Boucher, si elle est connue et aimée du grand public, et si elle a du talent. Mme Payette répond affirmativement aux trois questions. M. Mouniers veut être certain de ne pas se tromper, car l'enjeu est de taille. Pour pouvoir vendre la télésérie à Radio-Canada, la participation de la vedette québécoise doit être importante. En effet, Radio-Canada en a assez de payer pour des soi-disant coproductions où le rôle des comédiens d'ici se borne à marmonner quelques mots. Dorénavant, il faudra de la substance.

C'est à la suite de la réponse de Mme Payette qu'on a fait récrire le rôle pour moi.

Après... tout va très vite. Je négocie mon contrat toute seule. Mal. Il tient en une page. Je constaterai plus tard, que les contrats de rôles principaux comptent parfois jusqu'à vingt pages. On y précise les moindres détails: droit du comédien de choisir la meilleure prise d'une séquence, loge avec bain ou douche, repas végétarien ou kascher, diète liquide, Évian ou Perrier... Moi qui ne sais même pas ce que c'est que d'avoir une loge à soi, je considère comme du luxe tout ce qu'on veut bien me donner. Mais j'apprendrai. Et on ne me respectera que davantage la prochaine fois.

Quand je reçois les textes, je constate que c'est un rôle magnifique. Je suis tout de suite hantée par la peur de ne pas être à la hauteur. Je suis tellement obsédée par cette crainte que, lors d'un enregistrement de *Mont-Joye*, j'en fais part à la comédienne la plus considérée de l'époque, Denise Pelletier. Je lui confie que je suis affolée, que sur les plateaux de tournage français je devrai affronter des acteurs immenses, tels Jean Piat, de la Comédie française, et Georges Pitoëff fils et... Que des grands noms. Je lui dis que j'espère que je ne les dérangerai pas trop. Mme Pelletier me secoue les épaules, révoltée de mon manque de confiance en moi: «Tu es une excellente comédienne. Non seulement tu ne les dérangeras pas mais ils vont être ravis de jouer avec toi.» Je ne l'ai crue qu'à moitié, mais sans ses bonnes paroles je ne sais pas si j'aurais eu le courage de partir.

Quand on me demande de faire parvenir mes mensurations pour la confection des costumes, je soustrais partout deux centimètres. Puis je me lance dans un jeûne draconien, à l'eau. Toujours ma vision malsaine et irréaliste du poids idéal. J'arrête de consommer drogues et alcool, mais bien sûr je continue à ingurgiter coupe-faim et somnifères.

Ma lucidité enfin retrouvée, je ne vois plus du tout les choses de la même façon, ce qui modifie mon humeur et mon caractère, entraînant automatiquement des divergences d'opinions avec les membres de ma tribu. Au moment où s'achèvent les enregistrements de *Mont-Joye*, à l'été, je ne reçois plus chez moi que quelques intimes. Et encore, seulement les fins de semaine. Car nous ne sommes plus du tout sur la même longueur d'onde.

Un samedi matin, ils sont trois ou quatre irréductibles à avoir dormi chez moi. Je me lève tôt et je vais faire une marche, achète des journaux et reviens m'installer confortablement sur la chaise longue du salon. Quand ils se réveillent, ils m'offrent de fumer un joint, mais je refuse. Ils m'offrent d'autres drogues, de l'alcool, que je refuse aussi. Je leur dis qu'ils peuvent prendre ce qu'ils veulent, sur le ton de quelqu'un que ces trips ne concernent plus.

Choqués par mon refus, ils entrent alors dans une colère aussi dévastatrice qu'inattendue. Pétrifiée sur mon siège, j'assiste à la mise à sac de mon appartement. Ils démolissent tout. Ils fracassent la fenêtre panoramique, éventrent la télévision, font voler en éclats les lampes et les chaises, endommageant aussi le piano. Quand ils quittent l'appartement, en riant de façon démoniaque, je n'ai pas bougé, pas crié, toujours pétrifiée sur ma causeuse. Des éclats de verre jonchent le plancher.

Je suis terriblement blessée, mais je n'arrive pas à les condamner totalement. Je représentais pour eux l'abondance, les plaisirs à satiété, la drogue qu'on se procure facilement, sans qu'ils aient à fréquenter les lieux sordides où on la consomme habituellement. Je leur avais offert tout ça sur un plateau d'argent, puis je m'étais retirée du «trip» sans un mot d'explication. C'était injuste de ma part. Leur attitude clamait leur désarroi. J'avais aussi en quelque sorte acheté leur jeunesse pour m'y réfugier, afin d'oublier mes angoisses. Leur présence m'avait permis de fuir la réalité. La réalité venait de me rattraper.

Il faut évidemment que je nettoie et fasse réparer l'appartement, que je me procure de nouveaux meubles. Mais je n'ai plus un sou, mon compte en banque est «dans le rouge». De plus, on m'a retiré ma carte American Express, en raison de mon manque de maturité. J'ai une multitude de factures à régler: voyage à New York avec des amis, billets d'avion, billets de spectacles, chambres d'hôtel, restaurants. Ainsi qu'une garde-robe que le couturier John Warden m'a dessinée pour mon prochain séjour à Paris. Le solde à payer est effarant. Le restaurant de Denise me faisait crédit, mais l'heure H a sonné, il faut payer pour les grandes tablées de dix ou douze où le vin coulait à flots.

Avant de partir pour Paris, je confie à maman la tâche d'administrer mes finances. Elle sera le grand argentier. C'est dans son compte que la banque parisienne virera mes chèques. Je suis la cigale, elle est la fourmi. Elle me prête deux cents dollars pour me dépanner.

J'avais gagné une petite fortune et il n'en restait rien, mais je n'en éprouvais aucun regret, car sans les excès des derniers mois, je serais devenue folle de désespoir.

J'ai vingt-huit ans, et pas un sou vaillant mais je m'en fous. J'ai un billet aller-retour en première classe sur Air France, payé par Pathé Cinéma, et un contrat qui stipule que je vais tourner pendant trois mois, dans une série de six épisodes d'une heure et intitulée *Schulmeïster, l'espion* de l'empereur.

«Un jour, je serai actrice et je ferai des films en France.» Voilà ce que je disais, à sept ans, à dix ans, à quinze ans. On me répondait que j'avais la folie des grandeurs, comme ma grand-mère.

Un rêve d'enfance qui se réalise, il n'y a rien de plus beau.

22

Aucun superlatif n'est à mes yeux assez fort pour traduire l'émotion que m'a procurée l'aventure du tournage des six premiers épisodes de la série *Schulmeïster*. Le tout a commencé comme dans les contes de fées. Il était une fois... un voyage de rêve. Sur les ailes d'un grand Boeing 747 de la compagnie Air France. Mon fauteuil est large et moelleux, une sorte de *lazy-boy* de luxe. Je pourrais y dormir aisément, mais qui songe à dormir? Tous les prétextes sont bons pour me lever et je ne cesse de monter et de descendre l'escalier en colimaçon qui relie les deux étages de la première classe (deux étages! je n'en reviens tout simplement pas). Je vais prendre un verre de champagne au bar, ou déguster le caviar et le saumon fumé qu'on y sert à profusion. Je connais l'émerveillement de l'enfant devant son premier arbre de Noël. J'ai laissé mon tailleur-pantalon au vestiaire des hôtesses et j'ai plutôt revêtu un vieux jeans et un chandail confortable, et enfilé de petits chaussons, une gracieuseté de la compagnie aérienne. On m'assure que si jamais il m'arrive de m'assoupir, on me réveillera une heure avant l'atterrissage afin que je puisse me changer et faire ma toilette. J'ai lu quelque part que les stars de cinéma voyageaient de cette façon. Si c'est vrai, elles ont bien raison! C'est plus décontracté. Quand je repense à mon dernier voyage à Paris, où j'étais restée immobile pendant sept heures, de peur de froisser mes vêtements et d'endommager ma coiffure!

269

On sert le souper, pardon, le dîner, je suis sur un vol français. L'hôtesse m'apporte un plateau composé de pinces de homard sur une chiffonnade de laitue, d'un assortiment de fromages faits à cœur, et d'un dessert. «Champagne?» Bien sûr!

C'est absolument délicieux et je me gave. Je suis repue. Mais voilà que l'hôtesse revient et demande: «Viande ou poisson?» Je mets un moment à comprendre, puis la lumière se fait: les pinces de homard, c'était l'entrée. Et moi, j'ai tout mangé, y compris le dessert. Idiote! Petite Andrée qui ne connaît encore rien au raffinement. Je saute évidemment la suite du repas et les vins millésimés, ce qui me vaut un regard condescendant de la part de mon voisin. Mais je m'en moque. Tant mieux pour lui si cette façon de vivre constitue son pain quotidien. Pour moi, il s'agit d'une première aventure en première classe. Je découvre, j'apprends et j'apprécie. Je ne vais certainement pas bouder mon plaisir au nom de l'étiquette.

Quand je descends à Orly, un chauffeur de Pathé m'attend, tenant à bout de bras une pancarte sur laquelle mon nom est écrit en grosses lettres: ANDRÉE BOUCHER. Première réflexion en sol français: Dieu que ce nom est laid! Mais tout de même, il faut que j'en sois fière, Paris l'attend.

On m'a réservé une chambre à l'hôtel Alsina, avenue Juneau, dans le XVIIIᵉ arrondissement, à Montmartre. Si l'envie me reprend de chanter dans les rues avec un accordéoniste, au moins les escaliers de la Butte ne seront pas très loin. Je suis un peu déçue; l'hôtel est confortable, bien tenu, mais sans luxe excessif. Toutefois, quand j'apprends qu'il a abrité les amours d'Édith Piaf et de Raymond Asso, auteur de la chanson *Mon légionnaire*, c'est comme si les murs, soudain, avaient une âme. Je ne voudrais plus changer d'endroit pour tout l'or du monde. Comme je suis là pour deux ou trois mois, je transforme ma chambre en un nid douillet. Mes petits pots de crème ont envahi la salle de bains, mes odeurs prennent possession des lieux, je dispose photos et posters sur les murs, et drape mes châles sur les lampes. Je me dépêche parce que le chauffeur m'attend en bas pour me conduire sur les lieux du tournage.

On m'a proposé de dormir, afin de me remettre du décalage horaire, mais je suis trop fébrile pour me reposer. Allons-y! Où? Au relais de chasse des princes de Condé.

À quelques kilomètres de Paris, la limousine glisse silencieusement dans une magnifique forêt, ordonnée, nettoyée, peignée, méticuleusement entretenue. Nous nous garons à l'entrée d'un parc, marchons un moment sous une voûte d'arbres centenaires, puis, tout à coup, comme une vision romantique, apparaît sous mes yeux un château, véritable dentelle de pierre. Il est entouré de fossés, donnant l'impression qu'il flotte sur l'eau. Pendant mon séjour en France, je désignerai sous le vocable de château toute demeure ancienne qui a du style et du panache. Ce qui fera sourire mon entourage. Les Français font preuve de plus de nuances. Tout n'est pas château, il existe des pavillons, des gentilhommières, des hôtels, des manoirs.

Voilà que le pont-levis s'abaisse pour nous laisser entrer. Un pont-levis! Je crois rêver. Tout au long de la journée, les seuls mots intelligents que j'arriverai à articuler pour traduire mon émerveillement seront «Oh!» et «Ah!».

On me présente à l'équipe. Le décalage horaire, l'excès de nourriture, le champagne et le manque de sommeil devraient se faire sentir. Je devrais dormir debout comme un vieux cheval, mais non, je suis pleine d'énergie et je trouve passionnant d'observer l'équipe au travail. À la fin de la journée de travail, plusieurs s'offrent pour me ramener à Paris. Je ne sais plus que répondre, car je ne veux blesser personne. Le maquilleur, Jeannot, me met en garde:

— Fais gaffe. Ils veulent tous te sauter.

— Allons donc! dis-je en riant. Je ne suis quand même pas une beauté fatale.

— Tu es très mignonne. Et surtout exotique. Tu représentes de la chair fraîche sur un tournage qui en manque.

Jacques Fabbri, qui interprète mon mari dans la télésérie, un homme de théâtre que *Schulmeïster* consacrera vedette, me propose lui aussi de me ramener. Il habite Montmartre, à deux pas de mon hôtel. C'est un homme mature, au tour de taille un peu enrobé, une sorte de nounours soigné, au charme rassurant. J'accepte.

Il ne me dépose pas tout de suite à mon hôtel, me proposant plutôt de venir chez lui voir des photos de ses tournées théâtrales. Il habite le fond d'une impasse pittoresque où pas une pierre n'a bougé depuis le début du siècle. Son appartement est un atelier rénové, atelier qui avait appartenu au peintre impressionniste Utrillo. Finalement, je n'ai jamais vu les photos de ses tournées théâtrales. J'ai plutôt vu un Fabbri habité par une passion dévorante me prendre d'assaut comme une lame de fond. Je cède. J'aime bien les anciens beaux un peu fanés, sensuels, épicuriens. Sans préambule, il me fait l'amour sur le plancher. Puis, le plaisir consommé, il éclate d'un rire tonitruant: «Maintenant, je t'emmène manger la meilleure andouillette de Paris. Je ne voulais pas te faire le coup de t'inviter à dîner avant, c'est mauvais pour l'amour.» Il avait raison, ça donne des points de côté. Il connaissait tout de l'art de la volupté.

C'est de cette façon que Jacques Fabbri est devenu «mon homme», à la ville comme à la scène. Pendant tout le tournage, notre entente a été totale. Mais avec lui, mes vieux schèmes amoureux ont tout de suite ressurgi: il faut admirer sans réserve l'homme qu'on aime, lui céder la première place en tout, savoir se mettre en retrait quand c'est le moment, avoir du panache quand il le désire (mais pas trop pour ne pas lui porter ombrage), se montrer, selon l'occasion, charmante, voluptueuse, spirituelle, comme sur un simple claquement de doigt. Et lui laisser toute liberté de choisir ce qui convient le mieux au couple. Cette soumission dont je fais preuve avec Fabbri me fera d'ailleurs interpréter le personnage de Suzel avec des accents de sincérité. Suzel était une femme aimante et soumise, qui cherchait à satisfaire les moindres besoins de son mari, épousant aveuglément ses aspirations. Le rôle semblait avoir été écrit en tenant compte de mes névroses. Encore une fois, avec Fabbri comme avec tous les hommes que j'avais aimés, la passion annihilait le côté rebelle de ma personnalité. J'étais plus soumise à l'homme qu'un chien quêtant sans relâche les caresses de son maître.

Les journées suivantes ont été consacrées aux essayages des costumes, au choix des perruques et des postiches, à l'élaboration du maquillage. On me fait essayer des toilettes ravissantes, des créations originales, ainsi que des robes retouchées que Michelle Mercier avait portées dans le film *Angélique, marquise des Anges*. Il y a à la fois des vêtements pour le jardinage et des tenues de bal, dont celle de la scène où on me présentera à l'empereur Napoléon III. Je constate que j'ai vu juste en maigrissant car le style Empire n'autorise pas le moindre bourrelet, la taille se situant sous les seins. Le coiffeur me fonce les cheveux pour qu'ils s'harmonisent avec les postiches. Voilà, je suis prête pour le premier tour de manivelle.

Le lendemain, je n'ai qu'un petit bout de scène à exécuter, mais je suis en proie à un trac paralysant. Enfourchant son cheval, *Schulmeïster* (qui signifie maître d'école en dialecte alsacien) donne des instructions à son complice, Hamel, interprété par Roger Carel, avant de partir pour une mission secrète. Je tiens la bride du cheval et n'ai que trois mots à dire : «Et toi, Hamel ?» Ce n'est pourtant pas compliqué. Mais je n'arrive pas à livrer ces trois petits mots correctement. Je suis tendue comme une corde de violon. Crispée, ma voix reste blanche tandis qu'un rictus me tiraille les lèvres. Prise 15. Mon corps se tend davantage. Prise 20. «Et toi, Hamel ?» Prise 30. Toute l'équipe a les yeux braqués sur moi, je peux presque les entendre penser : «Non mais, c'est qui cette connasse ?» Et je recommence : «Et toi, Hamel ?» Le trac m'enlève tous mes moyens. «Et toi, Hamel ?»

On a dû faire cinquante prises avant que Jean-Pierre Decourt se montre à peu près satisfait. Et encore. J'ai vu passer dans ses yeux le 747 qui me ramènerait au Québec. Je sens sa déception et j'en suis navrée, d'autant plus que c'est lui qui m'a imposée aux producteurs. Ce soir-là, je n'ai pas été invitée à visionner les *rushes*, je suis confinée à mon hôtel, en pénitence.

Je ne veux surtout pas pleurer, car le lendemain je vais avoir les yeux bouffis et la journée s'annonce difficile. J'aurai une longue scène de sept minutes. Pour moi, ce sera une sorte d'examen de passage. Au cinéma, on tourne en moyenne trois minutes de film par jour. Sept minutes, c'est une éternité.

La scène est tournée dans une écurie en pierres de taille, dont les magnifiques stalles en bois, ornées de cuivre, datent du XIVᵉ siècle. Avant de commencer, je me dis que je ne dois surtout pas me laisser impressionner par l'environnement. Nous répétons d'abord la mécanique, c'est-à-dire les déplacements des comédiens. Il s'agit d'un moment dramatique où mon mari me quitte pour une mission secrète dont on ne peut présumer qu'il reviendra vivant. Une scène toute en nuances, comme de la dentelle, où les émotions changent brusquement, comme dans des montagnes russes.

Action! On a fait trois prises, la troisième à ma demande. Jean-Pierre Decourt, qui a longtemps été monteur, sait déjà qu'il tient une bonne scène. Et le tournage se poursuit. À la fin de la journée, toute l'équipe applaudit. On a fait du bon boulot. Le producteur offre l'apéritif dans un café voisin. Jean-Pierre a gagné son pari. Je serai Suzel. Ouf! Le tournage s'est poursuivi sans problème et mon talent ne sera plus jamais remis en question.

Pour les besoins du scénario, nous avons sillonné la campagne française, tournant partout: à Chartres, dans la vallée de la Loire, en Bretagne, à Lyon, à Pérouges et en Alsace. Un jour, en route vers Riquewihr, en Alsace, où nous devons tourner très tôt le lendemain, Fabbri et moi musardons dans les petits chemins de campagne. À vingt heures, nous faisons une halte à l'Auberge de l'Ill, un relais gastronomique réputé. Fabbri avait l'habitude de s'y arrêter avec sa troupe au cours de ses nombreuses tournées théâtrales. L'endroit est unique. Nous pénétrons dans une vaste salle ornée de poutres, où flottent les subtils parfums d'une cuisine raffinée. Malgré le temps doux, une flambée brûle dans l'âtre imposant. Pour le confort des convives, on a ouvert toutes les portes à la française qui donnent sur la rivière.

On me fait goûter des truffes, des vraies. Maintenant que je connais le prix exorbitant de ce champignon, je ne peux m'empêcher de repenser au foie gras truffé avec lequel je farcissais mes cailles, du temps de mon mari. J'en rougis de honte rétrospectivement. Ici, à l'Auberge de l'Ill, les truffes sont cuites sous la cendre. Comment? Je n'en sais rien. Et je ne veux pas le savoir. Pour moi, c'est de la magie et je ne veux pas en connaître le secret, pas plus que je ne veux apprendre comment on fait pour sortir un lapin d'un chapeau. Je mange des truffes entières, pas simplement des morceaux. Elles sont délicieuses, bien parfumées. J'en mange à satiété, j'en bave de bonheur. Fabbri se montre des plus heureux. Le repas terminé, le patron, une vieille connaissance de Fabbri, monte de sa cave une bouteille de cognac recouverte de plusieurs couches de poussière. Après que nous lui avons fait honneur, le patron nous propose de dormir là. Fabbri acquiesce, mais moi, je m'étonne: «Et... et le tournage?» Pour toute réponse, il me dit: «T'inquiète pas.» Je ne m'inquiète plus.

Le lendemain, nous arrivons à Riquewihr dans l'après-midi. L'équipe est au travail depuis les petites heures. Évidemment, je m'empresse de m'excuser de mon retard auprès de Jean-Pierre Decourt. À mon grand étonnement, celui-ci se contente de me répondre en souriant: «Je savais que vous vous arrêteriez à l'Auberge de l'Ill. Aussi, pendant votre absence, j'en ai profité pour tourner les scènes qui nécessitent le concours de la figuration. Va au maquillage, on t'attend.» Il ne nous fit pas un seul reproche. Il savait qu'on ne pouvait résister à une telle volupté. Et Fabbri savait qu'il connaissait le prix de tels moments. J'avais tout à apprendre.

Riquewihr est un village médiéval enseveli sous les roses. Il y a des roses partout: elles pendent aux fenêtres, escaladent les murs, millions de petites taches de couleur sur la pierre grise des murs. Les portes du village datent des XIIIe et XVIIe siècles. Les rues résonnent du bruit des sabots des chevaux qui butent contre les pavés irréguliers. Je loge dans une auberge, au haut d'une tour. Je dors dans un lit à baldaquin sur lequel je dois grimper à l'aide d'un petit escabeau. Le cabinet de toilette comporte toutes les commodités tout en ayant conservé le cachet ancien de la maison. Modernité et respect des vieilles pierres: c'est le suprême raffinement.

Je découvre la gastronomie mais, surtout, les vins d'Alsace. Un jour de relâche, on me propose de passer la journée dans le réputé vignoble Hugel. Le propriétaire, qui a l'allure, les manières et la galanterie d'un gentilhomme du Grand Siècle, me fait visiter ses caves, puis m'emmène à cheval parcourir ses vignes. Il me fait déguster ses meilleurs crus. Le soir venu, je suis passablement pompette, aussi s'amuse-t-il à me mettre au défi: saurais-je identifier les crus sans voir les étiquettes? Avec un brin de prétention, j'accepte son défi et il me bande les yeux. Je hume et goûte, puis laisse tomber: «Ça, c'est un tokay... jeune.» Le suivant: un gewurtztraminer un peu plus âgé, «millésimé, oserais-je dire». Puis un sylvaner, un riesling...

Je ne me suis trompée que deux fois. Moi qui connaissais si peu les vins, le dieu Bacchus veillait sur moi et sur ma prétention. Ou le gentilhomme avait-il poussé la galanterie jusqu'à me donner raison pour me faire plaisir? Après tout, j'avais les yeux bandés.

Le lendemain matin, sans avoir la gueule de bois, j'ai la gorge sèche. Il est six heures et je m'apprête à gagner la salle de maquillage. Je demande une bouteille d'eau Vittel, mais le directeur délégué m'interrompt d'un air gentiment offusqué: «Madame! Vous n'allez pas boire de l'eau, vous êtes en Alsace, ici!» Je n'ose évidemment pas le contrarier. «Patron, un ballon de blanc pour madame!» Alsace oblige!

Je ne me souviens pas d'avoir été sobre un seul moment à Riquewihr. Jamais ivre, mais toujours flottant sur un léger nuage. Ce qui n'était pas pour me déplaire. Il me semblait que les chevaux caracolaient. J'aimais imaginer qu'ils broutaient non loin des champs de vigne et qu'ils étaient dans le même état que moi. J'avais à la caméra l'œil brillant et le sourire angélique. Les meilleurs *close-ups* de ma carrière furent ceux faits en Alsace.

La production s'est ensuite déplacée un peu partout à travers cette contrée magnifique: Strasbourg, Colmar, Mulhouse. Quand je ne tourne pas, on me prête la voiture de la production et je sillonne les alentours. Je ne vais jamais bien loin, je n'ai pas une âme de touriste. Ce que je préfère, c'est découvrir un coin de pays en même temps que d'y travailler. Cela permet de se mêler aux gens qui habitent l'endroit, de vivre à leur rythme, et de les connaître vraiment. Et puis, je m'ennuie rapidement de mes camarades. L'équipe constitue une grande famille. Les longs tournages extérieurs sont difficiles, ils nous lient les uns aux autres aussi bien que le feraient les liens du sang. Nous nous aimons et nous respectons mutuellement, et avons de tendres attentions les uns pour les autres.

Ainsi, lorsque plus tard le tournage nous conduit dans un magnifique château de la vallée de la Loire, l'équipe me ménage une surprise de taille. Ils ont travaillé une partie de la nuit pour retaper une chambre décrépite et humide afin d'en faire une loge confortable. Jusqu'au cordon de la sonnette qui fonctionne. Je m'en sers pour appeler mon habilleuse. Je suis émue aux larmes.

Mais je ne reste jamais confinée dans les loges ou les roulottes que l'on met à ma disposition, aussi belles et confortables soient-elles. Je préfère me rendre sur les plateaux de tournage afin de regarder travailler mes camarades. C'est mon école, mon université à moi. Une sorte d'immersion totale dont j'entends profiter au maximum.

Parfois, je me demande comment une telle vitalité peut m'animer, alors qu'avant mon départ de Montréal j'étais dans un état quasi végétatif. Ici, je ne suis jamais fatiguée et je suis toujours d'excellente humeur. Peut-être est-ce parce que tout est nouveau pour moi, que tout m'étonne, me ravit, me transporte ? Quand la passion est au rendez-vous, on sent monter en soi un flot d'énergie, une énergie qu'on ne se serait jamais cru capable d'avoir.

Le bonheur me sied bien.

Nous tournons aussi à Pérouges, un village médiéval fortifié. Il m'arrive de rester des heures, allongée dans une des énormes meurtrières que comptent les murailles, à contempler la plaine qui s'étend à perte de vue. C'est une sorte de bourg-musée où tout est resté intact, authentique. Chaque matin, pour me rendre au maquillage, j'emprunte une rue étroite bordée de pittoresques maisons d'artisans. Je passe devant la maison du «lieur», qu'on appelle aujourd'hui un relieur. Par la fenêtre ouverte, j'aperçois une forme humaine, figée dans un immobilisme total. C'est un mannequin, assurément. Les yeux cachés par une visière, les avant-bras recouverts de manchettes de lustrine, il semble officier à un rite étrange. Tous les jours, c'est le même immobilisme, je n'y prête plus attention. Mais je remarque, à travers les fenêtres opaques, d'autres maisons, il y a d'autres mannequins. Je trouve que c'est une très bonne idée d'avoir placé des mannequins dans ces vieilles maisons. Ça fait plus vivant, plus réel. Un matin, à ma grande consternation, je vois *bouger* le mannequin-relieur. Je ne peux réprimer un hurlement de terreur. J'en suis sûre, je l'ai vu bouger. Je cours à perdre haleine et me réfugie dans les bras de mon maquilleur.

— Il bouge! Il bouge!

— Mais de qui parles-tu?

— Le lieur! Il a bougé!

— Mais bien sûr, idiote! S'il veut travailler, il faut bien qu'il bouge.

— Je... je croyais qu'il était en cire.

Je croyais en effet que tous les habitants de cette rue, que je ne distinguais pas très bien à travers les fenêtres opaques, étaient en cire. Dire que l'équipe s'est moquée de moi serait un euphémisme. Pendant longtemps, on s'est payé ma gueule. Et je les comprends. Mais les villages du XVe siècle sont plutôt rares au Québec, non? Si ce n'était pas une excuse, c'était au moins une explication.

Avant de quitter Pérouges, je veux récompenser l'équipe qui veille sur moi comme sur un vase sacré. Je les invite à Lyon, dans un restaurant de fruits de mer réputé. Les plats de présentation comportent trois étages de coquillages et de crustacés, dressés comme des gâteaux de noce. L'orgie! Pour la première fois, je mange des oursins. J'en lèche ma cuiller de gourmandise. Que c'est bon!

La dernière partie du tournage a lieu aux alentours de Paris. Ça sent déjà la nostalgie. Adieu les soirs de bombance, chacun rentre chez soi après le travail. Notre cocon se déchire et j'en éprouve un immense chagrin. Mais les châteaux dans lesquels nous tournons rivalisent de beauté. Généralement, les propriétaires, qui n'habitent plus qu'une aile de ces vastes demeures parce qu'elles sont trop chères à entretenir, sont heureux de nous accueillir. Les tournages d'époque représentent pour eux une mine d'or; films, téléséries et visites guidées leur permettent de garder debout de vieilles pierres qui autrement ne seraient plus que ruines.

C'est ainsi que nous devenons les hôtes d'un vieux duc, un peu bête, incarnation d'un dégénéré de famille, dernier descendant d'une longue lignée de sang bleu. Il ne lève pas le petit doigt pour nous aider et nous fournit des renseignements avec parcimonie, que du bout des lèvres. Pour ne pas faire preuve d'impolitesse, nous l'invitons à déjeuner à notre table. Je n'oublierai jamais ce moment. Au beau milieu du malaise que jette cette présence guindée parmi nous, la voix tonitruante de Fabbri retentit tout à coup: «À part être duc, monsieur, qu'est-ce que vous faites dans la vie?» Sidéré, le duc ne sait que répondre. Vraisemblablement, il ne fait rien d'autre. Il est membre d'une caste qui plane bien au-dessus de cette vulgaire mêlée d'humains qui doivent travailler pour gagner leur croûte. Il fait partie de la vieille noblesse française, dont les valeurs et le mode de vie sont plutôt moribonds.

Les Français accordent beaucoup d'importance au plaisir de la table, c'est bien connu. Les comédiens ne font pas exception. L'heure du déjeuner, c'est sacré. Que dis-je, l'heure? Deux heures, pas moins. S'il existe un restaurant ou un café convenable dans les environs où nous tournons, il nous est automatiquement réservé. Sinon, on installe une immense roulotte dans les jardins, on monte de grandes tables sur des tréteaux, recouvertes de nappes immaculées. La convention du Syndicat français des artistes-interprètes exige que chaque repas comprenne un plat chaud, un plat froid, des fromages, une salade, un dessert, et, bien sûr, du vin. Alors nos repas ressemblent généralement à une noce champêtre. On pourrait croire le contraire, mais cet art de vivre ne nuit en rien à l'efficacité au travail.

Au début du tournage, j'évitais de manger le midi. Non merci, je n'ai pas faim. Toujours ma vieille obsession, ma peur de grossir. Puis j'ai fait comme tout le monde et l'incroyable s'est produit: j'ai maigri. Je n'y comprends rien mais en profite. La journée de travail à peine entamée, Jacques Fabbri et Roger Cabrel commençaient déjà à se demander où ils m'emmèneraient manger le soir. Ils me feront découvrir les meilleures tables de France.

Le tournage dans un hôtel particulier sur les bords de la Marne, dans une banlieue chic de Paris, me procure un dernier émerveillement de petite provinciale. De la route, on ne voit rien, de hauts murs de pierres protègent la propriété des regards. Deux massives portes de bois s'ouvrent devant nous et nous remontons une allée de gravier. Le propriétaire nous fait entrer dans un hall d'imposante dimension. Le sol est en terre battue. Avec le temps, la terre a pris la dureté de la pierre. Et, suprême raffinement, on a étendu sur cette matière brute un inestimable tapis persan. Une armure de chevalier du Moyen Âge se découpe sur un des murs de pierres. L'éclairage est tamisé. Trois marches, et une autre porte s'ouvre sur la quintessence du confort, de la volupté et du savoir-vivre. Dans cet immense salon, pas question que le téléviseur traîne à la vue, il est encastré dans une armoire Louis XV. Au bout de la pièce, derrière un groupe de fauteuils entourés de vases précieux desquels jaillissent des fleurs – une orgie de couleurs –, deux larges fenêtres à la française donnent sur la rivière dans laquelle se mirent des saules centenaires. Qu'on m'accorde un peu de temps pour assimiler toute cette beauté.

Les dernières journées de tournage auront lieu aux studios Saint-Maurice, que je connais déjà pour y avoir tourné *Minouche*. L'équipe adopte un autre rythme de travail. Quand nous tournions les extérieurs, tributaires du soleil, nous nous levions aux aurores. Maintenant, nous commençons à midi et finissons à vingt heures. Vers dix-huit heures trente, un assistant fait le tour du plateau en tenant une ardoise sur laquelle est écrit: «L'apéritif est offert par...» Le tournage terminé, les producteurs ou un des principaux interprètes invitent l'équipe au grand complet au bistro des studios. Vin rouge, vin blanc, cochonnailles, saucissons et pâtés: quelle charmante façon de terminer la journée et d'entretenir l'esprit d'équipe.

Cette grande famille avait tout de même ses règles. Il fallait respecter une certaine hiérarchie. Tous n'étaient pas égaux, contrairement à ce que clame la devise française. Il y avait des choses qui se faisaient et d'autres qui ne se faisaient pas. Je l'ai appris à mes dépens. Un matin, je discute avec les cascadeurs. Je leur confie la fascination que m'inspire leur mépris du danger. Notre conversation déborde ensuite sur une exposition de peintres impressionnistes au musée de l'Orangerie, lorsqu'on nous appelle pour déjeuner. Je m'installe à leur table et la conversation se poursuit. Un assistant vient alors me glisser à l'oreille qu'on m'attend à la table de la production. «Dites qu'on commence sans moi, je les rejoindrai pour le café.» Mais la production insiste. L'assistant fait deux ou trois fois l'aller-retour. Je m'impatiente: «Je suis en train de discuter avec ces messieurs. Ne pourrait-on pas me ficher la paix?»

Non, on ne le pouvait pas. Je suis en France, pays hiérarchisé s'il en est. Les vedettes et la direction ne fraient pas avec les seconds rôles qui, à leur tour, ne fraient pas avec les cascadeurs, qui ne fraient pas avec les figurants. Quand je reviens à ma table, j'essaie de tourner l'affaire à la blague, mais je ne fais rire personne. Désormais, j'ai compris: manger à une autre table ne se fait pas, un point, c'est tout. Je dois m'asseoir à *ma* table, avec les hautes instances.

Ce sera la seule note discordante de tout le tournage.

Lorsque je ne travaille pas, j'explore Montmartre, que je connais bientôt par cœur. Je ne sors jamais du quartier, j'en savoure l'âme et mon cœur bat au rythme de ses habitants. À chacun de mes voyages dans la Ville lumière, j'habiterai un quartier différent, que j'essaierai de connaître comme si j'y étais née. Je fais ainsi amie-amies avec les prostituées du coin. Elles viennent parfois, tard le soir, rendre visite à la logeuse de l'hôtel. Discrètes, elles ne demandent qu'un fauteuil pour reposer leurs pieds endoloris par les longues heures d'attente sur les trottoirs, juchés sur des talons vertigineux. Un soir, descendue prendre mon courrier à la réception, je m'attarde au salon et je lie conversation avec l'une d'elles. Elle s'appelle Lison. Je compatis avec elle; j'ai moi-même si mal aux pieds qu'il me semble qu'elle fait le métier le plus fatigant du monde. Je vais lui chercher de la glace. Trouver de la glace dans un hôtel qui ne sert que le petit-déjeuner, c'est comme chercher une aiguille dans une botte de foin. Je réussis finalement à chiper quelques cubes dans le frigo de l'hôtel. De fil en aiguille, la conversation entre Lison et moi devient plus intime. Elle tire de son sac la photo d'un bébé, beau comme un cœur, qu'elle a mis en pension à la campagne et qu'elle voit peu. Je lui parle de mes filles, raconte la mort d'Annick, la perte de l'autre. Une grande compassion nous unit. L'amour maternel, semble-t-il, ne connaît pas les frontières. «Viens nous voir, me propose Lison avant de partir. Je travaille près de la place Blanche et j'ai mes habitudes au bar X.»

Je m'y suis rendue à quelques reprises. L'endroit est alors considéré comme le fief de la mafia sicilienne. Le patron, qui est aussi, je crois, le proxénète de Lison, et dont la mine patibulaire n'invite pas à la rigolade, se montre envers moi plein de délicatesses et m'accueille toujours par un chaleureux: «Bonjour, le Canada! Qu'est-ce qu'on te sert?» Les clients ont compris: avec moi, c'est «pas touche», je suis une invitée de la maison.

C'est ce que j'essaie de faire comprendre à mon metteur en scène, Jean-Pierre Decourt, un soir où nous sortons d'un dîner copieusement arrosé. Je veux le présenter à mes nouveaux amis.

«Allez, Jean-Pierre! Ne te fais pas tirer l'oreille. C'est un bar fantastique, on se croirait au cinéma, dans un film de gangster.» «Ça va pas, la tête! Ces bars sont des coupe-gorge.» Il consent finalement à m'accompagner.

«Bonjour, le Canada! T'as amené un copain? Qu'est-ce qu'on vous sert?» Jean-Pierre n'en revient pas. Sa vedette féminine est folle à lier. Il accepte le verre du patron, assis sur le bout de sa chaise, jetant de tous côtés des regards inquiets. Je lis dans ses yeux qu'il n'est pas du tout rassuré par l'allure de mes amis. En sortant, il marmonne: «Non, mais, tu es complètement inconsciente!» Sans doute avait-il raison. Mais j'aimais tant jouer avec le feu, rencontrer des gens hors du commun. Et je m'étais montrée si sage depuis le début du tournage. Mon côté rebelle trouvait là un exutoire.

Cette nuit-là, Jean-Pierre et moi avons poursuivi notre virée dans des lieux moins... exotiques. Nous parlons cinéma jusqu'au petit matin. C'est avec une bouche pâteuse et une élocution laborieuse que nous surprenons l'aube en train de se lever. Affalée sur ma chaise, j'ai les jambes étendues sur une autre chaise. Je bâille discrètement, quand une jeune prostituée qui termine sa nuit de travail en buvant un café au lait me regarde avec insistance. Ses yeux semblent dire: «Pauvre toi. T'en as pas encore fini. T'es coincée avec ton soûlard.» Je fais part à Jean-Pierre que cette femme le prend pour mon client et notre nuit s'achève sur un grand éclat de rire.

Belle méprise, si l'on songe que Jean-Pierre Decourt, en tant que metteur en scène, était pour moi une sorte de «pimp». Sur le plateau, je ne travaillais que pour lui. Uniquement pour le satisfaire. Et il exigeait toujours de moi le maximum. Avec l'air de ne rien demander, sans crier, subtilement, il me poussait au dépassement. Et chaque jour j'améliorais mon jeu. Cet homme, dont la vie était entièrement vouée au cinéma et dont je disais qu'il s'allumait avec les caméras et s'éteignait avec elles, était un grand directeur de comédiens. Un grand manipulateur d'âme et d'émotions. Jamais personne n'avait à ce point exigé de moi, et jamais je n'avais été si heureuse de donner de moi-même, de me surpasser. Quand je parvenais à interpréter une scène de la façon dont il l'avait imaginée, son regard brillait d'une telle intensité que toutes félicitations semblaient superflues. Aussi nous parlions peu. Notre entente s'accommodait de longs silences heureux. Nous nous voyions très peu en dehors des heures de tournage et cette nuit de bamboche que nous avions vécue ensemble avait été une exception. Je considérais ces quelques heures qu'il avait soustraites à son recueillement créateur comme le plus beau des présents.

Cet été était magnifique et il avait le goût du succès. Tout concordait pour assurer ma réussite. Ainsi, mes producteurs m'avaient obtenu une entrevue de sept minutes aux actualités télévisées. Ce qui était exceptionnel. On m'avait signalé qu'à part Félix Leclerc aucun Canadien n'avait eu cet honneur. Quand l'intervieweur et son équipe se sont amenés dans ma loge, ils m'avaient déjà fait parvenir une immense gerbe de fleurs qu'accompagnait une carte me remerciant de leur accorder cette entrevue. Je me suis tout de suite demandé si ce n'était pas plutôt à moi de les remercier. Puis je me suis ravisée. Attention, Andrée, la fausse modestie est aussi horripilante que l'orgueil. Fais ton boulot. Rappelle-toi les paroles de ta camarade Denise Pelletier: «Tu es une bonne comédienne. Non seulement tu ne les dérangeras pas mais ils vont être fiers de jouer avec toi.»

Fiers de jouer avec moi: ce n'est malheureusement pas l'opinion de toutes. Un jour circule sur le plateau une revue de cinéma à laquelle j'ai accordé une entrevue. Une comédienne, sociétaire de la Comédie-Française, fait une moue de dédain en apercevant la photo qui accompagne ce reportage, où l'on me voit dans le personnage de Suzel, en costume d'époque: «Non. Non vraiment, ce n'est pas ça. Cette petite ne sait pas porter les costumes d'époque. Elle n'a pas de tenue, n'a aucune classe.»

Jean-Pierre Decourt, qui parlait rarement et jamais pour ne rien dire, réplique alors froidement: «Au contraire, cette petite a tout compris. Pour elle, il ne s'agit pas de costumes d'époque mais de vêtements de tous les jours. Elle les porte aussi naturellement que si elle portait un jeans.» La petite-qui-ne-sait-pas-se-tenir a remercié d'un regard son metteur en scène.

Il est vrai que les robes longues et les amples manteaux n'entravaient en rien la spontanéité de mon jeu et de mes mouvements. Je courais, jardinais, cuisinais, allais aux champs ou à une audience avec l'impératrice sans que jamais mes vêtements me donnent une attitude guindée. Mon habilleuse me répétait souvent, à la blague:

«Madame a un corps d'époque. Elle a déjà dû vivre dans ce temps.» Je me plaisais à le croire!

L'attaché de presse de Pathé Cinéma fait du bon boulot, puisqu'il m'obtient aussi la première page du journal *Le Figaro*, qui publie une photo de mon personnage de Suzel et d'un article signalant ma présence sur le tournage de *Schulmeïster*. L'équipe est passablement impressionnée. Après tout, *Le Figaro*, ce n'est pas rien!

Le compte à rebours est commencé; il ne reste plus qu'une semaine avant la fin du tournage. Fabbri prépare déjà son retour au théâtre; il dirigera et jouera dans la pièce *Pauvre France*, qui tiendra l'affiche plus d'un an au théâtre Fontaine. Les répétitions ont débuté, je ne le vois presque plus. Notre aventure se termine ici. C'est de bonne guerre. Je n'entretenais pas d'attentes, j'assume mes passions, je n'éprouve pas de regrets. Ce qui n'empêche pas la tristesse. On devrait vivre l'amour comme on mange du poisson: sans avaler les arêtes.

Des fleurs embaument ma chambre d'hôtel. Elles m'ont été offertes par Pathé. Sur la carte qui les accompagne, le directeur de la production, André Deroual, a écrit:

Certain de votre réussite en France. Vous félicite très sincèrement. Vous remercie pour votre grande gentillesse et votre constante bonne humeur. Je vous embrasse et vive le Canada!

On croit en moi. C'est merveilleux. Ah! si seulement je pouvais avoir un plan de carrière.

Le dernier tour de manivelle a été donné. On a dressé pour l'occasion des tables dans les jardins des studios, autour de l'étang. La fête est empreinte de nostalgie; c'est déjà fini. Le producteur adresse ses remerciements à l'équipe, puis annonce que les six épisodes que nous venons de tourner seront présentés à la presse parisienne après le Nouvel An. S'ils sont bien accueillis, on envisage de conclure la série avec sept autres épisodes. Mais l'équipe est sceptique. Il ne faut pas vendre la peau de l'ours avant de l'avoir tué. Pour le moment, tout le monde doit se trouver du travail, un autre tournage, après... on verra bien. J'offre le champagne à tout le monde et, la flûte à la main, j'entonne le classique *Ce n'est qu'un au revoir*. Je tente de leur communiquer ce que j'espère intérieurement: «Je sais que je vais revenir. Je sais que je vais tous vous retrouver. Je le sais avec mon cœur, avec mes tripes.»

Quelqu'un crie: «Qu'est-ce que tu crois, le Canada? Que les rêves se réalisent toujours?» Et je réponds sans hésiter: «Oui, quand on le veut très fort!» L'avenir me donnera raison. Dans quatorze mois très exactement, nous serons tous de nouveau réunis. Sauf le directeur photo. Ce changement sera à l'origine d'une proposition inimaginable. Le conte de fées n'est pas encore terminé...

23

Le grand Boeing me ramène à Montréal. J'emporte dans mes bagages des cadeaux pour tous ceux que j'aime, dont un pour ma fille, une magnifique collection de poupées en costumes régionaux. Je veille précieusement sur le bagage à main qui les contient. L'idée de cette collection m'est venue au cours de mon premier voyage à la Martinique. J'ai ensuite rapporté des poupées du Mexique, et maintenant j'en rapporte de toutes les régions de France. C'est ma façon à moi d'intégrer ma fille à mes voyages. Il n'y a qu'un hic, je n'ai plus de fille. Mon geste est peut-être irrationnel, mais le cœur a des raisons que la raison ne connaît pas. Au placard, les poupées.

Avec l'argent que je lui faisais parvenir, maman a fait remettre mon appartement en état. Elle a payé mes dettes et, merveille des merveilles, il me reste un petit coussin à la banque. J'ai l'impression d'être riche. Je suis les conseils de maman qui me suggère de faire administrer mon budget par un vrai comptable. Serais-je devenue sage? Aurais-je enfin un peu de plomb dans la tête, comme dit papa? Pas vraiment, malheureusement. Je reste un panier percé par les trous duquel s'échappent les sous qui achètent l'amitié, l'amour et la confiance en soi. *No money, no candy*.

Je reprends les enregistrements du téléroman *Mont-Joye*. Je crois que c'est alors que nous avons changé de réalisateur. Pour le meilleur et pour le pire. Car c'est à un des plus célèbres comédiens de l'époque, Guy Hoffmann, que Radio-Canada confie la réalisation de l'émission. Le meilleur, c'est son immense talent de comédien et de directeur. Le pire? Son caractère impossible, aggravé ou causé par un ulcère d'estomac qui ne lui laisse jamais de répit. J'adorais cet homme. Et il m'aimait beaucoup. Mais nous avions une curieuse façon d'exprimer notre amitié réciproque: nous nous engueulions à tout propos. Il m'avait adoptée comme tête de turc. Quand il gueulait trop fort, Guy Provost, qui jouait mon père, l'envoyait paître, tandis que Denise Pelletier, ma mère, quittait dignement le plateau.

Un ravissant souvenir me revient concernant Mme Pelletier. Cette actrice, professionnelle jusqu'au bout des doigts, n'avait qu'un seul défaut. Ou plutôt, devrais-je dire, un seul petit travers: elle arrivait systématiquement en retard (une demi-heure, parfois trois quarts d'heure) aux répétitions et aux enregistrements. Quand elle faisait son apparition, Guy Hoffmann semblait sur le point de la mordre. Mais avec la passion qui la caractérisait, Mme Pelletier se lançait alors, avec force détails, dans le récit de l'incroyable suite de contretemps qui avaient causé son retard. Elle gesticulait, s'emportait, se transformait en furie déchaînée ou en impuissante victime. Chaque répétition apportait une histoire aussi différente qu'extraordinaire, une suite de circonstances invraisemblables qui ne pouvaient arriver qu'à elle. C'était une femme et une actrice hors du commun. Il était évident qu'elle inventait, mais elle faisait preuve d'une telle maestria que nous devions nous retenir pour ne pas applaudir.

La colère de Guy Hoffmann ne s'apaisait pas, mais comment engueuler une femme qui se donnait tant de peine pour paraître crédible? Il ravalait sa colère, mais attention! il fallait bien qu'il l'assouvisse sur quelqu'un. J'écopais plus souvent qu'à mon tour. J'en entendais de toutes les couleurs: «Tu gaspilles ton talent, connasse, tu ne songes qu'à t'amuser!» Ou encore: «Si tu dormais parfois, je pourrais faire des gros plans, mais tu es vilaine comme un pou!» Il s'agissait de demi-vérités parce que, en effet, je buvais trop, je rentrais chez moi aux petites heures après avoir passé la nuit chez *Bourgetel* ou à la *Casa Pedro*, en plus d'ingurgiter quantité de pilules, pour me tenir éveillée, m'endormir ou me couper l'appétit. Ces excès n'altéraient en rien la fraîcheur de mon visage à la caméra, mais Guy possédait une sorte de sixième sens qui lui permettait de lire en moi comme dans un livre ouvert. Je me laissais porter par les événements. Je ne faisais plus aucun effort pour faire progresser ma carrière, me contentant de la sécurité financière que m'apportait *Mont-Joye* et des quelques amis qui gravitaient autour de moi. Le reste... je m'en balançais. Pilules et alcool endormaient mes ambitions et mes vieux rêves.

«Certain de votre réussite en France», avait écrit le producteur de *Schulmeïster*. C'était flatteur, mais pour moi le conte de fées que j'avais vécu avec le cinéma français était déjà chose du passé. Sans doute pour me convaincre que ces événements avaient vraiment eu lieu, je ne cessais d'en faire le récit aux gens de mon entourage et à mes camarades de travail. Je leur ai à ce point rebattu les oreilles avec mes histoires que j'ai fini par provoquer chez certains amertume, envie, voire exaspération. Il m'est arrivé de me faire demander sarcastiquement par des maquilleurs: «Est-ce que tu es aussi bien maquillée qu'en France?» Et par des habilleuses: «Ton costume te plaît-il autant que ceux de Paris?»

Je réveillais les vieilles frustrations des Québécois des années 1960 envers la France, la mère patrie trop aimée, trop admirée, trop copiée, et devenue, paradoxalement, l'ennemie à abattre. J'étais maladroite. J'ai finalement compris qu'il fallait que je me taise le jour où une comédienne m'a lâché, en me tournant le dos: «T'es chiante! On dirait qu'il n'y a qu'à toi qu'il arrive des choses extraordinaires.»

À la suite d'une biographie non autorisée qui venait de paraître sur lui, un journaliste demandait récemment à Mick Jagger pourquoi il n'écrivait pas lui-même le récit de sa vie. Jagger a répondu avec pertinence: «Si vous arrivez à vous souvenir des années 1970, c'est que vous ne les avez pas vraiment vécues.» J'en déduis que, malgré mes excès, je vivais plus sagement que lui, puisque j'ai gardé de nombreux souvenirs de ces années. Mais il est vrai que ma mémoire a du mal à les ordonnancer. En quelle année cet épisode s'est-il produit? En quelle saison? Je n'en sais trop rien. Parfois un événement surgit dans ma mémoire, isolé, sans lien avec le passé ou l'avenir. La drogue brouillait les pistes.

L'incident suivant a eu lieu à une fête de Noël, ça j'en suis sûre, car un immense sapin étincelait, dressé au milieu d'un studio d'enregistrement. Une maison de production de publicité recevait les clients et les artistes avec qui elle avait eu l'occasion de travailler durant l'année. Nous étions plus d'une centaine, vêtus de nos plus beaux atours, assis à des tables assignées. Le souper était d'un ennui mortel, tout le monde avait le sentiment d'être en représentation. Tous avaient trop bu et plusieurs esquissaient des bâillements discrets, attendant avec impatience le café qui allait les réveiller, quand un étrange dessert apparaît sur les tables. Des plateaux de biscuits. Quel singulier dessert pour un repas qui a des velléités de raffinement! Quelques directeurs y vont de leurs petits discours pendant que, pour faire passer le temps, nous trempons les biscuits dans nos cafés. Les plateaux sont à peine vidés qu'on les remplit de nouveau. Après les discours, la musique retentit, vomie par d'énormes haut-parleurs. Un rock lourd et puissant, à réveiller les morts. Debout sur une table, au milieu des restes, une femme exécute un strip-tease. Ma voisine a roulé sous la nappe. Des couples se font, se défont. Dieu que je me sens mal! Je suis malade. Je dois absolument sortir d'ici. Je gagne la sortie en essayant de paraître dans mon état normal. Ces minutes me paraissent interminables. Je ne tiens plus sur mes jambes. Simplement vêtue de ma longue robe de soie noire, je sors dans la rue. Le froid glacial de l'hiver ne me fait aucun effet. Je me mets à escalader à quatre pattes les bancs de neige qui entourent l'immeuble. Je ne sais pas où je vais. Je n'ai plus qu'une idée en tête: m'éloigner de la foule pour pouvoir m'étendre à l'abri des regards indiscrets. Je me laisse tomber sur la neige, les bras en croix. *Black out!*

Un chauffeur de taxi m'aperçoit. Il me reconnaît, car je suis une cliente régulière de sa compagnie; il sait où j'habite. Il m'y conduit, sonne chez le concierge, se fait ouvrir mon appartement et me porte jusqu'à mon lit, où il me borde comme une enfant. Au réveil, je trouve sa carte sur ma table de chevet. Il n'a jamais voulu accepter un sou de dédommagement.

Que s'était-il passé? J'apprendrai plus tard qu'un employé de la maison de production avait voulu faire une blague à ses patrons en confectionnant des biscuits au hasch et au pot. Et surtout, ne soyons pas radins, mettons-en! Résultat: tous les invités s'étaient retrouvés gelés comme des roches et s'étaient couverts de ridicule. La «strip-teaseuse» était la femme du grand patron; un divorce avait suivi. Moi, je m'en étais tirée avec une pneumonie. La blague était plutôt de mauvais goût.

Me revoilà dans un grand Boeing qui me ramène à Paris pour le visionnement de *Schulmeïster* par la presse française. La série obtient un accueil chaleureux et d'excellentes critiques. On annonce qu'il y aura une suite et que le second tournage se fera probablement avec la même équipe. Je voudrais bien qu'on célèbre l'événement, mais personne n'a de temps à me consacrer. Tout le monde est pressé de reprendre ses occupations. De plus, Fabbri me bat froid. Il est apparu au visionnement au bras de sa nouvelle femme et m'a superbement ignorée. En quoi ma présence le menace-t-il? Je me fais alors la réflexion que peu d'hommes savent se conduire élégamment, avec aisance, en présence de la femme qu'ils aiment et de celle qu'ils ont aimée. Fabbri ne fait pas exception à la règle. Davantage déçue que blessée, je saute dans le premier avion pour Londres, où je reprends contact avec des copains que j'avais rencontrés lors du tournage de la pub télévisée.

Ils m'emmènent partout où il *faut* aller, où c'est *in*, où ça *swingue*. Je me rappelle d'une discothèque invraisemblable, un club privé sur deux étages, avec une piscine au centre. J'y ai croisé Elton John, mais il ne faut surtout pas montrer qu'on l'a reconnu; ce n'est pas une boîte de groupies ici. Il est là pour se défouler.

Tout ce qui compte comme célébrité dans le monde musical fréquente l'endroit: producteurs, arrangeurs, musiciens, légendes de la chanson. C'est au son de leur musique que je danse. Une nuit, Joe Cocker s'y trouve. Ce rocker que j'adore est encore auréolé de toute sa gloire, c'est une légende vivante, mais dont l'alcool a alourdi la silhouette. Moulé dans un t-shirt informe, il traîne sa tête de Christ roux et sa dégaine de gars soûl ou *stoned*. Je croise son regard charismatique. Il me parle. Heureusement que ses yeux sont éloquents car je ne comprends rien à son accent cockney. «*My name is Joe. – My name is Andrée.*» Le reste on s'en fout. Nous avons eu une brève aventure.

J'aurais oublié cet épisode de ma vie si, quelques années plus tard, alors que je joue dans *Un tramway nommé désir* à la compagnie Jean Duceppe et que Cocker se produit au Forum de Montréal, il ne m'avait téléphoné: «Viens nous rejoindre au Holiday Inn après le show.» La suite où il se trouvait était immense, mais il y avait tellement de monde qu'on se marchait sur les pieds. Sur les tables, des amoncellements de verres et de bouteilles d'alcool de toutes sortes. Et partout des sacs remplis d'une étrange poudre blanche. On avertit Joe que je suis arrivée. Il vient me saluer. Je ne suis pas certaine qu'il me reconnaisse, mais il fait semblant. Il dit plein de choses que je ne comprends pas, toujours à cause de son accent cockney, puis il me pose une question: «*Do you need some coke?*»

Le seul mot que je réussis à identifier c'est «coke». Comme je viens de jouer dans une pièce qui a duré près de trois heures et qui m'a laissée complètement déshydratée, je réponds: «*Yes please, on the rocks.*» Joe éclate de rire, de même que son entourage. Quand le calme revient, on m'explique l'objet de ma méprise. Les sacs éventrés sur les tables contenaient la précieuse poudre blanche. Je n'en avais jamais vu en aussi grande quantité. C'était la première fois que je côtoyais ceux qu'on appelait les *Beautiful People*. J'ai éprouvé le vertige devant leur démesure.

Ma naïveté était bien grande. Mais à trente ou trente et un ans, peut-on vraiment encore parler de naïveté? Les mots «inconsciente» ou «sotte» seraient peut-être davantage appropriés. Car je serai victime d'une autre méprise.

De taille, celle-là. Seule circonstance atténuante, j'étais amoureuse.

L'homme pour qui j'éprouve alors une passion dévorante a des yeux de velours et une allure de petit caïd bien élevé. Il me fait une cour irrésistible... quand il est là. En fait, je le vois peu. Je crois comprendre qu'il gagne sa vie en jouant au poker de façon professionnelle. Nous nous voyons uniquement à l'aube... généralement après qu'il m'a donné rendez-vous, la veille. J'évite de poser des questions, je m'adapte à lui comme je me suis adaptée à tous les hommes que j'ai aimés; je deviens ce qu'il attend de moi. Silencieux jusqu'à s'enfermer dans le mutisme, sa personnalité m'intrigue et me fascine. Pour lui plaire, la verbomoteur que je suis devient aussi muette qu'une tombe. Nous nous fréquentons depuis quelques mois quand il me propose de l'accompagner à New York pour trois jours. «Pendant que je réglerai mes affaires, profites-en pour contacter le metteur en scène de cette comédie musicale pour laquelle tu voulais auditionner. Nous pourrions ensuite visiter New York en amoureux.»

Le début du voyage s'avère agréable. Jamais je n'ai vu mon amoureux si tendre, si attentif à mes désirs. Seule anicroche, on nous retient longtemps à la douane. Trop longtemps. Que se passe-t-il? J'évite cependant d'engueuler ces fonctionnaires qui écourtent de quelques heures ma lune de miel. Je me retiens car je n'ai pas la conscience tout à fait tranquille. J'ai dans mes bagages une petite bouteille de coupe-faim, de la dexédrine, dont il me reste trois ou quatre comprimés. Je les conserve précieusement parce qu'il me sera dorénavant difficile d'en faire renouveler la prescription. La puissante Food and Drug Administration des États-Unis a jugé le produit dangereux et l'a interdit. Dans toute l'Amérique du Nord, on vient d'en déclarer la vente illégale. Pendant que l'on continue de fouiller mes bagages, je m'interroge anxieusement. Aurait-on trouvé mes précieux comprimés? Les appels téléphoniques du douanier ont-ils pour but de joindre mon médecin montréalais? S'il fallait qu'on m'arrête pour ça! Feu vert. Nous pouvons partir. Ouf! Malheureusement, ce «ouf» m'a échappé alors que la portière de la voiture était encore entrouverte. Mon amoureux se met à m'engueuler comme du poisson pourri. Je cherche à comprendre ce qui a pu déclencher chez lui une telle colère.

On ne va tout de même pas gâcher ce voyage pour un «ouf»? Il semble bien que oui. Mais que craignait donc mon amoureux? Qu'un douanier ait pu m'entendre et penser... mais penser quoi? Il ne me parle plus. J'ouvre la radio et une voix rauque, démente, me prend alors aux tripes, la voix de la chanteuse Janis Joplin. Elle chante *Me and Bobby McGee*. C'est la première fois que j'entends Janis. Pendant quelques secondes, il n'existe plus rien au monde que cette mélodie et moi. Je prédis à mon amoureux que cette chanson fera un malheur, mais il ne s'intéresse pas à la musique. Qu'il aille se faire voir! Je projette déjà de me procurer à New York tout ce que cette chanteuse a endisqué jusqu'à ce jour. Je l'aime. Mon amoureux passera, Janis restera.

Je n'ai plus envie de faire ce voyage. Je voudrais rebrousser chemin. Mon instinct me dit qu'il se passe des choses étranges. En effet, depuis un moment, deux voitures nous encadrent, adoptant notre vitesse de croisière. Est-ce qu'on nous suit ou nous protège? J'ose poser la question. Silence lourd. Merde... j'ai peur. Je ne connais pas vraiment mon amoureux. Il ne s'est jamais confié à moi. Tout ce que je sais, c'est qu'il fait bien l'amour et qu'il a de beaux yeux; c'est peu pour courir les routes en sa compagnie. Je m'énerve un peu et imagine toutes sortes de choses. A-t-il tué, volé? Pour me calmer, je lui demande s'il n'a pas un joint sur lui. En guise de réponse, il m'adresse un regard meurtrier. J'avais oublié qu'il ne buvait pas ni ne fumait. Il a la drogue en horreur, il me l'a répété moult fois. Et puis ma question est stupide, on vient de se faire fouiller à la douane. Pendant tout le reste du trajet, j'éprouve un profond malaise.

Nous logeons dans un hôtel de la banlieue de New York. Pendant que je remplis les fiches, mon amoureux va garer la voiture dans le stationnement souterrain. La chambre est confortable, sans plus. Je suis déçue et suggère plutôt un joli hôtel plein de charme et pas très cher à quelques minutes de marche de Central Park. Mais c'est hors de question, nous habiterons ici, point à la ligne. Interdiction aussi pour moi de conduire la voiture dans New York: trop dangereux. Mon amoureux me tend une poignée de dollars pour les taxis et le shopping. Bon, j'ai compris, il ne veut pas me voir; faisons-nous discrète. Pendant notre séjour, je ne rentrerai à l'hôtel qu'à la fin de la journée. J'ai les bras chargés de jolies choses et j'ai trouvé les disques de Janis Joplin. J'ai visité des musées, écumé les boutiques et les grands magasins, marché dans toutes les rues, toujours seule. Mon amoureux n'a pas de temps à me consacrer. J'ai aussi réussi à rencontrer le metteur en scène devant qui je désirais passer une audition. Celle-ci est reportée à plus tard; j'ai l'intention de revenir. Le soir, je me fais belle en prévision d'un repas en tête-à-tête avec mon amoureux, mais c'est peine perdue, il ne semble même pas me voir. Son regard soucieux plane au-dessus de ma modeste personne et il semble jongler avec des problèmes insolubles. C'est en vain que je tente d'animer le repas.

Nous rentrons à Montréal. Enfin! Quand je demande à mon compagnon pourquoi nous rentrons en avion et où est passée la voiture, il me répond qu'il l'a prêtée à des amis qui doivent se rendre à Miami avec leurs enfants. C'est donc l'explication que je fournis au douanier à l'aéroport de Dorval, qui semble aussi étonné que moi par cette très grande générosité. Devant lui, mon amoureux est saisi d'une crise d'affection, aussi subite qu'inexplicable. Il m'embrasse à tout moment, comme si nous étions des tourtereaux seuls au monde. Cela semble attendrir le douanier qui m'a reconnue: «Passez, mademoiselle Boucher.»

Je suis rentrée chez moi et le train-train quotidien a repris. Et je me suis fait plaquer par mon amoureux, qui a disparu du jour au lendemain. Il me manquait physiquement, car je l'avais dans la peau, mais les facettes de son caractère que j'avais découvertes au cours du voyage m'avait fait mettre une croix sur notre relation.

Quelques semaines plus tard, alors que des copains ont fait la fête très tard chez moi, je viens à peine de m'endormir, tout habillée et maquillée, quand on frappe avec insistance à ma porte. Sans ouvrir, je gueule: «C'est pas drôle, les amis! Je dors! Le party est fini, allez fêter ailleurs!» Mais les coups persistent. J'ouvre alors en criant: «Il est cinq heures et demie, j'ai dit que c'était...» Je ne termine pas ma phrase, interdite. Deux policiers de la GRC me tendent leurs badges. «Pouvons-nous entrer?» J'ai à peine le temps de formuler une réponse qu'ils ont gagné le salon. Le désordre est apocalyptique, les tables basses sont jonchées de bouteilles, de verres sales et de cendriers remplis de mégots. J'éteins la chaîne stéréo où un disque tourne à vide sur la table tournante, je m'agite en tous sens en essayant de mettre de l'ordre, j'ouvre la fenêtre, replace un coussin: Dieu que j'ai mal à la tête! «Asseyez-vous, nous avons à vous parler.» Le ton est sans appel. Ils s'assoient à une table dont la surface est mouchetée par des dizaines de brûlures de cigarettes. L'effet est sordide. J'ai moi-même une tête de clocharde. Mon chignon pend lamentablement sur le côté, un de mes faux cils a disparu, l'autre est décollé et mon fard à paupières bave jusque sur mes joues, me creusant des yeux cernés et bouffis d'oiseau nocturne. Pieds nus et le jeans tirebouchonné, on peut m'accuser de tous les crimes, j'ai le physique de l'emploi. «Si vous préférez vous taire et demander l'aide d'un avocat, c'est votre droit», commence un des policiers. Est-ce possible que ces mots, tant de fois entendus au cinéma, me soient adressés?

— Je n'ai rien à cacher, je ne sais pas de quoi il s'agit.

— Un important réseau de trafiquants d'héroïne vient d'être démantelé. On recherche les responsables, les gros caïds. Pour y arriver, on interroge tous ceux qu'on soupçonne d'avoir trempé dans l'opération.

Je réussis à peine à articuler:

— Mais qu'est-ce que j'ai à voir là-dedans?

— On soupçonne votre ex-amoureux de faire partie du réseau. On croit que l'auto dans laquelle vous avez effectué votre voyage à New York était bourrée de plusieurs centaines de milliers de dollars d'héroïne pure.

— Quel est mon rôle dans cette histoire?

Et l'interrogatoire démarre.

– De quelle couleur était l'auto?

– J'en sais rien, je ne connais rien aux voitures. Je n'en possède pas et dans un stationnement je suis habituellement incapable de reconnaître celle dans laquelle je suis arrivée.

L'un des agents est aimable, tandis que l'autre, bâti comme une armoire à glace, est bête comme ses pieds. On m'expliquera plus tard que c'est voulu, qu'il s'agit d'une sorte de truc psychologique pour faire parler les témoins. On est, paraît-il, spontanément porté à vouloir convaincre le policier si compréhensif, gentil comme un bon papa, et on parle trop. Mais moi, je n'ai rien à dire, ou si peu.

– Le nom de l'hôtel, le numéro de la chambre?

– Je... Attendez... J'ai gardé la clé en souvenir.

Je leur raconte mon escapade dans New York: le producteur, l'audition remise à plus tard, mon shopping, les disques de Janis Joplin, les musées. Je précise que ce voyage devait être une sorte de lune de miel mais que mon amoureux s'est montré davantage préoccupé par ses affaires que par ma présence.

– Quelles affaires?

– J'en sais rien.

– Qui avez-vous vu à l'hôtel?

– Personne. (C'est vrai.)

Questions, questions, questions. Je suis affligée d'une terrible gueule de bois et la peur me tord les boyaux, je tremble comme une feuille. Qu'est-ce qui m'arrive? C'est un cauchemar! «Vous n'avez pas été étonnée de revenir en avion? Transportiez-vous de l'argent liquide sur vous? Votre amoureux en avait-il?» Oui. Non. Non. Je ne sais pas. Mes réponses n'apportent rien. Je ne sais rien. Rien de rien. Me croient-ils? Je ne pourrais le jurer.

L'interrogatoire a duré trois heures. Après leur départ, je pleure sans pouvoir m'arrêter. À qui demander de l'aide? Si les journaux publient cette information, ils vont sonner la fin de ma carrière. Et mes parents? Je ne pense qu'à eux. Ils vont mourir de honte, de désespoir. Qu'est-ce que je dois faire? Un ami me conseille de ne rien faire. Je ne suis coupable de rien, il vaut mieux attendre la suite des événements.

Cette attente dans laquelle je suis plongée est un véritable enfer. Va-t-on m'arrêter? m'incriminer? m'incarcérer? Je n'arrive plus à manger ni à dormir. Chaque matin, je me jette fébrilement sur les journaux. J'apprends qu'un important réseau de drogue a été démantelé grâce à la collaboration d'un de ses membres. Le nom de mon amoureux ne figure pas dans la liste, le mien non plus. L'attente continue de me tuer lentement.

Finalement, je consulte un avocat. Après quelques jours, il me dit que j'ai été bien naïve. «Tu t'es fait exploiter au max. Ton amoureux t'as séduite pour pouvoir t'utiliser. Il s'est servi de ta notoriété pour endormir les douaniers. Avant votre voyage à New York, quand tu es allée au port de Montréal pour l'aider à récupérer sa voiture venue de France par bateau...» Cet épisode que j'avais oublié me revient, ce long après-midi passé à jaser avec les employés de la douane en attendant que cette voiture, qui n'avait rien de spécial à mes yeux et à laquelle mon amoureux tenait tant, soit dédouanée.

Quand je réalise que j'ai été manipulée et que mon amoureux s'est servi de moi, j'entre dans une colère noire... contre moi. Je suis la dernière des imbéciles. La passion m'a complètement aveuglée. Je trouve néanmoins que je m'en tire à bon compte; les conséquences auraient pu être infiniment plus graves.

Je reprends mon souffle, et mon travail. Ce sera un printemps très occupé. Toujours *Mont-Joye*, bien sûr, mais aussi deux séjours à Paris pour refaire la trame sonore de certaines scènes extérieures de *Schulmeïster*. Les films d'époque sont toujours à la merci des bruits environnants. Il n'est pas rare d'entendre passer un avion ou une moto au plein milieu d'une scène où l'on s'évertue à faire croire que l'action se passe au XIXe siècle. Il faut alors refaire la trame sonore de la scène en studio, en postsynchronisation.

La postsynchro ou doublage de la voix, c'est tout un métier. Certains comédiens y excellent et en vivent très confortablement. Pas moi. Les quelques fois où j'en ai fait, je me suis révélée passablement mauvaise, assez pour qu'on ne me redemande plus. Dans le cas de *Schulmeïster*, l'épreuve aurait dû être surmontable puisque c'était ma propre voix que j'allais doubler. J'entre donc en studio avec d'excellentes intentions. Mais le moment venu, j'ai beau essayer de recréer l'atmosphère des scènes, le rythme de mon propre jeu, les motivations de mon personnage, j'ai beau essayer de synchroniser mes paroles avec les lèvres de mon personnage à l'écran, l'entreprise tourne au désastre. On reprend, reprend et reprend, ça n'en finit plus; puis, tout à coup, ô miracle! j'ai compris la technique. Au grand soulagement de mes camarades. Mieux vaut tard que jamais!

Paris – Londres – Montréal. Montréal – Londres – Paris. C'est une vie palpitante, je me sens très *jet set*, toujours entre deux avions. Mon réalisateur, Guy Hoffmann, jongle avec ses horaires pour me permettre de partir. Il gueule pour la forme, pour ne pas faire mentir sa réputation, mais je suis consciente du mal qu'il se donne et je l'apprécie.

Cette année-là, on me propose un rôle magnifique dans un film qui se tournera à l'île aux Grues, dans le Bas-du-Fleuve, devant Montmagny. J'hésite longuement à accepter car IL fait aussi partie de la distribution et nous aurons des scènes à jouer ensemble. C'est bête, mais j'éprouve de la peur à l'idée de le revoir. Comment IL se comportera-t-il avec moi? Je finis par accepter et les premiers jours de tournage se déroulent sans histoire. Les soupers réunissent toute l'équipe, nous jouons ensuite au billard en écoutant le *juke-box* qui ne cesse de jouer *Le Métèque*, de Moustaki. Encore aujourd'hui, quand j'entends cette chanson, elle évoque pour moi l'île aux Grues, la chaude hospitalité et la convivialité de ses habitants, et les grands vols d'oies sauvages qui se posent en jacassant dans les premiers soleils du printemps.

Un soir, en entrant au petit motel où nous logeons, j'arrive face à face avec IL. Je tremble de la tête aux pieds. Je bafouille, timide: «Bonsoir, comment vas-tu?» Parle-moi, lui crient mes yeux. Explique-moi cette grande colère que tu éprouves contre moi. Dis-moi ta rancune, ou ta déception. J'ai trente ans, je suis une femme maintenant. Mais IL m'ignore superbement. Son regard passe au-dessus de ma tête. Je suis un pou, une moins que rien. Nos chambres sont mitoyennes, le mur de contreplaqué laisse filtrer le bruit de ses moindres gestes et déplacements. Je finis par m'endormir au rythme de sa respiration.

IL et moi tournons les quelques scènes que nous avons ensemble puis, sitôt le travail terminé, il disparaît. Au cours d'un souper avec l'équipe, il a l'air d'excellente humeur. À mon grand étonnement, il prend place à côté de moi et commence à me parler. C'est alors qu'un comédien lance banalement: «C'est vrai que vous avez eu un enfant ensemble?» IL replonge aussitôt dans son mutisme pendant que j'enchaîne rapidement: «Oui, oui, oui, une fille.» Je fais des efforts désespérés pour aiguiller ailleurs la conversation; il ne faut surtout pas contrarier IL, provoquer sa colère. J'anime toute la tablée par un feu roulant de blagues, d'anecdotes, je suis intarissable. Mais je me méprise au plus haut point. J'ai encore peur de lui. J'ai peur qu'il se fâche. Une séparation de dix ans n'a rien changé à la nature de notre relation, à mes relations avec les hommes. IL me bouleverse toujours autant. Je l'ai toujours dans la peau. Sa présence me coupe tous mes moyens. Quand je suis mise en sa présence, je sens encore la chaleur incandescente qui émane de son corps, mes jambes en deviennent molles, fléchissent, tandis que mon cœur et mes sens s'affolent.

Je n'ai même pas osé demander à IL des nouvelles de ma fille. Mais quelle espèce de femme suis-je donc pour faire passer le bien-être de l'homme que j'ai aimé avant celui de mon enfant? Pour donner priorité à la passion? Je me dégoûte. Sur ce tournage, un mal-être permanent m'habitera désormais. Malgré l'alcool que j'ingurgite, malgré la gentillesse des insulaires. Ces lieux respirent pourtant la paix et la sérénité. À défaut d'être heureuse, je devrais au moins connaître quelques instants de bonheur. Mais je ne connais rien au bonheur, je n'en possède pas encore la clef. Ma tête est peuplée de démons que seuls la drogue, l'alcool, les pilules ou les émotions démesurées réussissent à apaiser.

J'apprends que le tournage des prochains épisodes de *Schul-meïster*, qui devait avoir lieu l'été prochain, commence plutôt à la fin de mai. Comme les enregistrements de *Mont-Joye* ne seront pas encore terminés, je panique. Je ne peux pas faire déplacer *Mont-Joye*. À Radio-Canada, les dates d'enregistrement, c'est coulé dans du béton. J'essaie d'expliquer la situation à Pathé Cinéma, mais on croit que je fais preuve de mauvaise volonté, que je fais une crise de vedette. Le directeur en personne, M. Mouniers, se fait insistant: «Pourquoi ne demandez-vous pas aux producteurs de *Mont-Joye* de grouper vos scènes en début de saison, ce qui vous permettrait d'être libre pour la fin mai?» Je lui explique qu'au Québec les conditions de tournage ne sont pas les mêmes qu'en France. Que je joue dans un téléroman, pas dans une télésérie. Que dans un téléro-man on enregistre une émission complète par semaine. *Toutes* les scènes. Et que celles-ci ne sont pas enregistrées sur film mais sur vidéo, dans un studio. Que ma présence est requise chaque semaine pour trois jours de répétitions et une journée d'enregistrement, et ce jusqu'à la fin de mai. Mais M. Mouniers ne comprend toujours pas. Je ne sais plus à quel saint me vouer. Je devrai vraisemblable-ment sacrifier ou *Mont-Joye* ou *Schulmeïster*. Heureusement, Guy Hoffmann réussit à convaincre l'auteur Réginald Boisvert de mo-difier l'intrigue: mon personnage, Denise Joyal, quittera le pays pour aller suivre des cours à Paris. Je serai ainsi absente des huit derniers épisodes de la saison, ce qui me permet de tourner *Schul-meïster*.

Mes anges gardiens avaient pour nom: Guy Hoffmann et Réginald Boisvert.

24

Youpi! Je vais être payée sans rien faire! Quelques mois avant mon départ pour la France, Radio-Canada rediffuse des épisodes des *Belles Histoires des Pays-d'en-Haut* .

«En plus de jouer dans *Mont-Joye*! se réjouit mon comptable. C'est magnifique, tu vas pouvoir mettre de l'argent de côté.»

Rêve toujours, mon beau! Panier percé un jour, panier percé toujours. L'argent me file entre les doigts sans qu'il me reste aucuns biens: ni voiture, ni maison, ni chalet, ni bijoux, ni fourrures. Je flambe mon argent dans les restaurants, où je paie pour tout le monde, je fais des voyages et je me procure les drogues nécessaires à l'engourdissement de mes angoisses. Je mine ma santé. D'ailleurs, j'éprouve de plus en plus souvent une grande lassitude, rien ne me fait plus envie. Il m'arrive d'avoir des accès de fièvre qui durent plusieurs jours et pendant lesquels des douleurs m'élancent dans les articulations et m'arrachent des cris à chaque mouvement brusque. Je vois progressivement mes orteils se recourber comme des serres et mes doigts se déformer. Pour apaiser la douleur, je prends des doses massives d'aspirine et je fais de la natation. Pour retrouver mon énergie, je décuple mes doses d'amphétamines. Elles ne me coupent plus l'appétit mais m'insufflent une force quasi inépuisable, me rendant plus productive. Bien que la vente en soit interdite, je ne manque pas de moyens de m'en procurer.

Avant de m'envoler pour la France, il m'arrive un incident singulier, qui prendra des allures de prophétie. Un astrologue compte parmi les invités à un cocktail donné par le producteur Pierre Brousseau pour annoncer le tournage du film *Les Amoureux*, dont je dois faire partie. Depuis que je lui ai accordé une entrevue pour un magazine spécialisé, cet astrologue ne me lâche pas d'une semelle. Sa présence me rend fébrile et déclenche chez moi une peur, une angoisse inexpliquées. Partout où je vais, je le retrouve, là, devant moi. Rien à faire pour l'éviter. Il se dit amoureux de moi. Je repousse ses avances tout en restant polie, mais il me prévient qu'il ne faut pas que je m'éloigne de lui, que je ne devrais pas me rendre en France, où je cours un grave danger. Les aspects planétaires sont mauvais, des événements néfastes m'y attendent. Il réclame un bout d'ongle ou une mèche de mes cheveux pour me confectionner un talisman. Je refuse, évidemment. Il insiste. Je refuse encore une fois.

Plus tard dans la soirée, alors que je discute avec des amis, confortablement assise sur une causeuse, je ressens une sorte de léger pincement à la nuque. Rien de douloureux, mais c'est comme si quelqu'un avait tiré sur un de mes cheveux. Je me retourne et vois l'astrologue s'éloigner et disparaître dans la foule. Est-ce lui qui m'a arraché un cheveu? Pour quelle raison? Je ne fais pas le lien avec le talisman proposé et n'y pense plus, reprenant le fil de la conversation. Pour le moment, rien ne m'importe autant que de regagner la France. Aucune force au monde ne saurait m'en empêcher, surtout pas un astrologue désagréable ni ses mises en garde étranges.

À Paris, c'est avec bonheur que je retrouve l'équipe de *Schulmeïster* intacte. Enfin, presque... Il y a un nouveau directeur photo, Pierre Petit. Celui-ci a à son actif plusieurs films de qualité, il a tourné avec de grands noms du cinéma, il aime les acteurs et met son talent, sa science et son expérience à leur service. Il deviendra mon mentor et me poussera à perfectionner mon jeu.

Une autre tranche d'un magnifique tournage s'amorce donc. Même atmosphère de joyeuse camaraderie, mêmes extérieurs dans des châteaux historiques, mêmes arrêts épicuriens dans des relais gastronomiques. Je parcours de nouveau la vallée de la Loire et je découvre avec émerveillement la Bretagne, la Provence, la Bourgogne.

Les conditions de travail sont les mêmes, mais moi, j'ai changé, pour le mieux. L'attitude de ma covedette, Jacques Fabbri, y est pour beaucoup. Il file le parfait amour avec sa nouvelle femme, à qui il a obtenu un rôle dans la série. Elle m'a à l'œil et Fabbri se montre froid et distant avec moi. Son attitude devrait miner ma confiance en moi, mais elle provoque plutôt l'effet inverse. Je n'éprouve plus une admiration béate pour lui. Je fais preuve de plus de discernement, je prends – j'exige – la place, l'importance et le respect auxquels j'ai droit. Toute ma place, celle que réclame mon personnáge de Suzel qui, elle aussi, s'affirme davantage dans la série. «Qu'est-ce qu'ils t'ont fait manger au Canada, du tigre?» me demande le metteur en scène, Jean-Pierre Decourt. Je me contente de sourire. Comment lui expliquer que la passion ne me fait plus perdre la maîtrise de mes émotions? Je suis en pleine possession de mes moyens, non plus assujettie aux désirs de l'homme aimé. «Va plus loin. Donne-moi encore plus! Tu en es capable!» me pousse sans cesse Jean-Pierre. Et je mets mes tripes sur la table. Mon jeu s'élargit, prenant à la fois de la puissance et des nuances.

L'équipe ne s'étonne donc pas quand, quelques semaines plus tard, je leur annonce qu'on m'a approchée pour tourner dans un film qui aura pour titre *Madly*, avec Alain Delon. C'est normal, j'ai bénéficié de beaucoup de publicité et on considère maintenant que je fais carrière en France. Cette heureuse nouvelle devrait me catapulter au septième ciel, je devrais pavoiser, crier la nouvelle sur tous les toits, en aviser les journaux du Québec, mes parents, mes amis, mais un je-ne-sais-quoi me retient. J'éprouve envers ceux qui m'ont approchée une certaine méfiance.

Il y a d'abord Nathalie, dont j'ai oublié le nom, à consonance russe. Elle s'est proposée pour me servir d'agent. Elle ne ressemble en rien à l'image que je me fais d'un agent: mal coiffée, mal fagotée, une moustache de duvet assombrit ses rares sourires forcés. Dès notre première rencontre, j'ai du mal à lui accorder mon entière confiance. Je suis même soulagée du fait qu'elle ne m'oblige pas à signer un contrat d'exclusivité avec elle. Je préfère attendre qu'elle fasse ses preuves. Elle ne tarde pas à m'annoncer qu'elle m'a obtenu un rôle dans le film *Madly* et que je dois vite rencontrer les producteurs. Bien que je sois impressionnée, je n'ai pas perdu ma lucidité. Comment cette fille, insipide comme un mur d'hôpital, a-t-elle pu me décrocher un pareil contrat?

Un rendez-vous est fixé: dîner sur un luxueux bateau-mouche qui sillonne la Seine, par une belle et chaude soirée de la mi-juillet. Je me retrouve donc en compagnie de deux étranges messieurs, pas très bavards. Ils me remettent le scénario de *Madly*, me spécifient les dates du tournage et m'expliquent pourquoi ils ont arrêté leur choix sur moi. Le personnage de Madly est une Française qui vit hors de la métropole. Au début, «on» voulait une Martiniquaise puis, en voyant mes photos, «on» a changé d'idée. Qui est ce «on» mystérieux? Qui signera la mise en scène? Le choix n'est pas encore définitif, disent-ils, en tentant de me rassurer: «Ne vous en faites pas, M. Delon ne tourne pas avec n'importe qui, vous devez vous en douter.»

Tout au long du repas, je n'arrive pas à faire décoller la conversation. Tous les sujets tombent à plat, rien ne semble les intéresser. Finalement, tandis que nous prenons le digestif sur le pont, ces messieurs s'animent enfin. Ma vie personnelle semble soudain les intéresser: «Comment vivez-vous à Montréal? Qui fréquentez-vous? Parlez-nous de votre métier. Allez-vous souvent à New York? La distance est si courte, quelle chance vous avez.»

Du pont du bateau, l'île de la Cité est si belle, avec Notre-Dame illuminée. Je n'ai pas la tête à m'interroger sur le sens de ce questionnement. Le bateau rentre au pont de l'Alma et un nouveau rendez-vous est fixé à dans deux semaines. Nathalie me tiendra au courant. Dans sa petite voiture qui me ramène à mon hôtel (je loge toujours à l'Alsina, à Montmartre), Nathalie démontre un curieux enthousiasme: «C'est merveilleux, ce qui vous arrive! Extraordinaire! Inespéré!» J'ai quand même la gorge serrée. J'ai une sorte de pressentiment. Que se passe-t-il? Je devrais crier de joie mais je n'ai envie que de pleurer. Je fais lire le scénario à Jean-Pierre Decourt. Verdict: tout au plus le trouve-t-il bon, mais Delon est une star et tourner avec lui serait une consécration pour moi; ce film pourrait servir de tremplin à ma carrière. Jean-Pierre trouve cependant étonnant que le metteur en scène n'ait pas encore été choisi alors que moi je le suis.

Nous n'en reparlons plus. Le tournage de *Schulmeïster* achève et le temps presse. Des scènes importantes monopolisent toute mon attention et toutes mes énergies. Les jours de relâche, je me promène inlassablement dans Paris qui, déserté de ses habitants en été, ressemble à une petite ville de province. La plupart des commerçants de mon quartier ont pris congé et mes restaurants favoris ne rouvriront qu'à la mi-août. Il règne une chaleur étouffante, mais j'aime la chaleur. J'aime aussi me retirer dans le joli jardin de l'hôtel, entouré de hauts murs, et écrire des cartes postales à ma famille et à mes amis sous un tilleul qui bruisse.

J'ai une brève aventure avec l'assistant du directeur photo. Il est séduisant, charmant, mais... il est marié. J'ai eu l'occasion de rencontrer son fils, un amour de petit bonhomme de trois ans, joli comme un angelot et qui doit ressembler à sa mère. Je n'ai pas du tout envie d'être celle par qui le divorce arrive. Alain et moi nous voyons peu et je n'en exige pas davantage. Ce serait trop facile pour moi de conquérir cet homme. Il aime en moi l'image de l'Amérique, pays de cocagne pour les Français, l'Amérique idéalisée où tout est possible, où tout le monde est riche et puissant. J'ai beau lui répéter que Montréal n'est pas New York, ni l'Amérique telle qu'il l'imagine, que je suis une vedette populaire, mais que ça n'a rien à voir avec les stars de cinéma qu'il côtoie sur les plateaux, il n'en croit pas un mot. Son désir pour moi se confond avec ses rêves d'enfant: il voudrait vivre et travailler en Amérique, et, pour lui, je suis une Américaine. Cet homme me plaît infiniment, mais j'estime qu'il serait malhonnête de ma part de nourrir chez lui de fausses illusions. Je ne veux pas le blesser inutilement.

Ne pas blesser: c'est une des obsessions de ma vie. Prochainement, elle sera à l'origine d'une nuit d'horreur.

Il est environ une heure du matin et je viens de terminer la lecture d'un excellent roman, confortablement installée dans mon lit. Je n'ai pas sommeil, plus rien à lire, et une petite faim me tenaille l'estomac. Il n'en faut pas plus pour que je m'habille, quitte l'hôtel et saute dans un taxi. «Drugstore Saint-Germain, s'il vous plaît!» Je m'habitue difficilement au tempérament râleur des chauffeurs de taxi parisiens. J'ai l'impression de ne jamais aller dans la direction qui leur convient, d'aller trop loin ou trop près, que leur journée est terminée, que j'ai trop de bagages ou pas assez. Que je fais rarement leur bonheur. Cette fois, j'ai de la chance, celui-ci veut bien me conduire à bon port.

Je m'installe à une table du drugstore Saint-Germain. Ici on trouve de tout, du téléviseur au hamburger, du dernier best-seller à l'alcool le plus rare, des montres, du chocolat fin, des confitures exotiques... Mon repas tire à sa fin, je sirote mon vin en feuilletant une pile de magazines. Soudain, une voix timide m'interpelle: «Vous aimez la poésie?» Je lève les yeux. Le restaurant est vide, il n'y a que mon interlocuteur et moi. Deux tables nous séparent. Ce jeune homme, à peine sorti de l'adolescence, a l'air d'un chien perdu sans collier et son visage est couvert d'une acné purulente. J'éprouve tout de suite pour lui de la compassion. Qui aimerait être affublé d'un tel visage? Il lit Verlaine. Je lui réponds que j'aime la poésie, puis retourne à la lecture de mes magazines. Après un moment, il m'interpelle de nouveau. Cette fois, sa voix se fait suppliante: «Puis-je venir à votre table? J'aurais besoin de parler un peu.» Comment refuser quand on sait ce qu'est la solitude? Je n'ai pas le cœur de lui dire non. Il s'installe devant moi et nous discutons poésie puisque c'est ce qui semble l'intéresser. Et c'est vrai qu'il s'y connaît. Il a tout lu. Je lui parle des poètes québécois et il boit mes paroles, de même que le whisky que je lui ai offert pour remplacer son thé devenu froid. Trois heures du matin: le drugstore ferme. Mon nouvel ami s'affole. «Ne me laissez pas! Pas tout de suite! *Me feriez-vous l'honneur* de venir chez moi? (Cette préciosité de langage dans la bouche d'un si jeune homme me paraît touchante.) J'habite à deux pas! Mais je ne pourrai pas vous offrir à boire, je n'ai rien.»

Pour quelle raison ai-je accepté? Pour ne pas le laisser seul, pour qu'il ne souffre pas, ne sente pas qu'il ne m'intéressait pas, pour ne pas le blesser. J'achète une bouteille de whisky et nous nous rendons chez lui. Je gravis les six ou sept étages d'escaliers abruptes qui mènent à la chambre de bonne qu'il habite. Son univers consiste en un lit à une place, niché dans une alcôve, au-dessus duquel une planche fait office de rangement, alignant ses livres de poésie. Toute sa fortune tient sur cette tablette. Dans un angle, un évier et un bidet, cachés par un paravent disloqué. Pas de chaise, pas de table. C'est la misère. Ayant déjà vécu la misère, je sais en reconnaître l'odeur. Pauvre enfant, si vilain, si pitoyable, épris d'idéal et de romantisme. Je m'assois. Mais j'ai à peine le temps d'ouvrir la bouteille de whisky qu'il me renverse violemment sur le lit. Je tente de me relever en riant. Il s'agit sûrement d'une méprise. Je m'empresse de lui expliquer: «Je n'avais pas l'intention de faire l'amour avec toi. Tu voulais parler, ne pas être seul...» Peut-on être plus naïve et plus stupide que moi? Il est trois heures du matin et j'accompagne un inconnu jusqu'à sa chambre. Il n'avait certainement pas l'intention de me parler de son «vécu».

Le poète se métamorphose alors en tigre assassin. D'un mouvement vif, il saisit un poignard arabe entre ses livres. Je fixe le poignard et me fait la réflexion qu'il s'agit d'un perce-poumon. Mon mari en possédait un semblable. On n'a qu'à le plonger sous les côtes de sa victime pour atteindre mortellement un poumon. C'est fatal. L'être humain est bizarre: pourquoi, dans un moment pareil, ai-je accordé de l'importance à ce détail? Mon agresseur colle la pointe acérée du perce-poumon contre ma jugulaire. Des afflux de sang me battent les tempes. De sa main libre, il boit à même le goulot de la bouteille et son regard se voile, devient fou. «Je vais te baiser à mort.» Il rit. Quelqu'un cogne de l'autre côté du mur pour exiger le silence: un être humain, si près... et si loin. Comment obtenir de l'aide? Il retire sa chemise. Les premières lueurs de l'aube éclairent son torse. Il est couvert de pustules. La nausée me monte aux lèvres. «Je te dégoûte, hein? Dis-le que je te dégoûte!»

Mon instinct de survie me dicte de ne pas le contrarier. Lui dire plutôt qu'il est beau, plaisant, gentil, cultivé. Il a relevé ma jupe, il déchire l'élastique de mon slip. Pendant que son sexe me fouille inlassablement, sans que jamais il soit rassasié, je parle et parle sans m'interrompre. Comme Schéhérazade dans les contes des *Mille et Une Nuits*, tant que je parlerai ma vie sera épargnée. Il faut endormir par les mots cette répugnante bête sauvage. Parfois, épuisée, je lui demande, en m'efforçant de paraître calme: «Laisse-moi me reposer un peu. Ce sera meilleur après.» Il s'arrête un moment, étonné par ce qu'il est en train de faire, comme si son esprit commençait à se séparer de son corps. Je l'implore douce-ment: «Parle-moi de tes poètes.» Et il parle. Il s'emballe parfois en retrouvant un vers oublié, mais garde toujours la pointe du poi-gnard sur ma gorge.

Je dis: «J'aimerais te revoir. Je te donnerai mon numéro de téléphone et on pourrait sortir ensemble.» Cette fois, je l'ai troublé. C'est dans cette voie que je dois persister. Ne pas pleurer, lui laisser croire que je suis heureuse avec lui, lui dire et lui redire que ce n'est pas la peine de me menacer avec cette arme, que je ne partirai pas, que j'aime trop faire l'amour avec lui. Et je dois retenir cette nau-sée qui risque de tout gâcher.

Je propose qu'il me ramène à mon hôtel, «comme ça, tu verras où j'habite». Et j'enchaîne rapidement: «En chemin, on pourrait s'arrêter *Chez Charlot* pour manger des coquillages.» Son regard embué par l'alcool s'allume. Au drugstore, il m'avait confié être originaire du Nord de la France. Il a été élevé près de l'Atlan-tique et raffole des fruits de mer et des coquillages. *Chez Charlot* est un restaurant réputé de Montmartre et j'y ai mes habitudes. Il *faut* qu'il accepte.

Tantôt il veut, tantôt il ne veut plus. «Tu me fais marcher. Je n'ai pas confiance en toi. Si je te laisse partir d'ici, tu vas te sau-ver.» Ce monstre est intelligent, il ne faut pas en douter. Avec quels mots, par quels arguments ai-je finalement réussi à le convaincre, je ne m'en souviens plus. Je me revois, assise dans un taxi, la lame de son poignard appuyée sur mes côtes: «Tu trembles! Tu as peur de moi?» Je lui réponds que non, pas du tout, que c'est la fatigue, qu'une longue nuit d'amour me fait toujours cet effet. Je dois continuer à parler, ne pas m'arrêter.

À la terrasse de *Chez Charlot*, un écailleur ouvre des coques, des huîtres et des oursins. Le monstre s'émerveille devant pareille abondance, son attitude devient celle d'un enfant. Je n'ai aucun mal à l'entraîner à l'intérieur et à l'installer à une table. À cette heure, nous sommes les seuls clients, les fêtards ont regagné leur lit et il est trop tôt pour déjeuner. Le monstre m'a coincée au fond de la banquette et tient toujours le perce-poumon sur mon flanc. L'odeur de varech et de marée fraîche qui flotte dans le restaurant me soulève le cœur. Si je crie «au secours», que va-t-il se passer? Va-t-il me tuer? J'évite de bouger et je parcours le menu en feignant de m'y intéresser, suggérant mille et une bonnes choses. Un souvenir d'enfance semble remonter à la mémoire du monstre, il rit par à-coups comme un bébé heureux. Il baisse le perce-poumon. Un serveur vient prendre la commande. Je me lève. «Laisse-moi passer, je veux aller aux waters.»

Comme il ne pouvait pas refuser devant le serveur, il se glisse sur la banquette et me laisse passer. Je me dirige prestement vers la sortie et cours à perdre haleine, sans m'arrêter, jusqu'à mon hôtel. Je préviens la réception que je n'y suis pour personne et je gagne ma chambre. J'ai vomi mon cœur, mes tripes. Et je me suis lavée, frottée, brossée, obsessivement, sans jamais avoir la sensation d'être propre. Toute cette saleté restait incrustée sur mon corps, il fallait que je m'en débarrasse: une douche, un bain, et je recommence.

Le soleil se couche quand je téléphone à Nathalie, mon «agent». Nous devions nous voir à midi. Où étais-je passée? s'inquiète-t-elle. Les mots arrivent difficilement à sortir de ma bouche. Brièvement, je lui raconte ma nuit d'horreur. Elle me demande le nom du garçon. «Ne bouge pas, dit-elle, je te rappelle.» Bouger, il

310

n'en est pas question. Je me réfugie dans mon lit, le corps secoué de spasmes incontrôlables, les dents qui claquent. Puis l'épuisement a raison de moi, je m'endors. Mon sommeil est peuplé de cauchemars. Soudain, je me réveille en sursaut car on frappe à ma porte. Je hurle: «Qui est là?» Une toute petite voix chuchote: «Nathalie.» Elle a réussi à obtenir des renseignements au sujet de mon agresseur et m'apprend qu'il s'agit d'un malade mental à qui une institution psychiatrique a accordé son congé habituel pour le week-end. Quand j'ai quitté le restaurant, le serveur a aperçu le perce-poumon et a immédiatement alerté la police. Je n'ai rien à craindre, mon agresseur est sous bonne garde.

Je suis étonnée par la rapidité avec laquelle Nathalie a réussi à obtenir ces informations, aussi je ne peux m'empêcher de lui demander, avec une pointe d'humour: «Tu es super efficace. Travailles-tu pour la police?» Je la surprends qui réprime un curieux sentiment de gêne, plaquant sur son visage ce sourire contraint et faux qui me déplaît tant. Je voudrais lui demander qui elle est *vraiment*, mais je suis trop lasse, ma question ne franchit pas mes lèvres. Les événements des dernières heures m'ont laissée exténuée, exsangue, la tête dévastée. Mon cerveau réagit d'ailleurs au stress de curieuse façon. Au lieu de repenser aux événements tragiques de la journée, je fixe le duvet qui orne la lèvre supérieure de Nathalie. Une scène ridicule me passe alors par la tête. Je pétris entre mes doigts une boule de caramel, semblable à celles dont se servait Voula pour m'épiler, et je l'applique sur le duvet de Nathalie. Hop! je tire et fait disparaître cette moustache attristante qui lui donne un air d'adolescent pas très soigné. J'en éprouve une grande joie. Mystère et méandres du cerveau humain...

J'ai été violée! Mais je n'en prendrai vraiment conscience que dix ans plus tard, à la suite d'une thérapie. Avant, j'avais transformé cet événement en une expérience complètement farfelue. Ce n'était pas un viol, mais une situation invraisemblable qui ne pouvait arriver qu'à moi qui étais ouverte à toutes les aventures. J'avais eu la monnaie de ma pièce. Quand je racontais cette nuit-là, j'arrivais à faire rire mes auditeurs aux larmes. J'ai bien vu parfois une lueur de désarroi dans le regard de certains, mais je continuais mon histoire sans en tenir compte. Comment peut-on transformer l'histoire d'un viol en un numéro d'humour? Je serais bien en peine de le dire. L'être humain se défend comme il peut.

Le tournage de *Schulmeïster* se termine par une fête mémorable où toute l'équipe entonne *Ce n'est qu'un au revoir*. Dans quelques mois, nous serons tous de nouveau réunis. Je suis impatiente de revenir à Montréal, mais Nathalie me supplie d'attendre. Je n'ai pourtant encore rien signé avec les producteurs de *Madly*, mais ils désirent me rencontrer de nouveau, paraît-il. Nathalie insiste: «Il *faut* que tu restes en France.» Je reste donc, mais dois assumer tous les frais puisque je ne bénéficie plus des indemnités quotidiennes que m'accordait la production de *Schulmeïster*.

En ce mois d'août, il n'y a que des touristes à Paris, je m'y ennuie mortellement. Alors, pourquoi ne pas jouer au touriste, moi aussi? Je vais en autocar à Versailles, que je ne connais pas, monte dans la tour Eiffel, escalade l'Arc de Triomphe. Mais j'en ai vite assez et je veux rentrer chez moi. «Il faut attendre encore», insiste Nathalie.

Heureusement, je reçois un appel d'un assistant de Jean-Pierre Decourt: «Eh, "le Canada"! Je pars en repérage dans le Midi, pour les prochains épisodes. Si t'as rien de mieux à faire, tu pourrais m'accompagner. Ça me ferait de la compagnie et tu verrais du pays.» J'accepte, trop heureuse de quitter un Paris désert. Je promets à Nathalie de lui téléphoner très souvent, puis boucle ma valise et rejoins mon copain à l'aéroport. Direction Nice.

Nous parcourons l'arrière-pays, la Haute-Provence, cette Provence que les écrits de Colette, Giono et Pagnol m'avaient fait aimer d'un amour inconditionnel. Chaque lacet de la route me jette dans le ravissement. Les vieux oliviers tordus, les champs odorants de lavande, une chaleur pénétrante, sèche, qui me cloue enfin au sol, à la vie, à la terre. Je découvre une Provence encore plus belle que celle de mon imagination. Je ne peux m'empêcher de confier à Francis: «Quand je serai vieille, c'est ici que je veux vivre.» Il rétorque: «T'as le temps. Au fait, à quel âge est-on vieux?»

Nous logeons deux nuits dans un vaste mas. Le lendemain lorsque nous partons en repérage, l'aubergiste, convaincue que nous allons mourir de faim avant midi, nous prépare un en-cas pour la route, des pans-bagnats. Elle ouvre une miche de pain, en évide les deux parties jusqu'à la croûte, puis les fourre de salade niçoise. Elle referme ensuite le tout et l'enveloppe dans du papier. Mordre dans un pan-bagnat dont la croûte est imbibée d'huile d'olive, du parfum de l'ail et des anchois salés qui croquent sous la dent est un péché de gourmandise. Ce plaisir sera d'autant plus grand que, pour avaler nos pans-bagnats, nous nous serons installés à l'ombre des pins, sur leur moelleux tapis d'aiguilles. Ce repas des bergers et des paysans qui travaillent aux champs est pour nous un réel festin.

La Provence, c'est l'éveil des sens. Tout semble y avoir plus de goût, plus de saveur, plus de couleur qu'ailleurs. Les figues, les poires, les pêches cueillies sur l'arbre et croquées à l'instant même. Un petit rosé qu'on rafraîchit dans l'eau d'un ruisseau. Un pastis avalé sur la place d'un village, en compagnie de joueurs de pétanque. Il y en a pour le plaisir de l'œil aussi: de la vigne à perte de vue, ployant sous le poids des raisins gorgés de soleil. Et de l'ouïe. Une terre si sèche qu'elle crisse sous mes pas comme la neige par un froid sibérien. La montagne dont l'écho me dit qu'il m'aime. Et partout l'accent chantant des Provençaux, une musique qui me séduit. J'aime tant cette langue qu'après une semaine, moi qui suis de nature plutôt «caméléon», je prends la couleur du pays, j'adopte son accent. Mon oreille s'y est vite familiarisée. Francis rigole: «Eh, le Canada! t'es devenue une vraie provençale!»

J'essaie de retrouver mon accent normal, mais lequel de mes accents est «normal»? Celui que j'ai adopté pour faire le film, c'est-à-dire un français dit international? Celui dont je me sers pour communiquer avec mes copains, un français teinté d'argot et parsemé d'expressions québécoises? Ou celui que je parle en Provence, avec cette pointe d'ail qui coule sous ma langue? Tant de facilité d'adaptation, n'est-ce pas un manque de personnalité?

Un soir, près de Grasse, nous roulons lentement sous le soleil qui se couche dans une débauche de couleurs. Mille odeurs de fleurs embaument l'air, me montant aux narines, puis à la tête. Nous sommes au cœur du pays où poussent la plupart des fleurs qui entrent dans la composition des parfums. Je demande à Francis d'arrêter, puis je me lance en courant dans un champ. Comme un chien fou, je me roule dans les fleurs, soûlée d'odeurs. «Eh, le Canada!, t'es fada, comme on dit ici? Le soleil de Provence a dû taper un peu fort!»

Quand nous revenons à Paris, j'ai déjà hâte de recommencer à travailler. La dernière tranche de *Schulmeïster* doit débuter en octobre. On est le 15 août et dans moins de deux semaines je dois retourner à Montréal pour les enregistrements de *Mont-Joye*. Pendant mon escapade en Provence, je n'ai pas réussi une seule fois à rejoindre Nathalie. J'essaie encore: toujours pas de réponse. Mais qu'est-ce qu'elle fait? Je dois partir, moi! Où est-elle? Dans un livre qu'elle m'a prêté et que j'ai oublié de lui rendre, je trouve sa carte professionnelle. Il y a deux numéros de téléphone, dont un m'est inconnu. L'ayant composé, une voix masculine me répond: «Police judiciaire.» Je raccroche, estomaquée. Quel est le rapport avec Nathalie? Travaille-t-elle pour la police? Elle ne m'en a jamais parlé. Et je n'ai jamais revu les fameux producteurs de *Madly*. Que se passe-t-il avec ce film? Ces gens ne savent pas vivre! Je suis très en colère.

Je sais que l'agent d'Alain Delon, est Georges Beaume, une personnalité très connue, très respectée, qui s'occupe aussi de la carrière de Mireille Darc et d'Annie Girardot. Je me rabats donc sur lui pour obtenir des informations à propos du fameux film. «Monsieur, je ne comprends pas. Depuis plus d'un mois, les producteurs me font attendre. Je dois rentrer à Montréal. Auriez-vous la gentillesse de me dire si M. Delon a déjà signé avec eux?» Dire qu'il reste bouche bée serait peu dire. Il est littéralement pétrifié. Après un long silence embarrassant, il se ressaisit et me fixe un rendez-vous, l'après-midi même, à ses bureaux de la rue Washington dans le VIIIe arrondissement.

Quand je lui montre le scénario que j'ai en ma possession, il l'authentifie tout de suite. Pas d'erreur, c'est bien le scénario. Le hic, c'est que le rôle qu'on m'a proposé a été donné à une actrice martiniquaise depuis un an déjà. Le contrat est signé et les dates de tournage ont été fixées. Il est désolé. Et moi donc; j'avais tant misé sur cette chance. M. Beaume ne comprend pas ce qui s'est passé, il m'assure de sa bonne foi et me dit que les producteurs sont à l'étranger depuis le début de l'été. Mais, alors, qui ai-je rencontré sur le bateau-mouche? Il n'en sait rien. J'ai peur. Qui me manipule? Il se pose la même question, je le lis dans ses yeux. Qui se sert du nom d'Alain Delon et pourquoi? C'est fou et complètement affolant. Il loge un appel à Rio où se trouve actuellement Alain Delon. Aurais-je l'obligeance d'attendre que M. Delon rappelle? Bien sûr. Je veux connaître la vérité autant que lui. Me voici donc, dans ce bureau magnifique au rez-de-chaussée d'un bel hôtel particulier, un verre de cognac à la main, en train de faire la conversation avec Georges Beaume, le plus prestigieux agent d'artistes de France. En attendant un appel d'une star incontestée du cinéma français. Quelle situation invraisemblable! Une heure s'écoule, puis la sonnerie du téléphone retentit. «Alain aimerait vous parler.» Mon cœur s'affole et des sueurs perlent sur mon front. «Auriez-vous la gentillesse de retarder votre départ de quelques jours? me demande Alain Delon. Le temps que je rentre à Paris. J'aimerais dîner avec vous pour parler de tout ça.»

Deux jours plus tard, il est vingt et une heures quand j'entre au *Bistingo*, rue Saint-Benoît, dans le VIe arrondissement. Ce restaurant constitue un lieu de rendez-vous de la faune artistique. Au fond de la salle, Alain Delon et Georges Beaume m'attendent à une table, sous les regards curieux des clients. En traversant la salle, j'ai l'impression que mes jambes vont se dérober, ma seule préoccupation est de ne pas m'entortiller les pieds, de ne pas m'étaler sur le plancher. Je suis impressionnée, c'est évident, et c'est normal. Quelle jeune comédienne d'aujourd'hui ne fondrait pas sur place à la perspective d'un tête-à-tête avec Tom Cruise ou Brad Pitt? Je suis impressionnée, mais inquiète aussi. Dans quel fond de cour suis-je encore allée jouer? Je constate qu'Alain Delon et Georges Beaume sont aussi troublés que moi. Il semble bien qu'on se soit servi du nom d'Alain Delon pour m'attirer. Mais dans quel but? Qui a procuré aux faux producteurs ce scénario que je tiens entre les mains? Qui est cette mystérieuse Nathalie que personne ne connaît dans le métier et dont un des numéros de téléphone est celui de la police judiciaire? À quoi ressemblaient ces supposés producteurs? me demandent-ils. J'essaie de répondre à leurs questions du mieux que je peux, mais à la fin du repas, au cours duquel je n'ai touché à aucun des plats parce que j'avais l'estomac noué, le mystère reste entier. Alain semble fatigué. Il a sous les yeux de lourdes poches à la Duke Ellington qui vieillissent ce visage si beau. Le décalage horaire, bien sûr, Rio n'est pas à la porte. Mais, il y a plus. Il est préoccupé et je le comprends. On s'est joué de moi, mais en se servant de lui. Qui lui veut du mal? Il se méfie de moi: qui suis-je? Mon désarroi et mon chagrin devant mon rêve brisé ne le touchent pas. C'est Georges Beaume qui tente de panser mes plaies en me disant: «Peut-être une prochaine fois, qui sait?» Mais je suis assez lucide pour savoir qu'il n'y aura pas de prochaine fois. Le plus célèbre imprésario de France ne me prendra sûrement pas sous son aile alors que je suis mêlée à ce qui semble être un complot. Dans ce métier, on déteste les emmerdeuses et à ses yeux je ne suis certainement qu'une personne qui attire les ennuis.

Delon veut poursuivre cette conversation et me propose de voyager avec lui pour rentrer au Canada. Il doit se rendre à New York dans trois jours, nous ferions route ensemble. Je lui dis que je dois rentrer le lendemain, que mon billet pour Montréal est confirmé. «C'est sans importance. Georges va s'occuper des billets, du transit. Il vous fera savoir l'heure et le jour du vol.» Cette suggestion ressemble davantage à un ordre qu'à une suggestion. J'aurais dû l'envoyer paître mais, décontenancée, je ne m'en suis pas senti la force.

Je me retrouve donc, quelques jours plus tard, dans le salon VIP d'Air France, entourée d'une cohorte de larbins qui essaient de satisfaire les moindres caprices d'Alain Delon, et les miens par conséquent. Tout au long du vol, Alain desserre à peine les dents. Une des seules fois où il m'adresse la parole, ce sera pour dire: «Tu ne devrais pas te coiffer de cette façon, c'est vilain.»

J'aurais voulu me raser la tête instantanément tellement j'étais gênée. Je me sens gauche et mal fagotée, son regard me juge constamment. Ah puis merde! Je suis comme je suis. Je fais ce que je peux! On ne peut pas toutes être des Mireille Darc! À notre arrivée à New York, il me fait gentiment la bise et je rougis comme une collégienne: «À bientôt. Je te donne des nouvelles.»

Je le vois s'éloigner en roulant des mécaniques comme une imitation d'un truand dans un film américain. Je ne peux m'empêcher de penser que cette démarche a dû nécessiter de longues heures de répétitions. Il m'a semblé à ce moment que je retrouvais mon humour sarcastique et mon sens aiguisé de l'observation. Tout n'était pas perdu. Une question me trottait tout de même dans la tête: pourquoi Alain Delon désirait-il me revoir, alors qu'il ne m'avait pratiquement pas adressé la parole de tout le voyage?

Quelques jours plus tard, à Montréal, la standardiste de mon service de réception des appels m'apprend que le secrétaire de M. Alain Delon a laissé un message. À partir de ce jour, les employés de ce service téléphonique me traiteront comme si j'avais eu une apparition céleste. Le message précise qu'un billet a été réservé à mon nom sur le vol Montréal-New York, pour le lendemain, et que M. Delon m'attend à l'hôtel Pierre. Branle-bas de combat. Pierre David, mon coiffeur, me compose un joli chignon et je me procure un ensemble plus classique que ce que j'ai l'habitude de porter. Cette fois, *monsieur* n'aura rien à redire.

À l'hôtel Pierre, je me retrouve dans une luxueuse suite, avec fenêtres plongeant sur Central Park. La chambre du «maître» et la mienne sont séparées par un salon et une salle à manger. Je suis à peine arrivée que Delon me dit de but en blanc: «Décidément, tu te coiffes vraiment mal. Tu devrais consulter.»

Bon, si monsieur le dit... Je défais mon chignon et secoue la tête. Mes cheveux tombent mollement sur mes épaules. «Comme ça, c'est mieux?» Il sourit, pour la première fois. Il était temps, parce que je commençais à en avoir ras le bol. Il recommence à me presser de questions au sujet de ma rencontre avec les «producteurs» du film, s'attardant à des détails insignifiants: «C'est bien une robe verte que tu portais sur le bateau-mouche?» J'ai beau lui répéter que j'étais vêtue de noir, sa question (qui ressemble de plus en plus à une affirmation) revient inlassablement. Ça m'énerve au plus haut point. Une robe verte? Je n'ai jamais porté du vert; je déteste le vert, qui me le rend bien. «Et ces messieurs comment étaient-ils? Et Nathalie, elle t'a déjà amenée à la PJ (Police judiciaire)?... Et le scénario?...» On dirait que je détiens un secret d'État. J'en ai marre. Au diable l'accent français, mon accent québécois reprend vite le dessus: «Coudonc! C'est un interrogatoire de la police ou quoi? Tu pourrais me braquer des spots dans la face tant qu'à y être.» Et je lui tends une lampe dont j'ai dévissé l'abat-jour. L'atmosphère s'allège.

Pour aller souper, une limousine nous conduit jusqu'à un *fast-food* de luxe. Cet attrape-touriste s'est donné des airs de Far West: murs recouverts de bois de grange délavé, pattes des tables équarries à la hache, fausses lampes Tiffany... New York compte pourtant d'excellents restaurants. Mais pour Delon, les gigantesques hamburgers dégoulinant de ketchup semblent être synonymes d'exotisme; ils portent le label «Real American». Ce soir-là, une bonne dizaine de Français sont regroupés autour de la table. La cour de Delon. Une star ne se déplace jamais sans sa cour: secrétaire, attaché de presse, gardes du corps et quelques pique-assiettes ou fous du roi qui amusent le grand homme. Je ne sais pas très bien où me situer dans cette nomenclature, d'autant plus qu'Alain est en grande conversation avec une ravissante jeune Américaine qui est, me dit-on, la fille du propriétaire de l'hôtel Pierre. Je pique une jasette avec mon voisin de gauche et le temps passe fort agréablement.

Il se fait tard lorsque quelqu'un me tape discrètement sur l'épaule et m'informe, sur le ton officiel d'un maréchal m'annonçant que le roi a gagné ses appartements: «Alain est parti.» Je ne m'en étais même pas rendu compte. Mais en quoi cela me concerne-t-il? «Mais il t'attend, voyons.» J'ouvre des yeux ronds. Je ne comprends pas. «Il est à l'hôtel. La limousine est revenue te chercher.»

Retour à l'hôtel. J'ai à peine mis la clef dans la porte que j'entends la voix du maître: «Je t'attendais!» C'est tout... ou presque. Pas besoin de s'exténuer à de galants préliminaires. Pour la délicatesse, on repassera. Être Alain Delon devait suffire. En tout cas, je m'en suis contentée. Ça me fera quelque chose à raconter à mes petits-enfants, quand je serai vieille, le soir, à la chandelle.

Le lendemain, je rentrais à Montréal. Je n'avais toujours pas compris ce qui m'avait valu de vivre ces péripéties.

25

Mon quotidien est parsemé d'embêtements. Rien ne va vraiment mal, mais rien ne va vraiment bien non plus. Mes chèques de paie accusent sans raison du retard, le bain du voisin a débordé et mon plafond de salle de bains est à refaire, je ne trouve plus le beau collier de perles de grand-maman, j'ai par distraction jeté à l'incinérateur un chèque des reprises des *Belles Histoires*, conservant plutôt le talon. On croirait que de mauvais génies s'amusent à m'empoisonner l'existence. Je m'en plains à une amie qui, à ma grande stupéfaction, me répond: «Tu es peut-être envoûtée.» Mais par qui?

Je décide de m'informer auprès d'un copain qui verse dans les sciences occultes. Je ne peux m'empêcher de m'esclaffer en entendant sa réponse: «Peut-être par cet astrologue qui voulait te confectionner un talisman. Rappelle-toi, il t'a prédit les pires catastrophes si tu t'éloignais de lui. Tu crois qu'il t'a dérobé un cheveu au cocktail? Qui te dit qu'il ne s'en sert pas comme d'une poupée vaudou pour te jeter de mauvais sorts? Ça existe. Ça s'est déjà vu.» L'idée me paraît complètement farfelue. Mais elle fait son chemin et, un jour où vraiment rien ne va plus, je lui demande comment faire pour savoir si on est envoûté. Il n'en sait rien mais il me met en relation avec une sommité du milieu de l'ésotérisme, qui me confirme qu'effectivement j'ai été envoûtée. Grâce au cheveu qu'il a réussi à me dérober, l'astrologue maléfique continue de me lancer des ondes destructrices. C'est ce qui expliquerait la série d'événements dramatiques qui se sont déroulés à Paris et mon lot d'embêtements ici.

Je n'en crois pas mes oreilles : de la sorcellerie ? Est-ce possible ? Je ne peux réprimer un sourire sarcastique, mais j'accepte malgré tout le désenvoûtement que l'on me propose ; je n'ai rien à perdre. Après une courte séance, on m'affirme que mes embêtements sont terminés. J'ai, paraît-il, beaucoup de chance ; cet être maléfique a une force mentale inférieure à la mienne et j'ai réussi, sans le savoir, à contrer ses ondes négatives. C'est la raison pour laquelle mes embêtements n'ont pas connu de dénouement fatal.

À ce moment-là, je ne connaissais rien du pouvoir du subconscient. Je comprendrai plus tard que cet être malveillant ne m'avait pas envoûtée, mais qu'il était simplement parvenu à convaincre mon subconscient qu'un malheur allait m'arriver à Paris. Moi seule avais donné à cet être un tel pouvoir. Moi seule avais provoqué les circonstances, peut-être en me plaçant inconsciemment dans des situations qui risquaient d'entraîner de telles fins. Si on part avec l'idée qu'on va se noyer, eh bien on se noie. Les gens et les événements ont le pouvoir qu'on veut bien leur accorder. Cet astrologue n'était pas un sorcier, simplement un imbécile adroit, et moi une influençable sotte à qui on pouvait faire croire n'importe quoi.

Peu de temps après, mon ami et coiffeur Pierre a retrouvé le collier de perles de grand-maman, enfoui dans la litière de son chat. Le fermoir s'était brisé. Minou aimait les perles et les avaient mises à l'abri.

Fin septembre. À Paris, il fait un temps splendide et je me laisse caresser par le soleil sur une vaste terrasse qui surplombe le XVIe arrondissement. Je suis chez la comédienne Denyse Saint-Pierre, dont le mari, Paul Colbert, est directeur de Radio-Canada à Paris. Denyse m'a prise sous son aile, elle s'est donné pour mission de refaire mon image, de me transformer en Parisienne élégante et chic. Elle m'a déniché un hôtel charmant à deux pas de chez elle, le Massenet. Fini l'Alsina et la proximité des repaires de proxénètes.

Fini aussi le look gitane ; je ressemble maintenant à une jeune femme du XVIᵉ arrondissement, un quartier qu'on pourrait comparer à Westmount. Les perles de grand-maman ornent les ensembles de tricot et les pulls achetés chez Rodier. Mes jeans ont été remisés au fond d'une valise tandis que des bottillons de cuir fin remplacent mes sandales et mes souliers plateforme. Quand le temps fraîchit, je porte, pour aller aux rushes de *Schulmeïster*, le magnifique vison de Denyse qui a été transformé en jaquette par un jeu subtil de fermetures éclair. Aux yeux des producteurs, je corresponds maintenant à l'image d'une vraie star. Je saisis alors l'importance du *standing* pour les Français, mais trouve plutôt contraignant de devoir toujours maintenir cette image. Aussi m'arrive-t-il, lors d'apéritifs suivant les journées de tournage, de retrouver pour un moment ma nature provocante et marginale. Je laisse négligemment glisser ma luxueuse fourrure de mes épaules, ne la retenant que d'une main par le col. Et je la traîne derrière moi sur le plancher tout en la faisant gigoter, faisant mine de tirer un chien en laisse. «Pitou, pitou.»

Sauf Jean-Pierre Decourt, qui me trouve un peu bête, tous me trouvent amusante. «Le Canada» n'est plus une petite paysanne impressionnée par tout ce qu'elle voit, elle a été à la bonne école ; c'est maintenant une jolie excentrique qui habite un quartier prestigieux, Passy.

Passy, c'est beau, mais très ennuyant pour la «tripeuse» que je suis. Quand je rentre à vingt et une heures, Passy dort, ou semble mort, protégé par ses impénétrables murs de vieilles pierres. Une tombe. C'est tout juste si on n'éteint pas les réverbères et ne remise pas les trottoirs. Les épiceries sont évidemment fermées. Il m'arrive donc d'aller casser la croûte chez Denyse et Paul, bavardant à la cuisine avec Denyse tandis que Paul mange devant la télé le repas qu'elle lui a préparé avec amour. Car tout est amour entre ces deux-là. Je n'ai jamais rien vu de tel. Ils ont une complicité de tous les instants et manifestent leur grande tendresse par des gestes simples. Ils cherchent toujours à être beaux l'un pour l'autre et se le disent fréquemment. Ils acceptent volontiers un étranger dans

322

leur intimité, lui témoignent de l'amitié, ont pour lui des prévenances, mais tout en laissant comprendre qu'ils se suffisent à eux-mêmes et qu'ils n'ont besoin de personne pour les distraire. Mes départs ne créent aucun vide. Pour moi, c'est une révélation, je découvre l'idéal amoureux. L'image du couple indestructible. Un exemple à suivre. Je rêve de connaître moi aussi, un jour, une relation d'une telle solidité.

Le tournage de *Schulmeïster* se poursuit aux alentours de Paris, dans des hôtels particuliers, des manoirs, des châteaux. Suis-je blasée? Pas du tout, mon émerveillement est sans cesse renouvelé. Mais Dieu que j'ai froid dans mes costumes, mes robes de mousseline, de soie et de voile transparent, telles que les portaient les dames de l'époque napoléonienne, dames qu'on appelait les «merveilleuses». Je grelotte dans mes chaussons de satin. Certaines ailes des châteaux dans lesquels nous tournons n'étant pas habitées par les châtelains, elles ne sont pas chauffées. Elles sont traversées de vastes courants d'air et il y règne une humidité pénétrante. Je me souviens d'un matin particulièrement froid où, avant de tourner la première scène, le maquilleur m'apporte un glaçon:

— Allez, mets ça dans ta bouche.

— Ça va pas, non! Je claque déjà des dents! Un café bien brûlant serait plus approprié.

— Tu dois sucer cette glace pour refroidir ton haleine. Sinon tu vas faire de la vapeur en parlant.

Allons-y pour la glace! Puisque les séquences que nous tournons doivent être raccordées à celles que nous avons tournées en juillet, il n'est pas question de voir de la vapeur sur un plan et de ne pas en voir sur un autre.

Dure école. Ces derniers jours de tournage m'apprennent aussi que jouer une scène avec une autre comédienne peut être une lutte à finir. Il arrive qu'on ne joue pas *avec* quelqu'un mais *contre* quelqu'un. «Attention, tu t'es fais *voler ta caméra*», me glisse un jour sur le plateau le directeur photo. Je ne comprends évidemment pas de quoi il parle. Il m'entraîne à l'écart: «Dans cette séquence, il faut que la caméra soit centrée sur ton regard. Il ne faut rien perdre de ce qui se passe dans tes yeux, ne fût-ce qu'une seconde. Car je filme tes réactions. Cette jeune comédienne avec qui tu joues te fait tourner d'une façon imperceptible. Elle cache ton regard, c'est elle que je vois. Elle *te vole ta caméra*!»

Je n'en crois pas mes oreilles! Pourquoi fait-elle ça? Nous recommençons la scène. Encore une fois, elle me tient fermement par les épaules et me fait pivoter légèrement pour se retrouver seule devant la caméra. Après avoir été copieusement engueulée par le directeur photo, elle vient discrètement me supplier: «Laisse-moi ce plan, s'il te plaît. Toi, tu t'en fous, on va te voir tout au long des treize émissions. Quant à moi, ce plan est tout ce que j'ai pour me faire remarquer.»

Je ne peux malheureusement accéder à sa demande, mais je la comprends. En France, la compétition est féroce et les comédiens sont à l'affût de la moindre occasion qui pourrait les faire remarquer. Tous les soirs, je vois le deuxième assistant fouiller dans une grande malle en carton remplie de photos. Il choisit presque au hasard les comédiens qui tiendront les rôles de figurants et les rôles secondaires. Un visage l'accroche, il retourne la photo. S'il n'y a pas de numéro de téléphone au verso, la photo regagne le fouillis indescriptible dans lequel se joue peut-être la carrière de quelqu'un. Il faut qu'un comédien ait une foi immense pour tenir le coup, pour continuer à croire que sa chance viendra. À cette époque, je me demande encore si j'aurai le courage nécessaire pour entreprendre une carrière en France.

Urgence! Je n'avais pas prévu que le tournage durerait aussi longtemps et je me trouve à court de diurétiques. J'avais commencé à utiliser des médicaments contre la rétention d'eau pendant mes régimes, puis mes reins sont devenus paresseux et j'en consomme maintenant tous les jours. Sans eux, une petite pincée de sel dans un plat ou un simple verre de Perrier font enfler mon corps comme un ballon: pieds, mains, ventre, seins. Mais le plus terrible, et c'est le cas en ce moment, c'est que mon visage se déforme; mes yeux deviennent si enflés que j'ai l'air d'un ouaouaron, j'ai le nez épaté et mes lèvres doublent de volume. Je suis laide à faire peur.

Affolée, j'appelle Denyse Saint-Pierre qui me conduit chez son pharmacien. Quand je lui apprends que je consomme ces médicaments depuis près de dix ans, la foudre s'abat sur moi. Le pharmacien est révolté et il se met à m'engueuler. «Ce médicament est un poison», dit-il en me traitant d'inconsciente et en blâmant violemment le médecin qui me l'a prescrit. Les clients me dévisagent, je suis rouge de honte.

Il finit par retrouver son calme et me fait entrer dans son officine. Il m'explique les dangers qui me guettent. Si je continue à ce rythme-là, je vais crever. Il tâte les muscles de mes jambes, devenus flasques. «En urinant trop fréquemment, vous perdez tout votre potassium. Ça bouffe vos muscles. Vous arrive-t-il d'être très fatiguée?» Je lui dis que, pendant les essayages, lorsque je dois rester longtemps debout, il m'arrive de m'évanouir. La consternation se lit sur ses traits. Il consent finalement à me donner quelques comprimés du diurétique en question, mais à la condition que je les coupe en deux et que j'aille consulter un homéopathe.

Je me soumets. Je remplace mon diurétique par des gouttes homéopathiques, en plus de boire chaque jour tout un thermos d'une tisane spécialement concoctée pour moi. J'ai ainsi progressivement éliminé les diurétiques de mon cocktail quotidien de pilules. Et j'ai découvert une nouvelle médecine, l'homéopathie. Mais, de retour à Montréal, comme il n'y avait pas encore d'homéopathes ici, j'ai recommencé à consommer le même «poison».

Surprise! Yvan Dufresne, un vieil ami, qui travaille à Montréal comme directeur de la compagnie de disques London Records, débarque à Paris. C'est un homme raffiné, qui aime la fête. Il m'invite à dîner, dans un restaurant charmant dont j'ai oublié le nom, une vieille maison de pierre qui épouse la pente abrupte de la rue dans le quartier de la montagne Sainte-Geneviève. Le hall est minuscule et il n'y a pas d'électricité. L'endroit est éclairé à la chandelle; une douce pénombre romantique nous plonge dans un autre siècle. En traversant la maison étroite, on découvre derrière de lourdes tentures damassées des salons particuliers aux tables chargées de cristal et de porcelaine de Limoges. Il n'y a pas de bruit ici, que le glissement feutré des serveurs et le bruissement des secrets d'alcôve.

Yvan et moi allons ensuite danser dans une discothèque à la mode jusqu'à cinq heures du matin et terminons notre virée par un petit-déjeuner aux Halles, ce gigantesque marché à ciel ouvert, qu'on appelait alors le ventre de Paris. Un petit monde grouillant, avec ses centaines d'étals, ses mille métiers, dont les pittoresques poissonnières. Nous nous retrouvons *Chez Marinette*, à déguster une soupe à l'oignon gratinée et une bavette à l'échalote. À cette heure matinale, c'est le rendez-vous des noctambules fortunés qui s'encanaillent: smokings, robes de soirée, jeans et vestes de cuir côtoient le petit peuple, ouvriers et «forts des Halles», nom donné aux bouchers au tablier taché de sang.

Nous terminons notre repas quand, soudain, je crois avoir une apparition. Appuyé au zinc, un séduisant jeune homme commande un ballon de blanc. Une tête d'ange sur un corps d'athlète. C'est un «fort des Halles». Avec tout ce sang sur son tablier, il semble sortir de quelque rite barbare. Je me lève, comme poussée par un ressort. Je m'excuse auprès d'Yvan en lui désignant le beau jeune homme. Je suis à peine installée au bar, que ce dernier engage la conversation. Nous causons et buvons. Nos regards trahissent l'irrésistible attirance que nous éprouvons l'un pour l'autre. Mon bel athlète me propose de l'attendre là; il termine son travail dans quinze minutes. Je préviens Yvan. Celui-ci, qui connaît la chanson, juge plus prudent que je lui laisse mon manteau de fourrure et mon portefeuille. Il glisse dans ma poche de jeans un billet de cent francs. «C'est pour prendre un taxi... après. Surtout, tu me téléphones en rentrant à ton hôtel.» Oui, papa!

Quand mon «fort des Halles» réapparaît, vêtu d'un jeans et d'un blouson de cuir, je crois voir la réincarnation de mes acteurs favoris, Montgomery Clift, James Dean et Marlon Brando. Il a des allures de fauve.

Je le suis jusqu'à un hôtel de passe où la logeuse nous tend deux minuscules serviettes de toilette, une savonnette et la clef de notre chambre. J'ignore jusqu'au nom de la bête fauve mais ça n'a aucune importance. Nos corps semblent se connaître depuis toujours et se retrouver comme après une longue absence. Au moment de nous quitter, il me demande dans quel quartier j'habite.

— Passy, dis-je.

— Merde, t'es de la haute! Je croyais que t'étais une pute qui voulait se payer du bon temps.

— Prétentieux! ai-je rétorqué ironiquement.

Pauvre Denyse Saint-Pierre qui voulait tant que j'aie de la classe, que je sois bon chic bon genre. Si seulement elle avait su. Mais j'avais eu du plaisir et je ne regrettais rien.

Rentrée à l'hôtel, je téléphone illico à Yvan pour le rassurer, car il est midi et cela fait déjà deux heures qu'il laisse des messages aux quinze minutes. Et j'ai dormi comme une bienheureuse. Sans penser que j'avais pu mettre ma vie en danger. Dans ce temps-là, j'avais la profonde conviction que j'étais protégée contre le mal. J'étais peut-être protégée contre le mal que les autres pouvaient me faire, mais pas contre le mal que je m'infligeais moralement et physiquement.

En cette fin des années *Flower Power*, il n'existait aucun interdit en matière de relations sexuelles. L'ombre du sida ne planait pas encore sur nos têtes; les seuls risques concernaient des maladies vénériennes que l'on soignait relativement facilement grâce à la pénicilline. Heureusement, je n'en ai jamais contracté. La pilule anticonceptionnelle avait libéré les femmes de la peur de devenir enceinte; le reste était une question de morale personnelle. La mienne continuait d'être la même: tout est permis en autant que je ne fasse de mal à personne. Je n'avais pas besoin d'être amoureuse de mon partenaire pour avoir avec lui une aventure physique. Mes amis masculins prétendaient que je me conduisais comme un homme, que je partais en chasse comme eux et que j'étais capable de dissocier sentiments amoureux et moments de passion aveugle. J'approuvais. Ce qui semblait les rassurer. Mais dans le fond, je riais sous cape, car je connaissais beaucoup de femmes qui s'envoyaient joyeusement en l'air sans avoir besoin qu'on leur dise «je t'aime» ou qu'on leur promette le mariage.

Mais, fait étrange, malgré mon ouverture d'esprit en matière de sexualité, jamais je ne me suis endormie dans les bras d'un amant de passage. Je voulais bien joindre mon corps au sien pour atteindre le plaisir, mais pas question de dormir toute la nuit à ses côtés. Je rentrais chez moi. Dormir avec quelqu'un est un acte qui témoigne d'une confiance suprême. C'est l'abandon total. Je préférais garder le contrôle.

Trouverais-je jamais l'homme pour qui j'éprouverais une confiance aussi entière ? Avec qui je pourrais m'abandonner ? À qui j'oserais montrer qui je suis vraiment, avec mes forces et mes faiblesses, sans crainte d'être jugée, abandonnée ?

Drôle d'époque que celle de cette totale liberté sexuelle. Coucher ou ne pas coucher avec quelqu'un prenait une importance démesurée. Il *fallait* coucher avec quelqu'un pour avoir un certain statut. C'était presque une obligation. Comme si la sexualité avait été une valeur primordiale. Ça ne convenait évidemment pas à tout le monde.

Ainsi, un jour que Jean-Pierre Decourt me ramène à Paris après une journée de tournage, il semble fort préoccupé. Sans crier gare, il immobilise la voiture sur l'accotement. Je crois d'abord que son antique Morris décapotable a des ennuis mécaniques et qu'on va bientôt devoir pédaler comme les Flintstones, mais il n'en est rien. Il attend un moment puis, comme après une longue réflexion, il lance :

– Écoute-moi bien. Tu sais que dans ce métier il est de notoriété publique qu'un metteur en scène doive coucher avec sa vedette.

Je n'en savais rien et je ne vois pas où est le problème. Il rajoute précipitamment :

– Nous n'avons pas couché ensemble.

– Non, pas que je me souvienne, ai-je répondu, à la blague.

Insensible à mon humour, il continue sur sa lancée :

– Je t'en demande pardon, je suis désolé, mais tu n'es pas mon genre.

Il semble soulagé. Je n'arrive pas à réprimer un fou rire:

— Mais qui a bien pu te mettre en tête que je m'attendais à ce que tu me fasses l'amour?

— Des «gens» m'ont dit que tu serais vexée si je ne te faisais aucune avance.

— Ce sont des imbéciles. Écoute, Jean-Pierre... tu es l'homme le plus important pour moi depuis le début du tournage. Professionnellement, je t'ai donné le meilleur de moi. Et tu as fait de même. Crois-tu vraiment que nous puissions nous donner davantage?

— Non. Alors, tu n'es pas vexée?

Je l'ai rassuré et, ensemble, nous avons longuement ri de la bêtise humaine.

J'ai déjà expliqué ma conception de la chance. J'ai parlé du train de la chance qui ralentit et vers lequel nous devons courir pour y monter. Professionnellement, je n'avais jusqu'ici laissé passer aucun train sans y grimper. Le prochain qui se présentera, non seulement je ne courrai pas vers lui, mais j'irai même jusqu'à m'en détourner. Ce sera la seule expérience de toute ma vie professionnelle qui m'aura laissé un goût amer. Une erreur que je ne me suis jamais pardonnée.

Le tournage de *Schulmeïster* s'achève et Pierre Petit, le directeur photo, croit en mon talent de façon inconditionnelle. Il a déjà tourné un film avec Alain Delon, dont les dialogues étaient signés Michel Audiard. Audiard est alors le dialoguiste le plus réputé du cinéma français. Jusqu'à la mort de Jean Gabin, il a été son dialoguiste attitré. Tout le métier ferait des bassesses pour se retrouver dans un de ses scénarios, dont les répliques, taillées sur mesure pour chacun des comédiens, sont d'une justesse et d'une vérité uniques. Pierre Petit dit un jour à Audiard, qui s'apprête à produire ses propres films, que la «petite Canada» a quelque chose qui ne ressemble à personne.

Deux inconnus se présentent sur le plateau de *Schulmeïster* et assistent au tournage. À la fin de la journée, j'apprends qu'ils ont été envoyés par Audiard afin de me regarder travailler. Le dimanche suivant, je me retrouve à la maison de campagne de M. Audiard. Tout va pour le mieux. Je fais à M. Audiard une bonne impression. Juste avant notre départ, il me fixe droit dans les yeux et laisse tomber : «Si vous voulez être patiente et vous établir à Paris, on ne sait jamais, il se pourrait que je fasse de vous ma Girardot à bon marché.» Annie Girardot, comédienne que j'adorais, était alors une des valeurs sûres du cinéma français. Elle commandait des cachets astronomiques. J'aurais dû remercier Audiard, mais voilà qu'avec l'inconscience qui me caractérisait à l'époque je réplique plutôt : «Monsieur, je n'ai jamais été la "bon marché" de personne.» Et je suis rentrée à Paris.

Non seulement n'ai-je été la «bon marché» de personne, je n'ai en fait été personne, rien du tout. Il n'y a pas pire ennemi que soi-même. En une phrase, j'avais détruit deux ans de dur labeur.

La proposition de Michel Audiard n'avait pourtant rien d'offensant. Il m'aurait d'abord confié de petits rôles, puis les premiers rôles qu'Annie Girardot n'aurait pu accepter. En tant que débutante, je ne commanderais évidemment pas ses cachets de star. Mais bon Dieu! qu'est-ce qui m'avait poussée à une telle arrogance? Avais-je peur du succès, ou de l'échec? Un peu des deux sans doute. Mais je crois aussi qu'à cette époque de ma vie je ne m'appartenais plus. C'était le commencement de la fin. Le début d'une longue descente aux enfers. J'avais de moins en moins de contrôle sur moi-même. Une immense lassitude me faisait de plus en plus souvent pleurer, pour un oui ou pour un non. Je combattais cette déprime à coups d'alcool et d'amphétamines. Mes humeurs changeaient aussi brusquement que des wagons lancés sur des montagnes russes. Une journée, je me sentais capable d'atteindre les vertigineux sommets de la gloire, animée d'une énergie surhumaine; le lendemain, j'étais un rebut, coincée au fond d'une déprime suicidaire.

Je suis rentrée à Montréal et j'ai fait une dépression.

26

Au retour de Paris, je souffre d'insomnie chronique. Il m'arrive de ne pas fermer l'œil pendant plusieurs jours. Je double alors mes doses de calmants et dors quarante-huit heures d'affilée. Comme à Paris, je continue de combattre une extrême lassitude avec des amphétamines, du café ou de l'alcool fort. Mais je ne touche plus à la drogue proprement dite. Mon appétit est totalement déréglé et je mange n'importe comment, faisant tantôt des crises d'anorexie, tantôt de boulimie. Mes crises de boulimie sont suivies d'un sentiment de culpabilité qui me pousse à entreprendre des régimes draconiens, parfois supervisés par un spécialiste de l'obésité. J'ai retrouvé, glissé entre les pages d'un livre de recettes (quelle étrange idée), un des innombrables et aberrants régimes que j'ai suivis à cette époque.

Samedi et dimanche :	*1 pinte d'eau*
	½ citron
	1 jus de pamplemousse
Lundi :	*1 livre de viande hachée, maigre, bouillie*
	(C'est l'abondance !)
	¼ de livre de fromage gruyère
Mardi :	*6 carottes cuites*
	(Pour éliminer le fromage, sans doute !)
	Brocoli à volonté
Mercredi :	*6 œufs cuits durs (Bonjour le cholestérol !)*

Jeudi:	*10 oranges* (Bonjour l'acidité!)
Vendredi:	*1 ½ livre d'aiglefin bouilli*
	(Le poisson est excellent pour la mémoire, ce qui permet de me rappeler des mois d'abondance.)

Un autre régime m'obligeait à manger six pommes par jour. Rien d'autre. J'ai vu le moment où je commencerais à fermenter. Il fallait être complètement cinglée pour se nourrir de cette façon. À cette époque, j'ajoute aussi les laxatifs à ma pharmacopée. Mon armoire à pharmacie est un véritable bazar de médicaments de toutes sortes. Savoir cette profusion de bouteilles et de capsules à portée de la main me procure un sentiment de sécurité. Je viens d'une famille où la pharmacie constituait presque le cœur de la maison: Castoria, huile de ricin, pilules Carter pour le foie, Ex-lax pour les intestins, lait de magnésie, Eno, Pepto-Bismol pour l'estomac, sans compter les innombrables sirops et liniments.

Les conséquences de ma surconsommation de drogues, d'alcool et de médicaments ne tardent évidemment pas à se faire sentir. Je subis des néphrites à répétition, quand ce n'est pas une colite qui me scie le corps en deux. Ce qui a pour effet de me rendre intolérante. Je juge de tout, rien ne me satisfait. Il m'arrive de faire des scènes sans raison et je pleure à la moindre occasion.

Quelques années plus tard, lorsque la vie me mettra sur la piste des médecines alternatives, je découvrirai que j'étais hypoglycémique. Mes hausses et mes chutes de glycémie jouaient sur mes humeurs et m'enlevaient la maîtrise de mes nerfs. Sans compter que l'abus de diurétiques m'avait complètement déminéralisée: plus de potassium, plus de calcium et, surtout, plus de magnésium. Quand on sait que ce dernier minéral est responsable de la joie de vivre chez un être humain et qu'il fixe tous les autres minéraux...

À ce moment-là, ma vie n'est qu'une énorme colère dirigée contre moi-même, une tristesse infinie qui s'alimente à même le sentiment de culpabilité qui s'est installé en moi à demeure. Je ne cesse de me reprocher d'avoir gaché ma chance auprès de Michel Audiard.

Août 1976. Serge meurt et son décès me donne l'impression d'enterrer Annick une seconde fois. Quant à mon autre fille, elle vit toujours chez la mère de IL et je n'en ai plus de nouvelles. Elle est maintenant une adolescente. Je voudrais tant me trouver à ses côtés pour l'aider à franchir cette étape difficile et déterminante de l'existence. Mais j'ai laissé la vie en décider autrement. Mes copains arrivent presque à me convaincre que ma façon de vivre s'accommoderait mal de la présence d'une adolescente. Aujourd'hui, avec ce que je connais de moi, je sais très bien que la responsabilité d'une vie humaine, d'un être né de ma chair et de mon sang, aurait totalement modifié mon style de vie et je n'aurais pas cédé si facilement à ce long glissement vers la négation de tout mon être. Je n'avais pas su faire valoir mes droits, j'avais donné aux autres le pouvoir d'agir en mon nom, et j'avais tout perdu. Plus rien ne pouvait m'empêcher de sombrer dans la déchéance. Personne ne se rendait compte que je sombrais. Surtout pas moi.

Ma vie s'écoulait sans qu'aucun but ni aucune ligne de conduite ne la contienne. Je n'agissais que sur des coups de tête. Ainsi, je décide un jour d'effectuer un voyage à Miami avec ma camarade de travail France Castel. Nous nous sommes liées d'amitié lors des enregistrements de la série *Let's Call the Whole Thing Orff!* pour le réseau anglais de Radio-Canada, à Toronto. Comme France a la phobie des avions, nous décidons de faire le trajet en autobus. C'est elle qui se charge des réservations. Elle omet de spécifier que nous voulons prendre l'express et nous nous retrouvons dans ce qu'on appelle «le local». L'autobus arrête dans chaque village et localité du trajet Montréal-Miami. Certains endroits ne figurent même pas sur les cartes routières! À mesure que nous nous enfonçons vers le sud, la chaleur devient de plus en plus insoutenable. Nous nous aspergeons avec le brumisateur d'eau d'Évian pour ne pas nous déshydrater. Au bout de trente-six heures, je n'arrive plus à rester assise. J'ai la sensation que mes reins brûlent, mon dos m'élance. Pour me soulager, je me mets en position à genoux, la tête appuyée sur une banquette inclinée au maximum, le front posé sur un coussin gonflable. Je suis convaincue que je suis le seul être humain sur cette terre à avoir dormi à plat ventre sur un fauteuil d'autobus!

Bien que les conditions en soient pénibles, ce voyage a tout de même pour effet de cimenter l'amitié qui nous lie, France et moi. Nous nous parlons longuement – que faire d'autre? – et notre surprise est grande de nous découvrir si semblables, presque des sœurs. De l'enfance à l'âge adulte, mêmes blessures, mêmes manques, mêmes joies, mêmes espoirs. Ces similitudes apaisent aussi nos démons et nous rassurent. Seule différence, mais majeure, France tient encore fermement la bride à ses démons.

À Miami Beach, nous logeons au Thunderbird Hotel, rue Collins, dans un quartier qui deviendra ultérieurement le Petit Québec. Séjour idéal et inoubliable car chacune vit librement, sans rendre de comptes ni gêner l'autre. Physiquement et du point de vue du caractère, France est à l'opposé de moi; une grande blonde sage et douce. Un soir, à la blague, elle me dit: «Tu attires les rockers, moi les jeunes garçons qui jouent encore avec des cerceaux.» C'est sa façon de décrire les garçons sérieux qui lui font la cour. Elle ne boit pas, ne consomme pas de drogue, et quand je veux m'envoyer en l'air, c'est ailleurs que dans notre chambre que je le fais. Mais je ne m'absente jamais longtemps, car c'est avec elle que je me sens le mieux.

Et puis je l'admire. Ce qu'elle fait m'impressionne au plus haut point. Par exemple, en quelques jours à peine, elle arrive à mémoriser une chanson en chinois. À son retour, elle doit donner une réponse à Radio-Canada qui lui a proposé de représenter le Québec au Festival international de la chanson, à Sofia. Elle hésite encore. Avec ma folie des grandeurs, j'imagine déjà son costume de scène et je la vois rafler la première place. Son refus me décevra terriblement car j'ai transposé sur elle mes espoirs de faire une carrière internationale. J'ai raté le train de la chance, mais je considère qu'elle a assez de talent pour ne pas le manquer. Je désire ardemment l'aider à gravir les échelons de la gloire. À ce moment de ma vie, je suis si fatiguée que je me contenterais d'encourager et de soutenir la star.

334

France m'apporte beaucoup. À notre retour, elle me prend littéralement en main, me sort de mon inertie et de ma morosité. Elle m'initie au tennis, m'amène faire du vélo à l'île des Sœurs où elle habite. Elle m'aide à reprendre pied dans la réalité. Sauf que cette réalité n'est pas la mienne. C'est la sienne. C'est-à-dire celle d'une femme qui est soutien de famille et dont la vie est superbement organisée. Un ravissant *town house* enfoui sous les arbres, deux beaux enfants, une gouvernante et un amoureux de passage. J'envie la vie qu'elle mène. J'envie cet équilibre qui me paraît inaccessible et, surtout, je lui envie ces enfants qui nouent leurs bras à son cou quand elle rentre du travail.

Notre amitié se terminera abruptement quand je rencontrerai mon conjoint actuel, cet homme dont je vais bientôt tomber follement amoureuse. Avec le recul, je crois que notre tendresse mutuelle était exclusive. Mais, pour l'instant, rien de cela n'est encore arrivé, et je dois plutôt me préparer à retourner en France pour la postsynchronisation de *Schulmeïster*.

Quand je débarque au sein de l'équipe, je me heurte tout de suite à une nouvelle et cruelle réalité. Le soufflé est retombé. Mon charisme et ma personnalité agissent avec moins de force, je ne suis plus un être d'exception, celle qu'on promettait à une grande carrière en France. Dans les restaurants et les cafés, si par hasard la chanson *Parole Parole*, que Dalida a endisqué avec Alain Delon, vient à tourner, le souvenir de ma rencontre avec l'acteur français et des circonstances bizarres qui l'ont provoquée ressurgit. Une angoisse dévastatrice m'étreint. Je me suis laissée manipuler par les événements et par les autres. Maintenant, je suis trop épuisée pour recoller les pots cassés.

Je connais une telle lassitude qu'une fois revenue à Montréal je rends la belle moto BMW 750 qu'un concessionnaire m'a prêtée pour en faire la promotion. Il faut dire que j'ai fait une embardée terrible, manquant perdre une jambe. Il me semble maintenant que cette moto est trop lourde, trop grosse. Je suis sans force. Je suis tellement fatiguée!

Je déménage à l'île des Sœurs. Je dois payer six mois de loyer pour briser mon bail de la rue Saint-Marc, un geste déraisonnable, me dit mon comptable, à qui je fais une crise d'hystérie au téléphone. Je tends frénétiquement le récepteur vers la fenêtre: «Entends-tu ces klaxons, ces crissements de pneus? Si je reste ici une minute de plus, je vais devenir folle!» Il trouve ma réaction démesurée. Il a raison. Je prends comme une offense personnelle le fait qu'on construise sous mes fenêtres une bretelle de l'autoroute. On fait sûrement exprès pour gâcher ma qualité de vie, c'est une conspiration, je suis une victime des circonstances. Je n'ai plus de nerfs: tolérance zéro.

Ma nouvelle vie dans le calme de l'île des Sœurs auprès de ma précieuse amie me paraît une délivrance. Je deviens plus disciplinée, plus organisée. Je vais à la piscine avec France, puis je m'attarde chez elle. Parfois j'y dors. Je mange plus sainement. Je crois que je reprends des forces. Puis, soudain, que se passe-t-il? Où est France? Mon seul lien avec la réalité quitte Montréal. Un contrat, je crois. Je me retrouve seule pendant trois longs mois. Je ne veux plus voir personne. La réalité s'estompe. Mes souvenirs deviennent imprécis, vagues, une succession de brèves séquences entrecoupées de black-out.

Je marche dans la forêt de l'île et soudain je noue mes bras autour d'un arbre et je hurle comme une bête. Je hurle ma douleur physique et morale, ma colère surtout. Je hurle et m'écroule au pied de l'arbre où je sanglote désespérément. Je reviens un jour à la maison avec une coulée de sang sur mon visage. Sans m'en rendre compte, j'ai dû me cogner obsessionnellement la tête contre un arbre. Je ne retournerai plus dans la forêt.

Je ne vais jamais acheter ma nourriture au petit centre commercial de l'île. Le jour, je dors ou je regarde les images à la télé. N'importe quoi. L'émission m'importe peu. Je ne cherche qu'une présence. Celle de ces gens qui s'agitent sur l'écran et dont j'ignore les propos puisque je coupe le son de l'appareil. Je vis dans ma chambre, dans mon lit. Je masque ma belle grande fenêtre panoramique qui donne sur le sommet des arbres en clouant un drap à ses quatre coins. Le reste de l'appartement ne me concerne pas. Sauf la cuisine où je fais parfois réchauffer des pointes de pizza, restes de la veille. Je me nourris exclusivement de pizzas, de spaghetti, de chips et de sodas, que je me fais livrer. Quand il n'y a pas de service de livraison, je raconte chaque fois le même mensonge au répartiteur de la petite compagnie de taxi qui dessert l'île: «J'ai des amis qui viennent d'arriver à l'improviste. Un de vos chauffeurs pourrait-il aller me chercher...»

Et je dresse ma liste: une pizza *all dressed* extra large, un sac de croustilles format familial, deux formats géants de Coke, une grosse tablette de Toblerone (mes goûts n'ont pas changé), un sac de popcorn, etc. La liste est impressionnante. Je suis seule, bien sûr. Et tous les soirs le même manège recommence. Je me donne un mal fou pour que les chauffeurs de taxi croient qu'il y a du monde à la maison. À leur arrivée, la chaîne stéréo joue à tue-tête et parfois je fais semblant de m'adresser à quelqu'un. Je crie: «Pierre, Jean, Monique! Pourriez-vous venir m'aider à transporter tout ça s'il vous plaît?» Mais comme je l'apprendrai d'un des chauffeurs de taxi quelques années plus tard, je ne dupe personne. En pyjama ou en chemise de nuit, souvent pas lavée depuis plusieurs jours, les cheveux gras, l'œil hagard, je ressemble davantage à une clocharde qu'à une hôtesse accomplie.

Je mange dans mon lit. À peine réveillée, je recommence à manger. La décadence totale. Il n'est plus nécessaire de me faire vomir, la nature s'en charge.

Un midi, je me réveille couchée sur le carrelage de la salle de bains. Je pleure doucement. Je suis en sueur. Je laisse couler longuement l'eau de la douche sur ma peau et je m'habille pour la première fois depuis trois mois. La longue jupe noire à taille élastique et le pull en coton ouaté noir qui a appartenu à un de mes amoureux éclatent sur mon corps boursouflé. Je suis énorme.

Taxi! Je me rends dans une clinique spécialisée dans le traitement de l'obésité, seul moyen que je connaisse pour enrayer ma boulimie. Je me lance dans un régime draconien à cinq cents calories. Je le suis scrupuleusement car je vais recommencer à

27

Dans une chambre du pavillon LeRoyer de l'Hôtel-Dieu de Montréal, j'attends que l'on ramène mon père du bloc opératoire. Je suis là depuis plus de six heures. La panique s'est emparée de moi et quand son chirurgien apparaît dans la porte je me lance vers lui pour savoir comment ça s'est passé.

Il me saisit par les épaules et me secoue comme un prunier en répétant, hors de lui: «Mais pourquoi ne me l'avez-vous pas amené avant? J'aurais pu le sauver. Maintenant, le cancer est...»

Je n'entends plus la suite. Papa, mon père adoré, a le cancer. Pitié, mon Dieu! Je ne veux pas qu'il meure. Et je pleure convulsivement tout en expliquant que, même si depuis plusieurs mois papa urinait du sang en hurlant de douleur, les tests avaient été négatifs. Erreur du laboratoire? On ne le saura jamais.

Mais dans notre malheur, nous avons de la chance. Le chirurgien de papa est de la vieille école qui veut qu'on ne révèle pas au patient qu'il est atteint d'un cancer. Fin psychologue, il cerne vite la personnalité angoissée de papa et ne prononce donc jamais le nom de la maladie devant lui. Il préfère parler de polypes qui nécessiteraient d'autres interventions chirurgicales ou des traitements de radiothérapie. Contesté par ses confrères, ce médecin ne privilégiait pas une lourde chirurgie, c'est-à-dire une cystotomie, qui consiste à relier la vessie à un sac à l'extérieur du corps après avoir remplacé tout le système urinaire du patient.

À partir de ce moment, toute la famille parlera de polypes. Comment vont les polypes? Sont-ils résorbés? Gaston, tu es chanceux de n'avoir que des polypes. Des polypes, c'est beaucoup moins dangereux. On ne meurt pas de polypes. Nous réussirons si bien à faire semblant de croire à ces fameux polypes que papa trouvera le courage de se battre et de vivre pendant encore près de huit ans.

Toutes les précautions que nous prenons pour éviter qu'il songe à la mort n'empêche toutefois pas mon père de me demander un jour: «Ma grande, jure-moi que tu ne me laisseras jamais souffrir inutilement. Jure-moi que je ne mourrai pas dans des douleurs atroces. Je veux finir mes jours dans mon lit, chez moi.» Je le rassure. Il ne mourra pas. Je ne veux pas qu'il meure. J'ai besoin de lui. Et je jure sur ce que j'ai de plus sacré qu'il connaîtra une fin douce et digne. Et je tiendrai parole.

Mais nous n'en sommes pas encore là. Avant, il faut vivre et papa a toutes les raisons du monde de continuer son combat. Sa petite-fille Valérie, âgée d'à peine un an et dont ma sœur leur a confié la garde, à maman et à lui, pendant qu'elle travaille, l'attend à la maison. Elle s'inquiète de l'absence prolongée de son pépé. Depuis sa naissance, elle est la raison de vivre de papa. Il la cajole, l'emmène en promenade comme une complice, la gâte outrageusement. Il lui trouve toutes les qualités et aucun défaut; il ne montre pas plus d'impartialité à son endroit qu'envers moi lorsque j'étais enfant.

Quand papa revient de l'hôpital, Valérie est son seul espoir, il se cramponne à elle. Elle lui sert de tente à oxygène. Comme je l'ai été moi-même toute ma vie. Valérie et moi alimenterons cet homme jusqu'à sa mort par notre amour, notre présence. Nous entretiendrons cette flamme de vie qui menace à tout moment de s'éteindre. Comment s'étonner aujourd'hui de nous retrouver, Valérie et moi, si semblables, si excessives? Les humeurs changeantes, les avides besoins affectifs, le désespoir et le grand vide intérieur de cet homme ont de la même manière façonné notre personnalité de femme à toutes les deux. La même folie des grandeurs nous habite, elle et moi. Le même mépris du quotidien, du quelconque, du raisonnable; le même mépris pour l'instant présent, tout entières projetées vers un futur qui ne peut et ne doit être que meilleur; la même boulimie physique et morale, le même trou béant au creux du ventre, jamais comblé; le même besoin d'honneurs, de médailles et de reconnaissance qui prouvent qu'on est aimée. Et surtout, cette même manipulation émotive que nous exerçons sur notre entourage, héritage de cet homme merveilleux mais dont le mal-être permanent excluait toute notion de bonheur et d'harmonie. Valérie a été le premier bébé naissant que j'ai été capable de tenir dans mes bras depuis la mort d'Annick.

Je m'implique tout entière dans ma nouvelle mission: aider papa à vivre. Il fallait maintenant égayer sa vie.

Quand je me donne une mission, il faut que ça marche. Je ne recule devant rien pour y arriver.

Ainsi, entre deux traitements de radiothérapie, j'apprends à papa que nous allons ensemble participer au *talk-show* le plus écouté de l'heure, *Appelez-moi Lise*, animé par Lise Payette. J'ai plusieurs fois été invitée à cette émission et j'ai pris soin de répéter aux recherchistes que mon père possède des films 8 mm, tournés en Abitibi dans les années 1930 et qui montrent les célèbres comédiens et chanteurs Olivier Guimond, Jeanne-d'Arc Charlebois, La Bolduc, Paul Desmarteaux, Ti-Zoune père et Efie Max lors de leurs tournées théâtrales. Je m'attends que papa refuse ma proposition, mais non, au contraire, la perspective de se retrouver à l'émission la plus *hot* en ville l'enchante. Il n'éprouve aucune appréhension. Le jour de l'enregistrement, il se présente au studio vêtu d'un costume que je viens de lui acheter, décontracté, fier comme d'Artagnan. Pendant la répétition, il s'incline et fait un baisemain à Mᵐᵉ Payette; en quelques secondes, il met tout le monde dans sa poche. Un vrai pro au charme irrésistible! Moi, j'ai un trac fou. Comment va-t-il réagir quand les caméras s'allumeront et que le silence s'emparera du plateau? J'ai souvent vu des invités éprouver une telle peur qu'ils en sont devenus paralysés. Papa perdra-t-il sa belle aisance? Dans la salle, mon frère, ma sœur et maman se posent la même question.

Mais papa se montre magnifique. Lise Payette sait le mettre en valeur. Tous deux s'amusent et l'entrevue est passionnante. Seule note discordante: moi qui, à côté de papa, pâle comme une morte, remue les lèvres, répétant chaque syllabe qu'il prononce. On dirait une chèvre qui broute. Parfois je dis des insignifiances, mais la plupart du temps je laisse toute la place à papa. La calèche de la gloire dans laquelle je rêvais de le faire monter était cette fois-ci attelée à des chevaux qui avaient le mors aux dents, que je ne contrôlais plus. Mais le bonheur de papa était total. Il triomphait, seul dans la lumière. Il était enfin «quelqu'un», une personnalité. Cet homme timoré, incapable d'assumer ses rêves, malade et sans le sou, tirera de cette expérience une fierté qui illuminera les dernières années de sa vie.

À cette époque, c'est à l'Hôtel-Dieu que je passe la plupart de mon temps. Papa et moi attendons de longues heures, dans une salle minuscule et enfumée, pour qu'il subisse ses biopsies. Parfois je l'amène d'urgence à l'hôpital en pleine nuit. Les salles sont encombrées. Je me débats pour lui obtenir une chambre privée dans laquelle nous nous installons avec armes et bagages: petit téléviseur couleur que je viens d'acheter, radiocassette, valise hâtivement bouclée, pyjama et chaussettes de rechange, pantoufles, rasoir électrique, brosse et dentifrice, image racornie de saint Jude, patron des causes désespérées, et un chapelet que j'accroche à un coin du miroir. Dans un fauteuil, j'étudie, mémorise mes textes, ou veille sur papa. Je ne lui lâche pas la main. Je lui masse le ventre pour apaiser ces maudits polypes. «Lâche pas, papa, tu vas voir, on va les avoir!» J'ai la conviction que si je ne reste pas auprès de lui, le pire se produira.

Je deviens évidemment indispensable à mes parents. Quand papa est malade, c'est à moi que maman téléphone en pleine nuit, en proie au désespoir: «Viens chercher ton père, il est en train de mourir!» Et j'accours. Je veille à tout. Parfois, épuisée, il m'arrive de protester, de suggérer à maman d'appeler plutôt Jean-Louis ou

Marie-Josée. Mais maman a le dernier mot: «Tu n'y penses pas! Ils sont mariés, ils ont des enfants et ils travaillent, *eux.*» Pour mes parents, faire le métier d'actrice, ce n'est pas travailler. Non plus qu'un conjoint de fait peut tenir lieu de mari. Et les enfants que j'ai perdus ne sont pas des enfants.

Je termine la dernière année de *Mont-Joye* sur les genoux, tenant le coup grâce à l'alcool et à la cocaïne. J'avais découvert les vertus de la coke lors d'une soirée chez un producteur de disques en compagnie des membres d'un groupe rock à la mode. Une sorte de voyage initiatique. Sous l'empire de la coke, j'arrivais à vaincre ma timidité déguisée en crânerie et qui me faisait dire des sottises. Je redevenais une adolescente de seize ans, insouciante, prête à conquérir le monde. Je m'approvisionnais chez un revendeur qui tenait une boutique d'artisanat indien. Je lui achetais des vêtements et il passait le tout sur ma carte de crédit. Génial! J'utilisais la cocaïne comme un médicament, c'est-à-dire trois ou quatre fois par jour, pour tenir la forme. Puis je partageais le reste avec mes co-pains. J'étais de l'ancienne école. J'avais toujours partagé mon alcool et mes drogues, il me paraissait normal de continuer. J'y ai laissé une petite fortune.

Comment se fait-il que je ne sois pas devenue cocaïnomane? Je ne peux l'expliquer. Par contre, je me souviens très bien de cet événement qui aurait pu tourner au tragique et qui m'a fait mettre fin définitivement à ma consommation de drogues hallucinogènes. Acide, mescaline, champignon magique.

À un party de fin de saison de *Mont-Joye* qui réunit toute l'équipe dans un restaurant de l'Est de la ville, nous en sommes au café quand une jeune comédienne tire de son sac à main un flacon de sirop contre la toux. Il contient de la mescaline en poudre, «de la bonne brune organique», spécifie la comédienne. La bouteille circule autour de la table. Certains refusent, mais moi j'en avale une cuillerée à soupe comble, que je fais passer avec une rasade de poire Williams. Une demi-heure s'écoule, les gens commencent à quitter le restaurant. À notre table, quelques-uns de mes camarades de travail commencent à ressentir les effets de la drogue. Ils sont ravis. Moi, je ne ressens rien. J'ai pourtant ingurgité l'équivalent de deux ou trois *caps* de mescaline. Ça me frustre. Je veux «triper», moi aussi. J'en redemande et en prends cette fois deux cuillerées, avec une autre poire.

Après? Tout est flou, chaotique. Fragments d'horreur. À trois heures du matin, je conduis une voiture dans laquelle deux ou trois autres personnes ont pris place. Nous filons sur le pont Jacques-Cartier en direction de la Rive-Sud pour reconduire quelqu'un. Soudain, parvenue sur le tablier du pont, je freine brusquement. «Pourquoi arrêtes-tu?» s'enquiert une voix pâteuse émergeant de la banquette arrière. Je réponds avec conviction: «Pour laisser passer le chevreuil.» Et j'immobilise la voiture assez longtemps pour permettre au chevreuil imaginaire de traverser la voie.

On m'a raconté, plus tard, qu'on s'était ensuite arrêtés dans un bar étrange où j'ai encore bu, mais je ne m'en souviens pas. Je me revois, cependant, au matin, convaincue d'être devenue folle. Devant un ami, je fais les cent pas sur la rive du petit lac de l'île des Sœurs, enserrant frénétiquement ma poitrine avec mes bras, comme une forcenée. «Ils ont attaché ma camisole de force trop serrée. S'il te plaît, desserre-la!» Je me revois aussi, à quatre pattes, lapant l'eau du lac comme un chien. J'ai soif et je tremble.

Un peu plus tard, je suis dans mon lit et je grelotte. Mon ami me frictionne, me serre contre lui, me parle doucement. Mais je n'arrive pas à redescendre. J'ai plané trop haut.

Je suis ensuite allée au spa de l'hôtel Estérel en compagnie de mon amie France. On a beau être aux petits soins avec moi, je suis mal dans ma peau. Quand on me fait un massage, je pleure, et si un traitement entrave le moindrement mes mouvements et m'immobilise, tel l'enveloppement de boue aux algues, je me mets à hurler.

Les soins me sont finalement bénéfiques. Au bout d'une semaine, je renais, je reviens sur terre. Promis, juré craché, plus jamais je ne retoucherai à ces saloperies. J'ai failli y laisser ma tête, on ne m'y reprendra plus. Je veux bien continuer à détruire mon corps, mais pas ma tête. Ma mémoire, c'est mon principal outil de travail et j'y tiens.

Dans ma famille, on considérait qu'on pouvait traiter son corps à coups de cravache mais qu'il fallait conserver sa tête. J'ai entendu papa me dire, alors qu'il luttait contre les effets de la morphine: «J'ai toute ma tête.» Pour me le prouver, il s'était mis à réciter sans se tromper tous les numéros de son répertoire téléphonique. Il était davantage préoccupé par ses facultés intellectuelles que par son corps qui pourrissait. Quant à maman, jamais elle ne s'est plainte de l'arthrite qui la pliait en deux car elle s'estimait chanceuse de conserver «toute sa tête». Elle en éprouvait une grande fierté. *Qui donc aurait pu m'apprendre, à moi, leur enfant, à respecter cette merveilleuse machine qu'est le corps humain?*

Mais voilà qu'au milieu de cet enfer, sans crier gare, un grand bonheur frappe à ma porte. Mon ami Jean Bissonnette me propose de jouer dans le film *Tout feu, tout femme* qu'il va réaliser. J'ai pour partenaire le fantaisiste et comédien Jean Lapointe. Le tournage de cette comédie s'avère des plus agréables, mais, surtout, je m'y fais un nouvel amoureux, François, un jeune technicien de dix-neuf ans. J'en ai alors trente.

Quand, dans un couple, la femme est la plus âgée, la différence d'âge est très mal vue par la société. Un vieux beau avec une jeune poulette, c'est bien. Le contraire choque. Notre couple dérangeait. Je ne pouvais m'empêcher de penser à certaines parties de chasse à l'orignal ou au chevreuil, du temps où j'étais mariée à Serge, au cours desquelles on permettait d'abattre les femelles, les vieilles, celles qui ne pouvaient plus procréer et qui accaparaient les mâles de leur désir stérile. J'étais encore en âge d'avoir des enfants mais je n'en désirais plus. J'imagine que dans l'inconscient collectif, je gaspillais moi aussi une jeune semence qui aurait dû être productive.

Qu'est-ce qui m'a jetée dans les bras de ce jeune homme? Sa beauté, certes, mais je crois que j'ai été davantage attirée par son énergie, son ambition et sa détermination. Il me renvoyait l'image de mes seize ans, quand j'étais convaincue que la vie m'appartenait et que je pouvais n'en tirer que le meilleur. Je croyais toujours en ces principes... mais pour les autres. Moi, je me comptais trop vieille. J'étais trop lasse. Mon corps n'était plus au service de la réalisation de mes rêves. Par contre, je considérais que François jouissait d'une santé morale et physique qui lui permettait de se lancer à la conquête de ses rêves. Et s'il voulait réussir, je me devais de lui apporter mon aide. J'avais enfin trouvé une mission, un but, un amoureux pour qui j'étais prête à décrocher la lune.

Il s'établit bientôt à Los Angeles, où il compte entreprendre une carrière de comédien. Non seulement je l'encourage, mais je paie le billet d'avion et une partie de son loyer. Pour qu'il accepte plus facilement ma participation financière, je prétexte vouloir faire moi aussi de longs séjours à Los Angeles. Mais je n'habiterai l'appartement que quinze jours.

François m'aimait-il? Je n'en sais rien. Je crois qu'il était séduit par ma démesure et par cette fausse confiance en moi que j'affichais. Je paraissais solide, inébranlable. Rien ne semblait pouvoir me résister. Je pouvais tout accomplir. Et puis j'avais du plaisir avec François. Je m'amusais, je prenais la vie plus légèrement. Je lui suis toujours restée fidèle.

Mon comptable, lui, s'inquiétant de mes folles dépenses, me répétait que ce n'était qu'un «kick». Un «kick»? Mais la vie n'était-elle pas un vaste «kick»? Une suite d'émotions fortes, dont l'intensité sert à combler un insupportable vide intérieur? J'ai récemment retrouvé dans un coffre en bois, parmi un amoncellement de photos, de lettres et de découpures de journaux, ce qui avait dû constituer l'ébauche d'une chanson.

J'ai flirté pour le kick
J'ai swingué pour le kick
N'importe quoi pour le kick
De vivre ma vie

J'ai droppé pour le kick
Flippé sur la musique
J'ai bummé pour le kick
Traîné autour des Amériques
J'ai fait freaker le monde
Sur mon chemin

J'ai vu de grosses bébites
Pour le kick d'aller plus loin
J'voulais pas être comme tout le monde

Pour moi, cette ébauche est très révélatrice de la philosophie, du mode de vie que j'avais adoptés.

Mais ce mode de vie n'était pas sans inquiéter certains membres de mon entourage. Mon amie Joëlle, surtout, celle qui tenait un salon d'esthétique. Chaque fois que je me rends à son institut pour des traitements, je sens que ma vie de patachon la fait frémir. Quand je la quitte, elle m'embrasse avec une lueur de panique dans les yeux: «Prends bien soin de toi.» Invariablement, je lui réponds que tout va bien, qu'il n'y a pas de problèmes. De fait, pour moi, il n'y avait pas de problèmes. La vie continuait sa course folle.

Je dois bientôt rejoindre mon amoureux à Los Angeles et je m'y prépare activement. Je m'astreins à un régime sévère et suis des cours intensifs d'anglais, à l'institut Berlitz. Je ne veux surtout pas faire honte à François devant ses amis. À Los Angeles, je me heurte cependant à une incontournable réalité. Je ne ressemble en rien aux sculpturales jeunes femmes qui gravitent autour de François et avec lesquelles tout jeune homme de vingt ans rêve de se promener sur la plage. Je me rends compte aussi qu'Andrée Boucher, à Los Angeles, c'est madame *Nobody*. Je ne suis rien. Dans cette ville où chaque rencontre doit rapporter, constituer un avancement dans une carrière cinématographique, je suis un membre inutile, du bois mort. Et je perds confiance en moi, je m'éteins. François ne reconnaît évidemment plus sa compagne d'autrefois, si forte et si amusante, et il m'accorde un peu moins d'importance.

Quelques mois plus tard, je vais de nouveau le rejoindre, mais cette fois en Arizona, où il travaille comme technicien pour le tournage du film de Sergio Leone *Un génie, deux cloches et un associé* dans lequel le chanteur Robert Charlebois tient un premier rôle. Je fais le voyage avec sa compagne, Mouffe, et le producteur Guy Latraverse. Périple mémorable. J'ignorais que voyager aux États-Unis sur des vols intérieurs tenait parfois de l'expédition de brousse ! On fait de courtes distances, puis il faut descendre, récupérer ses bagages, les enregistrer de nouveau et attendre un autre vol qui nous amène un peu plus loin, mais semble toujours nous éloigner davantage de notre destination. Un vieux coucou qui doit dater de la dernière guerre nous abandonne finalement dans un bled perdu. Un motel, rescapé de la ruée vers l'or, en plein milieu du désert. Vite, une douche ! Un filet d'eau rouillée sort de la tuyauterie. Nous n'osons pas nous asseoir sur les lits crasseux. On déménage. Un autre motel, lui aussi perdu dans le désert, avec quelques fleurs et de rares arbres agglutinés autour d'une piscine. Nous voilà rendus à destination.

Quand Charlebois et François reviennent de leurs journées de tournage, Mouffe et moi les reconnaissons à peine. Leur peau est tannée, couleur de brique, et ils sont couverts du sable rouge du désert qui les fait ressembler aux Indiens Navajos. Nous aussi, d'ailleurs, prenons une teinte rougeâtre. En ce mois de juillet, il fait quarante-cinq degrés à l'ombre. Mouffe et moi établissons nos quartiers près de la piscine, sous un arbre. Nous n'en bougerons qu'une seule fois, pour assister au tournage.

Le film est une coproduction italo-américano-franco-canadienne, et, comme dans chaque western spaghetti de Leone, les comédiens jouent dans leur langue d'origine : Terrence Hill en anglais, Charlebois en québécois et en anglais, puis Miou-Miou en français. La charmante jeune comédienne française interprète son texte en ne comprenant pas un traître mot de ce que dit Terrence Hill quand il lui donne la réplique. C'est un peu la tour de Babel. Peu importe, la version finale sera entièrement postsynchronisée.

Une fois le tournage terminé, Charlebois, Mouffe, François et moi nous rendons à Las Vegas. Cette ville est pour moi un véritable choc ! Nous habitons l'hôtel MGM, qui compte trois mille chambres et trois salles de spectacles, dont la plus petite a les dimensions de la salle Port-Royal de la Place des Arts. Il y a aussi, bien sûr, d'innombrables salles de jeux et un hall immense avec des milliers de machines à sous. À la réception, on nous remet un plan de l'hôtel pour que nous ne nous égarions pas. Le plus impressionnant, c'est une des trois piscines olympiques que nous avons baptisée «piscine des matelas». Des hommes d'affaires ventripotents voguent sur d'épais matelas pneumatiques, cigare au bec, hurlant parfois comme des phoques, pour dicter des ordres à leur secrétaire, vêtue d'un bikini affriolant, assise sur le bord de la piscine, les pieds dans l'eau, avec un bloc-notes ou une machine à écrire sur les genoux.

Ici, il n'existe pas de nuit, pas de jour. Il n'est pas rare de voir un joueur hypnotisé devant une table de black-jack, et de le retrouver au même endroit, dans la même position, douze heures plus tard. Las Vegas, c'est une autre planète.

À la fin de ce séjour, il me faut bien constater que le torchon brûle entre François et moi. François se détache lentement de moi. Il s'est fait des amis, des relations, et s'il veut réussir dans le milieu du cinéma, il doit se comporter en *killer*, comme il dit. Je lui en veux énormément et je lui fais des scènes terribles. Je me calme un peu en consommant du pot ignoble que nous avons rapporté de l'Arizona. Je téléphone bientôt à mon comptable: «Je n'ai plus un sou. Envoie-moi un billet, je veux rentrer. Si je reste ici, je vais crever.»

Ma relation avec François venait de se terminer.

28

À la fin de l'été, j'établis mes quartiers dans les Laurentides, au chalet de mon copain le producteur de films Pierre David. Je n'ose pas dire mon «ami», car Pierre n'a pas le temps de cultiver des amitiés. Il est trop préoccupé, c'est un bourreau de travail, obsédé par son ambition de compter un jour parmi les grands producteurs de Los Angeles. Je trouve la foi aveugle qui l'anime courageuse et touchante. Bien que le Québec d'alors soit réfractaire au star-système, il impose sa vision des choses. Ses premières de films se déroulent sous le signe de la démesure: limousines, vedettes, gyrophares d'auto-patrouille, sirènes hurlantes, spots balayant le ciel et le public massé à l'entrée du cinéma. C'est Hollywood-en-Québec. Les intellos trouvent ça «quétaine», mais Pierre n'en a cure, il se moque du qu'en-dira-t-on. Aujourd'hui, il a ses bureaux sur Sunset Boulevard, à Los Angeles. Quand, quelques années plus tard, j'ai repris ma vie en main, que j'ai voulu être «maître de mon destin», c'est sur lui que j'ai pris exemple. Il est la preuve vivante que si nous tendons nos énergies et notre détermination vers un rêve, il se matérialise.

Mais je n'en suis pas encore là. Pour l'instant, je suis sans travail. C'est à la demande de Pierre que j'ai trouvé cette maison où il compte recevoir les metteurs en scène, producteurs, vedettes québécoises ou étrangères avec qui il désire travailler. Il me demande ensuite d'agir comme hôtesse. L'attention est délicate puisque Pierre me permet ainsi d'habiter chez lui sans que je me sente son obligée. Je devrai m'occuper de l'approvisionnement du bar et de la bouffe. Mais comme il reçoit surtout au restaurant, je fréquente tous les restaurants gastronomiques des Laurentides. Je n'y mange pas, cependant, ayant entrepris un nouveau régime draconien à cinq cents calories. Je traîne partout avec moi des repas diététiques, que je fais réchauffer aux cuisines. Comme apéritif, je sirote un verre de Perrier. En guise d'entrée, je croque à petites bouchées une moitié de pomme. Pendant que les autres dégustent le plat principal, je grignote mes quelques grammes de poulet ou de poisson à l'étuvée et trois ou quatre feuilles de laitue. Comme dessert, je croque la deuxième moitié de ma pomme. Je me trouve héroïque. Je lis parfois dans les yeux des invités une certaine commisération. Le seul qui osera m'en parler sera le metteur en scène grec Costa Gavras, l'auteur des films *Z* et *L'Aveu*. Sa question me prend par surprise:

— Quel personnage aurez-vous à jouer prochainement pour vous imposer tous ces sacrifices?

— Aucun personnage, Costa. Je le fais pour moi. Je suis trop grosse.

J'ai les joues creuses, le décolleté de ma robe exhibe deux salières proéminentes et, dans mon dos, on pourrait compter mes vertèbres une à une. Costa n'insiste pas. On ne s'obstine pas avec les fous.

Cet été-là, je côtoierai les plus grands producteurs et metteurs en scène québécois et français, mais jamais je ne profiterai de l'occasion pour me faire valoir en tant que comédienne. Je reste discrète, presque effacée, m'en tenant à mon rôle d'hôtesse. Où est passée la femme qui voulait être dans la lumière et conquérir le monde?

À l'automne, après une autre chirurgie et une longue session de radiothérapie, papa est de nouveau en état de retourner au travail. Ce qui me laisse souffler un peu. Aussi, lorsque Pierre David me propose de l'accompagner à New York pour trois jours, j'accepte. Il a acheté les droits de diffusion d'une quinzaine de films

351

français que présentera Télé-Métropole. Il compte faire précéder ces films d'entrevues avec leur metteur en scène ou leur vedette principale. Le but du voyage est d'enregistrer trois entrevues de quinze minutes avec le cinéaste Claude Lelouch, de passage dans cette ville. L'animateur Réal Giguère, qui a été choisi pour faire les entrevues, doit nous y rejoindre.

Mais, au moment où nous terminons notre repas à l'hôtel Pierre, à New York, nous apprenons que Réal Giguère est immobilisé à Montréal par une violente tempête de neige. Je lance à la blague: « Si vous ne trouvez personne, je vais les faire, ces entrevues!» Je m'esclaffe, consciente de l'énormité que je viens de dire.

À cinq heures le lendemain matin, un coup de téléphone me tire brusquement de mon lit. C'est la secrétaire de Pierre David: «Réal ne peut pas être à New York. Tu vas interviewer Lelouch. Sois prête pour sept heures. Bonne chance.»

Je n'ai jusqu'à ce jour jamais interviewé personne. De plus, je n'ai vu aucun des films dont je dois m'entretenir avec Lelouch. Je n'ai pas de recherchiste, bien sûr, puisque tout le travail préparatoire a été fait à Montréal. Mais de quoi vais-je bien lui parler, à ce monsieur? Je claque des dents. Je me maquille en m'invectivant: «Idiote! Sans allure! Apprends à tourner ta langue sept fois avant de parler.»

Je me rends sur le plateau de tournage comme si l'on me menait dans la fosse aux lions! Mais quelles questions vais-je poser à Claude Lelouch? Et si je lui disais la vérité? Oui, c'est ça... il n'y a pas d'autres solutions. J'aborde donc Lelouch de cette bien curieuse façon: «Monsieur Lelouch, c'est la première fois que j'exerce le métier d'animatrice. Je n'ai pas vu les films dont vous faites la promotion et je n'ai aucune idée de leur sujet.»

La chance est avec moi. Lelouch trouve la situation plutôt cocasse et prend la responsabilité de l'entrevue. Le tout se boucle en quarante-cinq minutes. Lelouch se montre volubile et intéressant. Il ne tarit pas d'anecdotes sur le tournage de ses films. Je n'ai qu'à m'intéresser à ses propos. Il fait preuve d'une telle générosité

352

Son premier voyage à Paris
pour le tournage de
Minouche. Afin d'être
impeccable à son arrivée,
elle ne bougera pas de toute
la traversée!

Photo ; Gontran

1. Avec son coiffeur Pierre David devenu un ami, un frère. *Source : Échos-Vedettes*

2. Voyage à Londres pour le tournage d'une publicité. Ici, en compagnie du producteur. Elle reviendra souvent dans cette ville.

Un réalisateur français, Jean-Pierre Decourt, la découvre sur la couverture d'un magazine (3).
Lors de leur rencontre, il ne reconnaît plus en elle (4) son héroïne. Le lendemain, Andrée a beaucoup changé (5)... Elle sera choisie.

6. Nouveau départ pour Paris. Pour la gloire?...

2

Source : Radio-Canada 3

4

5

6

Source : Échos-Vedettes

2

1

Dans la télésérie *Schulmeïster,*
l'espion de l'empereur, Andrée
Boucher incarne le rôle vedette de
Suzel (4), la femme du héros
interprété par Jacques Fabbri (1,3).
Pendant ce tournage où elle
donnera la réplique, entre autres, à
Jean Piat (2), elle sillonnera
l'Alsace et plusieurs autres régions
de France. Une expérience
inoubliable.

Pendant quelques années, elle
alternera ses tournages en France
avec les enregistrements de *Mont-*
Joye à Radio-Canada.
5. Dans les bras de Jacques
Thisdale. *Photo : André Le Coz-*
Radio-Canada
6. De g. à dr.: Ovila Légaré,
Andrée Boucher, Jacques Thisdale,
Guy Provost, Denise Pelletier et
Bonfield Marcoux.
Photo : André Le Coz-Radio-Canada

3

4

5

6

Lors des enregistrements de la série *Let's Call the Whole Thing Orff* pour le réseau anglais de Radio-Canada, une nouvelle amitié, celle de France Castel (1), réconforte une Andrée Boucher déçue.
Source : *Échos-Vedettes*

Un autre ami, Pierre David, fera prendre à sa carrière un nouveau tournant: l'art de l'entrevue. C'est par un inattendu concours de circonstances qu'elle sera amenée à interviewer Michelle Morgan (2), Jean-Claude Brialy (3), ainsi que Catherine Deneuve, Simone Signoret et plusieurs autres monstres sacrés du cinéma français.
Source : *Échos-Vedettes*

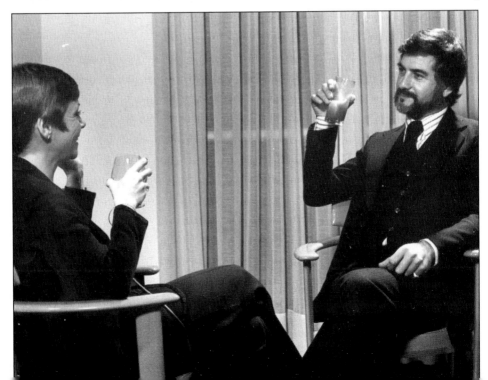

Au moment où elle jouait dans
Un tramway nommé désir à la
Compagnie Jean Duceppe, elle tourne
dans la comédie écrite par Gilles
Richer (à dr.) et réalisée par Jean
Bissonnette (à g.), *Tout feu, tout femme*.
Son partenaire est Jean Lapointe.
Source : Échos-Vedettes

qu'il réussit à me faire croire que j'ai autant de talent que la célèbre animatrice américaine Barbara Walters.

Aussi, quelques semaines plus tard, c'est sans me poser de questions que j'accepte de poursuivre l'expérience. À Paris, cette fois, où je mènerai des entrevues avec Simone Signoret, Yves Montand, Michèle Morgan, François Perrier, Annie Girardot, Nathalie Delon, Catherine Deneuve, Jacques Dutronc, et j'en oublie, dans les bureaux de Claude Lelouch. Je n'ai toujours pas de recherchiste, seulement une courte biographie de l'invité. J'ai toutefois visionné les films mettant en vedette ces monstres sacrés.

Quand elle entre dans le studio, Catherine Deneuve me fait l'effet d'une apparition. Une sorte d'hommage à la beauté. Pendant qu'on lui retire son vison, je me présente. Je précise que mon vrai métier est celui d'actrice, que celui d'animatrice est nouveau pour moi et... Je n'ai pas le temps de terminer, qu'elle est déjà assise: «On y va?» J'ai compris, elle n'a pas de temps à perdre. La seule raison pour laquelle ces stars sont ici, c'est qu'elles ne peuvent rien refuser à Lelouch, le cinéaste et producteur le plus influent de France. Je ne dois pas oublier non plus que Mme Deneuve a subi des milliers d'entrevues, d'innombrables questions, des plus pertinentes aux plus idiotes. Soyons simple.

«Madame, dans le film *Le Sauvage* que vous venez de tourner avec Yves Montand, l'action se passe sur une île déserte, en pleine mer. Toutes les femmes savent qu'il n'y a rien comme l'air salin pour poisser les cheveux et vous donner l'air d'un saule pleureur. Pourtant, dans ce film, vous êtes resplendissante et vos cheveux brillent sous le soleil. Quel est votre truc?» Ô miracle! elle sourit. La question l'amuse. Elle m'explique les difficultés du tournage, ses trucs, ceux du maquilleur, du coiffeur.

Pour l'entrevue, elle porte un pull en laine angora d'un rouge très vif. Son maquillage met l'accent sur ses yeux, pas de fard sur les joues et seulement un léger lustre sur les lèvres. Je lui demande, à la fin de l'entrevue, pourquoi son maquillage est si dépouillé. Elle m'explique que son attachée de presse s'est renseignée sur le type de pellicule couleur que nous utilisons pour le tournage. Comme elle contient beaucoup de rouge, si la maquilleuse avait utilisé du rouge sur le visage de Deneuve, celle-ci aurait ressemblé à un clown. Son pull rouge était suffisant pour illuminer sa peau. Les quinze minutes filent à une vitesse folle, l'entrevue est sympathique et se déroule sans prétention. Mme Deneuve est une grande professionnelle.

Puis me voilà face à Nathalie Delon, dont le divorce avec Alain vient d'être rendu public. Elle m'entretient presque exclusivement de leur fils, Anthony. C'est de la déification : cet enfant est parfait, il est toute sa vie, il lui appartient. Je ne peux m'empêcher de lui dire qu'un jour elle devra s'en séparer, qu'il va tomber amoureux et la quitter. Sa réponse tombe comme un couperet : « Jamais. »

Coupez ! Fin de l'entrevue.

Quant à Annie Girardot, simple comme elle seule sait l'être, elle se confie à moi comme si nous nous connaissions depuis toujours. Elle a ce talent de donner l'impression d'être la voisine d'à côté. Qu'aurait-elle dit si je lui avais raconté la gaffe que j'avais commise deux ans plus tôt en refusant d'être une « Girardot à bon marché » ?

Michèle Morgan est racée, raffinée, d'une beauté radieuse. Mais elle trahit une grande fébrilité car elle se trouve en plein déménagement ; c'est avec regret qu'elle se voit forcée de quitter le bel appartement de l'île Saint-Louis qu'elle occupe depuis vingt ans. Tant de souvenirs s'y rattachent, dit-elle. Une immense tristesse se lit sur son visage. J'aurais voulu avoir le pouvoir d'empêcher ce déménagement pour rendre leur éclat aux plus beaux yeux du cinéma français.

Avec Montand, l'entrevue se déroule facilement. Trop, peutêtre. Je connais tout de sa carrière aux États-Unis. Il m'est donc facile de mettre l'accent sur son talent. Aussi me suit-il allégrement sur le terrain de ses propres succès. À mon avis, l'entrevue était trop prévisible, elle n'apportait rien de neuf. Une groupie en adoration devant son idole.

Puis vient le tour de Simone Signoret. C'est toute une affaire que de devoir réunir le même jour, dans le même lieu, les monstres sacrés et anciens amants Montand-Signoret. Ils sont en brouille et les attachés de presse usent de tous les subterfuges pour que les limousines de monsieur et de madame ne se croisent pas.

Simone Signoret n'est pas au meilleur de sa forme. Bouffie, engoncée dans un manteau de drap noir qu'elle refuse de retirer, elle n'a qu'une seule hâte... repartir. Pour moi, Signoret représente l'Actrice, le talent suprême. Je lui voue une admiration sans bornes et je connais tous ses films. Costa Gavras, qui est un intime du couple, m'a pourtant prévenue: «Oui, elle est *la* grande actrice que tu aimes. Oui, c'est une femme hors du commun. Tu as raison de l'admirer. Mais sois vigilante et lucide, c'est aussi un être humain avec des défauts comme tout le monde.»

Je ne l'ai pas écouté et j'en ai payé le prix. Elle m'a cherchée, elle m'a trouvée. Pour des raisons que j'ignore, sitôt que nous sommes mises en présence l'une de l'autre, je sens que je lui porte sur les nerfs. Pendant l'entrevue, toutes mes questions tombent à plat et son sourire en coin de femme supérieurement intelligente semble me renvoyer à ma propre médiocrité. Que ces quinze minutes m'ont paru longues! Quand elle quitte le studio, je reste clouée à mon fauteuil, tremblant de tous mes membres. Je suis pétrie de honte. Je voudrais disparaître sous terre. Le directeur photo me console: je ne suis pas la première que Signoret épingle à son tableau de chasse; un célèbre journaliste américain a déjà dû s'envoyer cul sec deux dry martinis avant de l'interviewer tellement elle l'impressionnait. Mais rien ne me consolera de cet échec. Par manque de discernement, j'avais raté un rendez-vous important et je m'en voulais terriblement.

Les entrevues ont toutes été tournées dans les bureaux de Lelouch situés dans un splendide hôtel particulier de l'avenue Hoche. En plus des salles de visionnement, de montage et de conférence, des bureaux du personnel et de la direction, il y a *L'Entresol*, un bistro. La salle de visionnement contient une vingtaine de fauteuils en cuir, disposés en gradins. Les accoudoirs comportent des porte-verre, pour les apéros. Cela me rappelle qu'un jour, pendant un visionnement, j'ai eu la malencontreuse idée de commander un gin tonic. Au milieu de la projection, je ressens une incontrôlable envie d'uriner. Après m'être tortillée dans mon fauteuil, j'amorce discrètement un premier mouvement pour me lever. Une main se pose sur mon épaule et me rassoit. C'est Arlette Gordon, la directrice du casting des Productions 13, l'amie et bras droit de Lelouch. À ma troisième tentative, elle me murmure à l'oreille: «On ne se lève pas pendant un visionnement de M. Lelouch». J'ai quand même fini par sortir. Mais ç'a été très mal perçu.

Au Québec, les entrevues tournées à Paris connaissent un joli succès à la télévision, à la suite de quoi on me propose d'animer une émission. J'en suis presque offusquée. Il n'en est pas question, je suis une comédienne, pas une animatrice. J'ai encore la conviction que le métier d'actrice est le seul qui compte et que tenir un rôle d'animatrice équivaut à mettre une croix sur ma carrière. Quelques années plus tard, pourtant, je mènerai ces deux carrières simultanément. Pourquoi un refus si catégorique? Le métier d'animatrice n'avait rien de déshonorant et je me trouvais sans travail depuis la fin de *Mont-Joye*. Sans doute parce qu'un puissant instinct d'autodestruction me faisait saborder mes chances les unes après les autres.

Quand même, il y a toujours quelqu'un pour croire en moi et m'accorder une nouvelle chance. Cette fois, c'est le réalisateur Jean Bissonnette. C'est ainsi que je participe au spectacle de la fête nationale de la Saint-Jean, sur le mont Royal, le 23 juin 1975. Un moment historique qui a réuni plus de trois cent mille spectateurs.

Jean-Pierre Ferland constitue le centre du spectacle; il sera entouré de dix chanteuses qui interpréteront chacune deux chansons de son répertoire. On m'a confié *Les Journalistes* et *Simone*. Cette dernière est un rock pur et dur. J'ai beau avoir l'âme d'une rockeuse, il y a une marge entre «groover» sur la musique des autres et la chanter soi-même. Je suis morte de trac.

Les jours précédant le spectacle, nous répétons sur une immense scène dressée sur le bord du lac des Castors, au sommet du mont Royal. Des milliers de jeunes ont déjà investi les lieux et campent sur les rives; certains ont dressé leur tente, d'autres dorment dans des sacs de couchage à la belle étoile. Ça sent le pot à dix lieues à la ronde. Une bande a démonté la cabane qui abrite les canards et en a fait un radeau. Plus loin, sur un feu de camp, un canard rôtit sur la broche. Merde, ils font cuire les canards! Ce spectacle hallucinant n'est qu'un avant-goût de ce que sera cette soirée du 23 juin.

C'est sous un ciel étoilé que des centaines de réflecteurs s'allument. Les chanteuses prennent place sur scène dans un espace réservé aux choristes et Jean-Pierre démarre le spectacle. Je suis vêtue d'un costume d'inspiration Klondike et on a peint sur mon visage un loup de bal masqué. La foule s'étend à perte de vue. Une marée humaine qui tangue comme une vague. Trois cent mille personnes: au secours! Je veux rentrer chez moi! Et voilà qu'arrive mon tour. Avant d'attaquer la chanson *Les Journalistes*, une satire mordante de cette profession, je raconte une des premières fois où je me suis heurtée à la critique. Je chantais alors au *Quartier Latin*, une petite boîte de l'ouest de la ville. Une critique élogieuse était parue au sujet de mes camarades Clémence Desrochers et Normand Hudon, mais se terminait par une phrase lapidaire à mon endroit: «Il fallait une chanteuse au spectacle et il y en avait une.» Pourtant, ce soir-là, j'étais clouée au lit par une laryngite!

J'ai à peine terminé mon histoire que deux ou trois journalistes me huent tandis qu'un rire parcourt la foule. Ce rire m'encourage à poursuivre. Je me sens bientôt chez moi sur cette scène. Être portée par trois cent mille spectateurs, c'est un moment de bonheur intense. Je termine ma deuxième chanson, puis retourne parmi les chanteuses-choristes.

C'est alors que Ginette Reno entre sur scène. Après un exil de deux ans à Los Angeles, c'est sa première apparition au Québec. Sa peur et son incertitude sont palpables. Le public l'aimera-t-il encore? L'a-t-on oubliée? Dès qu'elle attaque les premières mesures de *Un peu plus haut, un peu plus loin*, on sent que ce moment sera unique dans les annales du show-business québécois. Elle se donne totalement. Elle ne chante pas, elle vit sur scène, elle est inspirée. Tout au long de la chanson, on sent qu'elle supplie, qu'elle crie sa peur de ne plus tenir une place dans le cœur des Québécois. Un silence de cathédrale s'établit. Puis un frisson parcourt la foule qui l'écoute religieusement, buvant chacune de ses paroles. Chaque fois qu'elle répète le vers «Mais tu ne m'entends pas», qui ressemble à une imploration lancée à la foule, celle-ci se soulève et répond en hurlant: «Ginette! Ginette!» C'est une véritable déclaration d'amour.

D'autres chanteuses suivront mais la foule les ignorera, continuant à scander le nom de Ginette Reno jusqu'à la fin du spectacle. Ginette Reno avait gagné. Non seulement le Québec l'aimait-il toujours, mais il faisait d'elle un mythe. Je m'estime privilégiée d'avoir été le témoin d'un pareil moment. Mais surtout, je me considère chanceuse d'avoir chanté... *avant* Ginette.

29

Dix-neuf mars 1976. Quand l'avion se pose sur la piste d'Atlanta, en Géorgie, où je viens tourner une publicité pour la pétrolière Texaco, ma vie affiche un triste bilan. Je ne crois plus ni à Dieu ni à diable, ma fille a seize ans et je ne sais même pas à quoi elle ressemble, ma carrière est au point mort et j'ai définitivement mis une croix sur l'amour. Papa accapare toutes mes énergies et toute mon affection; il n'y a plus de place pour rien ni personne d'autre.

Pourquoi venir tourner ici? Il est pratique courante d'enregistrer sous des cieux plus cléments que notre Québec nordique des pubs qu'on diffusera en été. Ici la température est idéale et le soir une douce brise nous apporte l'odeur des cerisiers en fleurs. J'ai quitté Montréal sous la neige... je me retrouve au paradis!

J'ai vite envie d'épingler à mon tableau de chasse un technicien américain, grand, brun, musclé, à l'accent chantant de la Louisiane. Une belle bête. Je me donne beaucoup de mal pour lui faire connaître mes intentions. J'organise un cinq à sept sous prétexte de recevoir toute la production. Mon Américain pige vite le message et nous faisons faux bond au groupe pour aller bambocher dans le centre-ville d'Atlanta: souper dans un restaurant mexicain, tournée de quelques boîtes, beaucoup d'alcool et quelques joints. Puis, vers une heure du matin, nous regagnons le motel où loge l'équipe.

Je descends de la camionnette et nous nous dirigeons vers ma chambre, nous tenant par la taille, quand, du parking, j'aperçois un jeune homme qui vient dans notre direction. C'est un comédien qui vient juste d'arriver, il ne tourne que le lendemain. Il me tend une main ferme: «Jean-Pierre Bélanger.»

Je m'entends répondre «Andrée Boucher», et le son de ma voix semble venir de très loin. Je ne me souviens pas de lui avoir présenté mon compagnon. Je reste figée sur place. Oserais-je dire foudroyée? En quelques secondes, je suis totalement dégrisée, incapable d'articuler un mot, tiraillée par des pensées contradictoires. Mon cœur me crie que c'est le coup de foudre, tandis que ma lucidité raisonneuse me crie le contraire. Moi qui ne suis pas sentimentale pour deux sous et qui tiens le romantisme pour mièvre, qui n'ai jusqu'alors jamais célébré la Saint-Valentin, trouvant la fête parfaitement kitsch, je vois un petit Cupidon portant carquois et flèches se balader dans ma tête. Un grand rire sarcastique me secoue intérieurement. Le coup de foudre, allons donc! C'est plutôt un sanglot qui me monte à la gorge lorsque je regarde Jean-Pierre. Tout mon être, corps et âme, est irrésistiblement attiré vers cet homme duquel se dégage une harmonie qui va bien au-delà de la beauté physique. Mon regard se noie dans le sien, qui semble contenir toute la sagesse du monde.

Comme chaque fois que je suis terriblement gênée et mal à l'aise, je ne peux réprimer une ânerie. Sur un ton d'adolescente prise en faute, je lui dis: «Excuse-moi, je pense que je suis un petit peu *stoned*.» Il me répond, plutôt froid, avec un sourire en coin: «Un *petit* peu *stoned*? On est *stoned* ou on ne l'est pas.»

Je me dis qu'il est plutôt du genre *straight* et je monte à ma chambre... seule. Où est passé l'Américain? Je n'en sais trop rien. Toute la nuit, je me répète inlassablement la même phrase, qui sert probablement de garde-fou à la passion qui m'aveugle déjà: «Maudit qu'il est *straight!*» Et j'essaie de ridiculiser au maximum ce fameux «on est *stoned* ou on ne l'est pas». Je n'ai rien à faire de cet homme qui m'a jugée! Qu'il aille au diable!

Le lendemain dès l'aube, je téléphone à mon comptable à Montréal: «Je suis amoureuse!» Il n'apprécie pas du tout mon appel. «C'est pour ça que tu me réveilles à cette heure! Pour me dire que tu as un *kick* sur quelqu'un!» Et il raccroche, en colère.

Je suis amoureuse. Tout mon être connaît cette vérité. Mais j'ai peur. Tomber en amour, c'est tout de même... *tomber*. Quand on tombe, on n'exerce plus aucun contrôle sur ce qui arrive. Et c'est ce que je redoute.

J'entrevois à peine Jean-Pierre de toute la journée. Le soir, alors que des amies mannequins et moi papotons comme des pies, elles me proposent de demander à Jean-Pierre de nous accompagner dans le quartier branché d'Atlanta, l'Underground. On nous a déconseillé d'y aller seules, ce n'est pas prudent. Je n'ai confié à personne mes sentiments pour Jean-Pierre, mais ça doit se voir comme un nez au milieu de la figure car c'est à moi qu'échoit la tâche de lui faire la proposition.

Je frappe donc à sa chambre. Dès qu'il ouvre, mon cœur s'affole. Je lui fais part de notre demande, spécifiant que l'on paiera les dépenses. Avec ce petit sourire en coin qui me fait rentrer six pieds sous terre, il me répond: «J'aime pas sortir en bande. Mais si tu veux y aller, je serais ravi de t'accompagner.» Et il referme la porte. Qu'est-ce que je vais dire aux filles? En voyant mon air à la fois piteux et réjoui, elles ne tardent pas à comprendre et me souhaitent une bonne soirée.

L'Underground, considéré comme le quartier à la mode, est une sorte de mail aménagé dans une gare souterraine désaffectée où se multiplient bars, clubs et restaurants branchés. C'est un univers sombre et un peu mystérieux. Des vapeurs serpentent entre les poutrelles d'acier, sur un ciment huileux et décati. Les bars sont pleins, il y règne une sorte de frénésie. Nous nous arrêtons pour danser à plusieurs endroits, où j'ingurgite chaque fois sans sourciller un horrible alcool appelé Purple Passion. C'est dégueulasse, mais c'est le centenaire d'Atlanta et les clients peuvent conserver les verres-souvenirs. J'en ai bientôt cinq ou six, que je tiens bien serrés dans mes bras. Je suis ridicule, je le sais, mais je m'en fous. Il faut que je conserve un objet, un souvenir de cette nuit folle. Je sais viscéralement qu'elle sera importante dans ma vie. Néanmoins, comme Jean-Pierre me le fera remarquer plus tard, «trois verres auraient suffi». Divers orchestres se relaient; nous dansons sur tous les rythmes et nos corps s'accordent comme s'ils se connaissaient depuis longtemps. C'est le printemps, il fait chaud. Je suis heureuse comme... comme je ne l'ai jamais été.

Après m'avoir raccompagnée jusqu'à la porte de ma chambre, Jean-Pierre retire de mes bras les verres que je tiens serrés comme un enfant étreint un nounours sur son cœur, et il les dépose par terre. Il m'embrasse. Tout mon corps se donne à ce baiser. Mais, inexplicablement, je refuse son invitation à passer la nuit avec lui. Ma réponse est d'une telle vulgarité que je m'étonne encore aujourd'hui d'avoir proféré une connerie semblable. Jean-Pierre en reste interdit, lui que rien, pourtant, ne semble démonter. «Excuse-moi, mais je suis trop fatiguée, j'aurais peur de m'endormir sur la *job*.» Il part vers sa chambre et je ramasse mes verres.

Étendue sur mon lit, j'éclate en sanglots. J'ai peur de faire l'amour avec cet homme parce que je l'aime. Il ne s'agit pas simplement de coucher avec lui, mais de faire l'amour avec lui. J'ai peur parce que, quand je me serai donnée à lui, je ne pourrai plus faire marche arrière. À quels excès cela me conduira-t-il? Je ne veux pas souffrir. J'arrive à me convaincre que de toute façon je ne le reverrai plus jamais, il prend l'avion pour Montréal le lendemain.

Au matin, je trouve, glissé sous ma porte, un petit mot de sa part: «Merci pour la belle soirée.»

Quand je rentre à l'île des Sœurs, une enveloppe m'attend, contenant un chèque qui couvre le total des dépenses de notre folle soirée dans l'Underground. J'avais tout payé tel que je le lui avais proposé, et voilà qu'il me rendait mon argent. C'était trop... il ne buvait même pas. Pas un mot, pas de numéro de téléphone, rien. Je lui ai déplu, c'est sûr. Stupide Andrée qui se donne à tout venant mais se refuse, telle une vierge effarouchée, à l'homme de sa vie! Car je sais que cet homme est celui que je n'espérais plus. Deux moitiés qui se cherchent dans l'infini... lorsque ces deux moitiés coïncident, c'est l'amour parfait. Je crois que c'est de Platon, le philosophe. Je viens vraisemblablement de trouver mon autre moitié. Mais je ne sais plus où elle se trouve. Il ne me vient même pas à l'idée de chercher son numéro de téléphone dans le bottin des artistes.

Deux jours plus tard, je répète à Radio-Canada un téléthéâtre: *Vendredi 16 h 45*. J'interprète une directrice d'agence de publicité et, lors d'une soirée, je dois danser avec un jeune homme. Nous répétons cette scène lorsque je découvre que le jeune homme en question est... Eh oui, c'est *lui*... c'est Jean-Pierre! Il me sourit, mon corps devient mou comme du chiffon, je crains de m'évanouir. Mais je sais que maintenant que je l'ai retrouvé je ne le laisserai plus repartir.

Les jours suivants, sans pudeur aucune, au risque de paraître parfaitement ridicule, je provoque des occasions pour être avec lui. Je prétends avoir reçu des invitations pour des pièces de théâtre, des concerts, dont un récital de Félix Leclerc au *Patriote*. Je lui propose de m'accompagner. J'ai évidemment payé les billets et demandé au producteur d'y estampiller la mention «billet de faveur». Jean-Pierre n'est pas dupe, le petit jeu n'est pas très subtil, mais il m'avouera plus tard qu'il avait été touché par ma conviction, ma foi, mon amour entier et aveugle. Toutefois, comme il me le fera remarquer: «Deux invitations auraient suffi, pas dix!»

Pendant les enregistrements du téléthéâtre, il m'emmène un jour dîner dans un restaurant de la Place Victoria, pour me présenter à son père dont le cabinet juridique occupe deux étages entiers de l'édifice. Je suis intimidée comme une jouvencelle qui passe le grand test d'aptitude devant son futur beau-père. Je parle peu et mange encore moins.

Depuis mon retour d'Atlanta, j'ai repris mon régime à cinq cents calories. Je fonds comme du beurre dans la poêle. Il le faut si je veux bientôt faire l'amour avec Jean-Pierre. Il a vingt-sept ans. J'en ai trente-sept. Il est beau et je me trouve moche. Pour lui plaire, je voudrais retrouver le corps de mes vingt ans, celui dont j'ai tant abusé. En prévision du moment où je me donnerai à lui, je tamise l'éclairage de mon appartement: châles sur les lampes, ampoules roses de faible intensité et, ici et là, des chandelles. J'essaie de prévoir l'imprévisible. Il ne faut pas qu'il voie ces fines cicatrices sous mes seins et sur mon ventre, ni les vergetures qui ont fait éclater ma peau.

Le soir en question, avant même qu'il me déshabille, je prends la peine de le prévenir: «Tu vas être déçu. Je ne suis pas belle.» Un vrai travail de sape pour le détourner, le décourager de moi, peut-être même pour le dégoûter. Une fois l'amour consommé, j'ajouterai: «Qu'est-ce qu'un beau gars comme toi fait avec une fille comme moi?» Pendant des années je lui répéterai: «Beau comme tu es, tu pourrais avoir les plus belles femmes dans ton lit.» Et je le regarderai en crânant, peut-être dans l'espoir qu'il approuve et me quitte. Mais j'obtiendrai toujours la même réponse: «Je suis avec toi parce que je t'aime.» J'étais tellement tordue, cependant, que je le croyais à peine. Il faudra qu'il me le répète inlassablement. «Mes mains te connaissent par cœur, m'avouera-t-il un jour. Je t'aime telle que tu es.» Tout doucement, je commencerai à laisser tomber mes barrières protectrices. Le long processus qui m'amènera à m'accepter telle que je suis est enclenché.

Au moment où j'écris ces lignes, je me trouve dans un chalet, sur les bords d'un grand lac du Nord. Cet après-midi, quand je m'y suis baignée, je n'ai pas craint son regard posé sur moi alors que j'étais nue, révélée tout entière par les rayons du soleil. Quand il a posé sur mes épaules mon peignoir de ratine, ce n'était pas pour me cacher à ses yeux, mais pour me réchauffer. Il aura fallu près de vingt ans avant que cet amour immense réussisse à me redonner l'estime de moi, corps et âme.

Pendant les premiers mois de notre union, cependant, l'harmonie, la sérénité et la paix sont rarement au rendez-vous. Il m'arrive de mettre sa patience à dure épreuve, de provoquer des scènes violentes, la plupart du temps pour des peccadilles. Il retire alors ses quelques vêtements du placard et retourne chez lui en me lançant: «T'es complètement folle!» Je le poursuis dans les corridors, je lance des objets: un cendrier, une assiette... Puis je reviens à l'appartement en me disant que c'est normal qu'il me quitte, que je ne mérite pas cet amour, qu'un jour il me quittera définitivement. Puis, l'un de nous téléphone, et c'est reparti jusqu'à la prochaine fois.

Je ne vivais que pour lui. Je réintégrais mes vieux schèmes. Il était «l'homme», celui qui me faisait l'honneur de m'associer à sa vie. À cette époque, j'étais sans travail et Jean-Pierre cumulait le métier de comédien et celui de directeur du bateau-théâtre *L'Escale*, à Saint-Marc-sur-Richelieu. Ses tâches lui accordent peu de loisirs. Quand il rentre à la maison, j'ai cuisiné des plats compliqués pour lui plaire; je l'attends, habillée pour séduire, maquillée, pomponnée, parfois occupée à recoudre un bouton sur une de ses chemises. «Laisse, me dit-il. Je suis capable de le faire.» Et c'est vrai. Il vit seul depuis un bon moment et sait très bien s'occuper de lui-même. Indépendant, il ne se sent pas le besoin d'être couvé, materné. Je suis obligée de me remettre en question. À quoi est-ce que je sers s'il ne veut pas de mon aide? Il touche à peine aux plats que j'ai concoctés, les trouvant trop riches, trop gras. Il n'a pas l'habitude de manger comme ça. Un estomac nerveux lui a fait prendre l'habitude de manger légèrement. Il est discipliné, accorde de l'importance à sa condition physique et mentale; il fait du jogging, marche longuement, pratique le ski, le vélo, la natation et n'a pas besoin qu'on le pousse à le faire. Pour moi, c'est un extraterrestre. De plus, il se met à cuisiner, une cuisine santé. J'en éprouve du chagrin, comme un enfant qu'on dépossède de son jouet préféré. Me voilà privée des seuls moyens que je connaissais pour retenir un homme. Je mets longtemps avant de comprendre qu'il ne veut pas d'une servante, mais d'une égale. Mais je ne sais pas encore comment on agit en égale.

Avant sa venue, j'étais libre, entourée d'amis, d'amants si j'en avais envie, je n'avais de comptes à rendre à personne, je gagnais honorablement ma vie. Bref, je vivais comme un homme. Mais, encore une fois, l'amour me rend bébête. Vivre dans l'ombre de l'homme aimé me suffit et ne pas lui déplaire devient mon but ultime.

Pourtant il n'en demande pas tant. Au contraire, cette sorte de soumission ou d'excès de sollicitude de ma part l'étonne et le dérange. S'il s'occupe de la vaisselle et que je le remercie, il répond: «Est-ce que je te remercie, moi, quand tu fais la vaisselle?» Il s'étonne aussi de mon manque d'initiative dans nos jeux érotiques. Si je lui dis que je ne sais pas ce qui lui plaît, il me répond: «Essaie, on verra bien! Je suis assez grand pour m'exprimer!»

Un jour que nous roulons dans sa magnifique Porsche noire, une voiture qui semble faire corps avec lui, je tends la main vers la radio d'une façon hésitante, comme si je craignais de le contrarier:

— Ça t'ennuie si je mets de la musique?

— Avant de me connaître, tu écoutais la radio en auto?

— Ben oui!

— Alors, continue.

Si je veux lire au lit, j'hésite, car je n'ose pas le laisser seul au salon. Va-t-il s'ennuyer? Partir, peut-être?

— Ça t'ennuie si je vais lire dans la chambre?

— Tu peux respirer sans m'en demander la permission, tu sais.

S'il y a une chose qui lui porte sur les nerfs, c'est que je passe mes journées à l'attendre. Je fais peu d'efforts pour me trouver du travail, toutes mes activités ayant pour unique but de lui plaire quand il rentrera. J'astique les planchers, concocte des plats, repasse ses vêtements, fréquente assidûment l'esthéticienne et la manucure. Il ne reconnaît plus la femme indépendante et volontaire qu'il a connue. Je suis une femme qui attend. Lui si actif, toujours en mouvement, il a du mal à accepter cet immobilisme moral et physique. «Bouge! Fais quelque chose! Du bénévolat, la Croix-Rouge... Mais arrête de m'attendre!»

De mon côté, je ne supporte pas qu'il soit triste. S'il devient le moindrement morose, je le harcèle de questions: «Qu'est-ce que tu as? Qu'est-ce que je t'ai fait? Est-ce que j'ai dit quelque chose qui t'a blessé?» Il me répond que je suis bien prétentieuse de me croire responsable de *toutes* ses joies et de *toutes* ses peines. «Tu sembles penser que tout vient par toi, pour toi, à cause de toi. Un couple, c'est deux personnes. Tu n'es pas responsable de chacune de mes émotions.»

Il a raison. Cette culpabilité millénaire qui empoisonne la vie des femmes et leur fait croire qu'elles sont responsables des moindres émotions de ceux qu'elles aiment était aussi ancrée en moi. Allons, Andrée, un peu de simplicité! Tu n'es pas le centre du monde, du couple. Laisse à l'autre ce qui lui appartient. J'ai mis des années à comprendre cette vérité. Je faisais mine de ne pas entendre les réflexions teintées de gros bon sens de Jean-Pierre, mais je les intériorisais, y réfléchissais. Elles me faisaient évoluer. Sans le savoir, il faisait mon éducation. Mais les changements ne s'opèrent pas facilement chez une fille bien enracinée dans ses vieux schèmes.

Un soir, nous regardons à la télévision une jeune comédienne qui anime avec brio une émission de variétés. Elle exécute tour à tour numéros de claquettes, chansons, sketchs désopilants. «Génial!» s'exclame Jean-Pierre. Évidemment, j'y vois tout de suite matière à compétition. Pourquoi celui que j'aime éprouve-t-il de l'admiration pour une autre que moi? De l'admiration, c'est de l'amour. Il en aime une autre plus que moi. Je ne suis donc plus rien pour lui. Il faut que je redevienne quelqu'un. Je rétorque que ce n'est rien du tout, que c'est facile, que j'ai fait tout ça, moi aussi, il y a quelques années. Il enchaîne simplement: «Eh bien, refais-le.» Je renchéris en lui énumérant fièrement les nombreux succès que j'ai connus au cours de ma carrière. Il pense sans doute au fait que je ne travaille plus et que je passe ma vie à l'attendre, car il ajoute: «Je ne peux tout de même pas vivre avec un *scrapbook*.»

C'est un choc, mais je n'en laisse rien voir. Dès le lendemain, cependant, j'entreprends la tournée des réalisateurs de Télé-Métropole et de Radio-Canada, à qui je débite le même laïus: «Je suis libre, je veux travailler, si vous avez quoi que ce soit pour moi, je serai heureuse de le faire.» C'est la première fois de ma carrière que j'ai à quémander du travail. Mon entreprise porte rapidement fruit; à partir de ce moment et pour les vingt prochaines années, la roue ne s'arrêtera plus de tourner. Je travaillerai sans relâche, au point que Jean-Pierre en arrivera à se plaindre de mes quinze heures de travail par jour, week-ends compris. Je lui ai évidemment rappelé qu'il l'avait voulu !

Combler les désirs des hommes de ma vie a toujours constitué pour moi une priorité, voire une nécessité. Je suis à l'affût de leurs moindres envies, une obsession qui peut parfois me jouer des tours. Un jour, Jean-Pierre s'exclame admirativement devant une voiture sport anglaise, une TR-6 ; j'en déduis tout de suite qu'il aimerait se la procurer ; même s'il possède déjà une voiture. Il me la faut donc, sur-le-champ, aujourd'hui même. Dès ce soir, devant ma porte. J'entreprends les démarches nécessaires mais me heurte à un mur. Impossible, me répète-t-on. Qu'à cela ne tienne ! Je fais des pieds et des mains, courant aux quatre coins de la ville pour trouver une compagnie qui veuille bien m'assurer. J'arrache le financement *in extremis* au directeur de ma banque. Même le concessionnaire consent à payer des heures supplémentaires à ses mécaniciens pour qu'ils puissent me livrer la voiture à temps. Et hop ! à l'heure dite, comme sur un coup de baguette magique, elle apparaît à ma porte, devant un Jean-Pierre médusé.

Je n'ai pas les moyens de couvrir cette folle dépense mais Jean-Pierre n'en sait encore rien, mon insouciance vis-à-vis de l'argent le portant à croire le contraire. Il découvrira vite le piteux état de mes finances et aura du mal à croire qu'il ne reste rien de tout l'argent que j'ai gagné au cours de ma carrière. « Où est-ce passé ? » me demande-t-il alors. Partout. Nulle part. Je suis incapable de fournir une explication cohérente. Je crois qu'il a un peu pitié de moi.

Notre couple connaît des brouilles de plus en plus fréquentes ; pour un oui ou pour un non, ça explose. Jean-Pierre reprend régulièrement ses vêtements dans le placard ; huit fois pendant notre seule première année de vie commune. Je pleure, je supplie. Il s'en va. La porte claque. Je dévale le corridor à sa poursuite, hurlant des insanités que tous nos voisins peuvent entendre. Ça doit être passionnant, un véritable téléroman. Je peux presque les entendre :

«Aujourd'hui elle lui a lancé le pot de fleurs; attendons demain, ce sera peut-être le couteau à viande.»

Je regrette de ne pas avoir fait payer tout ce beau monde pour le spectacle que nous leur offrions. Nous serions riches!

Je poursuis Jean-Pierre, toujours en hurlant, jusque dans la rue, en peignoir, courant à m'époumoner derrière sa voiture. Il revient. Parfois, il me confie qu'en me regardant dans le rétroviseur il s'est dit: «Je suis mieux de retourner, elle est capable de courir jusqu'au centre-ville.»

Pour moi, la passion n'a toujours été que déchirements suivis de retrouvailles. Mais qui me dira d'où me vient cette notion que passion doit être synonyme de souffrance?

Jean-Pierre m'engage pour jouer au théâtre d'été L'Escale dans une pièce de Marcel Dubé, Dites-le avec des fleurs. Je suis ravie parce que c'est la première fois que nous travaillons ensemble. Si nous avions été intelligents, ç'aurait aussi été la dernière, mais il en sera hélas autrement.

La plupart des gens du milieu artistique sont convaincus que je fais vivre Jean-Pierre, mais pour le moment c'est plutôt l'inverse. Notre couple fait jaser, et je m'en fous. Enfin, peut-être pas autant que je voudrais le laisser croire. Autour de moi, on considère que ma passion pour lui est exclusivement physique. Ça va faire! Je mets mon pied à terre. J'exige le respect.

Les représentations de Dites-le avec des fleurs ne se déroulent pas sans heurts. Une camarade de Conservatoire de Jean-Pierre fait aussi partie de la distribution et j'interprète mal l'amitié qu'ils éprouvent l'un pour l'autre. Peu sûre de moi, j'en arrive évidemment à imaginer le pire:

– Y'a quelque chose entre vous, hein! Dis-le! Dis-le!

– Oui, tente de m'expliquer Jean-Pierre. Quelque chose que tu ne peux pas comprendre. De l'amitié et de la tendresse.

Mais je ne le crois pas. Et je le talonne sans démordre, criant comme une mégère, jusqu'à ce que, excédé, il finisse par rompre notre relation. «Tu es complètement folle! C'est l'enfer avec toi!»

C'est terminé entre nous. Il ne veut plus me revoir. Je souffre comme une bête marquée au fer rouge. Harcelée par les remords, je ne cesse de m'accuser. Pourquoi ai-je agi de la sorte ? Mon Dieu, qu'est-ce que je viens de faire ? Il ne m'aime vraiment plus. Et voilà qu'à cause du travail, tous les jours je devrai le côtoyer. C'est une chose que je ne pourrai pas supporter. Je ne veux plus jouer.

Je me déclare donc malade. Je préviens le metteur en scène que je suis alitée à cause d'une infection aux reins, une néphrite ; j'en connais les symptômes, en ayant déjà subi plusieurs auparavant. Je sens que le metteur en scène ne me croit pas mais je ne peux tout de même pas lui avouer que je suis en train de crever à cause d'une peine d'amour. Il tente de me faire remplacer tandis que je me laisse couler dans la souffrance. Je suis en terrain connu. Ultimement, la souffrance est moins difficile à vivre que l'amour. Sur la souffrance, j'exerce un contrôle... sur l'amour, pas du tout. Mon choix est fait.

Quelques jours plus tard, par culpabilité ou par professionnalisme, je ne sais trop, je me déclare guérie et je reprends mon rôle. Jean-Pierre m'en garde rancune quelques semaines puis, comme il fallait s'y attendre, nous renouons notre idylle. C'est reparti... jusqu'à la prochaine fois.

Cette prochaine fois ne tarde évidemment pas à se présenter. Esclandre habituel dans les corridors – les voisins sont témoins de la suite de notre saga – puis la Porsche de Jean-Pierre décolle sur les chapeaux de roue. Pieds nus, vêtue de ma robe de chambre, je décide de le rattraper. Je me mets à courir sous une pluie diluvienne qui me fouette la figure. Je me coince un pied dans un nid-de-poule et m'affale de tout mon long au milieu de la rue. J'ai atrocement mal. Plus moyen de bouger ma jambe. Jean-Pierre, qui a vu la scène dans son rétroviseur, revient et me transporte à un hôpital du centre-ville. Entorse ou ligaments déchirés, je ne me souviens plus du diagnostic ; il était de toute façon inexact. Le médecin m'injecte de la cortisone pour endormir la douleur. À l'époque, c'est la drogue miracle, celle qu'on donne aux hockeyeurs pour qu'ils puissent finir un match malgré de graves blessures. *The show must go on!* Sauf qu'eux chaussent des patins tandis que moi, le soir même, au théâtre, je porte des souliers à talons hauts.

Malgré tout, je joue. Au fil des représentations, je vois ma cheville enfler, jusqu'à atteindre la grosseur d'un pamplemousse. Quand la douleur devient insupportable, on m'administre une autre injection. Combien d'injections ai-je reçues? Je ne les ai pas comptées. Quoi qu'il en soit, c'était trop. J'apprendrai plus tard que la cortisone est dangereuse, qu'elle s'infiltre dans les os et les fragilise, les érode tout doucement. Cette cheville blessée deviendra mon pire ennemi et sera au cœur de tous mes ennuis de santé futurs. Mais pour le moment, Jean-Pierre est de nouveau à mes côtés et j'en rends grâce au ciel. Le reste me paraît sans importance.

Le 1er octobre, nous fêtons ses vingt-huit ans. J'organise une surprise-partie qui réunit dix personnes, des membres de sa famille et quelques-uns de ses amis. La phobie de manquer de nourriture s'empare alors de moi. Je prépare douze douzaines de canapés, que j'entrepose chez ma voisine, dix douzaines de scampis, qui attendent chez le concierge, cinq pâtés et des saucissons entiers, cachés dans la laveuse à vaisselle, autant de fromages, sous le lit, et vingt baguettes de pain. J'ai encore peur d'en manquer alors j'ajoute à tout cela un chaudron de six litres rempli de moules marinière, que je dissimule sous l'évier, et un saint-honoré, tapi au fond d'un placard. Chacun des invités repartira avec une baguette sous le bras et assez de restes pour nourrir sa famille pendant quelques jours au moins!

Aujourd'hui, lorsque nous recevons, Jean-Pierre s'occupe des provisions pendant qu'en cachette je prépare un plat ou deux. Au cas où... C'est souvent un élément de discorde entre nous. «Bon, ça y est! s'exclame-t-il. La boulimie qui ressort!» Il paraît que ceux qui ont connu la pauvreté ont toujours peur de manquer de quelque chose.

Jean-Pierre va d'étonnement en étonnement en ce qui concerne mes largesses. Quand nous dînons au restaurant avec des amis, je me retrouve toujours avec l'addition, que j'acquitte. Jean-Pierre considère que c'est de l'abus. «As-tu peur qu'ils ne t'aiment pas? Tu achètes leur amour, finalement. Si tu perds des amis en refusant de payer, c'est que ce ne sont pas des amis.» Il compte mettre fin à cette habitude. Un soir, le serveur m'ayant tendu l'addition, Jean-Pierre s'en empare et me demande discrètement: «Est-ce que tu reçois pour l'anniversaire de quelqu'un?» Je lui fais signe que non. Il tire alors de sa poche un papier et un crayon pour diviser la note en parts égales. Je suis morte de honte. De quoi se mêle-il? Je lui dis qu'il n'a pas de panache, que c'est mesquin! «Panache, mon œil, rétorque-t-il. Quand tu seras à la rue, il te servira à quoi, ton panache?»

Non seulement avait-il raison mais, si je veux être honnête, je dois avouer que j'étais plutôt rassurée qu'il veille de cette façon sur moi. Qu'il défende mes intérêts. J'avais enfin trouvé le chevalier sans peur et sans reproche qui allait me protéger contre mes propres excès.

C'était aussi l'opinion de papa. Avant de les présenter l'un à l'autre, j'ai prévenu Jean-Pierre que j'entretenais avec mon père une relation privilégiée, presque exclusive, et que celui-ci n'avait aimé aucun de mes prétendants, à l'exception de Serge. J'appréhende le moment où se rencontreront les deux hommes de ma vie. Je suis allée jusqu'à avertir Jean-Pierre que, même s'il y avait incompatibilité de caractères entre eux, il n'avait pas le choix, il devait prendre la fille *et* le père. Jean-Pierre, lui, ne craint aucunement de rencontrer mon père; au contraire il s'en réjouit.

Dès leur première rencontre, ils se parlent comme s'ils se connaissaient depuis toujours. Jean-Pierre lui laisse comprendre qu'il respecte et respectera toujours la relation étroite qui nous unit, papa et moi. Papa en vient même à le remercier d'aimer sa fille si totalement. «Je sais qu'elle est en sécurité», lui confie-t-il, avant d'ajouter, les larmes aux yeux: «Grâce à toi, elle ne finira pas au carré Viger.»

Moi qui croyais être parvenue à convaincre papa que ma vie était sage! Il n'aurait sans doute pas pu dire de quelle façon je courais à ma perte, mais, avec son instinct très sûr, il le savait.

Notre vie commune, à Jean-Pierre et à moi, ressemble davantage à une balade sur des montagnes russes qu'à une lune de miel. Un jour c'est orageux, la mésentente la plus totale règne, chacun défendant farouchement son indépendance; le lendemain, c'est la complicité absolue.

Je me souviens d'une fois où nous avons rendu visite à Janine Sutto à un chalet qu'elle venait de louer à Pointe-du-Lac, alors qu'elle jouait au Théâtre des Marguerites. En chemin, une dispute éclate entre Jean-Pierre et moi. La tension et le ton montent. Lorsque nous parvenons chez Janine, j'ai atteint l'hystérie. À peine descendue de voiture, je me précipite vers la falaise qui surplombe le fleuve avec l'intention de m'y jeter. J'espère sans doute que Jean-Pierre me retiendra, qu'il hurlera de désespoir. Il doit être aussi excédé que moi, car il ne me retient pas. Je me dis que ça lui ferait probablement plaisir de se débarrasser du paquet de nerfs que je suis. Il n'en faut pas plus pour que je saute. Heureusement, il s'agissait d'une falaise de sable; je n'ai fait que rouler jusqu'en bas.

Jean-Pierre ne s'est pas porté à mon aide. Il s'est contenté de me regarder remonter la falaise avec un sourire moqueur. Il m'avouera s'être dit: «Non, mais, qu'est-ce qu'elle ne ferait pas pour attirer l'attention!» Je tenais mes yeux baissés tellement j'avais honte. Est-ce que j'avais vraiment voulu mourir? J'en doute. Mon cerveau s'était vraisemblablement déréglé. Je vivais dans une angoisse et un mal-être permanents, inexplicables, et c'était ma façon de crier au secours.

D'autre part, je connais aussi avec Jean-Pierre des moments de pure fantaisie. On prétend qu'un homme qui sait faire rire une femme possède la clef de son cœur. C'est plutôt vrai avec Jean-Pierre. Je ne sais jamais ce qu'il inventera pour m'amuser, pour alléger la situation, pour la dédramatiser. Lors de notre premier Noël, je viens de subir une opération à la cheville, séquelle de ma chute dans la rue, et je porte un plâtre qui gâche évidemment l'aspect de ma robe. Avant notre départ pour la messe de minuit, Jean-Pierre entreprend d'égayer un peu mon plâtre: il confectionne un nez, une langue et des oreilles, qu'il fixe dans le bas du plâtre, lui donnant l'aspect d'une tête de lapin. J'obtiens évidemment un certain succès quand je remonte l'allée centrale de la cathédrale Marie-Reine-du-Monde, la langue rouge ballottant de gauche à droite, les oreilles essuyant le plancher. Du coup, je ne sentais plus ma douleur.

Lorsque je rencontre sa famille pour la première fois, je suis tendue. Je sens tout de suite, malgré leur gentillesse, que je ne suis pas la belle-fille désirée. Je déçois. Il y a la différence d'âge, ma robe est trop décolletée, je suis trop bruyante, bref, je ne cadre pas avec le mode de vie de gens bien élevés. Et, comme chaque fois que je ne me sens pas désirée, j'en rajoute. Je monte encore le ton et multiplie les éclats de rire. Tant qu'à choquer, allons-y à fond. J'aime bien choquer. Jean-Pierre, lui, s'en fout. Ses lois, il les fait lui-même. Sa famille m'a finalement acceptée comme j'étais, comme un mal contre lequel on ne peut pas lutter. Avec le temps, se sont installés le respect, l'amour et la tendresse. Aujourd'hui, je les considère comme ma propre famille.

Jean-Pierre, qui est un skieur quasi professionnel, m'emmène à l'occasion faire du ski de fond dans des pistes difficiles, non balisées, dans les forêts des Laurentides. Les circuits sont très exigeants. Comme je n'ai à peu près jamais fait de ski de fond auparavant, Jean-Pierre s'inquiète pour moi: «C'est pas trop difficile?» Non, non, c'est facile... Je crâne, bien sûr, mais je tiens le coup. Et il me croit. Sauf qu'à ce rythme-là le cœur va bientôt me sortir de la poitrine. Mais je suis têtue, je veux absolument faire du sport avec lui. Me montrer à la hauteur. Prouver que moi aussi je suis en forme, que je ne suis pas vieille, que je ne suis pas celle qui n'arrive plus à suivre, celle qu'on laisse derrière. Et puis, je ne vais pas lui avouer que l'arthrite me tenaille les genoux et que ma cheville m'élance terriblement. Quand mes forces me trahissent, je le laisse s'éloigner et je me cache derrière un arbre pour sniffer un peu de cocaïne. Je bénéficie de très peu de temps, aussi je plonge une paille directement dans le sac pour aspirer plus rapidement mon élixir. J'ai besoin d'énergie parce que je suis un régime très strict pour expier mes excès des fêtes. C'est à peine s'il me fournit de quoi survivre. Surtout, soyons mince!

À ce rythme et avec ces privations insensées, à force de tirer sur mes nerfs à hue et à dia, ils ont fini par craquer. Notre couple connaît quelques scènes qui frisent la tragédie grecque et, un jour, Jean-Pierre fait ses valises pour de bon.

Je me réfugie chez des amies, les sœurs Charland. Ces quatre sœurs, issues d'une famille tricotée serrée, habitent un triplex rue Saint-Denis, au-dessus de l'appartement de leurs parents, qui sert aussi de cabinet de dentiste à l'une d'elles. C'est un monde en dehors du monde. Maris, enfants et petits-enfants constituent une véritable tribu. Elles m'accueillent comme une sœur. Elles s'évertuent à me consoler et m'encouragent à reconquérir Jean-Pierre. Elles échafaudent des plans. Chacune y va de sa suggestion. Il faut forcer le destin, me disent-elles.

Une idée folle finit par germer dans ma tête. Je marche sur mon amour-propre et téléphone à Dominique Michel, qui est alors la vedette de l'émission *Chère Isabelle*. Je lui explique la situation. N'y aurait-il pas, au cours des prochaines semaines, des rôles que nous pourrions interpréter, Jean-Pierre et moi? Dominique finit par trouver. Je ne sais pas comment elle a réussi, mais il y avait deux personnages en quête d'interprètes. On fixe la date et c'est moi qui annoncerai la nouvelle à Jean-Pierre.

À partir de ce moment, c'est un véritable branle-bas de combat. Les sœurs Charland me préparent pour le grand jour, fébrilement et en n'omettant aucun détail. Comme on prépare une jeune sorcière pour le sabbat. Elles me suggèrent coiffure et maquillage, me parfument, me prêtent des vêtements séduisants, chacune m'offrant ce qu'elle a de plus beau. Je ne mange plus, je bois des litres de café et j'éclate parfois en sanglots.

Le jour du sabbat arrive à grands pas. Le plus difficile reste cependant à faire, c'est-à-dire prévenir Jean-Pierre.

J'ai dû m'y reprendre à dix fois avant de trouver le courage de lui parler. Quand, finalement, je l'ai au bout du fil, j'adopte un ton enthousiaste:

— On va jouer ensemble! Tu parles d'un hasard! Magnifique, non? Deux émissions! Ça ne t'ennuie pas, j'espère? De toute façon, ça ne t'engage à rien.

— Non, bien sûr, fait-il pour toute réponse, puis il raccroche sèchement.

Il m'avouera plus tard s'être dit: «Un hasard! Quelle sangsue! Mais la sangsue a du panache et elle est intelligente. Et elle m'aime vraiment.»

Nous nous sommes donc retrouvés sur le plateau. Quand il m'aperçoit, mince comme un fil dans une magnifique robe tube en laine prêtée par les sœurs Charland, il s'exclame: «T'es bien maigre!»

Puis, une fois son boulot terminé, il a immédiatement quitté le plateau. Je suis terriblement déçue par ces retrouvailles ratées, mais l'espoir subsiste toujours en moi puisqu'il reste une autre émission à faire. Je suis comme une fourmi: on a beau la piétiner, elle bouge toujours.

La semaine suivante, nous jouons ensemble une scène de séduction qui ne nous laisse pas indifférents et qui semble raviver la flamme. Le soir, je lui téléphone pour lui dire que j'aimerais lui parler. «Viens», dit-il. Me voyait-il venir avec mes gros sabots?

J'accours! Je grimpe quatre à quatre les marches qui mènent à son appartement. J'enlève mon manteau et... ce qui devait arriver arriva, la passion se jette sur nous. Un désir si violent que Jean-Pierre déchire et m'arrache le petit justaucorps de satin prêté par les sœurs Charland. Encore aujourd'hui, je le conserve au fond d'un tiroir. Il est un constant rappel de mon déséquilibre. Attention, danger! Il ne faut pas jouer avec cet amour, il est unique et précieux.

Je me dis, à ce monent-là, qu'il faut que je me soigne. Je ne sais pas comment, mais l'idée commence à faire son chemin dans ma tête.

30

Jean-Pierre et moi allons bientôt vivre sous le même toit et j'en éprouve une peur irraisonnée. Depuis longtemps, j'ai pris goût à la liberté et j'ai développé des habitudes de vieille fille. En plus du fait que je n'ai jamais su imposer mes besoins aux hommes avec qui j'ai cohabité; je me suis toujours oubliée à leur profit.

Jean-Pierre trouve un appartement plus vaste dans l'immeuble voisin du mien et nous déménageons «à la mitaine» avec des chariots de supermarché. Je trouve le coût du loyer un peu élevé mais Jean-Pierre dit qu'on se privera sur autre chose. Vivre à deux doit constituer un «plus», pas un «moins». Il propose aussi que nous occupions des chambres séparées, la grande pour moi, la petite pour lui. Je tique un peu. Est-ce une façon de me rejeter? Prend-il déjà ses distances? Peut-être ne veut-il pas s'impliquer aussi totalement qu'il le prétend? Quand je lui demande pourquoi deux chambres, il me répond: «Parce qu'on a deux corps. Il faut à chacun son propre univers. Un endroit où il peut se retirer seul. Chaque couple doit s'inventer sa propre façon de vivre. Ce qui est bon pour les autres ne l'est pas nécessairement pour nous.» Il pressent que le quotidien peut tuer le désir et que la promiscuité peut vite devenir synonyme d'emprisonnement. Dormir dans la chambre de l'un ou de l'autre doit correspondre à un désir et non pas à une obligation.

Je décore donc ma chambre comme une bonbonnière tandis que Jean-Pierre opte pour le dépouillement; je trouve évidemment sa chambre monastique tandis qu'il trouve la mienne étouffante. Avec deux chambres, je peux, les soirs de grippe, refermer ma porte sur ma toux, mes éternuements, mes odeurs d'antiphlogistine et de baume de tigre, je peux suer et gémir tout mon soûl. C'est aussi une joie de pouvoir lire jusqu'aux petites heures sans crainte de déranger l'autre. Nous ne sommes pas des «condamnés de draps communs», comme l'a écrit l'auteure Françoise Dorin.

Nous faisons aussi salle de bains à part. Il y a tant d'occasions d'être en désaccord, évitons au moins les occasions de s'engueuler pour des stupidités, me suggère Jean-Pierre: parce que des serviettes mouillées traînent sur le plancher, qu'il y a des cheveux par terre ou des poils de barbe dans le lavabo.

Jean-Pierre se lance alors dans la décoration de ce qui devient mon premier vrai chez-moi depuis si longtemps. Un logis dont je n'ai pas honte, dont je tire même une grande fierté. Il utilise nos plus beaux meubles, puis jette ou vend les autres. Un magnifique bahut Louis XV campagnard constitue l'âme de l'appartement. Les posters de James Dean, de Marlon Brando ou aux thèmes psychédéliques sont remplacés par des toiles ou des reproductions de peintres célèbres. Ma peau de vache est remisée et fait place à un splendide tapis persan, doux comme de la soie, déniché dans un encan.

Parfois quand je suis seule, je m'assois et pendant des heures, comme une petite fille, je contemple le salon. Je n'arrive pas à croire que c'est chez moi. Je m'y sens en sécurité. Il ne manque rien. Il n'y a rien de brisé. Pas un meuble n'est dépareillé. C'est aussi la première fois depuis longtemps que je couche dans un vrai lit, pas sur un matelas posé à même le sol. Et moi qui ai toujours donné tout ce que je possédais, n'accordant aucune valeur aux objets, voilà que je ne veux plus rien donner. Je caresse les objets un à un. Comme ils sont beaux!.

Il ne nous reste plus qu'à essayer d'être heureux en cet endroit, à nous ajuster l'un à l'autre. Mais nous sommes deux êtres si différents. Dans le fond, l'amour est la seule chose que nous ayons en commun. J'ai peur de ne pas arriver à faire la différence entre concession et abdication. Qui me dira s'il faut absolument faire siens les chagrins et les angoisses de l'autre? Quand on est deux, a-t-on le droit de se réserver des moments de solitude? J'ai tout à apprendre.

Enfin... *nous* avons tout à apprendre

Cet homme prend ma vie en main, cet homme ne me veut que du bien, cet homme sait avec un instinct très sûr exploiter mes qualités et mes talents, mais attention! Danger! Cet homme est un tyran; non, disons plutôt un «despote éclairé». Il sait ce qu'il veut et où il va, tandis que moi je suis indécise et lente à agir. Quand nous avons une décision à prendre, il passe rapidement à l'attaque tandis que je m'empêtre dans des détails. Despote, soit! mais parce que ça fait mon affaire. Et éclairé parce que dès le début de notre relation il a une vision d'ensemble de ce que ma carrière et ma personne pourraient devenir avec un peu d'encouragement, beaucoup d'amour, une stabilité émotive et un peu de planification. Sous la rockeuse marginale qui parle et rit trop fort, il détecte la fragilité mais n'en abusera jamais. Je lui ai tout de suite paru comme un colosse aux pieds d'argile.

À l'occasion, toutefois, je le surnomme «Hitler». Comme ce jour où, sans m'en parler, il a vendu ma veste en poil de singe que j'aimais tant. «Franchement, Andrée, t'avais l'air de quoi là-dedans. Les coudes étaient usés à la corde.»

Il cherche un style vestimentaire qui conviendrait mieux à ma personnalité. C'est ainsi qu'il trouve à la boutique *Pur Hasard* des vêtements du designer Georges Lévesque qui respectent mon côté marginal sans être trop choquants. Il faut dire qu'en matière de vêtements mes choix et mes goûts ont toujours été particuliers. J'ai l'art d'assembler des vêtements et des accessoires qui ne vont pas ensemble. L'art de toujours ajouter quelque chose qui fait «trop».

Une fois, à Paris, j'avais été invitée à un défilé du couturier Courrèges, dans ses salons privés fréquentés par le jet-set. J'ai acheté l'ensemble numéro 10, une robe de cuir blanc avec bottillons et accessoires assortis, d'une élégance futuriste qui me donne l'air d'une infirmière interstellaire. Quelques mois plus tard, de retour à Paris, je suis de nouveau invitée à ce défilé prestigieux et, pour faire honneur au créateur, je décide de porter sa robe. Sauf que les bottillons blancs ont été remplacés par des sandales roses, des bas résille galbent mes jambes et je porte au cou un collier de pierres bleues fabriqué par les Navajos. Courrèges m'aperçoit dans cet accoutrement et cache difficilement son horreur. Mais, civilisé, il se contente de laisser tomber cette phrase sibylline: «J'avoue que je n'y aurais pas pensé.» Je ne suis pas idiote, cependant, je sais que ce n'est pas un compliment. Voyant mon inquiétude, il s'empresse d'ajouter: «Mais j'aime qu'on personnalise mes vêtements.» Je l'ai remercié du bout des lèvres tout en maudissant intérieurement le ciel de m'avoir fait naître avec le sens de la démesure.

Alors, le jour où Jean-Pierre entreprend de me trouver un style vestimentaire, je fais «ouf!» et je m'en suis souvent remise à lui par la suite. À l'occasion, il m'arrive toutefois de ruer dans les brancards.

«Je croyais que tu étais une fille superficielle! Tu as beaucoup changé.» C'est ainsi que m'accueille le célèbre metteur en scène Jean Gascon dès la première répétition du *Médecin volant* et du *Médecin malgré lui*, pour le Théâtre populaire du Québec. Gascon, avec qui je rêvais de travailler depuis mes débuts, a effectivement raison. J'ai changé, car normalement je l'aurais envoyé paître en le traitant de prétentieux. Mais son commentaire peut aussi s'appliquer à mon jeu de comédienne qui fait preuve d'une assurance inhabituelle. Je m'abandonne totalement au personnage, comme si je ne craignais plus de laisser voir la douceur et la tendresse que je porte en moi, comme si je ne craignais plus que les autres profitent de mon impudeur pour me jouer dans le cœur. La véritable raison de cette métamorphose, c'est que Jean-Pierre fait partie de la distribution, qu'il veille sur moi, ce qui me donne un sentiment de sécurité. «Ta vulnérabilité, c'est ce que tu as de plus beau, me convainc-t-il. Laisse-la voir. Si quelqu'un s'en prend à toi, j'en fais mon affaire.»

Cette tournée avec le Théâtre populaire du Québec nous emmène bientôt vers les coins les plus reculés de la province. Le spectacle est magnifiquement accueilli. Jean-Pierre et moi fêtons notre premier anniversaire de rencontre dans le Vieux-Québec. Peut-on rêver d'un lieu plus romantique ? Je suis en train de devenir romantique. Qui l'eût cru ? Un an déjà et cet amour continue toujours de grandir. La passion physique ne diminue pas non plus. Ah ! si les loges pouvaient parler ! Mais nous nous interrogeons parfois : une passion physique, ça dure combien de temps ? À un couple d'amis qui vivent ensemble depuis sept ans, nous demandons, étonnés : «Faites-vous encore l'amour ?» Pour nous, sept ans, c'est une éternité, l'équivalent de noces d'or. Je ne sais pas encore que le désir peut prendre différents visages. Je découvrirai plus tard que les deuils, le stress, la maladie, les mutilations physiques entraînent des changements physiques, émotifs et moraux qui ont pour conséquence de modifier notre perception de la sexualité. Le corps n'a pas toujours les mêmes besoins. Il change. Parfois, la tendresse prend le relais (je n'ai pas facilement accepté ce transfert ; j'en reparlerai). Puis, un jour, les corps s'accordent de nouveau. On ne désapprend pas à jouer du violon même si on en joue moins souvent.

Cette tournée nous fait parcourir trois mille kilomètres en trois semaines : le Bas-Saint-Laurent, la Gaspésie, la Côte-Nord, le Saguenay, le Lac-Saint-Jean, Charlevoix, les Cantons-de-l'Est, les Laurentides, Montréal, Québec, Gagnon, Fermont, Wabush... jusqu'au barrage La Grande-2 de la baie James. Nous sommes partout reçus comme des rois. On met pour nous les petits plats dans les grands, il n'y a rien de trop beau pour les saltimbanques que nous sommes. Cet accueil me touche et, pour ne pas décevoir ces gens qui me connaissent déjà par la télévision et qui attendent ma venue, je me lève à quatre heures trente tous les matins pour me coiffer et me maquiller. J'en fais une question de respect. Je n'oublie pas que mon métier est de vendre du rêve, que je ne suis qu'une illusionniste. Je n'arrive pas à me libérer de cette crainte de décevoir les gens, d'être un imposteur. Et puis, maman m'a appris qu'on s'habille toujours «propre» quand on va chez les gens.

Bien que cette tournée soit exténuante, elle comporte des moments délicieux. Tel ce repas joyeux et animé à Alma, chez les parents du comédien Michel Côté, de la pièce *Broue*. Ils font preuve de ce proverbial sens de l'hospitalité qui caractérise les gens du Lac-Saint-Jean. Sa mère nous a préparé un cipaille et son père a sorti son violon.

À Havre-Saint-Pierre, j'accepte l'invitation de pêcheurs et pars à l'aurore sur leur chalutier. Les filets ramènent des milliers de pétoncles et on m'offre d'y goûter. «Allez-y, madame Boucher. Cru, c'est délicieux.» Effectivement, merveille des merveilles, ils ont un petit goût d'amande. J'en ai avalé une trentaine, incapable de m'arrêter, quand un des pêcheurs, trop timide pour me le dire lui-même, va prévenir Jean-Pierre: «Elle va être malade. Des pétoncles crus, ça double de volume dans l'estomac.» Je n'ai pas été malade. Mais le soir, lorsque je veux enfiler mon costume d'époque, mon estomac contient l'équivalent du volume de soixante pétoncles. J'ai le profil d'un flamand rose qui aurait avalé un boulet de canon; plus moyen d'entrer dans le costume. On doit s'y mettre à plusieurs. Une camarade pousse sur mon ventre pendant qu'une autre s'évertue à tirer les lacets du corsage, poussant dans mon dos avec son genou. Tout au long de la pièce, mes répliques seront ponctuées de petits rots étouffés.

Nous terminons la tournée dans un tel état de fatigue que le regretté comédien Jean-Louis Paris, qui frôle la soixantaine, en perd son sérieux. Avec un air halluciné, il regarde défiler le paysage. Chaque fois qu'il aperçoit un animal, il l'imite, produisant les bêlements, grognements, hennissements, caquètements, miaulements et aboiements de circonstance. Il est temps que nous arrivions à Montréal.

Je suis toujours dépendante des substances chimiques, mais je ne me l'avoue pas. Pour moi, je n'ai aucun problème, sauf peut-être celui d'être excessive, perfectionniste et passionnée. Que des qualités, en somme! Mais ma dépendance ne s'arrête pas là. Je suis aussi dépendante de cet homme que j'aime. Pendant les soixante-cinq représentations au Théâtre de la Marjolaine, je préférerai conduire cent cinquante kilomètres tous les soirs plutôt que de dormir seule, loin de lui. Je suis hantée par la pensée qu'il pourrait me quitter définitivement pendant mon absence. Comme je joue en talons hauts, ma cheville enfle à vue d'œil, et j'ai du mal à appuyer sur l'accélérateur. Mais j'ai toujours traité mon corps sans ménagement, alors, une fois de plus!

Je reprends avec plaisir le chemin des studios pour participer au téléroman *À cause de mon oncle*, à Radio-Canada. J'aime la discipline que m'imposent les répétitions quotidiennes, l'obligation de me lever tôt, la fébrilité des jours d'enregistrement, les textes à mémoriser, dont il faut tirer toute la substance et les émotions. Ce téléroman durera deux ans. Ma camarade, la comédienne Monique Joly, qui ne comprend pas pourquoi je m'impose tant de souffrances, parviendra à me convaincre de ne plus chausser de talons hauts. L'écouter, c'est m'avouer pour la première fois que je joue à l'autruche, que j'ai atrocement mal et qu'il faudra tôt ou tard que je me prenne en main, que je m'occupe de moi.

Mais il est tellement plus facile de s'occuper des autres que de soi-même.

Au même moment, la mort rôde autour de papa. Son cancer progresse. Je sers de bouclier protecteur: «Va-t'en, la mort, on ne veut pas de toi ici!» Quand les forces de papa périclitent, je me montre forte. Je supervise et contrôle tout. Je ne veux pas le perdre. J'ai encore tant besoin de lui. Je refuse que le ciel me le reprenne. Je refuse que le temps soit venu pour lui de partir. Pour désamorcer la peur qui dévaste mon père, je pénètre jusque dans ses pensées les plus secrètes, les plus intimes. Je fais mienne sa douleur. Je n'envisage pas de continuer à vivre sans cet homme. Je n'ai de temps que pour lui et pour mon amoureux.

Mais mon travail et les soins qu'exige l'état de mon père m'épuisent. Je me remets de nouveau à consommer de la cocaïne, aspirant encore la poudre blanche directement dans le sachet avec une paille. Il y a longtemps que je ne me donne plus la peine de tirer des lignes sur un miroir. Pour arriver à dormir, je me procure des comprimés Halcion. Un médecin a eu pitié de moi et me les a prescrits. J'étais une manipulatrice de premier ordre; quand je voulais obtenir une prescription, personne ne résistait à mon baratin.

L'Halcion est la substance chimique dont j'aurai le plus de mal à me débarrasser; il faudra deux ou trois désintoxications. Au moment où j'écris ces lignes, le simple fait de parler de ce somnifère réveille en moi la sensation de bien-être qu'il me procurait. Mon cœur se desserrait, ma poitrine s'élargissait, l'angoisse faisait place à une grande paix intérieure. Mais l'Halcion déclenchait aussi chez moi une terrible boulimie, me rendant semblable à une bête. Mon estomac devenait un gouffre sans fond. Le matin, à la cuisine, Jean-Pierre trouvait les restes de mes collations gargantuesques de la nuit précédente. Les comptoirs étaient jonchés de sandwichs poulet-mayonnaise, de morceaux de tarte au sucre, de céréales, de toasts au beurre d'arachide. Je me souviens de m'être rendue dans une pizzeria une nuit, sous l'influence de l'Halcion, en robe de chambre, et d'avoir dévoré ma pizza dans la voiture, presque endormie. Comment suis-je rentrée à la maison? Je n'en sais rien. J'ai conduit, c'est sûr. Je revois Jean-Pierre qui, mort d'inquiétude, m'attend à la porte. Il n'a pas besoin de me demander d'où je viens, ma robe de chambre est maculée de sauce tomate et la boîte de la pizza traîne, vide, sur la banquette. Il m'a engueulée comme du poisson pourri, mais je n'étais plus en état de l'écouter. Je dormais.

Jamais Jean-Pierre ne m'a jugée, rien ne le scandalisait ni ne le démontait. Il veillait sur moi. Il me demandait seulement d'assumer mes actes. Si j'étais abîmée le lendemain, je devais vivre avec cette conséquence de mes gestes. Lors des représentations de *Old Orchard, connais pas* au théâtre du Chenal-du-Moine, où nous jouons tous les deux, nous nous retrouvons un soir dans un party, à Sorel. Cette ville est alors considérée comme le fief des Hells Angels et la porte d'entrée de la drogue au Québec. Il est aussi facile à l'époque de s'y procurer de la cocaïne qu'un litre de lait. Quand j'aperçois chez des copains une «roche de coke» pure, de la dimension d'une balle de tennis, je ne sais pas par quel bout l'attaquer mais je ne mets pas de temps à lui faire honneur. Jean-Pierre ne fume pas, ne boit pas et, bien sûr, ne touche pas à cette drogue. Ça ne l'intéresse pas. Son imagination féconde lui suffit pour fuir la réalité quand elle se fait morne et monotone. La drogue ne pourrait faire mieux. Comme Obélix, il est tombé dans la potion magique quand il était petit. Tout au long de la soirée, il sourit, ne semble pas s'ennuyer et surtout ne me fait pas la morale. Je suis une adulte. Quand nous revenons à la maison au petit matin, bien qu'on soit en plein mois de juillet, j'ai froid, je claque des dents. Il met un peu de chauffage dans la voiture et me laisse dormir jusqu'à la maison.

Comment a-t-il fait pour supporter tous mes excès? Qu'est-ce qui le retenait de ne pas désespérer? Qu'est-ce qui lui permettait de croire que j'allais un jour m'en sortir? Je n'en sais rien... ou plutôt oui, je le sais, et j'en remercie le ciel à deux genoux. Il m'aimait... d'un amour infini, plus fort que la mort et l'autodestruction. Et cet amour finira par gagner sur tout.

L'amour peut-il être excessif? L'amour est-il quantifiable? Sur quels critères se basent ces gens qui, me voyant veiller jour et nuit sur papa et entraîner mon amoureux dans cette aventure, se moquent de mon comportement en le qualifiant de complexe d'Œdipe? Comment leur expliquer que cet homme qui se meurt à petit feu me convient au point que s'il n'était pas mon père je le choisirais pour ami? Mais les gens de mon entourage ne cessent de me répéter: «Tu en fais trop. Tu vas tomber malade.» Oui, je suis malade. Et je dors peu, et seulement à l'aide de médicaments. Et je mange mal: n'importe quoi, n'importe où, n'importe quand. Mais mon père se meurt. Dans peu de temps, il ne sera plus là. Qui penserait à se ménager?

Papa, lui, ne mange plus. Personne ne s'en étonne. C'est normal, semble-t-on penser: il est vieux, malade... son temps est fait. Je découvre avec horreur ce que c'est que d'être vieux dans une société qui n'a de considération que pour la performance. Les vieux dérangent. Ils entravent la vie des autres. Parfois, je devine chez des gens cette idée que papa devrait avoir la décence de s'en aller sans faire de bruit au lieu de s'accrocher comme il le fait. De plus en plus, on le donne pour mort et tout le monde s'en montre soulagé. Mais tel un phénix, il renaît de ses cendres et il se bat. Et je me bats avec lui.

Beaucoup d'aliments lui sont interdits, ses intestins sont brûlés par les traitements de radiothérapie. Aussi dois-je faire preuve d'imagination pour le nourrir. Je transforme cette tâche qui lui est pénible en jeu. Je fais d'une cuiller remplie de nourriture un avion qui vole et qui doit se loger dans le hangar, c'est-à-dire sa bouche. Il participe en souriant à ce petit jeu enfantin. Allez, papa, une bouchée pour toi, une bouchée pour moi. Comme il faisait avec moi quand j'étais petite. Maintenant, les rôles sont inversés. C'est lui le petit enfant, l'être démuni, vulnérable, qui attend tout de moi. Je découvre peu à peu le petit garçon qui sommeille en papa, le petit garçon qu'il a dû être. Je suis devenue le parent de mes parents.

Je fais l'impossible pour qu'il conserve sa dignité. Je ne veux pas qu'on oublie que sous cette souffrance, sous cette enveloppe physique qui pourrit, se cache un être humain qui mérite le respect. Je ne laisse jamais aucun soignant le tutoyer ni s'adresser à lui comme à un débile. Il reste pour tous monsieur Boucher. Et dans ses rêves, il peut encore s'imaginer jeune, fort et beau. Quand j'arrive à son chevet, je suis coiffée, maquillée, vêtue de couleurs vives qu'il apprécie. Pas d'yeux bouffis ni de tête d'enterrement. Je lui répète inlassablement que la vie est belle et j'arrive à l'en convaincre. Moi aussi, d'ailleurs, je recommence à y croire. Car pendant que j'aide papa à entreprendre son ultime voyage, il s'opère en moi un changement important. Pour la première fois depuis le début de notre relation, je ne sens plus le besoin de demander à tout moment à Jean-Pierre s'il m'aime. Son attitude face aux événements parle d'elle-même. Il m'assiste dans ma tâche comme si papa était son propre père.

Je mets mes problèmes existentiels de côté, car la mort rôde, et la mort c'est un problème concret, réel. Je n'ai plus de temps

386

pour m'imaginer des tragédies, des conflits qui accapareraient ma tête et mes énergies.

C'est souvent auprès de gens atteints dans leur intégrité physique que j'ai trouvé le plus grand courage et une indestructible foi en la vie. Je revois, par exemple, ce jeune homme de vingt-deux ans qu'un accident de la route a laissé quadraplégique et qui discute avec un spécialiste du Centre de réadaptation Darlington de la possibilité d'avoir recours à l'insémination artificielle pour que sa femme et lui connaissent le bonheur d'élever un enfant. Je revois aussi cet autre jeune homme qui coanimait le téléthon de la Fondation Lucie-Bruneau. Un corps d'enfant privé de bras. Deux jambes atrophiées, mais dont les orteils avaient acquis une dextérité qui lui permettait d'être autonome. Retrouver l'usage de son corps dévasté accaparait tout son temps. Sa tête n'avait pas le temps d'imaginer le pire puisque le pire lui était déjà arrivé.

Il y a aussi cet ami très cher dont les vingt ans étaient tourmentés, qui avait tant de mal à s'accepter. Quand on lui a appris qu'il était sidéen, il s'est mis à vivre avec sérénité, malgré le terrible diagnostic. Il arrivait au bout du tunnel. Il ne pouvait rien lui arriver de pire... et une forme de paix prenait possession de lui.

Quel gaspillage que tout ce temps que nous perdons à nous fabriquer de faux problèmes, à nous tourmenter, à nous détruire, alors que notre temps de vie sur terre est si court. Qu'il y a tant de choses à accomplir.

La lente agonie de papa me fait davantage apprécier la vie. Quand il entend le chant des oiseaux, il sourit, heureux d'être encore vivant pour en profiter. Il me semble alors que j'entends ces oiseaux pour la première fois. Je découvre que l'existence peut être faite de petits riens qui apportent le bonheur. Qu'il n'y a pas que la démesure sur terre. Qu'il pleuve, qu'il vente, qu'il neige ou qu'un soleil éblouissant inonde la chambre m'importe peu; le jour se lève et c'est un jour de plus que je vivrai avec lui.

Une nuit où il émerge péniblement d'une longue anesthésie et où je me suis couchée en cuiller dans son dos pour le réchauffer et apaiser ses tremblements nerveux, il murmure: «Profites-en bien, ma grande, ça passe si vite.» J'ai eu l'impression de recevoir un héritage moral. Comme si papa m'autorisait à maintenant profiter de la vie. Comme si je naissais une seconde fois. Il sera cependant long, le chemin à parcourir avant que je sache «profiter de la vie», car papa ne m'a malheureusement pas légué le mode d'emploi. Ce sera à moi de chercher la voie de la connaissance.

Une nuit, vers la fin, alors que la morphine a pour effet d'accroître sa lucidité au lieu de l'abrutir, il s'interrompt au milieu d'une phrase pour me dire, d'un air coquin, comme si c'était une blague: «Ma grande, fais attention à ce que tu désires, ça risque de se réaliser.» Où avait-il été chercher cette connaissance de la matérialisation de la pensée dans le bien comme dans le mal? Je n'avais jamais rien lu sur le sujet, lui non plus, j'en suis sûre. Mais cette phrase se gravera d'une façon indélébile dans ma tête jusqu'à ce que j'en découvre le véritable sens.

Pour l'instant, ma vie est rythmée par les hauts et les bas de la santé de papa. Mon cœur bat au rythme du sien et je n'ai souvent que des miettes à offrir à Jean-Pierre. Je me sens coupable mais Jean-Pierre me rassure: «Jamais plus tu ne revivras un moment semblable. Vis-le à fond. Je suis là. Je t'aime.»

Il est toujours là. Il a tout pris en vrac... la fille et les parents. Il ne se plaint jamais du surcroît de travail que ça lui occasionne. Debout en même temps que moi, souvent en pleine nuit, quand maman téléphone pour faire transporter d'urgence papa à l'hôpital. Il attend avec moi le diagnostic qui tombe comme un couperet: opération! Et pendant que je veille papa dans la chambrette de l'urgence où le personnel si efficace de l'Hôtel-Dieu nous a ménagé un peu d'intimité, Jean-Pierre retourne au logement de mes parents chercher les effets personnels de cet homme qu'il aime. Je le vois parfois, à quatre pattes sur le plancher de la salle de bain, nettoyer ce que deux vieillards n'ont plus la force de nettoyer. Il emmène maman faire ses courses, l'aide à descendre et monter le long escalier, ne s'impatiente jamais du temps qu'elle met à le faire.

Maman se déplace difficilement, son arthrite la fait terriblement souffrir. Moi, j'ai du mal à m'occuper d'elle efficacement. Elle me renvoie l'image de ce que je deviendrai physiquement en vieillissant et ça m'affole. Elle me répète continuellement cette phrase, qui s'incruste dans mon cerveau: «Tu me ressembles tellement.» Je plonge alors mes mains dans mes poches pour cacher mes doigts déformés et je monte l'escalier en courant malgré mes douleurs aux genoux et à la cheville, pour lui prouver que je ne lui ressemble en rien. Je la fuis, j'en ai peur et... parfois je la hais profondément. Tout ce que je fais pour elle est dicté par le sens du devoir, jamais par l'amour. Elle semble se résorber davantage de jour en jour, voûtée, presque recroquevillée, comme si elle cherchait à disparaître pour ne pas faire d'ombre à papa. Pour ne pas prendre de place. Je connaissais si peu ma mère. Pour le moment, papa réclame toute notre attention et nous la lui accordons. C'est un être égocentrique mais pas égoïste. Il peut donner sa chemise mais, en retour, il a besoin de se sentir le centre de toutes les préoccupations.

Jean-Pierre fait preuve d'une patience infinie avec Gaston. Sans jamais se lasser, il l'écoute raconter ses histoires de pensionnat, de drave et de bûcherons. Quand je lui demande s'il n'en a pas assez d'entendre les mêmes histoires, il me répond que mon père est un excellent conteur et que chaque fois il ajoute des éléments nouveaux à ses récits. Il sait que papa a besoin de briller, d'avoir un public, et que pendant ce temps il oublie sa souffrance et ses angoisses. Maman (qui a pourtant la dent dure et le compliment rare) dit de Jean-Pierre qu'il est «dépareillé», c'est-à-dire qu'il n'y en a pas deux comme lui. Il consacrera près de cinq ans de sa vie à veiller sur ce vieil homme qui s'abreuve à sa jeunesse. Je demande souvent à Jean-Pierre s'il n'est pas exaspéré et il me répond: «Non. Il faut bien que quelqu'un le fasse. Alors... faisons-le bien.»

J'avais rêvé du grand amour, d'un être exceptionnel à aimer, à respecter; la vie exauçait mes désirs au-delà de toutes mes espérances.

Mais à ce rythme, Jean-Pierre et moi nous retrouvons un jour exténués, dépassés par les événements. Papa a été opéré de nouveau, il se porte mieux, mais il téléphone jour et nuit pour nous dire qu'il va mourir. Jean-Pierre n'en peut plus, il ressent un urgent besoin de prendre de courtes vacances. Nous jouons tous les deux dans des téléromans, mais il y a relâche pour le temps des fêtes; ce serait le moment idéal. Je suis réticente à partir, convaincue que mon père va mourir pendant mon absence. Jean-Pierre me rappelle que les médecins ont affirmé que son état n'inspirait pas de crainte. Il me rappelle aussi que si nous ne partons pas, ce n'est pas mon père qui va mourir, mais nous. Il faut soigner notre équilibre mental. J'hésite encore quand Jean-Pierre me téléphone d'une agence de voyage: «Il reste deux billets pour le Club Med à Assinie, en Côte-d'Ivoire. Départ le 24 décembre. Est-ce que tu viens?» Je suis incapable de répondre. Il ajoute: «Je respecte ta décision. Moi, je suis crevé, je pars de toute façon.» Finalement, je me décide à l'accompagner.

Quand je quitte papa, il est en larmes. Il me laisse croire que je l'abandonne, qu'il a désormais perdu sa place dans le cœur de sa fille. Son état empire; on doit le remonter aux soins intensifs. Même si l'infirmière me prévient que papa excerce sur moi un chantage émotif et qu'il pourra bientôt regagner sa chambre, dans l'avion je suis rongée de remords. Tout au long des quinze heures de vol, je me sens écartelée entre deux amours, celui qui s'achève, avec papa, et celui qui commence, avec Jean-Pierre. Le supplice de la roue. Sur mon siège, j'ose à peine bouger. Une hémorragie me vide de mon sang. Mon corps me punit parce que je suis partie *quand même*. Encore un abandon.

31

L'Afrique, c'est d'abord une odeur. Une odeur qui vous saisit dès votre descente d'avion. Ce que la terre devait sentir il y a des centaines d'années, sans impuretés, sans produits chimiques; la terre simplement chargée des mille parfums de la vie. Première constatation aussi, en regardant les Africains déplier leurs longs corps musclés et gracieux sur la plage: les Occidentaux sont, physiquement, dégénérés. Moi la première. Heureusement, la mer et le soleil ont toujours agi sur moi comme des guérisseurs de l'âme et du corps, et mon séjour m'apporte un regain de santé et d'énergie. Jean-Pierre et moi faisons de longues promenades, nus, sur la plage, cachant nos sexes avec nos petits chapeaux de paille quand nous croisons quelqu'un. Le soir, nous écoutons des concerts de musique classique sous la voûte étoilée. Nous ramenons d'une expédition dans la brousse chez les Sénoufos une magnifique statue de bois représentant la fertilité. Depuis, cette statue orne le hall d'entrée de notre appartement.

L'énergie nouvelle que m'a insufflée ce voyage, papa est le premier à en profiter. L'infirmière-chef avait vu juste: dix jours après notre départ, il retournait à la maison. Quand je retrouve papa, je ne lui rappelle pas le chantage émotif qu'il a exercé sur moi, je comprends qu'il résultait d'une grande insécurité. J'avais sans doute pris trop de place dans sa vie, trop d'importance, et mon départ avait représenté un vide insupportable. À ce moment-là, je n'avais pas encore connu la grande solitude du patient hospitalisé, mais je la ressentais viscéralement. Désormais, mon seul credo sera: traite les autres comme tu voudrais être traitée. Je suis là, papa, je ne repartirai plus.

Faux serment, puisqu'il m'arrivera de repartir pour refaire le plein. Je repartirai avec ce compagnon que j'aime et qui, lui, sait avec un instinct très sûr que cette maladie peut être très longue et qu'il faut nous ménager des trêves si nous voulons avoir la force de continuer nos tâches jusqu'à la fin. Mais à ce moment de ma vie, se ménager reste pour moi synonyme d'égoïsme et de petitesse. Quand je m'autorise à prendre des vacances, je me dis que c'est pour nous donner, à Jean-Pierre et à moi, une chance de nous retrouver. Jamais que c'est pour refaire mes forces. Je me sentirais trop coupable.

Papa est alors saisi d'un projet, d'un désir, d'un rêve immense, qui implique aussi tout son entourage. Il veut déménager. Il a découpé dans un journal une publicité annonçant la construction de tours d'habitation pour personnes âgées près de la rivière des Prairies. Le futur complexe comprendra une clinique médicale, un dépanneur, une banque et un coiffeur. Mes parents rêvent depuis toujours d'habiter «dans du neuf» comme ils disent. Ma seule appréhension: pour le moment, le complexe d'habitation se résume à un seul immeuble planté sur le bord de la rivière, en plein milieu de nulle part. Il n'y a pas de vie de quartier. Papa et maman ne vont-ils pas s'ennuyer? Je suggère de visiter d'autres endroits avant d'arrêter un choix. Mais papa a déjà pris sa décision.

Ma mère doit donc «refaire ses boîtes», pour la dernière fois espère-t-elle. Enfin, c'est ma sœur et moi qui faisons lesdites boîtes pendant que les hommes luttent avec le divan-lit qui pèse une tonne et qui n'entre nulle part. Nous grattons, astiquons, récurons. Avec les années, maman a atteint un tel degré de lassitude que, de déménagement en déménagement, on a vu progressivement disparaître la plupart des objets qui constituaient son «ménage». «Maman, où est passé ton beau service de vaisselle en verre carnaval? Et les tasses à thé que tu avais peintes au couvent?» Ma mère se contente de hausser les épaules. Mais nous savons tous qu'elle a préféré les jeter à la poubelle plutôt que d'avoir à les emballer de nouveau.

Maman est-elle contente de déménager? Personne ne lui a posé la question. C'est ce que papa voulait, alors elle s'y est soumise. C'est ce qu'elle a toujours fait. Éprouve-t-elle des angoisses, des regrets à l'idée de quitter ce quartier où elle a depuis longtemps ses habitudes? Je ne suis même pas sûre qu'elle saurait le dire. Elle est complètement déconnectée d'elle-même, de ses besoins, de ses désirs et de ses goûts. Elle se conforme aux besoins des autres. Maman, belle maman, dont l'exemple me coûtera si cher en thérapies de toutes sortes.

Papa et maman semblent heureux et nous trinquons à leur nouvel appartement.

Tout semble aller pour le mieux et je savoure un moment de paix durement mérité quand ma fille, mon aimée, mon enfant, réapparaît dans ma vie. Elle vient de sonner à la porte de l'immeuble où j'habite. Elle attend en bas. C'est bien elle, j'ai reconnu sa voix dans l'interphone. Mon cœur va éclater: dans quelques secondes, je vais la voir. Je ne suis pas certaine d'être capable de vivre cet instant. Je tremble de la tête aux pieds. Elle monte. Elle est là.

Elle a dix-huit ans. Nous ne nous sommes pas revues depuis neuf ans. Nous pleurons dans les bras l'une de l'autre. Elle m'appelle tantôt maman, tantôt Andrée, elle ne sait plus. J'ai la tête posée sur sa poitrine, elle doit être grande. Laisse-moi te regarder. Des yeux de chat d'un bleu presque transparent. Un regard franc, droit, qui ne se dérobe pas. La même peau d'enfant, une peau de pêche dans laquelle j'ai envie de mordre comme pour voir s'il va en jaillir du jus. Le même sourire irrésistible qui attirait les regards des passants quand nous nous baladions ensemble. Des dents magnifiques, blanches, bien plantées, faites pour croquer dans la vie. Le corps est un peu trop enrobé et je m'en sens tout de suite responsable: elle a souffert – je n'ai pas besoin qu'elle me le dise – et tout comme moi elle doit manger ses émotions.

Ma douce, ma beauté, ma mie, mon adorée.

Je n'en crois pas mes yeux, c'est un instant irréel. Comment est-ce possible qu'elle soit là? C'est la grande décision qu'elle a prise à sa majorité, me dit-elle. Majeure, ma fille est majeure! Qu'il est difficile d'ajuster mon émotion à cette réalité. J'en parlais toujours comme d'un bébé et j'ai devant moi une femme vêtue avec élégance, maquillée avec art. Elle est esthéticienne et maquilleuse, m'apprend-elle. Je ne peux m'empêcher de la revoir, enfant, qui se maquillait pendant des heures, absorbée par le choix des fards et des couleurs.

— Joues-tu toujours du piano?

— Non, mais j'en ai un, mon copain est pianiste.

Un amoureux! Ma fille a un amoureux. Elle habite avec un jeune homme. J'ai hâte de le rencontrer. Je leur propose de venir souper samedi soir. Les pensées se bousculent dans ma tête. Ma conversation est décousue, mes propos, incohérents.

— Je connais un excellent professeur de piano. Si tu veux, je pourrais t'offrir des cours. Ce serait ton cadeau d'anniversaire... avec un peu de retard.

Et j'enchaîne rapidement, pour ne pas laisser de temps mort, comme si ma fille risquait de s'envoler à tout moment:

— Ta grand-mère vit-elle encore?

— Oui.

— Ton père sait-il que tu es ici?

— Oui.

Ses réponses sont laconiques. Je sens qu'il y a une partie d'elle-même qu'elle ne veut pas livrer. Elle a fait *sa* vie. Et je ne fais pas partie de cette vie. Je n'ose pas encore lui demander si elle m'en veut, comment elle a vécu toutes ces années de séparation, comment elle a perçu mon renoncement à mes droits de mère. Et le silence tombe, lourd... si lourd. Nous sommes deux étrangères. C'est ma fille, issue de moi, mais pendant dix ans nous avons été privées de rapports quotidiens, nous avons évolué de façons différentes. Il faudra apprendre à nous découvrir. «Sans rien brusquer», prend-elle soin de préciser.

Mais s'il est une chose que je ne sache pas faire, c'est apprivoiser les autres. Possessive et aimant contrôler, je bouscule et je dérange. Je veux les connaître tout de suite, là, maintenant. À ce moment-là, je n'ai pas encore compris que ma fille a vécu sa vie différemment de la mienne. C'est une écorchée vive. Son seul but est de connaître la sérénité et la paix intérieure. Et moi je voudrais qu'elle connaisse une réussite éclatante, qu'elle réalise ses rêves d'enfant: musique, chant, comédie. Enfant, elle faisait montre d'un sens artistique particulièrement développé, elle avait des aptitudes pour tout. Je ne veux pas qu'elle gravisse les échelons péniblement, je veux lui épargner les mille et une misères du métier. Je veux tout cela pour elle, tellement, qu'il ne me vient même pas à l'esprit que son ambition pourrait se situer ailleurs.

Au fil des mois, je la presse de réaliser une carrière et lui en offre tous les moyens, mais je ne me rends pas compte que ça ne l'intéresse pas vraiment, que ce ne sont pas *ses* aspirations que je sers, mais les miennes. À force d'insister, je finis par troubler sa recherche de paix et d'harmonie, par briser cette fragile sécurité qu'elle était péniblement parvenue à construire. Je démolis ses certitudes.

Pendant les dix années qu'ont duré nos retrouvailles, je me suis imposée sans penser à ses véritables besoins. Sans discernement. Et pourtant, je l'aimais de tout mon cœur. Mais je l'aimais mal. Il y aura des moments de bonheur intense, suivis de périodes où nous n'arrivions plus à nous comprendre ni à communiquer. Tout se terminera peu après sa première grossesse.

Selon ses désirs, l'accouchement se déroule en toute intimité, avec son amoureux. Toute la nuit, je me contente de l'accompagner en pensées dans ce long et difficile voyage qu'est la mise au monde d'un enfant. J'éprouve un grand bonheur à l'idée que ma fille ne soit pas seule pour traverser ce moment important et que l'enfant soit désiré par les deux conjoints. Mais en même temps, cette naissance me laisse vide et désemparée. Je ne suis pas une vraie mère puisque ma fille refuse ma présence auprès d'elle.

Quand j'arrive à l'hôpital, c'est-à-dire tard, tel que me l'a recommandé ma fille, la pouponnière est fermée. Mais une infirmière me reconnaît et m'installe dans une chaise berceuse avec ma petite-fille dans les bras. Je pleure et je ris. Une immense joie mais aussi un grand trouble m'envahissent à l'idée d'être grand-mère. Déjà! ne puis-je m'empêcher de penser. Je n'ai plus l'âge de faire des enfants. Mon tour est passé. La mémoire d'Annick revient me hanter. Je confonds ses traits avec celui du bébé que je tiens dans mes bras et je revis sa mort. Un gouffre se creuse en moi. Annick était mon bébé; mon tout-petit. Je me mets à fredonner une berceuse sans savoir pour lequel des deux enfants je chante.

Ma fille accepte mal qu'on ait trangressé les règlements de l'hôpital pour moi, surtout sans lui en avoir demandé la permission. Elle est terriblement blessée. Cet enfant est le sien. Il symbolise la vie qu'elle essayait de construire et dans laquelle je me suis immiscée. Je sens, mais trop tard, que j'ai dépossédé ma fille et son mari de quelque chose d'important. J'ai pris toute la place, comme une *prima donna*, comme mon père. Je suis irrécupérable.

Petit à petit, le fossé s'élargit entre ma fille et moi. Puis un jour, je lui propose que ma petite-fille joue avec moi dans une publicité télévisée, sachant que cet argent sera le bienvenu. Sa réponse claque net et sec. Non. Avait-elle peur que je m'approprie son enfant? Que je me fasse envahissante, omniprésente? Étais-je responsable de cette grande insécurité? Que s'est-il passé dans sa tête? Je n'ai pu que ressasser toutes ces questions parce qu'il n'y a pas eu d'après.

Cette fois, c'est elle qui m'a abandonnée et moi qui n'ose plus téléphoner.

Aujourd'hui, quelque part, une enfant grandit, une enfant dont je suis la grand-mère, mais que je connais pas. Quelque part ma fille vit sa vie. Un nouvel enfant est peut-être né. La vie continue sans ma présence. «Mère indigne», avait lancé le juge en prononçant sa sentence. Aujourd'hui, ces mots n'ont plus de résonance en moi car j'estime avoir fait du mieux que je pouvais. Je ne connaissais pas mieux. Mais j'ai fait des erreurs, même en tant que grand-mère, et me les pardonner me prendra des années. Car il faut arriver à se pardonner.

Le cheminement sera long. J'explorerai l'avenue des thérapies alternatives jusqu'à ce que j'en découvre une qui me convienne. On m'apprendra à lâcher prise. Lorsqu'une vague est trop grosse, il ne sert à rien de lutter contre elle, il faut se hisser sur sa crête et attendre avec confiance qu'elle nous ramène sur le rivage. Cette attitude me ressemble si peu. Mais j'apprendrai. Ce qui nous attend sur le rivage n'est jamais ce qu'on pensait y trouver, mais c'est invariablement une forme de vie. La Vie. La vie si difficile mais si belle. Il faut lui faire confiance.

Je comprends ce principe mais je ne l'applique pas toujours. Un jour, cependant, je le sais, je serai grande et sage.

La mer étant une grande guérisseuse, et le hasard faisant bien les choses, Dominique Michel, cet été-là, nous offre en location, à un prix ridiculement bas, sa villa en bord de mer, à la Barbade. Un luxe soudain accessible auquel mon amour et moi ne pouvons résister. Six semaines de repos. Plus de téléromans, plus de quiz, plus de théâtre, plus de pubs, plus de quotidien, plus de soins à prodiguer à mes parents. Nous sommes épuisés.

À ce moment-là, maman souffre terriblement, l'arthrite déforme son corps avec une rapidité foudroyante, son dos se voûte de plus en plus, sa tête arrive à peine à bouger et ses mains ne peuvent plus accomplir de travaux ménagers. Ses pieds n'entrent plus dans aucun soulier; la chausser devient un défi qui nous fait courir aux quatre coins de la ville. Maman appréhende mon départ. Comme si seule ma présence auprès d'elle avait le pouvoir d'améliorer son état. Elle refuse de consulter un rhumatologue et je ne connais alors aucune autre solution à ses maux. De plus, sans la présence assidue de Jean-Pierre et la mienne, elle va se retrouver seule avec son mari. Si l'état physique de papa est stationnaire, son moral, lui, est au plus bas. Elle a si longtemps soutenu le moral de cet homme dépressif, elle l'a si longtemps porté à bout de bras, que maintenant, vidée, elle me refile cette tâche avec soulagement. Mon prochain départ la plonge dans l'insécurité car il lui remet cette responsabilité sur les épaules. Elle ne se sent plus la force d'assumer cela. Je sais qu'elle souffre, mais je n'ai pas pleinement conscience de l'ampleur de sa souffrance. Je ne comprendrai que beaucoup plus tard ce qu'était cette souffrance, lorsque l'arthrite me déformera à mon tour. Une culpabilité terrible me rongera alors. Pardon, maman, de ne pas avoir deviné, sous tes silences crispés, le calvaire que tu endurais. Mais pourquoi ne se confiait-elle pas ? Papa pleurait, exigeait des soins, un soulagement immédiat. Maman, rien.

Avant notre départ pour la Barbade, je réussis à obtenir pour ma mère une prescription de Démérol, convaincue que cela va soulager ses douleurs, et nous remplissons le frigo et le garde-manger d'aliments de toutes sortes. Je laisse, bien en vue, le numéro de téléphone d'une épicerie qui fait la livraison, ainsi que les noms de personnes-ressouces en cas d'urgence. Mes parents peuvent aussi compter sur mon frère et ma sœur, bien sûr.

Ce serait mentir que de prétendre que j'ai quitté Montréal le cœur léger. Mais je suis quand même partie.

La Barbade me fait le plus grand bien. J'y suis heureuse, j'arrive presque à tout oublier, à connaître par moments une douce insouciance. La mer et le soleil ont sur moi un véritable effet thérapeutique, sans compter que j'ai le compagnon de voyage idéal. Jamais Jean-Pierre et moi ne nous ennuyons ensemble. Nous avons toujours quelque chose à nous dire, à nous raconter, à échanger. Nous avons une complicité parfaite. Il loue une jeep et m'emmène à la découverte de l'île. Chemin faisant, nous chantons des chansons de notre enfance. Nous rions, nous nous amusons avec une bienfaisante insouciance. Il prépare des pique-niques. Sur des plages désertes, il construit des abris avec des branches rejetées par la mer sur lesquelles il étend nos serviettes. Nous jouons à Robinson Crusoé. Je ne me lasserai jamais d'explorer le monde à ses côtés. Sa culture est vaste, sa curiosité et sa débrouillardise l'entraînent partout. Il connaît toujours une anecdote, un fait historique, une information architecturale ou géographique à propos des lieux où nous nous trouvons. À la Barbade, il m'emmène partout. Et quand je dis partout, c'est partout. Des ravins appelés *gullies* qui cachent des jardins tropicaux jusqu'aux ruines d'une plantation surplombant une mer déchaînée. Je peux prétendre avoir été présentée personnellement à chaque brin d'herbe de l'île !

Malgré ce bonheur, je sens parfois ma corde tirer, comme un chien parvenu au bout de sa laisse. Comme si un collier m'étranglait. Une grosse boule d'angoisse me noue alors la gorge. Papa et maman, comment vont-ils ? Et s'il fallait que...? Le souffle me manque. Je peux cependant compter sur le rhum des îles et ma pharmacopée pour me débarrasser temporairement de cette angoisse.

Nous avons invité ma sœur, son mari et leur fille, Valérie, une ravissante enfant, pour une quinzaine. Nous fêtons l'anniversaire de ma sœur en nous régalant d'une vingtaine de langoustes copieusement arrosées de rhum et de vin blanc. Papa et maman ne vont pas trop mal, m'apprend ma sœur. Profitons-en. En guise de cadeau, je propose à ma sœur de m'occuper de sa fille pour le reste des vacances, ce qui lui permettra de faire la grasse matinée. Je connais bien la fatigue des mères qui rognent sur leurs nuits de sommeil pour cumuler carrière et vie familiale. Émue, ma sœur me remercie. Mais le lendemain... dès cinq heures, elle est debout. Tous les matins, ponctuellement, elle sera fidèle au poste. J'ai compris, je reste désormais couchée. Je la trouve idiote, elle croit assurément que personne ne saurait s'occuper de sa fille mieux qu'elle. Au cours des jours suivants, si Jean-Pierre ou moi monopolisons trop longtemps l'attention de la petite, si celle-ci semble s'amuser avec nous, ma sœur met fin à nos jeux, prétextant que l'enfant est fatiguée ou risque une insolation. Mon jugement envers ma sœur est sévère: quelle imbécile ! Elle prend même le temps de préparer pour son mari, chaque midi, un steak frites, dans une chaleur étouffante. Je suis révoltée. S'il n'en avait tenu qu'à moi, son mari aurait mangé n'importe quoi et il aurait été se le servir lui-même !

S'il n'en avait tenu qu'à moi?... Tais-toi, Andrée. Tu es semblable à ta sœur, façonnée d'après le même moule. Mais tu ne le comprendras que beaucoup plus tard. La même insécurité t'habite, cette peur que ceux que tu aimes te retirent leur amour si tu ne te rends pas indispensable, si tu n'es pas présente à chaque minute de leur vie. La peur que leur amour fasse place à un trou béant.

De retour à Montréal, j'apprends que le Démérol n'a apporté aucun soulagement à maman. J'entreprends avec elle la tournée des spécialistes. C'est sérieux. Diagnostic: arthrose sévère de la hanche; elle doit subir une opération.

Et comme si ce n'était pas assez, papa veut de nouveau déménager. Cet appartement qu'il considérait comme idéal, il le compare maintenant à une prison. Il ne veut plus y vivre un jour de plus. Il va même jusqu'à lancer: «Si je vois encore une maudite mouette atterrir sur l'eau, je sors mon fusil et je la descends.»

Papa a toujours entretenu avec les armes un singulier rapport. Il possède un vieux fusil, rangé dans le placard de sa chambre à côté d'une boîte de cartouches. Quand la vie lui semble trop lourde à porter et qu'il ne sait plus lui faire face, il menace de se tirer une balle dans la tête. Et tout le monde tremble. Personne n'a jamais osé lui confisquer son fusil. C'est finalement mon beau-frère qui, un jour où papa réagit violemment à un sevrage de morphine, jugera préférable de ranger l'arme chez lui. Papa aurait-il mis sa menace à exécution? Après tant d'années – je devais avoir dix ans la première fois que je l'ai entendu proférer une telle menace –, nous n'y croyions plus.

Après des semaines d'intenses recherches, nous trouvons un endroit qui convient davantage à mon père, une autre tour d'habitation pour gens âgés, le Mont-Carmel, à l'angle de la rue Saint-André et du boulevard que l'on connaît aujourd'hui sous le nom de René-Lévesque. En plein centre-ville, au beau milieu d'une circulation dense qui défile sans discontinuer. L'environnement sonore comprend marteaux-piqueurs, rugissements de moteurs et crissements de pneus. Exactement ce que cherchait papa: enfin la vie! Il ne risque pas de voir atterrir une mouette à cet endroit. La conciergerie est pratiquement neuve. Elle loge une clinique médicale, un dépanneur, un restaurant, un salon de coiffure et une piscine. Il peut apercevoir au loin le fleuve et il se trouve à une minute de marche de la rue Sainte-Catherine et de ses commerces. Papa est heureux comme un roi. C'est le quartier de sa jeunesse, celui du campus de l'UQAM, autrefois celui de l'Université de Montréal où il était étudiant. Il a de nouveau vingt ans. Son moral est à la hausse et sa santé s'en ressent.

Il n'y a qu'un hic – dans ma famille il semble qu'il faut toujours qu'il y ait un hic –, c'est trop cher pour leurs moyens. Il faut trouver une solution. Je décide d'aller rencontrer le propriétaire du Mont-Carmel, l'homme d'affaires Roland Gagné, «l'homme qui achète vos vieux meubles», selon le slogan d'une de ses pubs télévisées. Les appartements Mont-Carmel sont en pleine campagne de promotion. Je propose à M. Gagné de prêter mon nom à cette promotion, en échange de quoi il accordera à mon père trois mois de loyer gratuits. Exactement le montant requis pour annuler le bail de l'endroit où mes parents habitent encore. Il accepte. Puis je m'engage à payer, tous les ans, trois mois du loyer de mes parents, et ce jusqu'à leur mort.

Bon, voilà un problème de réglé. Évidemment, il en surgit tout de suite un autre. L'opération à la hanche de maman est couronnée de succès, mais je dois convaincre le médecin qu'elle ne peut revenir à la maison car ni papa, ni Jean-Pierre, ni moi ne pouvons prendre soin d'elle. À force de supplier le médecin, il consent à la faire accepter dans la maison de convalescence Villa Medica.

Jean-Pierre et moi avons si peu de temps à consacrer à maman parce que nous jouons tous les soirs dans une adaptation québécoise de *Macbeth*, de Shakespeare, par Michel Garneau. Le théâtre de la rue Saint-Laurent où nous nous produisons est si petit que nous devons revêtir nos costumes dans l'édifice voisin. Puis nous gagnons le théâtre en empruntant le trottoir, en costumes, dans des robes en jute qui rapent le cou, par des températures plongeant sous zéro. Il y a davantage de monde sur scène que de spectateurs dans la salle. Je joue la sorcière «en chef», un rôle mineur, mais ça me ravit. Il s'agit d'une production marginale et toutes les audaces sont permises.

Comme je n'ai pu rendre visite qu'une seule fois à maman à l'hôpital, payer les frais d'une chambre privée en maison de convalescence me déculpabilise. Chaque fois que j'aperçois maman, c'est un choc. Son corps est si maigre et décharné que le lit a l'air immense. Une de ses jambes, en traction, pend au bout d'un système compliqué de poulies qui a des allures d'instrument de torture. La souffrance creuse ses traits. Son visage ressemble à un masque mortuaire. Je n'ose même pas l'embrasser. Mais pas une plainte ne filtre de ses lèvres. Je lui fais de courtes visites tous les jours, mais le temps est si long en milieu hospitalier; chaque fois, elle me dit: «Tu t'en vas déjà?» Moi, je suis déjà dehors, respirant goulûment l'air frais. En présence de maman, je suffoque.

Prends-moi dans tes bras, Jean-Pierre, mon amour. Laisse-moi caresser ta peau jeune et saine. Faisons chanter nos corps jusqu'au plaisir. J'ai besoin d'un moment d'oubli, s'il te plaît!

Pendant que Jean-Pierre court les magasins pour acheter à mes parents un mobilier neuf, je m'occupe de faire confectionner rideaux et cantonnières. Puis nous pendons la crémaillère lors d'un dîner familial. Maman est revenue à la maison et elle semble heureuse du nouvel appartement. Mais papa se montre avec elle d'une incroyable méchanceté. Je crois qu'ils n'arrivent plus à se supporter l'un l'autre. La promiscuité les tue. Lui avec son cancer de la vessie, elle avec son arthrite, son genou et sa hanche artificiels et son appareil auditif. En effet, maman devient sourde, elle demande constamment à papa de répéter ce qu'il vient de dire, et lui s'impatiente. La patience n'a jamais été sa plus grande vertu. Aussi répond-il à maman sur un ton cassant. Il lui dit des choses blessantes. Ça me révolte: «C'est de la violence verbale. Tu arrêtes ça tout de suite ou je ne reviens plus te voir. En tant que femme, cette façon de parler à maman me blesse autant qu'elle.» Pour me répondre, il prend un sourire enjôleur: «On sait bien, toi, tu es une féministe.»

Combien d'autres fois entendrai-je ces mots dans la bouche d'hommes qui, à court d'arguments, s'en serviront pour clore une discussion. Étais-je féministe? Oui, si ça signifie se faire respecter en tant que femme. Je n'ai toutefois jamais ressenti le besoin de monter aux barricades pour défendre cette cause, car j'en ai toujours appliqué les principes naturellement. J'étais financièrement indépendante et je recevais, comme comédienne, les mêmes cachets que mes partenaires masculins. J'étais libre de corps et d'esprit, maître de mes amours comme de mes erreurs.

Jean-Pierre entre en studio pour enregistrer un quarante-cinq tours dont il est le producteur ainsi que l'auteur-compositeur-interprète. J'en profite pour entreprendre un jeûne de trois semaines dans une clinique de Marbella, en Espagne. La comédienne Juliette Huot, qui se soumettais chaque année à cette discipline, m'en avait vanté les mérites : régénération du corps, désintoxication physique et mentale. Mais surtout, et c'est ce qui m'a accrochée, perte de poids d'environ un demi-kilogramme par jour. Je fais un rapide calcul : une vingtaine de jours de jeûne, dix kilos de perdus, peut-être même douze ou treize. C'est fabuleux.

Me voilà donc jeûnant à la Clinica Buchinger parmi tout ce que l'Europe compte de riches gourmets-gourmands-épicuriens venus expier leurs excès de table. Je constate vite qu'ils n'ont qu'une obsession : quitter au plus vite la clinique pour pouvoir s'empiffrer de nouveau. Parfois, quelques-uns s'échappent, comme des adolescents d'un collège, pour aller se taper une langouste à Marbella. Jamais autant qu'à cet endroit je n'ai entendu parler de bouffe. Du matin au soir, rassemblés dans la grande salle à manger, chacun avec sa tasse de bouillon de légumes, les condamnés au jeûne se refilaient recettes et adresses de relais gastronomiques en salivant et se remémorant ce qu'ils y avaient dégusté : caviar, foie gras du Périgord, homards et grands crus. Au moins, les bouillons que nous sirotons nous fournissent des minéraux, ce qui nous évite de tomber dans un état d'extrême faiblesse et de rester couchés toute la journée. Au début, je ressens un manque terrible. Je n'arrive même pas à lire, je ne peux que regarder les images d'un *Paris-Match*. Je n'ai pas dit au médecin que je continue de prendre des calmants. C'est interdit, aucune médication n'est permise pendant le jeûne.

Jean-Pierre me manque à mourir et je lui téléphone tous les soirs. Une grande angoisse me ronge: sera-t-il encore là à mon retour? Avant mon départ, maman a semé un affreux doute dans ma tête. «Tu n'as pas peur de partir si longtemps seule? Tu n'as pas peur que Jean-Pierre te trompe?» J'ai rué dans les brancards. J'ai même hurlé qu'il n'avait pas besoin que je parte pour me tromper, que c'était un grand garçon, qu'il pouvait très bien faire ça quand j'étais là. J'ai même ajouté que je n'étais pas encore une aïeule et que moi aussi je pouvais avoir des aventures. Mais je ne crois pas l'avoir convaincue, ni moi non plus. Et maintenant j'ai peur.

Les mères sont-elles conscientes du pouvoir qu'elles détiennent? Qui mieux qu'une mère peut connaître les dédales de l'âme de son enfant? Qui mieux que maman peut ainsi déterrer les incertitudes et les angoisses que j'ai soigneusement cachées dans les replis de mon cœur? Au dixième jour du jeûne, je lui écris une lettre vitriolique qui commence de cette façon: «Tu es une pieuvre aux tentacules visqueuses.» Puis suivent huit pages sur le même ton. À mon retour, embarrassée, je prétexterai avoir subi les effets du jeûne. Maman et moi n'en reparlerons jamais. Mais pendant des années, chaque fois que je connaîtrai des moments noirs, Jean-Pierre me lancera ironiquement: «Encore les tentacules visqueuses, Andrée?» Le pire, c'est que je le pensais vraiment.

Au cours du jeûne, mes douleurs arthritiques disparaissent progressivement. J'en arrive même à pouvoir escalader des sentiers de montagne et à courir sur les galets de la plage, choses qui m'étaient devenues impossibles. Mon corps est heureux. Je n'associe pas encore ce bien-être à la désintoxication du corps, mais une évolution commence inconsciemment à s'opérer en moi. Comme si j'entrouvrais les portes d'une connaissance nouvelle, d'une nouvelle façon de vivre.

Bien que la cure exige une réadaptation alimentaire de trois semaines, le temps de réhabituer le corps, dès mon retour je n'en peux plus; je me précipite chez *Moishe's* pour y manger un énorme steak, bien bleu comme je les aime. Je porte à ma bouche un premier morceau, convaincue que je m'apprête à connaître l'extase. Mais à ma grande surprise, j'en éprouve plutôt de la nausée. J'ai beau mâchouiller, je suis incapable d'avaler. À partir de ce moment-là, sans trop savoir pourquoi, je développerai un certain dégoût pour la viande. Diane chasseresse devenue végétarienne, qui l'eût cru?

Après toutes ces années, j'ai appris, au fil de mes lectures et de ma longue quête pour retrouver la santé, qu'il n'est pas normal pour un être humain d'ingurgiter de telles quantités de viande. La viande, c'est de la chair morte. Nous mangeons tous du cadavre. Au moment de l'abattage, l'animal vit un stress intense qui se loge dans ses muscles, ses nerfs, sa chair, et qu'il nous transmet. Qui plus est, la viande rouge est un acidifiant et l'arthrite et toutes les maladies dégénératives progressent en milieu acide. Consommer de grandes quantités de viande, c'est une bombe à retardement.

En parlant d'explosifs, le torchon brûle de plus en plus entre papa et maman. Vieux et malades, condamnés à se marcher mutuellement sur les pieds dans un trois pièces et demie. Les angoisses de papa, sa peur de la mort, lui font vouer une haine terrible à maman qui se montre impuissante à le sauver. Comment le pourrait-elle alors qu'elle n'arrive déjà pas à se sauver elle-même? Elle se déplace en boitant. Elle est toujours à bout de nerfs, tentant de satisfaire les moindres désirs de papa. Elle est devenue complètement sourde, sans doute pour ne plus entendre son mari lui crier après. Elle tremble chaque fois qu'il ouvre la bouche, nous interrogeant du regard pour savoir ce qu'il vient de dire. C'est une pitié que de les voir. J'essaie de prendre la situation en main et je leur suggère de vivre séparément. Pas un divorce, bien sûr, mais pourquoi n'habiteraient-ils pas chacun un studio? Ça leur permettrait de souffler un peu, de trouver la paix. Je suis même prête à payer la différence de loyer.

Étrangement, c'est maman qui refuse. C'est avec consternation que je découvre l'âme de ces femmes violentées qui n'arrivent pas à se séparer de leur bourreau. Ma belle maman. Elle est comme une vieille bête de cirque incapable de quitter le dompteur et son fouet.

32

Vingt-six fois par année pendant sept ans, pendant presque toute la décennie soixante-dix, qu'il neige, tonne, grêle ou pleuve, je me rends à Sherbrooke, deux cents kilomètres aller-retour, pour enregistrer *Justice pour tous*, une émission de vulgarisation sur les droits juridiques des citoyens commanditée par l'Aide juridique du Québec. Il n'y a pas de répétition, seulement une rapide mise en situation, puis on enregistre la dramatique de vingt minutes en une seule prise. Pas de place pour les hésitations ni les trous de mémoire. Le temps presse, les caméras servent, tout de suite après, pour les nouvelles en direct, dans le studio voisin. En sept ans, jamais je ne me suis lassée de faire cette émission. De nombreux immigrants m'ont remerciée; ils apprenaient le français en même temps que leurs droits de nouveaux citoyens.

À ce moment de ma vie, ces courts voyages constituent mes seuls moments d'évasion dans une mer d'événements tumultueux. L'avocat Louis-Paul Allard, instigateur de cette série, le comédien Pierre Gobeil, mon futur Roger des *Dames de cœur*, et moi sortons après chaque enregistrement pour faire la fête. J'appréciais beaucoup ces pauses. C'était du temps à moi, rien qu'à moi.

Papa est encore une fois donné pour mort et il subit une autre opération. Mais il en revient, son cœur résiste. Le nôtre aussi. Que c'est fort, un être humain !

C'est Noël. Mes parents sont trop las pour monter un sapin; de toute façon, celui-ci mangerait tout l'espace de leur petit appartement. Jean-Pierre confectionne donc un sapin miniature qu'il pose sur le téléviseur et autour duquel mes parents placent les cadeaux destinés à leurs petits-enfants. Valérie, à laquelle ils tiennent comme à la prunelle de leurs yeux, et Marie-Ève qui vient de naître, l'enfant de mon frère et de sa femme Rachel, une enfant à la beauté personnelle, qui, avec ses yeux en amande, ressemble à une jeune Inuit. Et qui, par le fait même, ressemble étrangement à Annick. Chaque fois que je tiens cette enfant dans mes bras, j'ai l'impression de tenir Annick. Je ne peux m'empêcher de la supplier, lui murmurant à l'oreille: «Reste parmi nous, jolie Marie.» Et je fais une courte prière pour que le ciel la protège. Depuis la mort d'Annick, j'ai gardé la peur viscérale que tous les bébés pouvaient disparaître, s'envoler pour toujours.

Maman a mis des jours pour préparer un ragoût de pattes de cochon. Pour elle, c'est un exploit et une façon de faire renaître les Noëls anciens. Nous parlons, rions, mais le cœur n'y est pas, bien que nous nous efforçons de ne rien laisser paraître. La mort rôde autour et noue nos estomacs. Est-ce notre dernier Noël en compagnie de papa?

Au premier de l'an, Jean-Pierre et moi partons en vacances. Ou plutôt, nous fuyons. C'est notre seule façon de nous couper de mes parents, comme une cure forcée en sanatorium. Jean-Pierre m'a encore une fois mise devant un fait accompli: «Je m'en vais à Disney World. Viens-tu?»

Et nous voici en plein défilé des festivités du Nouvel An, parmi les Mickey Mouse, Donald Duck et autres personnages de dessins animés, pendant qu'un feu d'artifice éclabousse le château de Disney de notre enfance. Nous essayons un à un tous les manèges, dont plusieurs fois celui qui porte le nom *It's a Small World*, jusqu'à en connaître par cœur la chanson thème. Nous redevenons des enfants. Comme nous passons notre vie dans la maladie, avec des gens âgés, il est important de voir des enfants, de redevenir nous-mêmes des enfants.

J'ai cinq ans. Mais au retour, j'en ai cent.

Je suis assise dans le bureau d'un médecin. Cette fois c'est de moi qu'il s'agit, pas de papa ni de maman. Le rhumatologue renommé qu'on m'a recommandé vient de recevoir les résultats des analyses que j'ai passées à sa demande. Arthrite rhumatoïde sévère, m'annonce-t-il. Il ne m'apprend rien, je le savais déjà. Tout mon corps, tous mes os le savent. Mais de me l'entendre dire m'assomme. Maman avait raison. Je ne veux pas être comme maman. Je demande s'il y a quelque chose à faire et il me parle d'anti-inflammatoires. Je suis d'accord, je vais en prendre. Mais il ajoute qu'un jour ils ne feront plus effet et qu'il faudra augmenter les doses.

«Et quand mon corps se sera habitué à ces nouvelles doses, quelle sera la solution?» «Il y a les sels d'or et la cortisone», dit-il. « Et après? Je n'ai que quarante ans, docteur.» Et après? Il n'en sait rien. On verra. Mais j'insiste: que me réserve l'avenir? Exaspéré parce qu'il n'a pas de réponse, le médecin laisse tomber: «Il y a le fauteuil roulant électrique.»

Je suis terrassée. Je pleure longuement dans le stationnement de l'hôpital. Je ne veux pas devenir une charge pour les miens. En rentrant à la maison, l'idée du suicide me paraît la seule solution. Un suicide bien propre, bien net, pour laisser chez ceux qui m'ont aimée le souvenir d'un corps intact. Mais une petite voix intérieure cherche à se faire entendre: «Ne te laisse pas faire. Bats-toi! Cherche d'autres solutions. Montre à ce médecin qui tu es.» Ma décison est prise: je défierai ce médecin et son fauteuil roulant.

Pour l'instant, cependant, je n'ai pas de temps à m'accorder, pas d'énergie pour amorcer un changement radical de mode de vie ni pour explorer des disciplines qui freineraient la progression du mal. Je vais au plus urgent: je me bourre d'anti-inflammatoires.

Papa s'apprête à subir une nouvelle opération. Cette fois, on va lui enlever ce qui lui reste de vessie, changer le cours du système urinaire et pratiquer sur son ventre une ouverture où on insérera le sac tant redouté, chargé de recueillir son urine. Une intervention très lourde pour son piètre état de santé. Le médecin ne lui a pas dit qu'il pouvait y rester, mais il a fallu nous montrer terriblement convaincants pour lui faire accepter cette opération. Il ne voulait pas en entendre parler. Mais maintenant il croit en sa guérison et nous devons lui laisser tous ses espoirs.

Instinctivement, papa ne voulait pas de cette opération. Il s'est laissé convaincre, par les médecins, par moi. Avons-nous tous en quelque sorte modifié le cours naturel de la vie? Avons-nous forcé sa décision première? Mais je ne voulais pas qu'il parte. Je ne voulais pas qu'il me quitte. Nous allions nous battre ensemble.

La veille de l'opération, nous parlons longuement. Il implore mon pardon pour m'avoir reniée quand j'ai accouché de ma fille. Il a pleinement conscience que s'il avait accepté la situation le cours de ma vie en aurait été changé. Je lui accorde mon pardon. Je me sens du même coup libérée de cette terrible rancœur qui entachait mes relations avec lui. Le pardon est venu, mais la peine reste. Papa est en paix. À minuit, je lui mets sur la tête un chapeau de Mickey Mouse et il rit un bon coup. Puis je le quitte en lui promettant d'être là, le lendemain à six heures trente, pour l'opération.

À la maison, pour me détendre, Jean-Pierre m'a fait couler un bain chaud aux huiles aromatiques. Merci, mon amour. Je m'y glisse avec volupté. Le téléphone sonne. Au bout du fil, mon père sanglote désespérément: «Viens vite, je vais mourir.»

Le cœur veut me sortir de la poitrine. Que s'est-il passé? Jean-Pierre m'aide à m'habiller (jeans, coton ouaté) et me suggère de prendre un taxi car je ne suis pas en état de conduire. Il ne peut pas m'accompagner parce que dans quelques heures il entre en studio. Il est très occupé en ce moment: il doit sillonner la province afin d'assurer la promotion de son disque, qui marche bien, il joue dans un téléroman à Télé-Métropole et il termine l'écriture d'un *one man show*. Il m'a fait la proposition suivante: «Occupe-toi de tes parents, moi je m'occupe de la maison.» Il fait le marché, la cuisine, la vaisselle; il s'occupe de tout. Il a des qualités de cœur qu'on retrouve rarement chez un être si jeune.

Quand j'arrive à l'hôpital, papa ne cesse de hurler qu'il ne veut pas mourir. Une infirmière lui fait une injection, il se calme, et j'apprends le motif de cette crise. Un jeune interne a prévenu papa qu'il pourrait ne pas survivre à l'opération. Il a poussé la bêtise jusqu'à lui conseiller de mettre de l'ordre dans ses affaires. Aussi, avant de sombrer dans le sommeil, papa lutte pour me dicter son testament. Il est très court puisqu'il ne possède rien. Un infirmier agit comme témoin.

Je vois ensuite mon père partir pour le bloc opératoire, sans espoir. Toute la journée je l'attends, son chapeau Mickey Mouse sur la tête, son chapelet en bois autour du cou. Sur mon cœur, glissée dans mon corsage, l'image racornie de saint Jude, patron des causes désespérées, en qui papa met toute sa confiance. Dieu, Marie, Joseph, saint Jude et Mickey, faites qu'il vive!

Dès qu'il ouvre les yeux au retour dans sa chambre, il se croit mort. Je n'arrive pas à le ramener à la réalité. Je reste à ses côtés toute la nuit, l'aidant à surmonter ses souffrances. Au matin, il me lance avec un regard d'halluciné: «Un serpent, sur le mur... là... et un rat sur la commode. J'ai peur!» Il pointe du doigt une lézarde du plâtre. J'ai compris. Je prends un crayon feutre et dessine autour de la lézarde les contours d'un vrai serpent: la tête, des écailles pour le corps, deux yeux cerclés de lunettes rondes et une grande bouche joyeuse. «Pas de danger, papa. C'est un bon serpent!»

Je désamorce une à une ses visions hallucinatoires avec l'impression de le guider dans son premier «trip» psychédélique. Et de l'horreur, nous glissons ensemble vers *Alice au pays des merveilles*. Qui a dit que nos expériences ne pouvaient pas servir aux autres? Au moins je n'aurai pas chiqué des buvards de LSD pendant des années pour rien.

Pendant la longue hospitalisation de papa, Jean-Pierre et moi commençons à travailler pour le référendum de 1980. Notre mission consiste à nous rendre dans des centres d'accueil et des maisons de retraités afin de discuter avec les personnes âgées du bien-fondé de l'option du Oui. Nous rencontrons surtout des gens malades et affolés à l'idée de perdre les acquis qui rassurent leurs vieux jours. Jean-Pierre trouve toujours les mots justes, mais mes paroles sonnent faux. Trop réaliste, je manque de conviction. En m'adressant à ces vieillards, je ne peux m'empêcher de penser à mes parents, dont la seule préoccupation est de vivre en paix le temps qu'il leur reste.

C'est avec beaucoup de ferveur et un espoir insensé que j'ai animé le grand rassemblement pour le Oui à l'aréna de Verdun. Mais quand, le 20 mai 1980, au Centre Paul-Sauvé, un «Non» majoritaire claque définitivement, j'éclate en sanglots. Comme c'est le cas pour des milliers de Québécois, mon rêve est brisé. Vingt ans d'espoir, depuis mes premières sympathies envers le RIN, se sont écroulés. Dans mes larmes, il y a un renoncement. Je deviens apolitique. Désormais, je voterai pour accomplir mon devoir de citoyenne, mais le cœur n'y sera plus. Mon implication sociale se fera à un autre niveau.

Un petit événement qui n'a l'air de rien m'apporte bientôt, pour la première fois de ma vie, une certaine sécurité financière. Jean-Pierre tient la promesse faite à papa que je ne mourrais pas dans la dèche au carré Viger. Jusqu'alors, c'est lui qui tenait la bride à mes dépenses inconsidérées, qui colmatait les trous du panier percé que je suis. Devant le mauvais état de mes finances et las de lutter contre mes «folies», comme il dit, Jean-Pierre me suggère fortement, sinon m'ordonne, de confier mes finances à une firme spécialisée dans la gestion des budgets. Ils ont sûrement vu pire que moi. Je me confie donc à cette firme, qui perçoit mes cachets, paie mes dettes, prépare mes impôts, emprunte, rembourse, place de l'argent... quand il en reste. Avec la *boss*, Michelle Pilon, il en reste toujours un peu! La *boss*, le grand argentier, est devenue une amie très chère, mais il n'en a pas toujours été ainsi. Au début, je ne l'aime pas. Elle ne me permet pas d'avoir de carnet de chèques ni de cartes de crédit, je suis obligée de justifier toutes mes dépenses et je ne reçois, chaque semaine, qu'une mince enveloppe contenant en espèces le montant qui m'est alloué pour vivre (peut-on appeler ça vivre?). Je trouve ça très difficile, j'ai l'impression d'être en prison.

Un jour, un copain m'implore de lui prêter mille dollars. J'appelle la patronne, mais elle me répond: «Pas question. T'es pas une banque!» Je n'ai jamais revu le copain en question.

411

Je ne comprends pas l'attitude de la patronne. J'ai toujours prêté mes sous à des amis en difficulté. C'est vrai qu'on ne me les a pas toujours rendus, mais bon, on ne va pas en faire un drame. L'argent, c'est fait pour rouler. La patronne est bien pingre. Je mettrai longtemps avant d'admettre qu'elle me protège contre moi-même. Quand les années de vaches maigres se pointeront, j'apprécierai de m'être soumise à sa philosophie du bas de laine. Ma folie des grandeurs est désormais tenue en laisse par Jean-Pierre et la *boss* . Ils ne seront jamais trop de deux pour y arriver.

En fait, la véritable raison pour laquelle j'ai accepté qu'on continue de s'occuper de ma comptabilité, c'est qu'on me fournit chaque mois un rapport détaillé de mes finances, que je montre fièrement à papa. Il m'arrive de gonfler certains chiffres pour l'impressionner. Rassuré, il croit qu'on a enfin mis du plomb dans la tête de sa fille. Il peut mourir tranquille.

Mais il ne meurt pas. Sa vie est une longue attente, une vie entre parenthèses, sans joies, sans qualité, sans espoir de guérison. L'agonie est interminable et il implore la mort à grands cris: «Tue-moi!» Je laisse traîner sur sa table de chevet les nombreux médicaments qui lui ont été prescrits. S'il le voulait, il y aurait de quoi tuer un cheval. Mais il n'y touche pas. Son heure n'est pas venue.

«Tu ne me laisseras pas souffrir, hein?» Non, papa. Pour le soulager, je lui donne plus souvent de la morphine liquide. Mais son champ respiratoire rétrécit, il étouffe, il exige qu'on le transporte d'urgence à l'hôpital. Il ne cesse de m'implorer: «Tue-moi! Tu m'avais promis que je ne souffrirais pas.»

Si je me rends à sa demande, vais-je apaiser une insupportable souffrance morale et physique ou le priver du temps dont il a besoin pour lâcher prise et faire son acceptation? C'est l'éternel et terrible questionnement quand il est question d'euthanasie. À quel moment sait-on que l'heure est venue?

La dernière opération a laissé mon père castré et il vit comme un deuil cette perte de sa virilité. Ce sac dont on l'a affublé, il le rejette de toutes ses forces. J'appelle à l'hôpital pour essayer d'obtenir du soutien. On y offre bien les services d'un psychiatre ou d'un psychologue... mais pas pour les gens âgés. «Votre père est trop âgé. Au-delà de soixante ans, nous estimons que le patient est trop vieux pour entreprendre une analyse.» Mais alors, s'il est trop vieux pour vivre, pourquoi prolonge-t-on sa vie? Je crie comme une furie. On me raccroche au nez.

Nous trouvons de l'aide auprès de la femme de l'auteur de téléromans Réginald Boisvert, dont Jean-Pierre et moi avons souvent joué les textes. Psychologue de profession, elle accepte de prendre papa comme patient et fait montre d'une écoute attentive. Papa va bientôt à la découverte de lui-même. Le simple fait de pouvoir mettre un nom sur ses malaises psychologiques l'apaise. Ainsi, ce qui, il y a quelques jours à peine, se traduisait par: «Je vais me jeter par la fenêtre» devient, plus posément: «Je fais une autre crise d'angoisse.» Il en vient à accepter le sac. Il est touchant de bonne volonté. Cette thérapie arrive tard dans sa vie, mais pas trop tard. Selon moi, il n'est *jamais* trop tard pour tenter d'améliorer une situation.

Heureusement que papa bénéficie de cette thérapie car je dois bientôt m'absenter de Montréal; je vais jouer tout l'été au théâtre de Saint-Sauveur. Comment réagira-t-il à mon absence? Je lui promets de venir le voir les jours de relâche mais il éclate en sanglots. Il a peur. Je promets alors de lui téléphoner tous les matins, à dix heures pile.

Je ne manquerai pas un des soixante appels et trouverai chaque fois les mots pour l'apaiser. Papa me rappelle l'après-midi, puis le soir, avant la représentation... et même la nuit. Jean-Pierre montre des signes d'impatience. Cet envahissement l'étouffe. Il a l'impression d'être traqué. Parfois, la nuit, il décroche le téléphone. Je m'objecte, puis cède. Je ne peux pas le blâmer puisque, en quelque sorte, moi aussi je fuis. N'étant qu'à quarante-cinq minutes de Montréal, je pourrais venir voir papa tous les jours. Il y a quelques années, je faisais bien le trajet Montréal-Eastman tous les soirs pour retrouver Jean-Pierre.

Je sais que je vais dire une énormité, mais j'ai malgré tout passé un été magnifique. J'accorde à mes parents mes deux jours de relâche, puis je retourne jouer au théâtre. On y présente la comédie musicale à succès *J'me marie, j'me marie pas*, de Gilles Richer. Le comédien Paul Berval est déchaîné, au sommet de sa forme et de son art. Certains soirs, ses improvisations délirantes prolongent la représentation de dix à quinze minutes. Les salles sont pleines, le public rit à gorge déployée, et ces rires ont sur moi un effet salvateur.

Chaque fois que j'entre en scène, mon invraisemblabe costume déclenche des salves d'applaudissements. Mon personnage est un «pétard sur le déclin», bronzée à l'huile à moteur et habillée avec la discrétion d'un arbre de Noël.

À quelques jours de la première, j'avais interrogé le metteur en scène, Jean Bissonnette, sur ce qu'allait être mon costume. Il m'avait répondu: «Un bikini... des talons hauts... peut-être un déshabillé transparent au deuxième acte.» Je n'en croyais pas mes oreilles. «Mais voyons, Jean! Tu me vois avec les yeux de l'amour, ma foi! Je n'ai plus vingt ans! Je comprends que j'ai toujours été la reine des "bullshitteuses", que j'ai toujours paru plus sexy que je ne l'étais vraiment... mais tout de même!» Il m'a emmenée dans un sex-shop de l'avenue du Mont-Royal. C'était la première fois que j'entrais dans ce genre d'établissement. J'en suis ressortie avec une robe longue – mais peut-on vraiment appeler ça une robe? – en jersey à motif léopard, fendue sur les côtés jusqu'à la cuisse, l'avant et l'arrière retenus par un laçage noir très lâche. Il y avait sous les seins le même laçage, qui laissait deviner la naissance de la poitrine. J'avais l'air plus nue que si j'avais porté un bikini. De grands anneaux de plastique orange aux oreilles, une profusion de bracelets et des souliers à talons aiguilles complètent l'allure outrancière du personnage.

Papa se sent assez bien pour assister à une représentation. Ce soir-là, quelques minutes avant qu'on commence, maman me rejoint dans ma loge. Embarrassée, elle me dit à voix basse: «Ton père s'est...» Elle cherche ses mots. «... s'est... a souillé son pantalon. Il ne veut plus assister à la pièce.» Je sais que papa ne contrôle plus ses intestins brûlés par la radiothérapie. La chanteuse Christine Chartrand qui partage ma loge s'éclipse avec délicatesse au moment où papa entre, les yeux mouillés. On dirait un petit enfant démuni et honteux: «Je suis tout sale...» Maman lui coupe la parole et me dit, comme s'il s'agissait d'un caprice de la part de papa, qu'il n'a pas voulu mettre sa couche. Papa refusera jusqu'à la fin de porter cette couche immonde, mais qui aurait été bien pratique.

Il reste à peine dix minutes avant le début du spectacle. À l'arrière-scène, la fébrilité est presque palpable. La rumeur de la foule grandit, à en devenir assourdissante. Il faut faire quelque chose. Je prends les choses en main. Je fais asseoir maman dans le corridor, puis je tire le rideau qui sert de porte à la loge: «Papa, déshabille-toi.»

Il est impressionné par mon ton sans appel et s'exécute. Je fais couler l'eau du petit lavabo. Le régisseur annonce: «Plus que neuf minutes!» Avec mon gant de toilette, dans un silence religieux, je lave soigneusement papa. Il se laisse faire. Vite, il faut aussi laver son boxer de coton. Plus que cinq minutes. Vite, laver le fond du pantalon en tissu synthétique. Vite, brancher le séchoir à cheveux. Sécher. Vite! Vite! Il est moins une. Je l'aide à se rhabiller: pantalon, veston, nœud de cravate bien droit, un coup de peigne. Voilà! Il sourit. Un baiser, et on reconduit mes parents à leur place.

Quand j'entre en scène, je ne porte plus à terre, animée par une énergie surhumaine. Je suis déchaînée. Riez! Riez, tout le monde! Il faut que vous riiez pour que papa rie aussi. Pour qu'il en oublie ses misères. Aimez-moi démesurément pour que ce vieil homme qui ressemble à un cadavre soit fier de moi.

À la fin, lorsque nous venons saluer le public, celui-ci nous fait une ovation debout. Dans la première rangée, maman sourit et papa me regarde comme si j'avais été une apparition. Quand ils me rejoignent dans ma loge, papa a retrouvé toute sa dignité et son panache. Il félicite l'équipe: «C'est un grand succès. Vous avez eu un beau *station ovation*.»

Je trouve l'expression tellement jolie que je n'ose pas lui rappeler qu'on dit plutôt *standing ovation*. (*Station*? Pensait-il à sa vieille *station wagon*?) Mes camarades non plus ne soulignent pas l'erreur ce soir-là. Mais jusqu'à la fin des représentations, le bon mot de papa deviendra entre nous un *running gag*. Beau *station ovation* ce soir, hein!

33

Jean-Pierre a écrit un *one man show* intitulé *Freak Show*. Il le produit et le joue dans un petit café-théâtre, et j'en signe la mise en scène, ma première. Ai-je le talent pour faire ce métier ? Jean-Pierre m'en a convaincue et, surtout, j'ai été incapable de lui dire non. Il me fait entièrement confiance et je suis bien décidée à ne pas le décevoir.

Travailler avec l'être que l'on aime et traverser le même stress que lui, au même moment, au même endroit, est un véritable défi au bon sens. Au début, nous travaillons les textes à la maison, autour de la table de la cuisine. Puis j'élabore une mise en place sommaire au salon. Nous n'avons pas les moyens de nous offrir une vraie salle de répétitions. Jean-Pierre a déjà vendu sa Porsche pour produire son spectacle.

Quand le temps alloué aux répétitions est terminé, nous nous faisons l'accolade, comme deux camarades du métier, puis nous nous disons «au revoir, à demain». L'un de nous sort de l'appartement, frappe à la porte et rentre quelques secondes plus tard, comme s'il rentrait chez lui après son travail. Nous tentons ainsi de nous donner l'illusion d'avoir toute la journée vaqué à nos propres affaires. Hélas, trois fois hélas.... ce procédé ne suffit vraisemblablement pas. Nous en venons vite à l'affrontement.

Il faut dire qu'en tant que metteur en scène j'ai l'ingrate tâche de corriger les erreurs: «Ce monologue est bon mais là, il faut couper... Cette chanson est une bonne idée, mais il faudrait récrire les paroles du couplet... Ne précipite pas le débit, prends le temps de me vendre ta salade, laisse-moi respirer.»

Fais ceci, ne fais pas cela... J'ai l'impression de castrer Jean-Pierre. Et lui, de devenir un petit garçon soumis aux remontrances de sa mère. Un fossé se creuse évidemment entre nous. L'étroite complicité amoureuse et le désir physique sont les premiers à en faire les frais. Après tout, qui aurait envie de faire l'amour avec son bourreau. Mais au début, nous ne sommes pas conscients de cela.

Tandis que nous préparons ce spectacle, papa agonise avec une lenteur effroyable. Il ne mange presque plus; les médecins n'arrivent pas à doser correctement sa morphine liquide, de sorte que la drogue lui fait vomir ses tripes. J'arrive, papa, j'arrive. Je lui apporte de la tisane ou une eau gazeuse, mais ça ne lui est d'aucun secours. Je masse ce corps décharné et en profite pour laver les draps souillés. Papa proteste, humilié. Je noie ses protestations sous un flot de paroles et reste jusqu'à ce qu'il s'endorme. Je rentre ensuite chez moi, où je retrouve un compagnon quasi absent, absorbé par l'élaboration de son spectacle. Le lendemain, je recommence: retour à la mise en scène; retour auprès de papa.

Puis tout se précipite. Il faut constituer une équipe, enregistrer la bande sonore, voir aux décors, aux costumes, à la publicité – télé, radio, affiches. Qui assurera l'éclairage... qui? qui? qui? Jean-Pierre et moi faisons pratiquement tout nous-mêmes. Et papa n'est plus qu'un souffle de vie. J'utilise les services d'infirmières privées pour me relayer à son chevet; ma comptable-amie paie sans jamais sourciller. Elle juge cette dépense normale. Elle sait tout de ce que j'endure, elle connaît mes priorités, mes besoins, mes angoisses. Elle-même a accompagné son mari dans un long voyage vers la mort.

Le soir de la première du spectacle de Jean-Pierre, j'atteins un tel sommet de nervosité que le propriétaire du café-théâtre se voit contraint de me mettre à la porte parce que je communique ma nervosité à toute l'équipe. Mon travail est terminé. Je ne peux plus rien faire pour cet homme que j'aime. C'est à lui de jouer maintenant. Assise dans les marches de l'escalier extérieur, j'écoute tout le spectacle à l'aide d'un petit haut-parleur. Je ne rentre qu'au moment des applaudissements de la fin.

Mon homme est-il heureux? Je crois qu'il n'en a même plus la force. Cette vie que je lui fais mener depuis presque quatre ans, cette vie où la maladie et la mort rôdent sans relâche, a réussi à le miner. Ce spectacle auquel il a tant travaillé a chambardé la discipline physique qu'il s'était toujours imposée et qui assurait jusqu'à sa force et son équilibre. Nous mangeons mal, dormons peu, le téléphone sonne sans arrêt pour nous précipiter entre pleurs et angoisses, très souvent pendant la nuit. C'est alors qu'apparaît chez Jean-Pierre cette maladie étrange, mal connue, que nous mettrons des années à identifier: l'hypoglycémie. Son pancréas brûle ses sucres à une vitesse folle et son cerveau est mal oxygéné. Il devient impatient, tantôt les nerfs à vif, tantôt dépressif; il éprouve de la difficulté à se concentrer et maigrit à vue d'œil. Pour le moment, je mets ça sur le compte du trac et je le traîne, après le spectacle, prendre une bière ou deux en grignotant des *chips*. Exactement ce qu'il ne faut pas faire.

Les deux hommes de ma vie se portent mal. Et moi? Guère mieux. Mais je tiens le coup. Je suis forte, je peux en prendre. Chaque soir, je précède Jean-Pierre au café-théâtre et veille à ce que tout soit prêt. J'assiste à la première partie, puis je cours prendre soin de papa. C'est souvent en pleine nuit que je rentre à la maison.

Je suis sûrement dans un état second le soir où j'immobilise ma voiture devant l'hôpital Saint-Luc et fixe une fenêtre dont la lumière me semble douce et bienfaisante. J'envie le patient inconnu qui occupe cette chambre. Je ne pense pas à la maladie qui le terrasse, ni à sa souffrance, j'ai simplement envie que quelqu'un s'occupe de moi. Je me souviens d'avoir formulé cette phrase: «J'aimerais ça être à sa place.»

Fais attention à ce que tu désires, m'avait prévenue papa, ça risque de se réaliser. La vie, en effet, m'exaucera. Pour ceux qui ne savent pas dire non, la maladie peut devenir un refuge, une halte et, ultime horreur, un moment où l'on peut enfin prendre du repos sans culpabilité.

Quelques années plus tard, ce n'est pas un mauvais karma ni le destin qui m'enverront à l'hôpital. C'est moi-même. Parce que j'en avais exprimé le désir. À partir du moment où je l'avais souhaité, j'avais mis en branle la machine intérieure qui allait me permettre de m'y retrouver. J'avais lancé le message à mon subconscient, qui avait exécuté ma prière. Du moins, aujourd'hui, au moment où j'écris ces lignes, je suis intimement convaincue que les choses se passent ainsi. Par expérience. Bien sûr, on est libre de croire ou de ne pas croire au pouvoir du subconscient. Il est plus facile d'être fataliste, de se croire une victime du sort. Quant à moi, j'ai fait le choix d'envisager les choses autrement: de forger mon propre destin en me donnant des images positives et idéales de moi-même.

À propos du spectacle de Jean-Pierre, *La Presse* a titré: «Un nouvel auteur est peut-être né!» Rouge de colère, je téléphone au critique d'art Martial Dassylva: «Comment ça, *peut-être*! Il est né ou pas?» M. Dassylva fait preuve d'une grande patience. Il entreprend de m'expliquer que, pour juger du talent d'un auteur, il faut attendre une deuxième et parfois une troisième œuvre. Quelle délicatesse a eu cet homme de ne pas m'envoyer promener!

Jean-Pierre et moi sommes entourés de gens qui croient en ce spectacle: musicien-compositeur, costumier, décorateur, éclairagiste. Ils se dévouent, prêtent gratuitement leur talent; Jean Bissonnette, par exemple, le directeur artistique le plus couru du Québec, vient un soir changer l'ordre des monologues. Mais je n'apprécie plus ces cadeaux que la vie m'apporte. Je n'ai pas le temps d'y penser. Je suis obsédée: il faut que papa vive! Je suis cramponnée à lui, je le retiens à deux mains pour qu'il ne tombe pas dans le gouffre de la mort. Son médecin me prévient pourtant: «Il faudrait que tu le laisses aller. Il n'en peut plus.» Mais je refuse. Mêlez-vous de vos affaires, c'est mon père à moi!

L'été suivant, Jean-Pierre m'oblige encore une fois à prendre des vacances pour refaire nos forces. Un mois à Sainte-Luce-sur-

Mer. Cette fois, j'ai la conviction d'abandonner lâchement mon père. La culpabilité ne me quittera pas pendant tout mon séjour : je me lève avec cette pensée, je passe la journée avec cette pensée, je me couche avec elle.

Jean-Pierre a loué une jolie maison en bord de mer. Le paysage est à couper le souffle, mais la fenêtre de ma chambre donne sur l'église au loin, derrière laquelle s'étend le cimetière. Les croix et les stèles me rappellent à chaque instant qu'à Montréal mon père se meurt. Si une urgence survenait, la seule façon de nous joindre serait de nous faire prévenir par l'entremise des propriétaires, qui habitent Luceville, à quelques kilomètres de là. Jean-Pierre fait tout pour me remonter le moral et me distraire. Il dispose les meubles autrement et modifie l'éclairage pour rendre le chalet plus invitant, il m'emmène en expédition sur les rochers du Bic et aux jardins de Métis, il m'emmène manger des fruits de mer chez *Capitaine Homard*. Mais, surtout, il a pris soin de ne révéler notre numéro de téléphone qu'à mon frère. Il me dit que, depuis qu'on se connaît, papa a annoncé cent fois sa mort. Il n'en peut plus que celui-ci nous relance jour et nuit. Il lui faut absolument être coupé de papa pour un mois, c'est une question de survie. Mais je trouve intenable de ne pas parler à mon père tous les jours. Je suis déchirée. Il aurait fallu que j'aie le courage de laisser Jean-Pierre partir seul en vacances. Je n'ai pas pu. Et si j'étais sur le point de perdre Jean-Pierre aussi ? S'il en venait à ne plus pouvoir supporter cette misère qui n'en finit plus ?

Alors, faisant comme si de rien n'était, je suis Jean-Pierre partout dans ses expéditions. Je n'ose pas lui dire que mon corps est trop épuisé pour escalader des montagnes, sillonner la région à pied ou en vélo. Les sites sont magnifiques, mais leur image me hantera toute ma vie parce que celle du cadavre de papa s'y superposera toujours.

Quand je rentre à Montréal, il reste à mon père douze jours à vivre. Il a été hospitalisé d'urgence la veille. Son pneumologue téléphone à maman et c'est moi qui réponds. Le plus naturellement du monde, comme s'il s'agissait d'un cas de grippe traité au sirop

Lambert, le médecin m'explique: «Nous sommes en présence d'un cas qui ne mange plus à cause d'une trop grande prise de morphine. Nous allons donc couper la morphine. Je signe le congé de votre père pour demain matin.»

Mais ce médecin a-t-il réfléchi à ce qu'il fait! Comment peut-il agir ainsi? Papa prend de fortes doses de morphine depuis deux ans, on lui en administre maintenant par intramusculaires. On ne va quand même pas le renvoyer chez lui sans le sevrer? C'est inhumain. Même les junkies ont droit à plus d'égards. Pourquoi ce médecin ne consulte-t-il pas les urologues traitants? Pourquoi?... parce que nous sommes à une époque de spécialistes, où chacun ne soigne que le «morceau» du patient dont il a la responsabilité, sans penser que le corps est avant tout un ensemble. Ainsi, pour les poumons de papa, il vaut mieux couper la morphine. Pour le reste, c'est le problème de papa. Et notre problème à nous, à Jean-Pierre et à moi, qui le récupérons à l'hôpital.

Nous avons à peine étendu papa sur la banquette arrière de la voiture que les symptômes de la désintoxication commencent à se manifester. Ses membres sont secoués de tremblements et l'horrible douleur reprend possession de son corps. «Tu m'avais promis...», marmonne-t-il, le regard chargé de rancœur.

Pendant que Jean-Pierre installe papa dans son lit, je me précipite à la clinique de l'immeuble. Le docteur de Grandpré, un jeune généraliste qui soigne mon père avec compétence, patience et tendresse depuis deux ou trois ans, m'accueille entre deux patients. C'est un grand humaniste. Sa jeune carrière l'a déjà mis en présence de tant de souffrance. Il me rédige sur-le-champ une prescription que je fais remplir à la pharmacie voisine. J'arrive, papa, j'arrive. Je casse la petite ampoule miracle, je remplis la seringue et je fais l'injection intramusculaire tant espérée. Si le docteur de Grandpré ne m'avait pas donné de morphine, j'aurais sans hésitation fait le tour des revendeurs de la ville. La souffrance est inutile et la mort doit être vécue dans la dignité.

Onze jours si courts. Onze jours comme une éternité.

Papa et moi vivons des moments d'intimité sans prix. Une grande paix nous habite malgré l'imminence de la séparation définitive. Je raconte à papa mon expérience avec la mort, lorsqu'on m'avait déclarée cliniquement morte. J'essaie de dédramatiser le passage de la vie à la mort en lui en décrivant toutes les étapes, comme s'il s'agissait d'une transition normale. D'un passage non douloureux mais nécessaire. Je lui décris la beauté de ce voyage. Le regret que j'ai éprouvé en revenant sur terre. Il m'écoute attentivement. Il ne dit rien. Croit-il que j'invente une histoire pour endormir sa peur de l'inconnu? Sentant que la fin approche, il insiste pour que je lui narre de nouveau mon expérience: «Comment c'était, quand tu étais supposément morte?»

Je profite de son sommeil de plus en plus fréquent pour laver ses vêtements souillés, dont la seule vue lui est intolérable et l'humilie. Une nuit, lorsque je reviens de la salle de lavage, il m'attend, éveillé, le visage illuminé par un magnifique sourire. Il me confie: «Maman est venue me voir. Elle m'a tendu les bras. Je pense qu'elle s'en vient me chercher.»

Je sais que la fin est proche et que dans l'au-delà ceux qui l'ont aimé se préparent à l'accueillir.

Papa ne pèse plus que trente-deux kilos. Pour le laver ou changer son lit, je peux le soulever d'une seule main. Son corps a fondu et le sac qui recueille son urine s'échappe sans arrêt de son orifice. J'ai beau le coller avec des mètres de ruban adhésif, le sac se détache et l'urine inonde le lit. Un soir, je n'arrive plus du tout à le faire tenir; je ne sais plus que faire. L'infirmière du Mont-Carmel ne m'est d'aucun secours, elle ne connaît rien à ce genre d'opération. Les sueurs m'aveuglent. Je téléphone à l'Hôtel-Dieu. Il est minuit moins dix. Au secours! Une infirmière qui a beaucoup soigné papa m'assure qu'elle va venir m'aider. Elle termine son quart de travail et saute dans un taxi. En arrivant, elle s'empresse de fixer le sac, puis m'enseigne comment le faire moi-même. Elle nous quitte au milieu de la nuit. C'était sûrement un ange gardien. J'ai oublié son nom, mais pas son geste. Il ne se passe pas un jour sans que je prie pour elle.

Tous les jours, Jean-Pierre passe de longues heures au chevet de papa. Et ce vieil homme, qui a conservé sa lucidité, lui raconte, entre des moments de somnolence, les aventures qui ont marqué sa jeunesse. Son souffle est court et souvent le sommeil l'interrompt au milieu d'une phrase. Mais quelques minutes plus tard, dès qu'il ouvre les yeux, il reprend le fil de son histoire, exactement là où il l'avait laissée. Jean-Pierre ne bouge pas du pied du lit, il attend que papa reprenne ses esprits puis, dès qu'il le voit ouvrir les yeux, il lui ment, l'assurant qu'il n'a pas dormi plus que quelques secondes.

Maman est complètement déconnectée de la réalité. Alors que son mari se meurt, elle lui tend un peigne et lui dit: «Peigne-toi, le docteur s'en vient. De quoi on va avoir l'air?»

Le dernier jour est arrivé. Le regard de papa change, il devient fixe, accroché à je ne sais quoi, comme s'il regardait au-delà des murs, au-delà de la ligne d'horizon, au-delà de la vie terrestre. Bien que, d'heure en heure, son pouls faiblisse, il raconte à Jean-Pierre, qu'il aime comme un fils, une autre de ses aventures de jeunesse. Il est question d'une mère ourse et de ses petits, devant lesquels papa s'était trouvé face à face sur une voie ferrée. «J'ai pas paniqué, affirme papa. Mon père m'a toujours dit qu'un ours, si tu t'arrêtes pas pour lui demander l'heure, il ne te fera pas de mal.»

Jean-Pierre est bientôt obligé de le quitter pour aller travailler. Papa est convaincu que c'est la dernière fois qu'il le voit. Jean-Pierre tente de le rassurer: «De toute façon, monsieur Boucher, on va continuer à se parler quand même. Une fois rendu de "l'autre bord", vous me ferez un signe pour m'avertir que vous êtes arrivé. J'ai justement auditionné pour une campagne publicitaire. Si j'obtiens le contrat, je comprendrai que vous avez intercédé en ma faveur.»

Il est minuit. Maman essaie de dormir dans le lit voisin. Comme toujours, une résille protège sa coiffure. Si une urgence survenait, elle serait prête. Depuis que je suis petite, elle me répète: «Il faut toujours être propre sur soi au cas où on aurait un accident et qu'on devrait aller à l'hôpital.»

L'homme avec qui elle vit depuis bientôt cinquante ans va mourir. Elle s'y prépare et y fait face à sa façon. Papa tend son bras décharné à travers l'espace vide qui sépare leurs lits. La main de maman, tout aussi décharnée, va à sa rencontre. Les mains se serrent et s'étreignent et mon père dit simplement: «Au revoir, ma noire. (Il l'avait toujours appelée ainsi.) Et merci pour tout.»

Ils ne se sont plus parlé. C'est l'heure d'une autre injection de morphine. J'essaie de planter mon aiguille quelque part dans ce corps usé mais mon cerveau refuse de donner l'ordre à mon bras de planter l'aiguille. Papa me regarde. Il n'y a plus aucune panique, aucune angoisse dans son regard. Plutôt une grande douceur. «Appelle l'infirmière, ma grande», me dit-il. C'est elle qui fait, à ma place, ce que je sais être la dernière injection. Papa ajoute: «Retourne chez toi. Va te reposer. Je vais bien et l'infirmière est là.»

Je l'ai écouté, je suis rentrée. Mais à six heures un coup de téléphone de l'infirmière me ramène en vitesse à son chevet. Papa agonise. Il a du mal à quitter son enveloppe terrestre. Je lui glisse à l'oreille des mots qui n'appartiennent qu'à nous. Le docteur de Grandpré lui tient la main. Maman est assise au salon, elle a oublié de retirer sa résille pour la visite. Figée dans un immobilisme de statue de sel, elle est en état de choc. Les derniers râles de papa sont effrayants mais, sourde, elle ne les entend pas.

C'est fini.

L'histoire d'amour entre papa et moi, entre le vieil homme et l'enfant, est terminée.

À onze heures, Jean-Pierre s'envole pour Toronto. Il va y tourner la campagne de publicité pour laquelle il avait auditionné. Premier clin d'œil de papa de l'au-delà.

C'était le 11 août 1981.

34

Il faut prévenir la famille, les amis. Des heures au téléphone à répéter «Il est mort», et à s'entendre répondre: «C'est mieux comme ça. Il ne souffre plus. Ta mère n'en pouvait plus.»

Puis avec mon amie Manon, j'entreprends de jeter les médicaments de papa: antidouleurs de toutes sortes, somnifères, morphine liquide pour les injections. Nous nous passons la remarque en même temps: «Si on offrait ça à des revendeurs, on obtiendrait au moins cinq mille dollars. Ça ferait du bien, en ce moment, une petite injection de morphine.» Manon court jeter toutes ces drogues dans l'incinérateur. On ne pense même pas à les rapporter au pharmacien.

Maman me demande d'enlever le lit de papa de sa chambre: «Sans ça, je vais toujours le voir. Je ne pourrai pas dormir.»

La pièce paraît trop grande.

Maintenant que j'ai davantage de temps pour m'occuper de maman, je prends conscience de ce que de longues années de misère, de souffrance et de peur ont fait d'elle. Elle n'a que la peau sur les os. Ses beaux yeux noirs perçants comme ceux d'un oiseau de proie, ont perdu leur feu. Mais elle ne pleure pas. Elle répète: «C'est une délivrance.» Et, à la regarder, on le croirait.

Troublée, elle n'arrête pas de me demander: «Quand ton père m'a dit "Au revoir, ma noire. Merci pour tout", qu'est-ce qu'il voulait dire?» Je suis abasourdie! C'était pourtant clair. Je tente de lui faire comprendre qu'il l'a remerciée pour les longues années de vie qu'ils ont partagées. Et de l'amour et de la tendresse qu'ils se sont donnés avant l'horrible maladie de papa. Mais maman ne semble pas comprendre. La question revient souvent: «Qu'est-ce qu'il voulait dire?» Cet adieu, dont elle n'a pas saisi le sens, la hante. Surtout le «merci pour tout». A-t-elle l'impression d'en avoir si peu fait qu'elle ne méritait pas un merci?

C'est moi qui dois choisir le cercueil de papa, et c'est l'aventure la plus absurde que j'aie eu à vivre. Je me retrouve, avec mon amie Manon, dans la salle d'exposition d'une grande entreprise funéraire. Il y a des cercueils à perte de vue. Le vendeur nous en montre un: «Celui-ci est signé Pierre Cardin.» Effectivement, il porte la signature du grand couturier. Manon et moi sommes prises d'un irrésistible fou rire nerveux. Une tombe Pierre Cardin! Incroyable! Le vendeur ne se laisse pas démonter:

— Peut-être préférez-vous celui-ci. Il est à l'épreuve des vers.

— Je m'en fous, mon père va être incinéré.

— Celui-ci alors. Spacieux et confortable. Pas très cher, mais il fait de l'effet.

— Si vous saviez, monsieur, comme ça m'est égal de faire de l'effet en ce moment.

La visite se poursuit, mais rien ne me convient. Je finis par demander s'il est possible d'en louer un, le temps d'exposer le corps. Oui, me répond-il, mais la déception se lit sur son visage. Il ne peut s'empêcher de faire un dernier marchandage:

— Un *box spring?*

— Un quoi?

— Un matelas à ressorts. C'est plus confortable que le crin.

Cette fois, Manon et moi hurlons de rire sans aucune retenue.

— Il est mort, monsieur, les os ne lui font plus mal. Il ne fera pas la différence. Donnez-moi le crin.

Le vendeur tente un odieux chantage émotif:

— Je suis étonné de votre choix, madame Boucher. J'ai lu dans des revues que vous adoriez votre père.

426

Je dois me retenir pour ne pas lui envoyer ma main au visage. D'autres que moi ont dû se laisser prendre à cette forme de chantage. Moi, je reste inflexible. C'est de son vivant que j'ai gâté papa... le reste n'est qu'une comédie à laquelle je refuse de participer.

Je choisis les vêtements que papa portera pour son dernier voyage. Jean-Pierre prête sa plus belle cravate, celle que papa aimait tant.

Papa m'avait toujours dit qu'à sa mort il ne voulait pas être exposé. Il craignait qu'il ne vienne personne puisqu'il n'avait aucune relation à Montréal. Mais j'étais, moi, une personnalité publique et le dernier rassemblement en son honneur sera des plus réussis. Il y viendra beaucoup de monde.

Au moment de refermer définitivement le cercueil, je refuse que tout soit irrémédiablement fini. J'essaie de gagner du temps. Je tire de mon sac à main une brosse-miracle et nettoie les pellicules sur le veston de papa. Puis je resserre son nœud de cravate. Et j'astique les poignées du cercueil. L'aumônier finit par me faire comprendre qu'il doit entamer la cérémonie. S'il m'avait laissée faire, j'aurais arrosé les couronnes mortuaires et passé l'aspirateur.

Au crématorium, j'insiste pour assister à l'incinération. Je veux voir mon père brûler de mes yeux pour m'assurer que c'est bien lui qu'on brûle et que son urne ne contiendra pas les cendres de quelqu'un d'autre. Dire que mon insistance étonne le directeur des pompes funèbres serait un doux euphémisme. Il est déconcenancé, indigné, ahuri, horrifié. Mais je suis bien décidée à n'en faire qu'à ma tête.

Je me retrouve donc dans une pièce exiguë, devant un vaste four dont la porte est hermétiquement fermée. On apporte le cercueil de papa et on transfère son cadavre dans une boîte de carton de même dimension. J'ai une réaction d'étonnement. On ne brûle pas le cercueil? Mais non, idiote... il est loué.

Papa semble tout petit dans son cercueil de carton. On me propose de lui faire un dernier adieu. Je ne réponds pas. Tous les regards se braquent sur moi. Les hommes en noir sont médusés.

Car je me penche sur papa, non pas pour l'embrasser, mais pour lui retirer du cou sa cravate. J'explique brièvement que Jean-Pierre la lui avait «prêtée» et que ce n'est pas la peine de la brûler. Cette fois, je suis allée trop trop loin. Je lis dans leurs yeux le mot «folle». Mais je m'en fous. Je veux la cravate.

Quand la porte du vaste four s'ouvre, je vois crépiter un feu d'enfer. On dépose la boîte contenant papa sur un tapis roulant. Elle glisse à l'intérieur et la porte se referme. C'est fait!

Je crois que je voulais simplement assister à une finalité. Tout était consommé. J'avais *vu* la fin ultime. Je pouvais pleurer en paix.

Quand Jean-Pierre rentre de Toronto, il me serre longuement dans ses bras. Puis je lève les yeux vers lui et lui demande: «Est-ce que tu voudrais être mon *pimp*? Maintenant que papa est mort, je n'ai plus d'homme pour qui travailler.» De moi, rien ne l'étonne, car c'est avec un sourire très tendre qu'il me répond: «Et si tu travaillais pour *toi*! Pas en fonction des besoins des autres, mais pour ton plaisir, ta réussite personnelle et ta satisfaction. Pour te dépasser. Tu n'y as jamais pensé? Tu en as le droit, tu sais.»

Travailler pour moi? Réussir pour moi? Cette façon de voir les choses est si nouvelle qu'elle n'éveille rien en moi. Travailler pour soi, est-ce que ça en vaut vraiment la peine? Non, je ne crois pas, en tout cas pas pour le moment. Je vais y réfléchir.

Le jour où nous allons mettre les cendres de papa en terre, dans le lot familial du cimetière de Rawdon, nous ne sommes que trois. Jean-Pierre est au volant; maman est assise à ses côtés, recroquevillée, si petite que sa tête ne dépasse pas la boîte à gants et qu'elle ne voit pas dehors; moi, sur la banquette arrière, je tiens sur mes genoux l'urne qui contient les précieux restes de papa. Le contenant ressemble plutôt à une boîte à chaussures. Que ça occupe peu de place, un être humain! Nous arrivons au cimetière, sous de grands pins centenaires, à l'ombre du couvent où maman a fait ses études secondaires, là où toute sa famille est enterrée. Un lieu de paix. On cherche le trou. On le trouve difficilement, il est si petit, à peine plus grand qu'un trou de marmotte. On y glisse l'urne et la recouvre de terre avec le pied. Voilà, tout est fait.

Comment papa disait-il, déjà? Ah oui! «Profitez-en bien, ça passe si vite.» Jean-Pierre et moi pleurons. Maman, elle, est en colère: «Ils ont creusé le trou trop près du trottoir. Les chiens vont pisser sur ton père.» J'ai beau lui dire que c'est sans importance, elle insiste, ne pouvant se débarrasser de cette image d'un chien levant la patte pour uriner sur la terre où repose son mari. Elle ne pleure pas, elle est forte, elle sait se tenir. Elle se mure derrière une froideur apparente, incapable d'exprimer sa peine, son désarroi, l'immense vide creusé en elle. Et peut-être même un sentiment de délivrance. Au restaurant, elle continue de marmonner: «Les chiens vont pisser sur lui.» Dans l'auto, au retour, elle tente de convaincre Jean-Pierre: «Ce n'est pas correct qu'il soit si près du trottoir. Imagine, les chiens vont pisser sur lui.» Nous comprenons que c'est sa façon à elle d'exprimer son chagrin.

Maman pensait qu'une fois délivrée de papa elle mènerait enfin la vie rêvée. Qu'elle sortirait de la maison, de cette prison où l'avaient si longtemps enfermée la maladie et les caprices de mon père. Qu'elle ferait de plus fréquentes visites chez ses sœurs, que plus personne ne crierait après elle, qu'elle aurait la paix. Mais la solitude lui pèse vite.

Dans son joli studio, que Jean-Pierre et moi aménageons en fonction de ses besoins, disposant les meubles de manière à faciliter ses déplacements, elle ne sait plus à quoi occuper ses journées. Je la remplume à coups de vitamines. Toute la famille, mon frère, ma sœur et moi, remplissons à tour de rôle le congélateur et le frigo de nourriture. Tante Blanche, la sœur de maman, emménage dans le même immeuble. C'est une présence amie. Tous les soirs, elles soupent ensemble. Ma tante, qui jouit d'une bonne santé, dresse la table, fatigue la salade et sort du four les plats cuisinés que nous leur fournissons. J'arrive souvent avec les pâtisseries dont maman raffole. La télévision joue à tue-tête; elles regardent le fameux quiz américain *The Price Is Right*, où les gagnants hurlent de joie jusqu'à se rouler par terre. L'appartement prend des airs de vraie maison. Maman semble heureuse... mais elle fait vite le tour du jardin de ses petits bonheurs.

Peu à peu, elle perd intérêt pour tout. Je propose de lui acheter un fauteuil roulant électrique, ce qui lui permettrait plus d'autonomie, mais il n'en est pas question. «Tout le monde va me regarder», craint-elle. Elle ne se rend pas compte qu'il est infiniment plus pénible pour les gens de la regarder se déplacer comme un oiseau blessé, cramponnée aux rampes d'accès avec un visage grimaçant sous l'effort. Je surprends parfois des regards de pitié.

Étrange maman. Tordue comme un vieil olivier, mais fière de son cou qui n'a pas flétri. Elle glisse le revers de sa main sur la peau tendue de son cou, murmurant: «Au moins, j'ai un beau cou.»

Son seul plaisir, c'est de regarder la télévision. En particulier l'émission *Le Vagabond*, une série dramatique à propos d'un chien fidèle et bon qui sauve chaque semaine un être humain d'un destin tragique. Peut-être ce chien est-il à son image, à l'image de sa vie. Il lui fait sans doute penser aux siens qu'elle a toujours voulu sauver.

Elle n'entend plus; pour arriver à comprendre, elle doit lire sur les lèvres des personnages. Je lui procure donc à prix d'or, par l'entremise d'un technicien de Radio-Canada, un appareil sophistiqué. Comme seule condition, j'exige – je dis bien «exige» – qu'elle regarde autre chose que les inepties qu'elle a l'habitude de regarder, uniquement parce que leurs intrigues sont plus faciles à suivre. «Maman, je viens te voir de longues heures tous les jours. Même si tu as soixante-quatorze ans, ce n'est pas une raison pour n'avoir rien d'intéressant à me dire. Par respect pour moi, j'exige que tu puisses échanger des idées sur... tout. Tu es intelligente, il ne reste qu'à te renseigner.» Elle m'obéit comme une enfant et en peu de temps retrouve son jugement, sa curiosité, son sens de la critique, cette vision si personnelle qu'elle avait de la vie et des gens, et que le côté *prima donna* de papa avait mise en veilleuse, puis écrasée.

La vieillesse est un défi. Il ne faut pas se laisser couler dans une paresse intellectuelle sous prétexte qu'on est vieux. Je demande constamment à maman de faire des efforts et j'espère qu'on en exigera autant de moi quand j'aurai cet âge. Je lui apporte des montagnes de livres. Je la nourris intellectuellement. Un jour, je lui apporte un best-seller. Je l'ai à peine posé sur ses genoux qu'elle en caresse amoureusement la jaquette, jetant un coup d'œil furtif à l'intérieur. «Préfères-tu que je parte et que je te laisse lire?» Étonnée que j'aie deviné son désir, elle me sourit et me fait signe que oui. Elle plonge déjà dans sa lecture.

Maman et moi partagions la même passion de la lecture. C'était peut-être le seul lien qui existait entre nous. Je la connaissais bien peu. Elle me paraissait sèche, intransigeante. Elle me donnait l'impression que, quoi que je fasse pour elle, ce ne serait jamais assez. Si je devais passer chez elle à quinze heures, par exemple, et que j'accusais du retard à cause de la circulation, elle était en colère et me lançait: «Tu ne sais pas ce que c'est que d'être seule.» J'essaie alors, mais en vain, de lui expliquer le rythme infernal de mes journées de travail, le stress de la vie d'aujourd'hui, cette vie qui se passe au dehors. Mais cette vie-là ne l'intéresse plus depuis longtemps. Le ton qu'elle adopte avec moi sonne parfois à ce point comme un ordre que Jean-Pierre, révolté, finit un jour par élever la voix: «J'estime qu'Andrée en fait assez pour vous pour que vous la traitiez avec respect. Je ne veux plus que vous lui parliez de cette façon devant moi.» Maman en est quitte pour une indigestion.

Qu'est-ce qui la retient de mourir? Peu de choses. Ses petits-enfants surtout. Et, de temps en temps, un souper chez ma sœur ou mon frère. Mais, dans ces occasions, nous sommes trop nombreux et son appareil acoustique ne lui renvoie que des sons distordus qui l'exaspèrent rapidement.

J'ai pitié d'elle mais je ne sais plus que faire pour la distraire. Souvent, Jean-Pierre l'emmène manger dans une crêperie de la rue Rachel où elle s'empiffre de coquilles Saint-Jacques et de crêpes à la crème glacée. Il organise aussi des balades en voiture, le dimanche, et nous l'amenons voir les beaux quartiers ou faire des pique-niques sur le bord du lac Saint-Louis. Aujourd'hui, chaque fois que Jean-Pierre et moi passons devant ce parc où nous l'avons emmenée la dernière fois, nous ne pouvons nous empêcher de nous exclamer en chœur: «Tiens, le parc de grand-maman gâteau!» Elle léchait son cornet de crème glacée qui dégoulinait partout et dont elle tamponnait les dégâts avec un joli mouchoir de batiste ourlé de fine dentelle. Mais le mouchoir n'était d'aucune utilité et, devant les dégâts, elle nous regardait avec un immense sourire, comme une petite fille prise en faute.

Cette année-là, nous avons acheté une maison à Pointe-Claire, dont maman tombe follement amoureuse. C'est une maison de style victorien, avec une longue véranda enfouie sous les arbres, au milieu d'un jardin à l'anglaise. Quand elle l'aperçoit, maman murmure, émerveillée: «Une maison en bois. Comme lorsque j'étais petite.» Nous l'assoyons au milieu du jardin, la gavant de framboises. Quand la cloche du village s'est mise à sonner, elle a levé la tête, comme si ce son lui parvenait du fond de son enfance.

Au printemps, son regard prend une fixité que je reconnais. C'est le regard qu'avait papa peu de temps avant sa mort. Petit à petit, son corps la trahit, puis il l'abandonne. Il lui arrive de tomber dans la salle de bains. Elle échappe inconsciemment ses cigarettes sur le tapis, le mouchetant de brûlures autour de son fauteuil. Ses reins fonctionnent mal mais elle continue de se nourrir de croustilles, de chocolat et de cola, son unique plaisir. Parfois, elle me murmure à l'oreille, comme s'il s'agissait d'un secret honteux: «Ma hanche recommence à faire mal.» Quand je lui demande si elle accepterait de se faire opérer de nouveau, sa réponse fuse, définitive: «Jamais!»

Mon frère s'inquiète. Il adore maman. Il ne veut pas qu'elle se blesse, qu'elle se brûle. Il propose la seule solution acceptable, de son point de vue: le placement en institution pour malades en perte d'autonomie. Je refuse. J'ai tellement entendu mes parents répéter: «On ne veut pas aller dans un foyer. On veut mourir à la maison, dans notre lit.» Cependant, je n'ai pas d'autres solutions à proposer. Je ne peux pas la prendre chez moi; j'ai déjà tant demandé à Jean-Pierre que je n'ose même pas formuler cette idée. Il m'arrive de haïr maman de me faire vivre de tels sentiments de culpabilité.

Finalement, mon frère décide de lui en parler. Après, tout s'est déroulé très vite. Sa douleur à la hanche, annonciatrice de tant d'autres souffrances, sa surdité profonde qui la coupe du monde, et maintenant, dans peu de temps, le spectre d'une institution pour vieillards malades et la perte du peu de liberté qui lui reste : je crois qu'à cet instant son choix est fait. Dans sa tête, quelque chose se brise en mille éclats. Le futur n'existe plus. Seuls restent le présent – heureux, puisque nous l'entourons – et le passé, dans lequel elle plonge une dernière fois avant le grand départ.

À ce moment-là, je joue au Théâtre des Variétés, dans une comédie de Gilles Latulippe. Mes après-midi sont consacrés à maman, qui me semble sereine. Ses traits sont reposés, son œil rieur ; elle a retrouvé ce sourire éclatant qui semble mordre dans la vie. Elle me raconte son enfance heureuse, sans souci matériel, à Granby, ville dont son père avait été le maire. Une vaste maison de bois, une véranda sous laquelle elle aimait se cacher pour rêver, une laverie, une écurie. Je pense alors à combien la pauvreté et la déchéance des dernières années ont dû lui peser. Quand elle me parle des tours pendables qu'elle a joués aux religieuses des couvents de Lachine et de Rawdon, elle rit en cachant sa bouche avec sa main comme une gamine honteuse.

Elle remonte inlassablement le cours de sa mémoire. Sa famille déménage à Montréal : une vie confortable dans une vaste maison de la rue Saint-Hubert, où elle est entourée de ses sept sœurs. Elle évoque l'absence de son père, à qui elle voue toujours une terrible rancune. « Je ne peux pas lui pardonner », s'emporte-t-elle, puis ajoute : « Dieu ait son âme. » Sa mère était d'une sévérité et d'une pudeur très victoriennes. Avec elle, il y avait certaines choses dont on ne parlait pas. Maman ne m'en dit pas plus, mais je sais tout de suite à quoi elle fait allusion. À la sexualité. J'ai toujours senti chez maman une grande frustration sexuelle, de même qu'une peur, sinon un dégoût des plaisirs charnels. Ma façon de vivre ma propre sexualité avait peut-être eu pour but d'assouvir ses manques, de défier ses peurs, de la secouer, de la scandaliser même, peut-être pour réveiller ses sens, les sortir de leur torpeur, leur redonner vie. Quitte à courir à ma perte. Ma mère et moi avions des besoins physiques identiques, de véritables chattes en chaleur. Sauf qu'elle avait trouvé ses matous dans les romans-photos, et moi dans les bas-fonds.

Maman me décrit les bals où elle allait, surtout le dernier; papa avait réservé toutes les danses de son carnet. «Il était beau et si gentil.» Les fiançailles furent courtes. Rapidement, elle dit «oui» à son prince charmant. À ce moment de son histoire, elle baisse la voix pour me dire: «Tu ne sais pas tout. Pour le voyage de noces, nous devions coucher deux nuits au Château Frontenac, puis nous rendre au Manoir Richelieu, à La Malbaie... Elle fait une longue pause. «... Mais la noce s'est terminée tard et il avait neigé. Ton père n'avait pas fixé de chaînes à ses pneus, alors nous avons eu beaucoup de difficulté pour monter la Côte-de-la-Négresse, à Québec. Ton père était fatigué, nerveux, il avait faim. Mais tous les restaurants étaient fermés. Il a fini par trouver un endroit. Et – tu le connais –, il a mangé comme un cochon. Une pizza, un spaghetti et un dessert. Et tu sais qu'il mangeait toujours trop vite. Il a vomi toute la nuit. Le lendemain, nous sommes revenus à Montréal.»

J'imagine bien l'angoisse de cet homme qui n'en savait pas plus long qu'elle sur l'amour physique. Il avait mangé jusqu'à s'en rendre malade, appréhendant de décevoir le puissant désir qu'il détectait dans le regard brûlant de sa femme. Et je repense au beau déshabillé de maman, au tissu léger et doux comme une aile de papillon, qui repose au fond du coffre de cèdre, enveloppé dans du papier de soie. Les larmes me montent aux yeux devant un tel gâchis.

L'intention de maman n'est pas de détruire l'image idéalisée que je garde de papa, mais plutôt de me faire voir les deux côtés de la médaille. «Ton père n'était pas propre.» Une moue de dégoût crispe un instant sa bouche. «Il avait été pensionnaire trop long-temps. Ça ne fait pas des hommes propres. Fallait se battre avec lui pour qu'il se lave.» Je plains de tout mon cœur cette petite bonne femme, propre comme un sou neuf, qui sent le savon de bébé et l'eau de toilette *Paco Rabanne*, dont je l'approvisionne depuis de nombreuses années. Je suis consternée. Pas propre, papa! Il était toujours tiré à quatre épingles, les cheveux impeccablement lissés. Mais il faut croire maman. Il ne lui reste plus assez de temps sur cette terre pour qu'elle mente.

Elle aime ses trois enfants, me confie-t-elle ensuite, et un sourire éclaire de nouveau son visage. «J'ai eu des accouchements difficiles mais le bonheur de vous tenir dans mes bras effaçait tout. Quand je t'ai mise au monde, nous étions mariés depuis sept ans.» Je n'ose pas lui demander s'il leur a fallu tout ce temps avant de consommer leur union. Il y a sûrement des secrets que l'on ne divulgue jamais, un petit recoin de son âme qui n'appartient qu'à soi.

«Après ta naissance, ç'a été un peu difficile entre ton père et moi. (Elle ne l'appelle jamais Gaston ni mon mari.) Tu étais un gros bébé et j'en suis restée déchirée. Pour ton père, physiquement... c'était pas agréable.» Elle n'en dit pas plus. Cette confidence énorme a dû beaucoup lui coûter. Elle ajoute rapidement, de peur que je me fasse une mauvaise opinion de papa: «Il a été un bon père et un bon mari.»

Je dis alors à maman «Je t'aime» et je la serre dans mes bras à l'étouffer. Je voudrais qu'elle me parle encore d'elle-même, mais elle a dit ce qu'elle avait à dire. Elle se tait. Elle a un éclatant sourire sur son visage. Intérieurement, je la supplie de poursuivre. Parle-moi encore! Que je découvre la femme que tu as été, une vraie femme de chair et de sang! Parle, ce n'est plus de la peur que j'éprouve envers toi. Nous ne nous blesserons plus l'une l'autre. Nous sommes deux femmes capables de se comprendre et de s'aimer.

Quelques jours plus tard, l'ambulance la transporte à l'hôpital. Mon frère l'accompagne. Pendant qu'elle agonise, je joue au Théâtre des Variétés. C'est un calvaire que de travailler dans ces conditions. Heureusement, mes camarades font preuve d'une très grande compréhension qui agit à la façon d'un véritable baume.

Dans cette comédie, je dois rester quinze minutes enfermée dans une boîte noire capitonnée, qui donne l'illusion d'être un canapé. Quand j'en sortirai, mon apparition constituera une sorte de punch comique. Lorsque le couvercle se referme sur moi, je me retiens pour ne pas éclater en sanglots. Je ne veux pas être enterrée vivante. Puis je me résigne. *The show must go on.* Et je reste allongée dans ce cercueil, mon regard accroché aux trois petits trous qui me permettent de respirer, le cœur comme dans un étau, obsédée par l'image de ma mère qu'on va bientôt enfermer dans son cercueil. J'étouffe. Le comédien qui est assis sur la boîte m'entend râler, chercher mon souffle. Pour me rassurer, il gratte légèrement la paroi avec ses doigts. Dix fois je dois me retenir pour ne pas pousser le couvercle et m'échapper. Mais je ne cesse de me répéter: «Prends sur toi, Andrée. Respire calmement...» Je compte jusqu'à cent, puis je recommence.

Après la représentation, je me rends à l'hôpital; il est une heure du matin et je n'ai pas pris le temps de me démaquiller. Ma sœur, mon frère, Jean-Pierre et moi entourons maman qui repose dans une petite chambre silencieuse. Elle est dans le coma. Mon frère m'apprend que, dans le corridor achalandé de l'urgence, parmi le va-et-vient des malades, maman lui a murmuré: «Je vais mourir.» Il avait plutôt compris «je vais vomir» et s'était précipité pour aller chercher un haricot. À son retour, maman était dans le coma. Je ne peux m'empêcher de penser qu'elle nous quitte comme elle a vécu, dans l'incompréhension totale, incapable d'exprimer clairement ses vrais besoins.

La neurologue nous informe qu'aucune amélioration n'est possible, qu'elle peut *presque* affirmer que maman restera un légume qu'il faudra tenir en vie artificiellement. À cause de ce «presque», la décision sur les soins à donner nous appartient. Nous pesons le pour et le contre en pleurant, et puis revenons confier à maman notre décision: «Pars en paix, maman. Il ne te sera fait aucun mal. Tu as assez souffert, c'est assez.»

Au même moment, une infirmière entre en coup de vent pour tourner maman sans délicatesse sur le côté, pour éviter les plaies de lit, spécifie-t-elle à la hâte. Je lui intime l'ordre de remettre maman sur le dos. Elle vient de la tourner sur sa hanche malade, ce qui va lui causer des douleurs épouvantables. Comme à une débile, l'infirmière me jette un regard méprisant. «Elle est dans le coma, ta mère. Elle sent rien.» Qui peut affirmer avec certitude ce que l'on entend ou ressent dans l'antichambre de la mort? Et pourquoi ce corps immobile, meurtri, n'aurait-il pas droit à tout notre amour, à notre tendresse, à de la délicatesse?

Au salon funéraire, une cousine éloignée que je n'ai pas vue depuis des lunes m'offre ses condoléances en me serrant dans ses bras. Embarrassée, ne sachant plus que dire, elle ajoute, d'une voix tonnante: «Et à part ça, quoi de neuf?» Je suis alors saisie d'un irrépressible fou rire nerveux. Plus moyen de m'arrêter. On devrait tous nous couper la langue avant d'entrer dans un salon funéraire, ou nous obliger à la laisser à l'entrée!

Dans quelques minutes, on va fermer le cercueil. Je demande qu'on attende un peu, puis je cours au dépanneur le plus proche. Je reviens avec une boîte de *chips* et deux bouteilles de Coke, que je place à l'intérieur du cercueil. Les gens présents ne peuvent s'empêcher de montrer leur étonnement. Maman était de descendance amérindienne et elle m'avait toujours dit que c'était la coutume d'enterrer les corps avec des provisions en vue du long voyage. Après avoir déposé mes offrandes, je m'approche du directeur des pompes funèbres pour lui murmurer entre les dents: «Surtout ne vous avisez pas de retirer ces victuailles. Elle vous maudirait, vous et votre descendance.» Je ne crois pas qu'il ait touché à quoi que ce soit!

Pendant qu'au cimetière le cercueil descend en terre, les petits-enfants, Valérie, Marie-Ève et Émilie, courent cueillir des fleurs sur les tombes voisines avec des rires joyeux. Elles ne savent pas encore que la mort est inexorable et définitive, qu'elles ne reverront plus jamais leur mémé. La proximité du couvent où maman a fait ses études ainsi que la présence de la rivière rendent presque joyeux ce dernier adieu.

Moi, je suis habitée par un immense regret. La complicité que j'avais souhaitée entre maman et moi avait été un rendez-vous manqué. Elle n'avait fait que soulever le voile. Tant de choses n'avaient pas encore été dites et ne le seraient jamais. Il aurait suffi de si peu pour que nous nous aimions. «Tu lui ressembles tellement», me répète mon frère. Je sais aujourd'hui qu'il n'en est rien, mais je me suis longtemps identifiée à son image. Un jour, au cours d'une thérapie, on me demandera de me dessiner telle que je me vois. Sur la feuille blanche, apparaîtra un corps vouté, dont une main agrippe une canne.

Au cours de ma quête désespérée pour connaître la paix, pour me débarrasser d'un passé encombrant, je consulterai de nombreux thérapeutes et aussi des médiums et des voyants. L'un d'eux me dira: «Ta mère, tu dois la laisser aller maintenant.» Mais comment laisser partir quelqu'un qu'on vient juste d'apprendre à aimer? Il me faudra cinq ans de recherche intérieure, passant de la haine au pardon, avant que je puisse lui dire: «Adieu, maman.»

35

Je me complais dans la douleur. Je la dorlote. Je me répète «je suis orpheline», et je pleure sur moi-même. Puis un jour, une pensée nouvelle m'éclaire, me laissant stupéfaite: je suis une orpheline... *en liberté*.

Je jouis de cette liberté que j'avais si souvent souhaitée du vivant de mes parents. Mais que faire de cette liberté? Quels sont mes buts? Où est passée cette étoile qui brillait si fort, qui m'a guidée pendant si longtemps? Je dois la retrouver. Et ce corps que je malmène depuis toujours, qui d'autre que moi peut lui redonner la santé? Lui faire découvrir le goût du bonheur, de la sérénité? Je dois... je veux me reprendre en main. Physiquement et mentalement. La médecine traditionnelle a ses limites, il faut que j'explore d'autres avenues. Les années 1980 sont riches en écrits sur la croissance personnelle. Il y a le meilleur comme le pire. De la Californie nous viennent de nouvelles approches à explorer, des techniques différentes sur la recherche et la découverte de soi. Je ne sais pas encore trier le bon grain de l'ivraie, ni les charlatans des bons thérapeutes, mais, qu'à cela ne tienne, c'est avec un insatiable appétit que j'entreprends ma quête. Désormais, je vais mettre la même passion à me construire que celle que j'ai mise à me détruire.

Une phrase que j'ai lue quelque part me hante: «On est maître de son destin.» Je l'apprivoise. Je veux la mettre en pratique.

Qu'est-ce qui m'en empêche? Rien. Par où commence-t-on? On verra bien. Mon instinct me servira de guide.

Je consulte d'abord un auriculothérapeute. Il m'explique que tous les organes du corps ont des points de contact avec le pavillon de l'oreille. Le traitement consiste à stimuler ces points à l'aide d'une aiguille, comme en acupuncture. Avec bonne volonté, je prête mon corps à la science. On me traite et... je m'en porte un peu mieux. Boulimie maîtrisée; ma cheville n'enfle presque plus. La solution est peut-être là. Mais ce thérapeute, un médecin, utilisait la carte d'assurance-maladie en plus d'exiger une forte somme d'argent; le Collège des médecins lui fait des misères. Il n'y aura pas d'autres rendez-vous. Quand j'ai voulu le revoir, il était en congé sabbatique. Peut-être était-il parti quelque part dans le cosmos!

Cherchons encore... Deux fois par semaine, j'assiste à des sessions de transfert d'énergie. Guidés par une «grano-sorcière» aux cheveux platine à repousses noires, aux mains dotées, paraît-il, du pouvoir de guérison, nous prions en cercle, jetant nos problèmes au milieu. Nous chassons l'énergie négative qui nous habite et nous nous rechargeons d'énergies positives. La guérisseuse parle très bas, je dois bien tendre l'oreille pour saisir le sens de ses visions. J'ai toujours peur d'avoir manqué quelque chose et d'être en retard d'une émotion. Je ne connais encore rien aux forces énergétiques qui nous habitent. Et ces gens n'en savent vraisemblablement pas plus que moi. Ce sont les balbutiements d'une forme de spiritualité qui prendra toute sa signification au début des années 1990. En attendant, il faut vraiment avoir la foi. Quoi qu'il en soit, ça me relaxe et ça ne fait pas de mal. Sauf peut-être à mon orgueil quand mes amis se paient ma tête.

Depuis que nous avons été en Afrique, Jean-Pierre et moi sommes souvent accablés par une grande fatigue. Les repas sont suivis de plusieurs heures de somnolence pendant lesquelles nous n'avons pas plus d'énergie qu'un pied de céleri. Nous attribuons cela à un excès de travail et nous nous mettons à la recherche de moyens efficaces pour nous détendre. Une camarade de métier, rencontrée par hasard à la terrasse d'un café, nous convainc qu'un peu de spiritualité nous apporterait une grande détente. Elle nous amène au temple bouddhiste qu'elle fréquente. Malheureusement, je viens de manger et je m'endors pendant qu'on psalmodie les prières. Mais si cette copine a réussi à trouver ici force et dynamisme, pourquoi ne pourrions-nous pas faire de même? Jean-Pierre et moi nous convertissons donc pour un temps en moines bouddhistes. Notre chambre à coucher devient un temple. Dans un renfoncement du mur mansardé, nous transformons la coiffeuse en autel. Une branche de cèdre a été posée à côté d'un bol de riz et d'une pincée de sel. Plusieurs fois par jour, nous nous agenouillons pour réciter *recto tono*, inlassablement, cette phrase: «Nam-yé-ho-ren-gué-kio.» Nous y mettons toute notre ferveur. Mais le regain d'énergie tant espéré se fait attendre. Même que, après vingt minutes de litanies, nos genoux fléchissent et nous n'avons qu'une seule envie: nous répandre lentement sur le sol tel un camembert au soleil.

Un jour, Jean-Pierre en a marre et consulte un généraliste: test de sang, test d'urine, examens. Le diagnostic est précis: hépatite de type alimentaire! Le médecin ajoute: «Vous avez de la chance, c'est presque terminé. Il faut toujours se faire vacciner quand on va en Afrique.»

Pour nous remettre sur pied, nous rencontrons une diététicienne qui nous recommande une alimentation sans gras. Adieu, viande rouge. Un peu de cheval peut-être. Des poissons maigres, cuits en papillote ou au court-bouillon. Aucun produit laitier. Des légumes, des fruits en quantité. L'huile d'olive première pression, pressée à froid remplace le beurre dont nous raffolons et nous ne consommons que du pain fait de céréales entières. La première fois que je me mets ce pain en bouche, j'ai l'impression de mâchouiller un tapis «sauve-pantalon». Mais les effets de ce régime alimentaire s'avèrent bénéfiques car notre grande fatigue finit par s'atténuer et nous retrouvons notre forme. Rien n'arrive pour rien, chaque expérience difficile contient une part de positif, une leçon à tirer. On le découvre souvent plus tard. Ainsi, à la suite de cette diète, j'ai constaté que mon arthrite régressait. C'est seulement plus tard, cependant, que j'adopterai définitivement ce mode d'alimentation. Il me sera très bénéfique; surtout, il me sauvera du fauteuil roulant qu'on m'avait prédit.

Notre incursion dans le bouddhisme m'a fait découvrir une forme de pensée basée sur la tolérance. Je découvre aussi la réincarnation, cette théorie selon laquelle nous bénéficions de plusieurs vies terrestres qui servent à nous améliorer sans cesse, dans le but d'atteindre la sagesse suprême. Mes souffrances physiques trouvent ainsi un sens. Elles ne sont désormais plus inutiles, elles me servent à comprendre, à évoluer, à devenir meilleure, à atteindre une forme de maturité. Elles m'éloignent du désespoir et rendent acceptables les deuils et les peines.

Un jour où je me sentais lasse à mourir, quand je souffrais d'hépatite, j'ai jeté mon dernier gramme de cocaïne et la petite cuiller distributrice que je portais au cou, avec le sentiment que je ne consommerais plus jamais cette saloperie. Je ne toucherai plus... à rien. La désintoxication physique est pénible mais elle s'effectue rapidement car je ne suis pas une vraie cocaïnomane. C'est psychologiquement que j'éprouve le plus de difficultés. Je cherche à remplacer ce manque. Ce vide. Par quoi? Où puiser désormais l'énergie dont j'ai besoin pour surmonter la douleur qui ravage mon corps perclus d'arthrite? Je monte l'escalier de la maison en rampant à quatre pattes et je le descends en glissant de marche en marche. J'ai perdu mes béquilles chimiques. Depuis mes seize ans, j'ai toujours vécu sous l'emprise d'une drogue quelconque. Il faut que j'apprenne à m'en passer. C'est tout un bail.

Je suis convaincue que je suis *clean* parce que je ne consomme plus de cocaïne ni autres drogues illicites. Je bois, pourtant. Je considère cependant que l'alcool n'est pas une drogue, non plus que les calmants et les somnifères, puisqu'on peut se les procurer légalement.

Je dois me désintoxiquer, me purifier. Comment y parvenir? Quelqu'un me parle d'une nouvelle médecine: l'iridologie. Je l'essaie. Un iridologue étudie l'iris de mon œil, où sont sensés être inscrits tous les maux dont souffre mon corps. Son diagnostic: intestins paresseux. Remède: une tisane à base de gomme de sapin. En tout cas, la gomme de sapin, ça marche! Je dois vite interrompre le traitement car mes viscères sont en train de se liquéfier.

Peut-être serait-il préférable de traiter mes intestins avec plus de douceur. Pourquoi pas des irrigations du côlon? Boulimique et anorexique, j'ai la hantise de garder en moi cette nourriture aimée et haïe; cette méthode me semble donc idéale. Je me rends joyeusement à mon premier traitement, comme si c'était une fête. Je paie pour cinq traitements, mais n'en subirai qu'un seul. Vraisemblablement, la thérapeute a suivi des cours par correspondance, car elle me décape littéralement. J'en ressors affaiblie au point de devoir rentrer à la maison en taxi. J'ai récupéré ma voiture le lendemain. Pendant trois jours, j'ai des crampes abominables et je jure qu'on ne m'y reprendra plus. Il faudra toute la persuasion de Jocelyne Dubuc, du Centre de santé d'Eastman, quelques années plus tard, pour me convaincre des bienfaits de ce traitement. Et même là, sans vouloir faire un jeu de mots scabreux, j'y suis allée à reculons.

Ma quête du mieux-être me conduit à une singulière thérapie appelée *rebirth*. Une sorte de psychanalyse. Guidée par une thérapeute, je retourne, en pensée, dans le sein ma mère. Je flotte dans le liquide amniotique et je renais cette fois en prenant conscience de tout. Je me souviens d'avoir éprouvé une peur terrible dans ce tunnel trop étroit pour moi. Un instrument enserre ma tête et tire, tire. Une épouvantable douleur. Je viens au monde. En même temps, l'adulte que je suis console ce nourrisson, coupable d'avoir blessé, déchiré sa mère, gâché sa vie sexuelle.

Vérité ou fabulation, cette expérience a au moins le mérite de déclencher en moi le désir de pousser plus loin l'autoanalyse. Je me retrouve donc dans le cabinet d'un psychanalyste. Dès la première séance, il s'avère brillant causeur et fabuleux conteur. En plus d'exercer sa profession, il tâte de l'écriture. Et pendant trois heures, ce n'est pas moi qui me confie à lui, c'est lui qui parle. Il me fait part des nouvelles théories qu'il vient d'élaborer. C'est une sorte d'illuminé. Il m'explique que, génétiquement, tous les Québécois viennent de la même souche et qu'il leur manque une sorte de plomb dans la tête. Sans m'avoir écoutée une seconde, il me propose des pilules. Heureusement qu'il n'y avait pas de Prozac à l'époque, sinon, j'aurais plané très haut. Décidément, j'attirerai toujours les hurluberlus. Je ris beaucoup et nous discutons encore plus. À la fin, il me confie: «Tu me fais du bien.» Vous m'en voyez ravie, monsieur, mais moi je n'avance à rien! Et si je veux rire, pour le prix de cette séance, je peux m'offrir un spectacle d'humoriste et quelques bonnes bouteilles de vin. Adieu, docteur!

Ostéopathie: qu'est-ce que c'est que ça? Essayons voir. Je suis allongée sur une table de massage, dans un entresol où rien n'arrive à troubler l'apaisant silence. Les manipulations qu'exerce sur mon corps l'ostéopathe sont si douces qu'elles me laissent perplexe. Toutes les thérapies que j'ai entreprises jusqu'alors comportaient un élément de violence: massage, *rebirth*, désintoxication de la cocaïne. Je surveille tous ses gestes. Malgré mes doutes, j'atteins un bien-être que je n'avais jamais connu avant.

La voix de l'ostéopathe monte, douce et sereine: «La mémoire sélectionne. Elle occulte les souffrances trop pénibles du passé. Mais le corps, lui, n'oublie rien.» Je n'ai pas d'opinion sur le sujet. Mais parfois, pendant le traitement, je me dis que je vais pleurer. En effet, sans raison, des larmes se mettent à couler sur mes joues. Il s'agit parfois de longs sanglots. Je sens qu'une tension se dénoue en moi. Quand je demande à l'ostéopathe pourquoi j'ai pleuré, elle répond: «Ne cherche pas à mettre un nom sur tout.» Et je me tais. Je laisse plutôt mon corps exprimer les émotions qu'il cache depuis si longtemps.

Un jour, l'ostéopathe me demande de respirer profondément, mais tout ce que je réussis à faire c'est de haleter comme un petit chien. Je n'y arrive vraiment pas. En colère contre moi-même, contre cet échec, je me donne une tape sur la figure en me traitant d'idiote. «Pourquoi te frapper? me demande l'ostéopathe. Ce n'est ni une compétition ni un concours. Tu n'as pas à fournir de performance. Cesse de te montrer si impitoyable envers toi-même.» Je mettrai beaucoup de temps avant de ne plus me frapper, avant d'être plus tolérante envers moi-même.

Je découvre aussi que mon corps comporte deux mondes inconciliables: l'amour et la sexualité. J'ai peur qu'on me dise «je t'aime» parce que j'ai acquis la certitude que ces mots sonneront le glas de la passion et la mort de ma sexualité. Or Jean-Pierre me dit depuis longtemps qu'il m'aime. Alors, de peur que notre passion physique s'estompe, je force les choses, je me lance aveuglément dans des entreprises inconséquentes, irréalistes. Des pulsions de démesure qui s'avèrent parfois drôles, parfois destructrices.

Ainsi, sans réfléchir, j'achète une maison en banlieue de Montréal. Et ce, en dépit du fait que la vie de banlieue me jette dans l'angoisse. L'unique raison qui motive cet achat est qu'une amie habite à proximité. Pendant trois mois, Jean-Pierre supervise les travaux de rénovation. Le jour du déménagement, nous attendons le camion dans notre maison vide quand tout à coup je m'effondre en larmes sur la dernière marche de l'escalier.

– Je ne veux pas habiter ici!

– Mais pourquoi?

– J'ai l'impression de rouler à sens unique... dans le sens contraire.

Exit la vie de banlieue.

De la même façon, je tâte du camping. Je déteste le camping; pourquoi se donner tout ce mal alors qu'on peut dormir confortablement dans son lit? Je me laisse toutefois convaincre par Jean-Pierre. Mais, tant qu'à faire quelque chose, faisons-le avec démesure. J'achète une tente, des sacs de couchage, des sacs à dos, une batterie de cuisine et une glacière. Un peu plus et j'achetais aussi la forêt. Jean-Pierre et moi remplissons la voiture jusqu'au toit et partons en direction d'un emplacement perdu qu'il a découvert quelques semaines auparavant, au cours d'une de ses pérégrinations du dimanche après-midi. Nous quittons bientôt la route pour nous hasarder sur un sentier cahoteux, à peine deux traces dans la boue, sans doute un ancien chemin réservé à la coupe du bois. Après une heure de lutte pour échapper aux ornières, au risque de nous embourber, nous parvenons à la rivière Ouareau. Nous laissons la voiture enfouie dans un bosquet et mettons plus d'une heure à transporter notre équipement, en pleine brousse, jusqu'au pied de cascades rugissantes. Nous mettons autant de temps à dresser la tente, à en aménager l'intérieur, à creuser des rigoles au cas où il pleuvrait. Puis il faut ramasser du bois. Au bout d'un certain temps, j'arrête Jean-Pierre car, du bois, nous en avons amassé pour un mois; or, nous n'allons rester ici qu'une nuit. Le soir commence à tomber. Nous nous enduisons, nous frottons, nous vaporisons de liquide antimoustique parce que des nuées de maringouins nous assaillent. Nous sortons la batterie de cuisine, mangeons, lavons la vaisselle à la rivière. Il fait nuit et depuis notre descente de voiture, nous ne nous sommes pas accordé une seule minute de repos. Bonjour, la détente! Épuisés, nous gagnons notre tente et nous nous glissons dans nos sacs de couchage.

— Bonsoir, chouchou!

— C'est ça, bonsoir!

Autour de nous, un noir d'encre. Et un silence à faire peur, sauf pour le vrombissement lointain du torrent. Une minute passe. Puis j'entends Jean-Pierre soupirer dans le noir. Je demande:

— Qu'est-ce que tu as?

— Je...

— Je... quoi ?

— Je...

— Envoye, parle!

— Je ne suis pas capable de dormir ici.

— Pourquoi?

— Ça m'angoisse.

Nous revenons à Montréal en pleine nuit, abandonnant sur place l'équipement. En traversant la ville de Joliette, je suis prise d'une fringale. Pendant que nous nous empiffrons tous deux de hot-dogs et de frites, je sens que je suis le point de mire du propriétaire du «stand à patates». Il zieute mon accoutrement: survêtement boueux, visage enflé par de multiples piqûres de maringouins, menton dégoulinant de moutarde. Je peux presque l'entendre penser: «Des vedettes de la télévision, ça fait dur.»

Le lendemain, à l'aube, je me réveille dans mon lit. J'ai à peine ouvert les yeux que je secoue Jean-Pierre:

— Debout, toi!

— Comment ça?

— On retourne tout de suite à la tente.

— À cette heure?

— Je veux manger des œufs et du bacon préparés sur un feu de bois. On n'a pas ramassé tout ce bois pour rien. Allez, hop!

Et nous regagnons le campement. Encore une fois, trois heures de route, le sentier impraticable, les ornières et les ponts de billes de bois pourri: j'ai l'impression que nous sommes «les aventuriers de l'Arche perdue!» Personne n'a touché à notre équipement. Nous déjeunons, terminant notre repas avec des guimauves sur la braise. Après avoir pris quelques photos, nous transportons de nouveau tente, sacs et glacière jusqu'à la voiture. Au lieu d'emprunter le même chemin pour revenir, Jean-Pierre décide de poursuivre plus loin sur le sentier. À cinq minutes de là... nous débouchons sur une route principale. Elle conduit directement à Montréal. En quarante minutes.

D'une façon tout aussi irréaliste, nous nous lançons, Jean-Pierre et moi, dans la production d'un spectacle à sketchs, intitulé *Provi-Sex* une sorte de bande dessinée. Il s'agit d'une satire des stéréotypes sexuels, Jean-Pierre incarnant Superman et moi une poupée gonflable. Ce spectacle est un feu roulant, un véritable défi au bon sens. Pendant une heure et demie, nous ne sommes que deux à occuper la scène. Douze sketchs, neuf chansons, neuf chorégraphies, trente-six changements de costumes, cent trente-cinq signaux sonores, quarante-cinq changements d'éclairage, cent cinquante accessoires à manipuler. Même si je n'ai plus l'âge ni la santé physique pour me lancer dans une telle entreprise, je suis portée par une foi qui renverserait des montagnes. Je veux réussir. Je dois réussir. Depuis longtemps, Jean-Pierre et moi voulons un spectacle à nous, qui nous appartienne. Nous ne voulons plus être tributaires des metteurs en scène. Nous sommes ambitieux et idéalistes.

Pour financer cette entreprise, nous dénichons un coproducteur, hypothéquons notre maison, vendons quelques-uns de nos plus beaux meubles. Je vois partir une toile historique appartenant à Jean-Pierre à laquelle je tenais comme à la prunelle de mes yeux, ainsi que deux magnifiques armoires québécoises datant du Régime français. Jean-Pierre s'en fout mais j'en éprouve un choc. Je ne peux qu'établir un parallèle avec l'histoire de mes parents. Leur longue descente aux enfers leur avait fait perdre tout ce qu'ils étaient parvenus à amasser au cours de leur vie. Ils étaient passés de l'aisance au dénuement le plus complet. J'ai un affreux doute. Et si ma vie commençait à son tour à se déglinguer de la même façon? Et si je me retrouvais moi aussi dépossédée de tout? Suis-je sur la même pente descendante que mes parents?

Jean-Pierre et moi croyons néanmoins aveuglément en notre spectacle et nous y travaillerons comme des tâcherons. Mais nous perdrons tout. Ce spectacle sera mon chemin de Damas. Il me fera comprendre que même si on a la foi, il y a des réalités contre lesquelles on ne peut pas lutter. Où est la démarcation entre la détermination et l'entêtement?

Quand le coproducteur m'annonce que nous présentons le spectacle à la *Butte à Mathieu* , je n'en crois pas mes oreilles. Il existe encore, cet endroit? Au cours d'une brève visite, je me rends compte que peu de choses ont changé depuis que j'y ai chanté avec Félix Leclerc il y a plus de trente ans. Bien qu'on l'ait agrandie, la salle est devenue un tas de planches qui sent le pauvre; des odeurs de moisi émanent de la cave où l'on trouve encore de la neige en plein mois de juin. Les tables et les chaises sont peut-être récentes, mais les coussins poussiéreux sont recouverts du même tissu qu'autrefois. Vive le renouveau! Une inquiétude me ronge. Cet amoncellement de poutres instables pourra-t-il accueillir notre show qui requiert un éclairage sophistiqué, des écrans de télé dans la salle, des micros, des enceintes, un décor pivotant? J'en doute et je panique. J'avais rêvé d'une salle à Montréal. Ma folie des grandeurs n'avait pas prévu que je vendrais ma maison pour jouer dans une grange. Mais à Dieu vat! Allons-y. Ne faut-il pas prendre des risques si l'on veut obtenir le succès? Si nous ne croyons pas en notre produit, qui y croira? Jean-Pierre et moi sommes comme des enfants idéalistes qui ont tout à apprendre de la vie.

Professionnalisme, quand tu nous tiens! Rien n'échappe à notre vigilance, à notre sens du travail bien fait, à notre méticulosité. Quitte à nous en rendre malade.

Le maquilleur Jacques Lee Pelletier élabore pour nos personnages des maquillages complexes. Ils doivent pouvoir résister à la chaleur intense des feux de la rampe en plein été. Nous faisons donc des tests dans le sauna de la conciergerie où il habite. Je revêts mon costume de poupée gonflable, – un collant en lycra qui moule tout mon corps, des bas de laine et des gants. Jacques Lee me maquille depuis une heure et l'eau me dégouline sur le corps. Je sue à grosses gouttes dans mon accoutrement quand des locataires entrouvrent la porte, puis se sauvent en courant: «Y'a une folle dans le sauna!» J'aurais du mal à les contredire. Jouer une poupée gonflable quand on a presque quarante-cinq ans, par des températures atteignant sur scène plus de quarante degrés, faut être folle pour faire ça.

Quand le costumier François Barbeau assiste à la générale, il a pitié de nous en nous voyant suer dans nos costumes. Il lance à Jean-Pierre: «Surtout, plains-toi pas, mon p'tit gars. C'est toi qui l'as écrit, ce show-là.» Il ajoute, avec beaucoup d'à-propos: «On peut pas dire que vous faites une vie facile, tous les deux.»

Il est évident que Jean-Pierre et moi avons perdu toute notion de ce qu'était une vie bonne et douce. Nous fonctionnons depuis si longtemps dans la tourmente, dans la maladie, le dévouement, le renoncement de soi, poussant nos forces au maximum, que nous en avons fini par conclure que la vie, c'est ça. Nous ne connaissons pas d'autres façons de vivre. La publiciste du spectacle nous conseille plusieurs fois de prendre du repos, un temps d'arrêt. Mais pour nous, prendre du bon temps, c'est synonyme d'amateurisme.

Pour incarner mon personnage, j'ai les cheveux coupés en brosse. Et ils sont roses. Mon cuir chevelu est brûlé, j'ai des cloques sur le crâne, mais sur scène l'effet est sensationnel. Dans la «vraie» vie, c'est autre chose. Je me souviens d'un arrêt dans un restaurant St-Hubert à Saint-Jérôme. Nous attendons que l'hôtesse nous désigne une table, il y a un monde fou. Soudain, devant nous, un enfant se retourne et m'aperçoit. Il hurle à fendre l'âme: «Maman! Maman! La madame...» Il se met à pleurer. Je fais peur aux enfants, maintenant!

Pendant l'été, le spectacle est tellement exténuant que Jean-Pierre et moi fondons comme du beurre dans la poêle. Je suis encore astreinte à un régime: une poupée gonflable doit montrer des mensurations idéales. Jean-Pierre et moi sommes des êtres responsables mais nous nous en mettons trop sur les épaules. Mauvaise campagne publicitaire, mauvais producteur, mauvaises affiches, mauvais décors...; qu'à cela ne tienne, nous continuons de fignoler chaque soir le spectacle, coupant ceci, améliorant cela. Jean-Pierre va jusqu'à poser lui-même les affiches sur les poteaux électriques des environs. Le spectacle est un succès mais la lassitude nous ronge. Ni Jean-Pierre ni moi ne laissons voir à l'autre notre découragement. Nous nous cachons mutuellement dans les coulisses pour pleurer. Mais nous savons pertinemment que l'autre fait de même. Je me dis que c'est le spectacle que Jean-Pierre a écrit et que je ne peux pas le décevoir. De son côté, il admire mon courage et prend exemple sur moi. Nous n'en parlons pas. C'est intenable.

C'est alors que mon corps commence à protester. Au milieu de l'été, ma démarche sur scène devient chaloupée, je traîne difficilement ma cheville malade. Je n'ai pas mal, cependant, car un physiatre me fait des infiltrations de cortisone. Certains soirs, comme un papillon de nuit attiré par la lumière, il m'arrive de jouer exclusivement pour certains spectateurs hilares et d'en oublier mon partenaire. En colère, Jean-Pierre me le fait remarquer: «Ce soir, tu m'as oublié.» Et je me déteste, me méprise d'avoir fait passer mon besoin d'être aimée avant cette relation privilégiée qui est la nôtre.

Le spectacle use notre couple. Maudite *prima donna* que je suis! Maudite folle qui serait prête à se prostituer pour des applaudissements!

Le soir de la dernière, nous célébrons notre succès dans un restaurant. Nous avons eu quinze mille spectateurs et le spectacle est entièrement payé. Mission accomplie. Mais Jean-Pierre et moi, usés par les rapports quotidiens sur la scène et hors de la scène, ne pouvons plus nous voir. Notre fatigue est immense et nous ne savons plus de quelle façon la dissimuler à l'autre. Ce qui ne fait qu'empirer la situation. Il faudrait qu'on se repose séparément. Tard dans la nuit, il me ramène en silence au chalet. Je me démaquille, puis vais le rejoindre au salon. Tiens! Il n'est pas là! Je l'appelle. Pas de réponse. Dans la chambre, la porte d'un placard est ouverte. Une valise manque. Mon homme a disparu. Malgré les somnifères que j'ai avalés, l'angoisse me noue les tripes. Où est-il? Que fait-il?

Il est parti dans la nuit, à pied, sans même une lampe de poche. Il m'a laissé la voiture. J'ai peur. Je mesure son épuisement à ma propre fatigue. Mon Dieu, protégez-le!

Cinq longues journées sans nouvelles. La voiture bourrée jusqu'au toit de nos effets personnels, je suis rentrée à Montréal. Notre nouvel appartement est vide de sa présence. Nous n'avons jamais vécu ensemble à cet endroit qui est silencieux et trop propre. Comme aseptisé. Que faire? Dois-je appeler la police? Dire qu'il est disparu? Le faire rechercher? J'attends sans bouger, incapable de prendre une décision.

Au cinquième jour, une clef joue dans la serrure. Il entre, s'assoit en face de moi. Il a l'air triste et malheureux. Il parle enfin: «Je t'ai trompée.» Sur le coup, un grand soulagement m'envahit. Ce n'était que ça! Merci, mon Dieu, pour son retour. Je le croyais mort, il m'a juste trompée!

36

« Me pardonneras-tu ? » me demande Jean-Pierre.

Ai-je vraiment quelque chose à pardonner ? Peut-être devrais-je plutôt faire mon mea-culpa. J'ai fait des erreurs. Nous avons souffert d'épuisement nerveux. De plus, nous sommes davantage devenus des camarades de travail. Comme je suis plus expérimentée que lui, pour lui éviter des écueils, je lui indiquais sans cesse ce qu'il devait faire, comme si je détenais la vérité. Je ne lui accordais aucun droit à l'erreur. Peut-être ai-je avec le temps miné sa confiance en lui. S'est-il rebellé contre mon joug ? Veut-il prendre le temps de se retrouver ? De redécouvrir qui il est vraiment ? Et puis, il serait présomptueux de ma part de prétendre devoir être l'unique et le seul être aimé par cet homme. Surtout qu'il a dix ans de moins que moi. Je crois à la fidélité, je ne veux pas d'un couple permissif où chacun va de son côté pour ensuite se faire part de ses expériences. Mais un coup de couteau si bref dans le contrat moral qui nous lie ne me fera pas détruire l'amour sincère que nous éprouvons l'un pour l'autre. Mon cœur est plus sage conseiller que mon orgueil. Écoutons-le. Je n'ai rien à pardonner. Il faut simplement faire taire cette folle du logis qu'est l'imagination et qui accable mon esprit d'images de corps enlacés dont le plaisir m'est douloureux. Rien à pardonner... retrouver la confiance et oublier. Mais pas trop. Soyons vigilante. Rien n'est jamais acquis.

Nous accordons une chance à notre couple. Nous partons en vacances à Cayo Largo, un îlot battu par les vagues au large de

Cuba, où l'écrivain Ernest Hemingway aimait se réfugier. Un seul hôtel, une poignée de touristes, des plages désertes à perte de vue. Surtout, une hutte de feuilles de palmiers, dont le romantisme et la simplicité favorisent notre rapprochement amoureux.

Nous retrouvons la passion physique. Mais elle a de nouveaux accents. Moins sauvages. Une grande tendresse apparaît, sentiment jusqu'alors étranger à nos ébats amoureux. C'est nouveau pour moi. J'ai du mal à m'adapter. Je m'en trouve à la fois sécurisée et inquiète. Jean-Pierre et moi ne sommes plus liés par une force animale et aveugle. Après neuf ans de vie commune, nos rapports de couple ont changé, forcément. Ils évoluent. Mais vers quoi? Je n'en sais rien car je ne me suis jamais rendue à ce point d'évolution avec un homme. J'ai le sentiment de me lancer à la découverte d'un continent inconnu. Et si la douceur et la tendresse étaient synonymes de mort lente? Je refuse aussi que la paix et l'harmonie règnent sur ma vie de couple. Ce serait atteindre la maturité, mais ce sont des sentiments étrangers à ma personnalité. Ils me paraissent eux aussi synonymes de mort, de stagnation. Je ne veux pas me montrer raisonnable. Je veux que la vie de tous les jours soit une quête d'émotions fortes. Je suis un guerrier qui ne s'accorde pas de repos.

Un samedi soir, après notre retour à Montréal, nous sommes installés devant le téléviseur, enveloppés dans nos peignoirs de ratine. Soudain, j'éclate en sanglots. Jean-Pierre me demande ce que j'ai. «On est devenus un vieux couple. Regarde-nous... un samedi soir, en robe de chambre, en train de regarder la télé. Comme des vieux chevaux condamnés à brouter dans un pré pour le reste de leurs jours. Notre vie est finie!» Jean-Pierre tente de me raisonner: «En neuf ans de vie commune, c'est la première fois qu'on regarde la télévision ensemble un samedi soir. Franchement, où est l'abus?» Mais je n'ai pas le cœur à rire. Je ne veux pas de cette vie-là. Je veux de l'action. Toujours. Je veux de la démesure. Le pied enfoncé sur l'accélérateur. J'ai soif d'absolu. La passion à n'importe quel prix.

Le ciel ne tarde pas à interpréter mes désirs comme des ordres car quelques semaines plus tard nous acceptons la proposition de reprendre notre spectacle au centre culturel de Shawinigan. Nous nous lançons à l'attaque. De nouveau l'espoir. Nous comptons roder ainsi le spectacle tout l'été, puis nous produire à l'automne à Montréal.

Bien que ni l'un ni l'autre nous n'ayons de travail en vue, nous investissons plusieurs milliers de dollars dans cette aventure, vidant notre compte en banque. Le public mérite ce qu'il y a de mieux, nous ne voulons pas le décevoir. Il faut que ça marche. Nous consacrons toutes nos énergies à améliorer le spectacle: nouvelle bande sonore, nouveaux sketchs, nouvelle mise en scène.

Les représentations vont bon train quand, à la dixième... catastrophe. Au cours de la première partie, je m'accroche un pied dans le tapis et m'étale de tout mon long sur le plancher. J'en reste le souffle coupé. Incapable de parler, de bouger. La salle est plongée dans un angoissant silence. Je semble inconsciente. Sidéré, sans décrocher de son personnage, Jean-Pierre se penche sur moi en simulant un fou rire. Il constate que je reprends mes esprits. Le fou rire gagne la salle, qui applaudit à tout rompre. Je suis sonnée mais ça va. J'ai affreusement mal à la cheville, cependant. Celle que l'on traite déjà à la cortisone. Jean-Pierre m'aide à me relever, puis nous reprenons tant bien que mal notre jeu. Je boite. L'impact a été si fort que je me suis cassé une dent. À l'entracte, on me suggère de mettre fin au spectacle. C'est hors de question. Je suis de l'école du show-business, moi! C'est marche ou crève. Je ne suis pas une mauviette. Et puis, tous ces gens dans la salle, ils sont venus pour nous voir. Non, vraiment, ça ne se fait pas. J'aurais honte. Je me tape donc la deuxième partie.

À l'hôpital, l'orthopédiste m'apprend que je me suis de nouveau cassé la cheville. Interloquée, je lui demande ce qu'il veut dire par «de nouveau». Apparemment, la radiographie démontre que j'ai déjà subi une fracture à cette cheville. «Vous voulez dire qu'on me traite depuis des années avec de la cortisone pour un ligament déchiré alors qu'il s'agissait d'une cassure?» Il me montre la radio.

Pas d'erreur, on voit bien deux fractures. Une ancienne et la récente. J'explique qu'il y a trois ans, j'ai joué tout un été, sans plâtre, sur des talons hauts, dans cet état. «Eh bien, vous avez le résultat devant vous. L'os a mal repris et votre pied est tordu.» Voilà la raison pour laquelle ma démarche devenait progressivement plus chaloupée.

L'orthopédiste dit que je dois porter un plâtre. Il voit dans mon regard affolé qu'il n'est pas question pour moi d'interrompre les représentations, mais n'ajoute rien. Moi, je pense aux membres de l'équipe technique qui comptent sur nous pour gagner leur vie. Et puis, nous attendons la venue d'un gros producteur intéressé à acheter notre spectacle pour l'automne. Sans compter tout le travail et l'argent investis dans cette aventure. Arrêter de jouer équivaudrait à signer l'arrêt de mort de notre spectacle et une petite voix m'interdit de décevoir Jean-Pierre. Si je lui fais faux bond, «Superman» m'aimera-t-il encore? Au fond, je suis incapable de prononcer le plus beau mot de la langue française: non.

Quand je demande au médecin si je peux jouer avec mon plâtre, il se montre évasif: «C'est à vos risques et périls.» S'il m'avait précisé que je risquais d'hypothéquer ma hanche droite pour toujours, je ne serais pas retournée jouer. Je le jure. Mais pour l'instant, «risques et périls», ça ne veut rien dire pour moi. C'est vague. Quels risques? Quels périls?

Et je joue donc, avec un plâtre qui monte à mi-mollet et qu'on a peint en rose. J'implore la jeune habilleuse anglophone de ne plus me lancer son retentissant *Break a leg* avant d'entrer en scène. C'est l'équivalent du célèbre «merde» en français, synonyme de «bonne chance». Une superstition interdit de prononcer les mots «bonne chance» avant un spectacle.

Les semaines passent. J'ai mal partout. Pas un muscle, pas un os de mon corps qui ne crie au secours. Je n'arrive même plus à conduire ma voiture. Jean-Pierre doit me conduire partout. Si je vais chez le coiffeur, par exemple, il doit m'attendre à la porte. Sans le savoir, plus ma jambe traîne le poids de mon plâtre, plus je rogne la tête du fémur déjà attaquée par l'arthrose et la cortisone.

Un soir, mon ostéopathe assiste au spectacle, puis vient me voir dans ma loge. Je décèle tout de suite une inquiétude sur son visage. À demi-mot, elle tente de me faire comprendre que je suis inconsciente, que je prends des risques, que je ne mérite pas tant de souffrances, que je devrais traiter mon corps avec plus de respect. Elle tente surtout de me faire comprendre que je pourrais un jour payer pour cette connerie. Mais c'est mon choix. On est maître de son destin.

Le grand producteur tant espéré se pointe mais, après m'avoir vue dans cet état, il ne donne pas suite à sa proposition. Il ne prendra pas le spectacle. Amèrement déçue, j'évite de penser que j'ai hypothéqué mon corps et que je me suis infligé de telles souffrances pour rien, sinon je sombrerais dans le désespoir.

Quand Jean-Pierre et moi rentrons à Montréal, notre grand rêve s'est éteint. C'est définitif, ce spectacle est mort. Jean-Pierre vend pour six cents dollars les costumes, décors et accessoires qui nous en avaient coûté cinquante mille, le prix de tant de sueurs.

Mais c'est drôle, la vie. Juste comme on croit qu'elle va vous avoir à l'usure, qu'elle ne vaut plus la peine d'être vécue, il se trouve quelqu'un ou quelque chose sur votre chemin pour vous venir en aide. Ainsi, alors que Jean-Pierre et moi sommes au plus bas, torturés par un sentiment de défaite, sans travail et sans le sou, et que nous cherchons vainement un sens à notre vie, voilà que celle-ci nous met en contact avec un être exceptionnel. Un vieux moine franciscain que l'on nous a recommandé. Il nous enseigne les rudiments de la méditation, une discipline mentale qui posera les premiers jalons d'une spiritualité qui se développera au cours des ans.

Nous nous retrouvons dans une petite communauté de l'avenue de l'Hôtel-de-Ville, à Montréal, dans une sorte de monastère composé de quelques maisons tarabiscotées, aux planchers qui tanguent. Dans la cour intérieure viennent atterrir des balles de tennis en provenance du terrain de jeu voisin. Jean-Pierre et moi nous assoyons devant ce moine souriant et paisible. Il est humble. Mais pas de cette humilité exagérée qu'affichent les orgueilleux. Il a fait le tour du monde, exploré les religions orientales et leurs formes de méditation. Il nous rassure. D'abord, c'est gratuit. On donne ce que l'on veut à la sortie. Et il ne s'agit pas d'une doctrine ni d'un enseignement religieux, mais plutôt d'une forme d'hygiène mentale qui permet à l'être humain de reprendre contact avec lui-même quand les événements lui font perdre pied, le ballottant comme une coquille de noix sur l'océan. De retrouver l'harmonie. La paix intérieure. Cette fois, je ne la repousse pas, je suis prête à l'accueillir. La paix ne me semble plus synonyme de mort, mais de survie. Lorsque je quitte le monastère, j'ai l'impression d'avoir touché la grâce. Je regrette déjà ce lieu, allant même jusqu'à vouloir acheter la maison voisine. J'ignore encore que la paix ne s'achète pas. Qu'elle ne peut pas venir des autres. Qu'on la découvre au fond de soi.

Vingt minutes de méditation équivalent à six heures de sommeil profond. Je découvrirai plus tard que de nombreux chefs d'entreprise et hommes politiques pratiquent cette discipline. Elle me permettra de passer à travers beaucoup de choses.

Mon état physique, lui, ne s'améliore pas. Mon ostéopathe est formelle: «Ta hanche droite est atteinte. Je peux te soulager, mais pas te guérir. Il faut que tu commences à envisager une chirurgie.» Jamais! Pas question de me faire charcuter! Au fond de moi surgissent regrets et remords. Jamais je n'aurais dû me croire indispensable, jamais je n'aurais dû jouer une vingtaine de spectacles avec une cheville fracturée. Je n'ose cependant pas révéler la gravité de mon état à Jean-Pierre. J'ose d'ailleurs à peine me l'avouer à moi-même.

Ma carrière est au point mort. Mais, même si notre spectacle s'est soldé par un échec, il m'a insufflé une nouvelle philosophie: il ne faut jamais attendre que quelqu'un nous donne du travail, il faut s'en créer. Avant ce spectacle, Jean-Pierre et moi avions la docilité et le fatalisme de tous les interprètes qui attendent du travail. Désormais, nous nous considérons comme nos propres employeurs. Il faut savoir mettre sur pied des projets, se battre obstinément en dépit de tout pour les réaliser, ne rien laisser au hasard.

Les échecs sont nécessaires à toute évolution. L'avenir n'appartient pas à ceux qui ne tombent jamais, mais à ceux qui tombent souvent et qui trouvent le courage et la force de se relever.

Encore une fois, c'est grâce à l'homme que j'aime que je remettrai le pied à l'étrier. Ayant lu dans un article que Lise Payette entreprenait l'écriture d'un nouveau téléroman, Jean-Pierre me suggère de lui écrire pour lui faire part de mon immense désir d'interpréter un de ses personnages. Il prétend que je suis «un grand talent qui n'a pas de produit». (J'aimerais bien me voir avec ces yeux-là!) D'abord hésitante, je finis par céder. Une des sages décisions de ma carrière. Lise Payette a la délicatesse de me répondre. Sa lettre se termine par ces mots rassurants: «Je te garde au fond de mon cœur.»

Elle a tenu parole. La réalisatrice-coordonnatrice Lucille Leduc ne tarde pas à me téléphoner. Elle m'apprend que je tiendrai le rôle d'Évelyne dans la nouvelle série de Mme Payette, *Des dames de cœur*, à Radio-Canada. Je n'en reviens pas. Mme Payette s'est souvenue de moi. Elle m'a véritablement gardée dans son cœur. Elle ne m'a pas oubliée. Je suis folle d'excitation!

Je me lance dans la lecture des textes. Et, comme chaque fois que j'attaque un rôle, l'insécurité me gagne. Cette fois-ci, mon insécurité se manifeste d'une drôle de façon. Je trouve mon personnage plutôt niais. Cette femme est trop dépendante de son mari. Trop habitée par la peur de lui déplaire. Je ne suis pas certaine que ce personnage me convienne, il est si loin de moi. J'en parle à Lise Payette tout en lui confiant qui je suis vraiment, malgré les apparences. Mais plus je me décris, plus la similitude avec mon personnage devient évidente. Cette dépendance envers l'homme aimé est tout à fait la mienne. Lise Payette se contente de sourire. Il y a longtemps qu'elle me regarde aller. Nous ne nous connaissons pas beaucoup mais elle cerne les êtres avec une précision déconcertante. Elle voit l'impalpable. Elle termine la conversation en me suggérant: «Fais-moi confiance. Le personnage évoluera au fil des émissions.»

Je lui ai fait aveuglément confiance et je ne l'ai jamais regretté. Le personnage d'Évelyne me ramènera dans la lumière et, à travers lui, j'apprendrai à me connaître. Quel cadeau magnifique!

En attendant de retrouver les plateaux d'enregistrement qui m'ont tant manqué, je me prépare. Je lis et je relis les textes. J'aime déjà mon personnage. Je le découvre. Je le vois sous un autre angle. J'excuse ses défauts, comme si je le protégeais. J'y pense sans arrêt. Le caractère de cette femme se révèle parfois entre les lignes. Elle est bonne, voire bonasse, elle sait écouter, ne porte pas de jugements sur les êtres, mais surtout... elle est incapable de dire non à son entourage, de peur de blesser. Maintenant que je connais mon personnage, et l'aime, j'estime que je suis prête à jouer.

Une seule chose m'inquiète, je boite. Ça risque de se voir. J'en fais part à la réalisatrice, qui me rassure: «Je peux vivre avec ça. Je vais m'arranger. Je vais limiter les déplacements.» Et c'est ce que toute l'équipe fera, admirablement, sans jamais trahir d'impatience, même si cela exige de leur part un surcroît de travail.

Il faut aussi que j'arrive à contrôler mon arthrite. Il m'est devenu impossible de lever les bras. Mes doigts se tordent de plus en plus. Je ne peux plus me retourner dans mon lit; je ne dors que sur le dos, car le moindre déplacement occasionne des douleurs épouvantables. Me pencher est un défi. Je veux retrouver toute ma forme parce que les longues journées d'enregistrement exigeront de moi une forme d'athlète. Je dois également retrouver le sommeil. Pour le moment, je n'arrive pas à fermer l'œil sans prendre une forte dose de somnifères. Des élancements qui ont la force de coups de poignard me scient les omoplates. Mes gémissements sont tels que Jean-Pierre doit s'enfoncer des boulettes de cire dans les oreilles pour pouvoir dormir. Quand un cauchemar me fait crier, il passe sa main sur mon front et je me rendors.

À cette époque, le mari d'une de mes amies se meurt d'un cancer de la lymphe. Homme d'affaires réputé, c'est un colosse de six pieds, dans la quarantaine, qui aime passionnément la vie. Il se sait condamné. Il n'est plus que l'ombre de lui-même, un véritable squelette. Il se traîne dans la maison en pleurant, maudissant le ciel parce que la vie est injuste. Cette amie sait que le célèbre docteur Catherine Kousmine sera bientôt de passage à Montréal. Elle me propose de l'accompagner à une de ses conférences. J'accepte. J'ai sûrement moi aussi des choses à y apprendre. En fait, cette rencontre sera déterminante. Malgré ses quatre-vingt ans, la conférencière suisse affiche une énergie de jeune fille. Elle affirme que beaucoup de maladies dégénératives, dont l'arthrite, sont liées à une mauvaise alimentation. En adoptant une alimentation appropriée, dit-elle, on peut arriver à stopper et parfois à guérir certaines maladies chroniques. Je retiens aussi l'information suivante: si une famille observe le même mode d'alimentation déficient pendant des générations, le grand-père pourra être atteint d'une maladie dégénérative à l'âge de soixante-treize ans, mais le fils à cinquante-cinq, et le petit-fils à trente-cinq. Chaque fois que la conférencière aborde l'arthrite, je tends l'oreille et je prends des notes. Je croyais que je mangeais bien parce que je me nourrissais de produits naturels et que j'avais banni la viande rouge de mon alimentation. Au contraire, mon alimentation ne me convenait pas. L'arthrite, bien que génétique, prolifère dans un corps qui s'acidifie. Et mon alimentation comprenait beaucoup d'acidifiants: blé, agrumes, tomates, café, épices et sucres.

Après la conférence, j'ai acheté le livre de Mme Kousmine, le best-seller *Soyez bien dans votre assiette jusqu'à 80 ans et plus*. J'ai retenu une chose fondamentale: l'arthrite se guérit! C'est la première fois qu'on me tient ce discours. Un immense espoir m'habite, de même qu'une grande détermination. Je possède enfin une arme pour me battre contre la maladie, une arme autre que les analgésiques et le fauteuil roulant électrique auquel on me destine.

Commence alors une course contre la montre. Je dois être physiquement prête pour le début des enregistrements. Jean-Pierre et moi convenons de former une équipe efficace qui me remettra sur pied. Je dois tenir le coup. Je me dois d'être à la hauteur. Je ne dois pas constituer un boulet pour l'équipe des *Dames de cœur*. Lise Payette et la réalisatrice croient en moi. Mais, plus que quiconque, Jean-Pierre croit en moi. Et quand il croit en moi, j'arriverais à déplacer des montagnes.

Pendant que Jean-Pierre court les marchés d'alimentation naturelle, apprend à classer les aliments «pour» ou «contre» l'arthrite et concocte les repas, je mets sur pied une équipe de spécialistes qui me prendra en main. Le docteur Marie-Andrée Pigeon qui me fait des injections intramusculaires de vitamines, le naturopathe Yvan Labelle et la diététiste-naturopathe vietnamienne Mme Thuy qui m'apprend à remplacer certains aliments par d'autres que je ne connaissais pas.

Jean-Pierre et moi, nous nous réjouissons, car mes crises d'arthrite s'espacent, puis viennent à disparaître. Quand je connais un stress, elles réapparaissent. Je sais que désormais je devrai être vigilante et tenir mon arthrite en laisse comme une bête fauve. Je sais aussi que je ne pourrai jamais réparer les dommages que ma vie de bâton de chaise a causés à mon corps. Mais au moins le spectre du fauteuil roulant électrique est définitivement écarté. Je peux maintenant me lancer à l'attaque et travailler avec acharnement. Je sens que mon étoile recommence à briller. Et que mes jambes pourront la suivre.

37

Pendant que je mémorise mes textes pour *Des dames de cœur*, je jette à l'occasion un coup d'œil sur une publicité de la station de radio CJMS que j'ai découpée dans un journal, puis épinglée sur le babillard de mon bureau. Une forme de visualisation positive. Chaque fois que je regarde cette pub, je me dis que je travaillerai à cet endroit un jour ou l'autre. Je veux devenir animatrice d'une tribune téléphonique. J'ai une vision personnelle de la vie à communiquer au public et je me dis que je pourrais aussi beaucoup apprendre de lui. La radio, c'est un médium qui me ressemble; de la communication directe, non filtrée. Las de s'entendre rebattre les oreilles avec mon désir de devenir animatrice, Jean-Pierre, qui travaille déjà à cette station comme scripteur, me lance: «Arrête d'en parler et fais-le!»

Il ne m'en faut pas plus. Les «j'aurais donc dû...», c'est pas pour moi. Jean-Pierre et moi élaborons un concept d'émission que je propose à la station mais qui est refusé. On me suggère plutôt de remplacer l'animatrice Louise Deschâtelets durant ses vacances. Autrement dit, je dois faire mes classes. J'y réussis sans doute assez bien puisqu'on me confie bientôt une émission le samedi matin, de six heures à dix heures.

Le premier matin, j'entends dans mes écouteurs la voix du producteur Claude Brière qui me dit: «N'oublie pas que derrière ce micro il y a du monde.» Mes dents claquent comme des castagnettes. Une gorgée d'eau... puis c'est parti.

La radio est un ogre. Elle consomme des informations comme aucun autre média. Ainsi, ce premier matin, je me suis présentée au micro avec un cahier rempli de réflexions, d'informations, de sujets à traiter. Au bout de deux heures, il ne me reste plus rien. Toute une semaine de recherche qui s'est volatilisée. J'ai même épuisé la banque d'histoires drôles que m'ont fournies mes chauffeurs de taxi. (Je les ai d'ailleurs toutes ratées. Et je les raterai toujours. Je n'ai jamais su raconter une histoire drôle. J'ai beau les noter soigneusement dans un calepin, je commence toujours par en révéler le punch. Ça deviendra un style... paraît-il !) Mais pour le moment, il me reste deux heures à remplir... Avec quoi ? Catastrophée, Mumu, ma jeune réalisatrice qui fait aussi ses premiers pas à la radio, me recommande de tout recommencer depuis le début. Je m'exécute donc. Mais la semaine suivante, mon cahier aura doublé. J'ai horreur de me répéter, et encore plus d'ennuyer le public.

Le mandat que je me donne à la radio est d'informer les gens sur ce qui peut les aider à mieux vivre. D'être à l'avant-garde des grands courants d'idées. Soutenue par une équipe de chroniqueurs, je traite d'alimentation, de visualisation positive, de programmation neurolinguistique, d'homéopathie, de naturopathie, en même temps que je suggère restaurants, spectacles et derniers gadgets à la mode. Je dois posséder à fond chacun des sujets que j'aborde. Aussi chaque émission exige-t-elle de moi des heures de recherches intensives. Mais c'est passionnant parce que j'ai le sentiment d'apprendre autant que mes auditeurs.

Je travaille sept jours par semaine et j'aime cette impression de me défoncer au travail. Si ce n'était de ma hanche qui me fait souffrir. Durant la semaine, je consacre mes journées aux enregistrements des *Dames de cœur* et mes soirées à la recherche pour mon émission de radio. Le samedi, je me lève à quatre heures du matin pour me rendre à la station. Je réside alors à *Habitat 67*, un complexe étrange composé de blocs de béton en équilibre, beau monument de l'architecture moderne. En hiver, les couloirs extérieurs sont balayées par les rafales et je descends les escaliers dans la noirceur, brisant les plaques de glace avec mon talon, mon énorme valise contenant ma recherche à la main. Ma hanche m'occasionne à chaque pas de telles douleurs que j'en serre les dents au point d'user ma dentition. Le dimanche, je consacre ma journée à mémoriser mes textes pour *Des dames de cœur*.

La recherchiste de mon émission de radio déballe un jour un des nombreux livres que lui font parvenir les maisons d'édition. Elle me lance en rigolant: «Tiens, la granola! en v'là un qui devrait t'intéresser.» Je le lis le soir même. Il me bouleverse au point de me tenir éveillée toute la nuit. Le titre: *S'autoguérir, c'est possible*. Il traite du pouvoir de l'inconscient sur le conscient, du mental sur le physique. Il explique que nous portons en nous toutes les forces de la destruction en même temps que celles de la reconstruction. Chacun détient vis-à-vis de soi-même un pouvoir de guérison insoupçonné. Une idée dont j'étais convaincue depuis des années mais que je n'arrivais pas à appliquer.

Je dévore ce livre plusieurs fois, jusqu'à ce qu'il s'imprègne en moi, puis, sans perdre de temps, je m'inscris aux cours que donne l'auteur, Marie-Lise Labonté. De l'antigymnastique. Malgré mon emploi du temps très chargé, je n'en manque pas un. Je les considère comme du temps qu'il *faut* que je m'accorde. Au même moment, je termine la lecture de l'autobiographie de Lee Iacocca, président de Chrysler, l'homme le plus sollicité du monde. Il affirme qu'aucun être humain, aussi occupé soit-il, ne devrait passer une journée sans consacrer au moins une heure à lui-même. Je me dis que si c'est bon pour lui, c'est bon pour moi.

L'antigymnastique consiste en des exercices de détente au sol, en douceur, à l'aide de balles qui exercent des pressions sur le corps, tel un massage. La théorie de Marie-Lise est que le corps n'oublie rien. Toutes les peines et les douleurs, le stress qu'il emmagasine finissent par créer des blocages. Il se replie alors sur cette souffrance non exprimée et développe des limitations physiques et, ultimement, des maladies. Visuellement, l'atelier ressemble à une garderie pour enfants. Une pièce nue, des balles en caoutchouc mousse, de petits et grands bâtons, des paniers remplis de balles de tennis, des matelas d'exercice à même le sol.

Marie-Lise sait de quoi elle parle. Elle a réussi à enrayer, puis à faire disparaître toutes les manifestations d'une arthrite sévère qui l'a conduite deux fois au bloc opératoire. Tout ce qui reste de sa vie de limitations: une longue cicatrice que le temps a blanchie. Quand je l'aperçois pour la première fois, j'envie sa grâce de danseuse.

Pendant les exercices, quand je travaille sur chaque muscle de mon corps, couchée sur le sol, il m'arrive de pleurer malgré moi. Je lui en demande la raison. Elle n'a pas d'explication à me fournir mais me suggère la programmation neurolinguistique, une technique qui pourrait m'aider à trouver la réponse.

Guidée par elle, je pars donc à la découverte de cette technique, une forme de psychanalyse. J'aimerais trouver les causes de mes souffrances physiques et mentales. Découvrir ce que je n'ose pas m'avouer. Pourquoi, au cours de ma vie, je me suis réfugiée dans l'alcool et la drogue, puis maintenant dans la maladie. Je trouverai des réponses à beaucoup de ces questions. Mais pour le moment, je cherche surtout la raison qui me fait pleurer chaque fois que je suis en état de détente totale, allongée sur le tapis. Quelle émotion cherche à se manifester? Marie-Lise m'aide à faire une régression mentale et je retourne en imagination à l'âge de quarante-huit ans. Puis, progressivement, jusqu'à vingt-sept ans. Je bloque à cet âge. Tout mon corps tremble. Pourquoi à vingt-sept ans? Je sanglote. Que se passe-t-il? Que s'est-il passé cette année-là? Un événement dont j'ai toujours tu l'importance. Lequel? Il faut que je trouve. Et, péniblement, je parviens à articuler: «C'était un viol.» Me revient alors à la mémoire cet événement que j'avais occulté pour ne pas sombrer dans la démence: ma nuit d'horreur à Paris avec ce poète malade, ce déséquilibré qui m'avait forcée à me donner à lui sous la menace d'un couteau.

Marie-Lise m'écoute et me fait comprendre que le subconscient est un ordinateur que l'on peut déprogrammer. Au fil des séances, avec son aide, je parviendrai à dénouer ce nœud de souffrance. Cette technique ne me guérira pas complètement de mon

465

mal-être, mais elle m'aidera à comprendre certaines facettes de ma personnalité et certains de mes comportements.

Les douleurs à ma hanche s'intensifient. J'augmente ma dépendance envers les médicaments. Envers les somnifères surtout. Un jour, invitée avec Jean-Pierre à passer la nuit chez des amis, à leur maison de campagne, je plonge la main dans mon sac à main pour prendre mes somnifères. Je fouille, mais je ne les trouve pas. Je m'énerve. Des sueurs m'aveuglent. Une angoisse terrible me serre la gorge. J'étouffe. Je répands le contenu de mon sac sur le lit. Rien. Je suis tellement paniquée que je convaincs Jean-Pierre qu'il faut rentrer à la maison, en pleine nuit, dans une tempête de neige. De retour à l'appartement, Jean-Pierre s'empare du plateau sur lequel s'alignent une vingtaine de tubes et de boîtes de pilules, sur le comptoir de la cuisine, comme une oasis enfin atteinte. En colère, il me le met dans les mains. « Je vis avec une pharmacie ! » est son unique commentaire.

À partir de ce moment, je décide d'agir. Je dois absolument me sevrer de tous ces médicaments, analgésiques et somnifères.

On me conseille une cure de jeûne dans une ferme des Cantons-de-l'Est. Pendant trois semaines, je ne bois que de l'eau. Je n'arrive pas à fermer l'œil. Je suis dans un état de fébrilité épouvantable, avec l'impression que le cœur va me jaillir de la poitrine. Le sevrage est beaucoup trop brutal. Laissée sans supervision, je connais toute la gamme des émotions et des souffrances physiques. Parfois, il semble que je sombre dans un grand trou. Ma tension artérielle oscille autour de 220 sur 140. « Vous auriez pu être victime d'un accident cardiovasculaire », me dira plus tard un médecin. Un jeûne peut s'avérer dangereux. Pour qu'il ait un effet bénéfique, il doit être moins radical et surveillé par un professionnel de la santé. Au moins, quand Jean-Pierre revient me chercher, j'en suis arrivée à pouvoir me passer de somnifères. Pour les autres pilules, je réussis à déjouer ma dépendance d'une autre façon.

Je viens d'une famille de « pilulomanes ». Les tubes de pilules étaient alignés en permanence sur la table de la cuisine, entre la salière et la poivrière, tels des soldats de plomb au garde-à-vous.

Ne plus avoir de pilules à prendre m'insécurise. En fait, c'est plutôt le rituel de dévisser le tube, de prendre le comprimé, de verser l'eau et d'avaler qui me manque. Alors, je conserve le rituel, mais en remplaçant mon assortiment de pilules par une profusion de vitamines. «C'est une béquille», me disent mes amis. Dans un sens, ils ont raison, même si je crois aux vertus de ces vitamines. Aujourd'hui, je ne pourrais plus m'en passer. C'est sans doute une autre forme de dépendance, mais entre deux maux j'ai choisi le moindre. Qui oserait m'en blâmer? Chacun érige les barricades qui lui conviennent pour se protéger des angoisses de la vie.

Je n'ai plus qu'une obsession: échapper à l'opération chirurgicale. Ma hanche me fait de plus en plus souffrir, je sens qu'en moi quelque chose s'érode. Ma claudication s'accentue et je fais tout pour qu'on ne la remarque pas. Parfois, lorsque j'aperçois au loin une connaissance, je m'arrête de marcher et fais semblant de me reposer pour qu'elle ne remarque pas ma jambe malade. J'appréhende et repousse la perspective d'une canne. Je ne veux pas ressembler à ma mère. Le jour où je serai affligée d'une canne, j'aurai vraiment l'impression d'être devenue une infirme. Et qui donnera du travail à une infirme? Il ne faut surtout pas que les gens du métier concluent que je suis malade. S'il y a une chose que le milieu des artistes déteste, c'est bien la maladie. Ils la fuient comme la peste. Ils ont l'impression que ça s'attrape. Ils vous jettent des regards apeurés. Des sourires figés. Quand ils ne changent pas carrément de direction pour ne pas avoir à vous croiser, trop sensibles à votre douleur. Si on me classe parmi les infirmes, c'en est fini de ma carrière. Comment est-ce que je gagnerai ma vie, alors? Je n'aurai pas assez d'argent pour tenir le coup. Et si je finissais sans le sou, seule? Impotente? Si même Jean-Pierre m'abandonnait? Acceptera-t-il de pousser un fauteuil roulant pour le reste de ses jours? Il faut que je chasse de mon esprit ces images négatives. J'y travaille. Je fais de la visualisation positive. Intensivement. Mais ces images reviennent s'imposant sans cesse. J'espère un miracle. En attendant, je joue à l'autruche. Je ne sais plus à quoi me cramponner pour retrouver l'espoir. L'antigymnastique me soulage, mais je commence à douter qu'elle me guérisse. Vraisemblablement, je m'y suis mise trop tard.

Un jour, je reçois une lettre d'une thérapeute qui me promet la guérison. «Viens habiter chez moi, me propose-t-elle. J'ai une piscine intérieure et avec mes connaissances en physiothérapie je peux t'éviter l'opération.» Allons donc! Je suis crédule, mais pas à ce point. Je lui téléphone par politesse. Quand elle m'entend décliner son offre, elle me répond rageusement: «Tant pis pour toi, tu vas devenir infirme.»

Ensuite, une masseuse m'invite à essayer un appareil miracle. Je veux à ce point échapper à l'intervention chirurgicale, et le temps semble si pressant, que j'accepte de me rendre chez elle. Un énorme vibrateur parcourt mon corps. La tête de l'appareil fouille chaque muscle, chaque tendon. La thérapeute presse l'instrument avec tant de force et d'insistance que ma peau s'en trouve brûlée et couverte de cloques.

Puis c'est un gourou qui m'approche. Il m'assure que je serai sauvée si je me joins à sa secte.

De ces expériences, je tire la leçon suivante: la maladie, la souffrance et le désespoir attirent irrésistiblement les faux prophètes, les incompétents, les cupides et les illuminés. Les traitements miracle n'existent pas. S'il y a une guérison à espérer, elle est dans notre tête. Et il faut chercher longtemps pour trouver ce qui nous convient, en médecine traditionnelle comme en médecine alternative. Notre corps nous appartient, notre guérison aussi. Le désespoir est mauvais conseiller, la résignation aussi. Pour trouver la personne qui nous aidera, le bouche à oreille est souvent la meilleure des références. Et, en fin de compte, si nous sommes à l'écoute de nos besoins, c'est notre instinct de survie qui fait la différence.

38

Le téléroman *Des dames de cœur* entre enfin en ondes et il obtient un immense succès. Il véhicule des idées, des valeurs, des messages importants. Il met en scène des personnages auxquels tous les téléspectateurs s'identifient rapidement. Il bouscule, choque, séduit, charme au-delà de toutes les attentes de son auteur. Le personnage de Jean-Paul Belleau, trousseur de jupons, menteur, hâbleur et fin renard, devrait être détesté du public à cause de son amoralité. Mais il séduit au point de devenir un personnage mythique. Partout, au travail, à la maison, dans la rue, on entend des phrases comme: «Ne fais pas ton Jean-Paul Belleau», ou bien: «C'est un vrai Jean-Paul Belleau!» Chaque entreprise, chaque famille compte son Jean-Paul Belleau.

Le personnage que j'incarne, Évelyne, est une bonne mère de famille, une épouse fidèle, qui ne réclame rien pour elle-même. Elle est un peu victime et elle compatit aux malheurs des autres. Elle mène une vie sans surprise et sans défi, cloîtrée dans sa banlieue. Quelle femme ne s'est pas à un moment donné de sa vie sentie une Évelyne? Dans un sondage mené par le Salon de la Femme, quatre-vingt pour cent des femmes interrogées déclareront s'identifier au personnage.

Au fil des émissions, Évelyne devient une sorte de miroir dans lequel se découvrent de nombreuses femmes. Elle amorce une lente évolution. Elle est en quête de son identité. Elle s'affirme.

Elle quitte peu à peu son rôle de docile femme au foyer pour se lancer sur le marché du travail. Son mari ne voit pas la chose d'un bon œil, aussi reste-t-elle esclave de tâches ménagères et des vieux schèmes du couple. Je mesure peu à peu le formidable impact de cette émission et de mon personnage sur le public.

Lors d'un enregistrement, ma sœur se trouve dans le studio. Elle assiste à une scène où Évelyne quitte la maison pour se rendre à son travail. Évelyne a dressé la table du souper pour son mari, elle l'a ornée d'une fleur, ne laissant comme tâche qu'un plat à réchauffer au four. Elle a tout prévu, jusqu'au temps de cuisson du plat, qu'elle a noté sur un bout de papier. Elle a même laissé un petit mot d'amour sur la table. Mais, en quittant la maison, elle est malgré tout rongée par les remords et la culpabilité. Et ce, même si elle fait un travail valorisant qui lui procure une certaine indépendance financière. Il est sous-entendu qu'à son retour son mari va l'engueuler ou la bouder... ou les deux.

Une fois l'enregistrement terminé, je rejoins ma sœur. À ma grande surprise, je vois des larmes couler sur ses joues. Et cette petite sœur que je ne connais pas vraiment, qui m'a toujours semblé la réincarnation de maman, forte, courageuse et impénétrable, me confie: «Jamais je ne regarderai cette émission! C'est trop difficile à prendre.» Elle s'identifiait à Évelyne. La situation éveillait quelque chose en elle, les émotions du personnage lui allaient droit au cœur. J'étais moi-même si bien ancrée dans la peau d'Évelyne que je lui parlais intérieurement, je l'encourageais constamment à pousser plus loin sa quête d'identité: «Fonce! Vas-y! T'es capable!»

Plus tard, l'auteur abordera avec ce personnage le thème de la violence conjugale. Quelques années auparavant, alors qu'elle occupait le poste de ministre à la Condition féminine, Mme Payette avait tenté de faire adopter une loi protégeant les femmes contre la violence conjugale. En vain. Nombreux étaient ceux qui croyaient qu'il ne s'agissait que d'un indécent étalage d'émotions sur la place publique. Que cette tragédie n'existait pas. Que les femmes battues aimaient être battues. Qu'elles provoquaient inconsciemment cette violence. Chose certaine, le problème n'est toujours pas réglé aujourd'hui et il ne se passe pas un mois sans qu'on apprenne qu'une femme en est morte.

À partir du moment où Évelyne se laisse battre, tour à tour victime honteuse et épouse clémente, je n'ai plus l'impression de jouer un rôle mais d'être le véhicule par lequel l'auteur dénonce la violence faite aux femmes. Le public réagit. Pas une semaine ne passe sans que, d'une voix blanche et les yeux embués, une femme m'aborde dans la rue pour me confier avoir été elle aussi battue. Elles me confondent avec le personnage. Elles sont convaincues que c'est moi qui suis victime de violence conjugale. Infailliblement, elles rajoutent: «Moi non plus je ne l'ai jamais dit à personne.» Je me souviens d'avoir serré une femme dans mes bras et, en tirant de mon sac à main une liste de maisons d'hébergement, de l'avoir implorée de faire quelque chose.

On me demande de prendre la parole dans des réunions de femmes victimes de violence conjugale. Je commence toujours par ces mots: «Il n'y a pas de bourreau s'il n'y a pas de victime. Ou quelqu'un qui se croit une victime.» Je vais même jusqu'à leur dire: «Les gens nous traitent comme on leur donne le droit de nous traiter.»

J'ai de la compassion pour ces femmes mais je refuse d'éprouver de la pitié. La pitié est une attitude, un sentiment avilissants. Il faut la bannir de sa vie. Une femme battue est d'abord quelqu'un qu'on a démoli psychologiquement, quelqu'un qui n'a plus aucune estime d'elle-même. Je donne en exemple la violence verbale que maman subissait de la part de papa. Avec le temps, à force de s'écraser devant lui, elle avait fini par s'oublier, par perdre son identité, par n'être plus rien, sinon presque un objet. Une victime. On ne doit jamais se percevoir comme une victime. Je partage aussi le témoignage d'une copine de travail. Battue, et victime d'inceste depuis son plus jeune âge, son père la terrorisait. Un jour que cet homme s'apprête à faire subir le même sort à sa fille cadette, ma copine se révolte. Elle s'empare d'un poêlon et le brandit en menaçant son père: «Si tu touches à ma sœur, je te tue.» Jamais plus il n'a osé porter la main sur ses filles.

Les solutions que je proposais à ces femmes me paraissent, avec le recul, un peu simplistes. Mais je n'en connaissais pas d'autres. Je leur fournis les outils que j'ai moi-même découverts, puis utilisés. Je leur apprends quelques rudiments de la visualisation positive, de la méditation et de la saine alimentation. Je leur suggère de prendre soin de leur corps, de lui montrer davantage de respect. Je leur confie que moi aussi je tente de me reconstruire et que c'est une entreprise difficile. Il m'arrive de voir s'allumer dans le regard d'une femme une toute petite lueur qui annonce un grand combat.

Chacun de nous constitue un modeste maillon de la grande chaîne qu'est la société. Je m'estime chanceuse d'avoir trouvé quel maillon je suis, à quoi il sert. Le personnage d'Évelyne m'aura appris que je suis une personnalité publique et que j'ai une mission sociale à accomplir. Que mon travail ne consiste pas seulement à me construire une gloire personnelle mais que j'incarne pour certaines personnes du public un phare qui les guidera dans des moments difficiles de leur vie. Je dois absolument communiquer aux gens mon expérience de vie. C'est pour cette raison que la radio me manque terriblement. Et que je m'investirai plus tard dans l'organisme Transit Jeunesse, ainsi que dans les téléthons de la fondation Lucie-Bruneau, de la maison Jean-Lapointe et pour la recherche sur la paralysie cérébrale.

Pendant les enregistrements de la deuxième saison des *Dames de cœur*, je ressens d'atroces douleurs à la hanche. Parfois, j'ai l'impression qu'on me scie la tête du fémur. Le travail m'aide à penser à autre chose. Quand je joue, je ne sens plus rien. Je devrais marcher avec l'aide d'une canne mais je m'entête à me croire sur le chemin de la guérison. Je ne trompe personne, cependant. Sur le plateau, mon boitement est de plus en plus évident. J'ai peur de devenir un boulet pour le reste de l'équipe. Bientôt, je ne parviens plus à ramasser mes vêtements, c'est la costumière qui doit m'habiller. Si j'arrive à passer à travers mes journées de travail, c'est grâce à l'antigymnastique. De retour à la maison, Jean-Pierre m'allonge sur le plancher et je fais mes exercices. Tous les soirs. Mes douleurs deviennent alors tolérables.

Jean-Pierre se charge de tout. Déménagement, décoration, vêtements à porter chez le nettoyeur, repas, vaisselle... Je lui laisse une liste des emplettes à faire sur le coin de mon bureau. Nous redéfinissons les rôles dans le couple. À nous d'inventer un nouveau duo. Nous convenons que nous sommes une équipe gagnante, que je suis sur le point de parvenir au succès et qu'il doit m'épauler dans mon entreprise. Il s'est lui-même lancé dans l'écriture d'un roman, ce qui lui laisse davantage de temps pour exécuter toutes ses tâches ménagères.

Mais cet homme pour qui je voudrais être séduisante se retrouve penché devant moi, vingt, trente fois par jour. Il met les souliers. Enlève les souliers. Met les bas. Enlève les bas. M'aide à enfiler mon slip. Mon pantalon ou ma robe. M'assoit dans le bain. Me hisse hors du bain. M'aide à escalader l'escalier. À monter dans la voiture. Mon superman, mon homme! Continuellement à genoux à mes pieds. J'en éprouve une humiliation qui ne s'explique pas. J'en pleurerais. Mais ce n'est pas le moment. Cet homme à mes pieds est un être admirable. Il ne faut pas saper son moral. Le pire, c'est qu'il doit se dire la même chose. Je me sens coupable de monopoliser toute sa fantaisie, son imagination, ses forces créatrices, son énergie. Sa vie n'est plus qu'une suite de gestes abrutissants.

Mais, s'il est excédé, il n'en laisse rien paraître. Il fait comme si ma dépendance et mon infirmité progressive n'existaient pas. Peut-être est-ce sa façon à lui de les surmonter. Il transforme tout en jeu. S'il éprouve de la difficulté à me faire enfiler mon pantalon, il se compose une voix de papa et me dit, comme si j'étais sa petite fille: «Allez... aide-toi un peu. Fais pas ton bébé mou.»

Nous allons à l'occasion dans les grands magasins. Comme j'ai honte de mon boitement, il se colle dans mon dos et épouse ma démarche chaloupée. Nous avons l'air de deux pingouins. Nous oublions parfois que nous nous trouvons dans des endroits publics

473

et que les gens nous reconnaissent. Un jour, une inconnue avoue nous avoir surpris la semaine précédente en train de jouer au «petit train» dans un escalier mécanique du magasin Eaton!

Quand je me soumets à ces scénarios, j'arrive pour quelques minutes à oublier que je suis en train de devenir une handicapée. J'ai aussi des moments d'abattement où je n'arrive pas à croire que Jean-Pierre puisse encore m'aimer, me considérer comme sa femme. Même s'il continue à me dire qu'il m'aime et que je suis belle, je sais que mon corps désarticulé n'est plus désirable. Nos échanges physiques s'assagissent. À l'occasion, me parviennent des rumeurs voulant que Jean-Pierre ait été vu en compagnie d'une jolie fille ou... ceci ou cela. Mais je refuse de céder à la jalousie. J'estime que notre amour se situe maintenant au-delà des rumeurs. Et, aussi étrange que cela puisse paraître, je ne crains plus la différence d'âge qui existe entre nous.

Bien qu'il ne soit plus un jeune homme, Jean-Pierre en conserve l'apparence et l'allure. Il est toujours en mouvement. Je m'accroche à ce mouvement. Ça me donne l'impression d'être moi aussi en mouvement. C'est psychologique, bien sûr. La vieillesse, c'est l'immobilisme, le refus d'aller de l'avant.

De son côté, Jean-Pierre ne semble pas réaliser que je suis physiquement handicapée. Sa façon à lui de surmonter cette réalité, c'est de l'ignorer, de ne jamais la souligner. Mais un événement va bientôt déstabiliser son système de défense. Et à partir de ce moment, le poids de la tragédie l'écrasera. Il ne sera plus jamais le même.

Nous nous trouvons en vacances dans une villa, aux Bahamas. Mes déplacements se résument à quelques pas douloureux. Pendant notre transit par Miami, j'ai dû me résoudre à traverser l'immense aérogare en fauteuil roulant. La villa en bord de mer est magnifique; elle surplombe une minuscule plage privée entourée de rochers. Jean-Pierre veille constamment sur moi. Il me descend jusqu'à la petite plage, m'aide à franchir la première ligne de vagues, puis à sortir de l'eau. Un après-midi, il part en promenade après que je l'ai convaincu de me laisser nager et que je pourrai sortir des flots toute seule. À son retour, une heure plus tard, je suis au bord de l'épuisement. Je ne suis pas parvenue à sortir de l'eau. Les vagues m'ont jetée sur les rochers et je cherche toujours à m'agripper à quelque chose. Quand Jean-Pierre me tire de là et découvre mon corps couvert d'ecchymoses et d'égratignures, son visage devient pâle comme un drap. Il m'avouera, plusieurs années plus tard, s'être caché ce soir-là pour pleurer, se reprochant de m'avoir laissée seule. Avec l'insoutenable impression de m'avoir abandonnée.

J'éprouve une peur insensée, viscérale, incontrôlable à l'idée de subir une intervention chirurgicale. Car je dois finalement y faire face. Il faut changer la tête du fémur de ma hanche droite. Moi qui pendant si longtemps avais traité mon corps à coups de cravache, je commence à éprouver pour lui du respect. Je refuse qu'on le charcute. Je consulte donc un orthopédiste. Je me suis d'abord renseignée au sujet d'une technique qu'on ne pratique, paraît-il, qu'aux États-Unis. Lorsque j'en fais part à l'orthopédiste, sidérée, je l'entends me répondre: «Cette technique est nouvelle ici. Je ne commence à l'utiliser que dans quelques semaines. Dans votre cas, il n'y a pas d'urgence. Il serait donc préférable que vous reveniez me voir dans un an. D'ici là, j'aurai le temps de me familiariser avec la technique. Laissez-moi pratiquer.» Je ressors du bureau avec des sueurs froides en songeant à tout ce qu'impliquait cet aveu: «*Laissez-moi pratiquer.*»

Mon instinct me dit que c'est trop long, un an. Mais je le fais taire tout de suite. En revenant à la maison, je chante à tue-tête dans la voiture. Il fait un soleil radieux, je suis heureuse comme un prisonnier à qui on a rendu sa liberté. Ce délai m'arrange. Je n'ai pas l'intention de consulter un autre spécialiste. J'accepte le verdict. De toute façon, je n'ai pas le temps de subir une intervention chirurgicale majeure, je suis tout entière monopolisée par mon personnage d'Évelyne, par ma carrière. Je suis sollicitée de toutes parts. Quand ce n'est pas une table ronde sur la violence conjugale, c'est une levée de fonds pour un organisme, un hôpital, ou encore une première, l'animation d'un spectacle pour commémorer le centenaire d'une ville, une entrevue pour un journal, un *talk-show*... Sans compter les incessantes séances de photos, avec l'horaire du coiffeur, du maquilleur et du styliste à coordonner.

«Si tu te reposais un peu», me suggère parfois Jean-Pierre. Mais je suis incapable de m'arrêter. Les occasions de faire progresser ma carrière sont belles. Je ne veux rien manquer, rien refuser. Et puis cette sorte de mouvement perpétuel me permet d'oublier la douleur, même au repos. S'il m'arrive d'éprouver une douleur sur le plateau des *Dames de cœur*, j'ai une curieuse réaction. Je me dis: «Évelyne a mal. C'est donc que tu n'es pas assez concentrée... donc pas très bonne.» Et j'essaie de me surpasser pour arriver à m'oublier, à transcender la douleur.

Un événement qui aura de grandes répercussions sur ma vie survient alors: le divorce de ma sœur, après quinze ans de mariage. Pendant qu'à tort ou à raison le couple se déchire (il ne m'appartient pas de juger), ma nièce Valérie, qui a maintenant douze ans, connaît une grande détresse. Que puis-je faire pour elle? Peu de choses. L'écouter. Écouter cette adolescente dont l'enfance insouciante et heureuse vient abruptement de prendre fin. Je passe de longues heures au téléphone avec elle, au milieu des pleurs et des cris, à essayer de comprendre son chagrin et son désarroi. Elle se sent prise en otage entre deux adultes désespérés et en colère. Un jour, elle me confie avoir des problèmes de comportement. Elle a toujours l'impression de marcher à côté de son corps, comme si elle éprouvait un dédoublement de la personnalité. Jean-Pierre l'emmène consulter un psychiatre infantile à l'hôpital Sainte-Justine. Verdict: elle a besoin de soins. Jean-Pierre demande au psychiatre de communiquer avec la mère, mais celle-ci ne donne pas suite à la proposition. Sans doute les parents sont-ils eux-mêmes dépassés par les événements, courant au plus urgent. Je commence à m'inquiéter. Par la force des choses, cette petite fille est laissée sans aide, abandonnée à elle-même. Elle me semble si dépressive. Que puis-je faire? Ce n'est pas mon enfant. Je fais donc de mon mieux. Je lui offre un séjour dans une colonie de vacances. Au moins, là, elle sera loin des problèmes des adultes. Après, on verra. On jouera «par oreille». Il n'existe malheureusement pas de manuel qui enseigne comment être parent, ni parent de soutien. Le cœur y est... mais le cœur n'est pas infaillible.

Je célèbre mes quarante-neuf ans. Jean-Pierre organise une soirée réunissant plusieurs amis au restaurant *Mont-Liban*. Le repas est gargantuesque, une profusion de plats exotiques couvrent la table. Pendant que nous assistons à un spectacle de danse du ventre, tout à coup, une douleur insupportable me transperce la hanche. Puis le genou. Oh! mon Dieu, qu'est-ce que c'est que ça? Elle irradie maintenant dans tout mon corps. Vite... à boire. Sans ça, je vais hurler.

À partir de ce jour, couchée, assise ou debout, la douleur ne m'accorde aucun répit. Il faut pourtant que je tienne le coup. Il reste plusieurs mois avant que je me fasse opérer. Ça va être l'enfer. Le ciel m'écoute car j'apprends alors que Maurice, le propriétaire du restaurant *Le Paris* que je fréquente depuis plus de vingt ans, a subi la nouvelle intervention chirurgicale, celle que j'attends. Elle se pratique depuis cinq ans à Montréal. Je n'en crois pas mes oreilles!

J'obtiens un rendez-vous dans les jours qui suivent. Le spécialiste qui me reçoit ne cache pas son inquiétude. Il est estomaqué qu'on m'ait suggéré d'attendre si longtemps. Et surtout qu'on ne m'ait pas obligée à marcher avec une canne pour empêcher l'usure de mon autre hanche. Il ne dit pas que cette autre hanche est attaquée, mais je vois dans son regard que ça n'augure rien de bon. Je dois m'exhorter au calme. Allons, Andrée, ne panique pas. Une hanche à la fois. L'orthopédiste tire de sa poche son agenda électronique et pianote la date de mon opération: 15 décembre 1987.

En attendant, une peur panique s'empare de moi. La peur de mourir. Avec l'aide de Marie-Lise Labonté, je fais des séances de visualisation positive. J'entreprends de dédramatiser l'endroit où on m'opérera. Je visite le pavillon où je serai hospitalisée, et plus particulièrement l'étage des chambres réservées à l'orthopédie. Je cherche et trouve la chambre qui me conviendrait. Elle est immense, laissant voir les gratte-ciel du centre ville, avec au loin l'arbre de Noël de la Place Ville-Marie. On ne peut évidemment pas me l'attribuer à l'avance; ce n'est pas un hôtel. Marie-Lise me demande alors de me visualiser, de m'imaginer occupant cette chambre.

Le lendemain, le téléphone sonne chez moi. C'est le service d'admission de l'hôpital. «Chambre privée? double? ou dans une salle?» s'enquiert une voix féminine. Je lui réponds «privée». Puis ajoute: «Celle du coin, du côté droit du corridor... Euh... au sud-ouest. La préposée en avale sa langue. Elle me rétorque, bien sûr, que je devrai me contenter de la chambre qu'on m'assignera. Mais j'insiste, affirmant avec assurance: «Elle sera libre...» J'en suis convaincue.

Et aussi incroyable que cela puisse être, elle le sera! Dans ma tête, j'y avais déjà rangé tous mes effets personnels, allant jusqu'à prévoir utiliser le petit secrétaire pour entreposer mes aliments naturels, car je n'avais pas l'intention de changer de régime alimentaire... surtout pas à l'hôpital. Jean-Pierre coucherait sur le grand canapé, en cas de crise. Le lit serait recouvert de ma couette rayée bleu et blanc. Mais surtout, le trophée Métrostar accordé à la meilleure comédienne dans une série télévisée ornerait ma table de chevet. J'avais été mise en nomination pour ce trophée et, comme les athlètes olympiques, j'ai mentalement visualisé que j'allais gagner.

Quelques jours avant que j'entre à l'hôpital, c'est le soir fatidique de la remise des trophées. Les préparatifs sont exécutés dans la plus grande fébrilité. Pendant que Jacques Lee Pelletier me maquille, Jean-Pierre court jusqu'au nord de la ville pour ramener de la boutique de mon amie Farida une jupe à crinoline en taffetas rose et un pull du soir brodé de perles. Je ne me possède plus. Depuis des semaines que le suspense s'éternise. Les journaux en parlent. Les bulletins de vote ont été distribués dans les magazines. Partout, je surprends des bribes de conversation: «Celle-ci a plus de chance que celle-là.» «Non, je ne suis pas d'accord, une telle devrait l'emporter, c'est son année.» Jean-Pierre arrivera-t-il à temps avec la robe? C'est l'heure de pointe. Et si Farida lui donnait les mauvais vêtements? Mon coiffeur m'a-t-il fait la tête qui convenait? Oui. Non. Je vois une mèche rebelle. «Voyons, Andrée, me dit mon maquilleur, calme-toi, t'es un vrai ver à chou!» Il n'y a rien que je déteste plus que l'attente. Il faut que je gagne! Comme disait papa: «C'est pas nécessaire d'être fou pour faire ce travail-là, mais ça doit aider un peu.»

Quand je retrouve ma pleine lucidité, je suis assise dans la salle où a lieu le gala et je serre la main de Jean-Pierre au point de la broyer. Jean-Pierre est si beau dans sa tenue de soirée. Au fait, comment nous sommes-nous rendus jusqu'ici? Je n'ai eu conscience de rien. J'espère que je n'ai pas fait une folle de moi. Est-ce que j'ai dit des stupidités? Jean-Pierre sait toute l'importance que j'accorde à ce trophée. Il voudrait être un magicien pour pouvoir le faire apparaître devant moi. Dans ma tête défilent les gestes tant de fois répétés pendant mes séances de visualisation, ceux qui me font monter sur la scène pour aller chercher le trophée.

Le gala commence. J'ai l'impression d'être dans un rêve cotonneux. Soudain, j'entends une voix qui annonce, me tirant de mon engourdissement: «En nomination pour le trophée de la comédienne de l'année...» Je ne pourrais dire qui anime la soirée car je ne distingue plus rien. La liste de nominées défile, puis: «Et la gagnante est...» Le cœur me remonte dans la gorge. «Andrée Boucher!»

Les applaudissements me parviennent feutrés comme dans de l'ouate. Jean-Pierre m'aide à me lever. Il m'embrasse. Sur le bord de la crise d'apoplexie, je m'apprête à me lancer vers la scène quand Jean-Pierre me rattrape *in extremis*. «Tu as oublié ta canne.» Ah oui, mon Dieu, c'est vrai. J'entreprends ensuite l'ascension de cet escalier qui me conduit vers le trophée tant convoité. Je suis en état d'apesanteur, la douleur a disparu, je monte avec facilité, comme si j'étais portée par des bras inconnus. Je monte portée par cet amour qu'on me témoigne. Je n'arrive pas à croire que tout cet élan d'affection m'est destiné. Comme un gigantesque «Je t'aime» venu des quatre coins de la province. Qui emporte mes angoisses, mes inquiétudes et mes peurs.

J'essaie de retrouver mes esprits. Mes premiers mots seront les suivants: «Mistinguett avait coutume de dire, en descendant l'immense escalier de la scène: "L'ai-je bien descendu?" Moi, je vous demanderai: l'ai-je bien monté?»

Puis, incapable de réprimer mes pleurs, je remercie l'auteur et toute l'équipe du téléroman. Il y aura sans doute toujours quelqu'un du métier pour prétendre que ça fait «quétaine» de pleurer. La grande actrice fançaise Simone Signoret, après avoir reçu l'Oscar de la meilleure actrice, a dit: «Que ceux qui n'ont jamais été dans la lumière me jettent la première pierre.» Moi, je dirais même: «Qu'on me lapide s'il le faut, cette lumière est éblouissante et j'en perds la tête.»

Une fois le gala terminé, dans les coulisses, je reçois les félicitations de nombreux camarades de travail. Je serre mon trophée comme si on risquait de me le dérober. Je souris à tout le monde. Je suis dans un état euphorique. Je n'ai rien mangé depuis vingt-quatre heures. Soudain, ma vue s'embrouille et je sens une bouffée de chaleur me monter à la tête. Je me sens faible. Vite, je vais m'évanouir. «Qu'est-ce que tu as?» s'inquiète Jean-Pierre. Quand je reprends connaissance, je suis étendue sur le piano à queue, à l'arrière-scène. Je peux entendre au loin les éclats de rire et de joie des gagnants qui se congratulent. Je n'ai qu'un regret: que grand-maman et papa n'aient pas assisté au gala. Si les membres du «club de la folie des grandeurs» avaient pu voir ça!

Quelques jours plus tard, j'entre à l'hôpital. Tandis qu'on me mène au bloc opératoire sur une civière, Jean-Pierre marche à mes côtés. Sa présence ainsi que mes séances de visualisation positive devraient m'avoir définitivement rassurée mais une peur subsiste. Je n'ai jamais fait totalement confiance à personne et j'ai toujours exercé un contrôle total sur les événements importants de ma vie. Mais dans le cas présent, quelque chose m'échappe. Je dois m'en remettre à quelqu'un d'autre. L'orthopédiste refuse de me faire une épidurale; ce sera donc une anesthésie générale. Je la redoute car elle pourrait laisser des séquelles, et altérer la mémoire. Et puis l'anesthésie, c'est perdre le contrôle. Lâcher prise. Faire confiance. Je n'en suis pas encore là.

Jean-Pierre a tout compris. Avant que je disparaisse dans la salle d'opération, il se penche vers moi avec un petit sourire narquois. Un dernier baiser, puis il murmure à mon oreille: «Dommage que tu ne puisses pas t'opérer toi-même, n'est-ce pas?»

39

Vingt-quatre décembre. Jean-Pierre a rapporté de la maison un tapis, une lampe et une toile, créant une atmosphère plus chaude, ramenant la vie, effaçant la déprime des murs de l'hôpital. Il a dressé une table sur mon plateau roulant: saumon fumé, champagne et gâteau aux fruits. Je partage ces délices avec les amis et les membres du personnel hospitalier qui défilent toute la nuit pour me souhaiter un joyeux Noël.

Je ne suis pas en état d'apprécier à leur juste valeur ces manifestations d'affection et j'en éprouve de la culpabilité. Je suis très faible. J'émerge à peine d'une douleur qui m'a fait croire que j'allais y rester. Mon corps a fondu; j'ai perdu sept kilos. Il y a quelques jours à peine, en apercevant mon corps décharné, nu, au milieu du lit, Jean-Pierre a murmuré à l'infirmière qui changeait mes draps: «Elle a l'air d'un petit tas d'os!» Mais je veux marcher. Et vite. J'ai réussi mes premiers pas dès le lendemain de l'opération. J'ai tiré, poussé, serré les dents. Il faut que je me rétablisse au plus vite. Même si je dois me traîner. Je dois retourner au travail. Sinon mes patrons vont me congédier. Le public va m'oublier. Et si je n'étais pas en état de jouer dans la prochaine saison des *Dames de cœur*? Quand la physiothérapeute exige cinq pas, j'en exécute huit. Travailler fort, ça ne me fait pas peur.

Ce que je n'arrive plus à surmonter, c'est la douleur. Cette souffrance est inutile. Elle me révolte. Elle a largement dépassé mon seuil de tolérance. Après quatre jours, on a remplacé la bien-heureuse morphine par de l'Entrophen qui ne me fait pas plus d'effet que l'aspirine. Ce n'est pas normal de souffrir autant. Les infirmières le savent, mais elles n'y peuvent rien. Les médecins ont si peur de l'accoutumance à la morphine qu'ils préfèrent laisser souffrir leur patient. Pour eux, la douleur c'est normal. Ça va pas-ser, c'est une question de temps. Et l'on y croit. Je ne souhaite de mal à personne, mais je voudrais bien les y voir. Un aumônier très gentil mais un peu simpliste m'a exhorté à la patience: «Le Christ est mort sur la croix pour racheter nos fautes. Offrez votre dou-leur.» Un vieux reste de bonne éducation m'a retenue de le mettre à la porte.

Ce n'est pas la perspective d'une douleur rédemptrice qui m'aide en ce moment à tenir le coup, mais la chaîne de solidarité et d'amour qui se crée autour de moi. De nombreux auditeurs de mon émission de radio m'appellent: «Courage! On est avec toi! On t'aime!» L'animateur Gaston L'Heureux me remplace au micro. Quelques jours à peine après mon opération, je lui ai accordé de mon lit une entrevue de dix minutes. J'ai reçu une profusion de courrier et ma chambre ressemble à une boutique de fleuriste.

À mon émission, à la suite de mon expérience avec papa, j'avais souvent donné le conseil suivant: «Si une personne que vous aimez est hospitalisée, l'essentiel n'est pas de lui envoyer des fleurs ou du chocolat, mais d'être là à ses côtés. De lui faire sentir qu'elle vous manque. C'est la seule chose dont elle a vraiment besoin.» Je dois récolter ce que j'ai semé car la vie me le rend maintenant au centuple. Jean-Pierre veille sur moi et m'apporte mes repas: une alimentation riche en fibres, faite principalement de légumes biologiques, de légumineuses, de tofu, de poulet, de pois-son et de céréales à grains entiers. Sans compter ma panoplie de vitamines et de minéraux. Il me donne la becquée comme à une enfant. Près de moi, il y a aussi Janine Loyer, mon aide-ménagère devenue une amie, une mère, un ange gardien. Tous les jours, après une harassante journée chez des clients, elle prend l'autobus pour me rendre visite. Quand je la vois, installée sur le grand divan, prête à toute éventualité, je me dis que je suis gâtée, privilégiée.

Un matin alors que je somnole, dans mon demi-sommeil je sens une présence dans la chambre. J'ouvre les yeux et aperçois une femme debout au pied de mon lit. Je ne parviens pas à l'identifier. Entre deux âges, minuscule, engoncée dans un manteau d'hiver, un bonnet de laine enfoncé jusqu'aux yeux. Avec un radieux sourire elle me tend un bouquet de fleurs coupées. D'une voix douce, elle me dit: «C'est pour toi. J'avais envie de te voir. Mais je ne ne te dérangerai pas longtemps.» Elle est restée quelques secondes à peine. Elle a rempli d'eau un verre pour y disposer ses fleurs. Un rapide baiser sur la joue, un infini respect, et elle quitte la chambre à petits pas. Un ange venait de passer.

Un soir, c'est une femme mystérieuse et élégante, vêtue de noir, qui apparaît dans la porte. De longues jambes qu'effilent encore plus des souliers à talons hauts. Depuis que j'ai des problèmes de hanche, j'ai une fixation sur les jambes et les chaussures à talons. Qu'elle est belle! L'inconnue s'avance. Son parfum la précède. Son visage traverse le halo d'une lampe. Mais... mais... c'est Renée Claude! La chanteuse. Je connais Renée depuis longtemps, mais pas intimement. Nous avons des relations de travail. Que vient-elle faire ici? Je sais qu'elle aussi a subi une opération à la hanche. Elle se redresse fièrement, exécute quelques pas gracieux et dansants, puis me dit: «Voilà à quoi ressemble une opérée quand elle est guérie!»

Je suis émerveillée. J'applaudis comme une enfant. J'ai sous les yeux un espoir concret de guérison. Je dois absolument conserver en mémoire cette image pour les jours de doute et de désespoir. Jamais je n'oublierai cette visite, un acte d'une telle générosité.

Après quinze jours, mon orthopédiste autorise mon transfert à la maison de convalescence Villa Medica. Il a l'habitude de recommander la maison anglophone Catherine-Booth. Il me prévient que dans un mileu francophone les autres patients me renonnaîtront. Tant mieux, lui ai-je répliqué, je servirai d'exemple. Cela m'obligera à guérir plus vite.

J'organise moi-même mon déménagement. Avec armes et bagages. Ce n'est pas une mince affaire car la chambre est pleine. Jean-Pierre n'est pas en état de m'aider. Depuis quelque temps, il est comme un zombie, prostré, angoissé, maigre à faire peur et il sursaute au moindre bruit. Il ne supporte rien, il ne se supporte plus lui-même. Je suis morte d'inquiétude. Je me sens coupable. Sûrement qu'il en a trop fait pour moi. Il doit être épuisé. Je lui suggère de s'accorder du repos. À mon grand affolement, il accepte. Jamais je ne l'ai vu baisser les bras aussi rapidement. Il faut vraiment qu'il soit au plus mal. Qu'est-ce qu'il a?

Un problème à la fois. D'abord, déménageons. Comment? On dit que chaque problème porte sa solution et que les difficultés sont faites pour être surmontées. Voyons voir si c'est vrai. Réfléchissons. J'ai trouvé. Je téléphone à la compagnie de déménagement Le Clan Panneton: «Vous n'auriez pas un tout petit camion et deux hommes à m'envoyer? Je change d'hôpital et j'ai beaucoup de *stock*.» Je me revois arriver à la porte de l'ascenseur de la Villa Medica avec mon équipage. Les ambulanciers ont garé ma civière à côté d'une empilade de boîtes que surveillent les déménageurs, contenant tapis, tableaux, fleurs et lampes. Ma nièce Valérie, chargée comme un mulet, n'arrive pas à appuyer sur le bouton de l'ascenseur. Nous ne passons pas inaperçus. Tiens, le «club de la folie des grandeurs» qui débarque!

Deuxième problème: Jean-Pierre. Le soir même, pendant que nous jouons aux cartes – au «paquet voleur» parce que c'est le seul jeu que nous connaissions –, je l'observe en douce. Non, décidément, il ne va pas bien. Une fébrilité anormale, suivie d'états dépressifs. Comme s'il souriait au prix d'efforts désespérés. Toujours triste. Le visage émacié. C'est alarmant.

Je prends quelques jours pour y réfléchir, puis, après avoir dressé une liste des symptômes que j'ai observés, j'établis un parallèle avec l'hypoglycémie. Je me rappelle avoir reçu à mon émission de radio des représentants de l'Association des hypoglycémiques qui m'avaient renseignée sur cette maladie. J'en parle à Jean-Pierre qui ne perd pas de temps. Rencontre à l'Association, test sanguin à l'hôpital, diagnostic positif, rendez-vous avec une naturopathe-médecin. Dans les jours qui suivent, il se procure des livres sur le sujet et adopte une nouvelle façon de manger. En quelques jours seulement, son caractère et son état physique s'en trouvent totalement changés. Et pendant cinq ans, sans jamais déroger à cette façon de s'alimenter, il ne consommera ni sucre, ni pain ou pâte blanche, ni café, ni alcool, ni produits laitiers, ni viande rouge, et il prendra dix à douze collations par jour. Il rééduquera complètement son pancréas.

Pendant qu'il déploie toutes ses énergies à recouvrer la santé, qu'il reprend l'écriture de son roman, de mon côté, avec obstination, je réapprends à marcher. Une complète rééducation. Un œuvre de patience. France Larivée, la physiothérapeute, me couvre de tendresse. Quand, guidant mes pas, elle me dit: «Pas trop vite, madame Boucher», ça me fait tout drôle. Madame Boucher: j'ai l'impression qu'elle s'adresse à ma mère. Je revois maman, dans ces lieux mêmes, aux prises avec le même combat. Comme si sa maladie se poursuivait en moi. Comme si c'était la seule chose qu'elle m'avait léguée.

Le téléphone sonne sans arrêt: journalistes, amis, auditeurs. Comme je ne veux pas rater d'appels quand je m'absente pour la physiothérapie, je fais installer un répondeur.

Un après-midi, je reçois de la belle visite. La romancière Arlette Cousture est assise dans le fauteuil au pied de mon lit et nous bavardons comme si nous nous connaissions depuis toujours. C'est pourtant la première fois que nous nous voyons. J'avais osé lui téléphoner il y a quelques mois et, pour ce faire, j'avais utilisé mon plus beau langage. Arlette rit en se rappelant cet accent un peu précieux que j'avais cru devoir adopter avec elle. Je lui dis: «Tu réalises pas que je parlais à l'écrivaine la plus populaire du Québec!» Et Arlette était venue rencontrer cette drôle de fille qui sortait ses mots du dimanche pour lui parler. Arlette savait tout de la maladie, et sa façon de la traiter avec un humour parfois redoutable était pour moi salvatrice. Je riais à m'en tenir les côtes. J'aimais son œuvre; j'aimerai et respecterai désormais la femme.

Il m'est arrivé une aventure étrange. C'était par un bel après-midi d'hiver. Le soleil embellissait tout dans ma chambre. Je suis allongée sur mon lit, ma chemise de nuit remontée jusqu'à la taille, le bas du corps dénudé, les bras et les jambes écartés, car je termine une séance de visualisation. Depuis près d'une heure, je flotte dans un monde imaginaire et j'ai atteint un état de détente complète. Je m'apprête à revenir à la réalité... ça y est... je bâille à m'en décrocher la mâchoire... j'ouvre les yeux. Et sursaute en découvrant une femme au pied de mon lit. En me voyant ouvrir les yeux, elle s'agite comme une poule à qui on a coupé le cou et qui continue de courir. Elle me fixe et ne cesse de répéter: «Andrée Boucher! Je l'savais que c'était toi! Je l'savais que t'étais hospitalisée ici. J'avais raison. Je l'savais!»

Je m'empresse de couvrir ma nudité en rabattant ma chemise de nuit. Puis je tire sur moi la couverture. La poule continue toujours de crier: «Je le savais que c'était toi! Je le savais! Je le savais!» J'ai recours à la sonnette d'urgence et c'est l'infirmière qui oblige l'importune à quitter la chambre. Je me suis mise à pleurer et on a installé un loquet sur ma porte.

Raynald Brière, le directeur de la programmation de la station de radio où je travaille, souhaite tenir une réunion de production. Ça sent le retour au travail! Je m'empresse donc de lui suggérer d'organiser cette réunion au plus tôt. Dans ma chambre, à l'hôpital. Il accepte même si cette situation le rend plutôt mal à l'aise. Au bout du compte, malgré tous mes efforts, je n'arriverai pas à le berner. Il est évident que ma convalescence doit se prolonger. Avant l'opération, j'avais proposé qu'on enregistre l'émission en direct de la chapelle de Villa Medica. Techniquement, ça ne posait pas de problème et le centre de réadaptation n'y voyait pas d'inconvénient, mais je ne me sens pas la force de reprendre le travail. Je n'y comprends rien. Je n'arrive pas à vaincre mon immense fatigue. Je mange pourtant sainement. Je prends mes vitamines. Blanche Neige, ma naturopathe vietnamienne, m'envoie souvent par taxi des repas et un tonique qu'elle m'a concocté. Mais rien n'y fait. Tout reste un effort et, par moments, un grand découragement s'abat sur moi. Je me sens vieille, finie, plus bonne à rien... À jeter au rebut !

Jean-Pierre me rappelle qu'il ne s'est passé que six semaines à peine depuis l'opération. «Donne-toi une chance. Les autres patients s'accordent au moins six mois de convalescence. Pourquoi serais-tu différente des autres?»

Je l'écoute d'une oreille, mais ça ressort tout de suite par l'autre. Quand je suis au plus bas, voilà que le p'tit Jésus frappe encore une fois à ma porte. J'apprends que je suis finaliste pour le trophée Affection que décerne le magazine *TV Hebdo*, d'après un vote populaire, à une personnalité aimée du public. Remontée instantanée de mes énergies. Le public ne m'a pas oubliée ! Pour aller à la soirée qui souligne l'événement, Laurier, mon coiffeur, me rend présentable, tandis que Jacques Lee, mon maquilleur, réussit à donner un peu de vie à mon visage blême. Mon amie Farida m'apporte de sa boutique, Collection 24, un ensemble aux couleurs printanières. L'hôpital m'accorde un droit de sortie, avec une heure limite, cependant. J'ai l'impression d'être Cendrillon qui doit rentrer sur le coup de minuit.

Cendrillon. Quelques jours plus tard, je reçois la visite d'un ami qui m'a longtemps considérée comme «sa» Cendrillon. Mon ex-coiffeur Pierre David – mon frère, ma sœur, mon confident, le complice, le témoin de ma folle jeunesse. Avec sérénité, il m'apprend qu'il va mourir du sida. Il me rassure: «Ne pleure pas. J'ai mené une belle vie. L'être que j'aimais vient de mourir de cette maladie. Après toutes ces années à chercher l'amour, je l'avais enfin trouvé. Je ne me suis jamais imaginé vieillissant. J'étais fait pour la jeunesse.»

Toute la soirée, il lit, assis dans un fauteuil, veillant paisiblement sur mon sommeil. Pendant ce temps, je rêve à nos belles années. Je le revois lors de notre première rencontre. Jeune homme vif, beau, talentueux, souvent génial. Nous nous trouvons chez des amis communs, il porte une longue robe blanche, en soie sauvage, qui le fait ressembler au Christ. Je suis vêtue d'une djellaba marocaine. Nous nous sourions. Il me dit que ma robe est superbe; la sienne aussi, lui dis-je. Nous filons dans une autre pièce, à l'abri des regards indiscrets, et échangeons nos vêtements. Par ce geste, nous scellons une amitié indestructible.

Quand je m'éveille, Pierre est sur le point de partir. Il me dit: «Ne cherche pas à me revoir. Nous ne nous reverrons plus. Je veux que tu gardes de moi l'image de ce que je suis aujourd'hui. Je ne veux pas que tu sois témoin de ma déchéance.» J'ai respecté ses dernières volontés. Mais il m'arrive de le regretter.

Quand il a refermé la porte, je n'ai pu m'empêcher de penser: «Avec la vie que j'ai menée, pourquoi lui et pas moi?»

L'orthopédiste me suggère un an de convalescence. Il insiste pour me signer un congé de maladie. Je refuse. Il n'est pas question que je prenne du repos. Je veux retourner à la maison et reprendre mon travail. Bien que je sois pâle comme une morte, je décide que je suis d'attaque, forte, invincible. Bonjour la vraie vie! Bonjour le bonheur! Et je retourne animer mon émission à la radio. La période des sondages bat son plein, la station est en effervescence. Moi aussi. On va casser la baraque!

Il y a longtemps que je n'ai pas vu ma fille. Elle me manque. Il me semble que j'aurais tant de choses à lui dire. Mais je tourne autour du téléphone comme une âme en peine. Je n'ose pas composer son numéro. Pourquoi?

À la maison, on fête les treize ans de ma nièce Valérie. Cinq ou six adolescents assis par terre autour de la table à café jouent au «ouija». Il ne reste que quelques miettes du gâteau d'anniversaire. Valérie semble heureuse. J'observe discrètement ces jeunes. Qui sont-ils? Que pensent-ils? Quels sont leurs espoirs? Je ne connais rien des adolescents. À part les souvenirs que j'ai conservés de ma jeunesse. Mais peuvent-ils servir de référence? Les temps ont changé. Ai-je quelque chose à apporter à ces jeunes? La vie n'a pas mis cette enfant perturbée sur mon chemin pour rien. Soyons vigilant!

Je marche mieux. Je me rends à ma physiothérapie trois fois par semaine. Je fais de la natation. Tous les soirs, tel que l'a prescrit l'orthopédiste, Jean-Pierre m'oblige à faire une longue promenade.

Bien qu'on soit en mars, le froid est sibérien. Ma main gèle sur ma canne. Avec mon tempérament de chatte angora, je resterais volontiers à la maison, mais Jean-Pierre m'oblige, comme il s'y oblige lui-même, à une discipline de fer. Il a raison. Il faut que je fasse mes exercices. Même si... (je ne le confie à personne, osant à peine me l'avouer à moi-même) je sens pointer une douleur dans mon *autre* hanche.

Nous reprenons les enregistrements des *Dames de cœur*. C'est la fin de la troisième année. Dans quelques mois commencera *Un signe de feu*. Certains personnages ne reviendront plus et je regrette déjà Rémy Girard, son talent, son écoute et sa générosité. Rémy – Luc, l'amant d'Évelyne – et des moments heureux, drôles, émouvants me remontent à la mémoire.

Luc et Évelyne s'aiment. C'est le premier rendez-vous intime qu'ils se donnent dans une chambre d'hôtel anonyme. Évelyne est malade de trac, d'angoisse, de timidité. Moi aussi. Pour Évelyne, c'est son premier amant; pour moi, ma première vraie «scène de lit» devant les caméras. Il y a une grande marge entre être une fille qui a toujours assumé ses désirs et les reproduire devant des caméras et une équipe technique. Une marge si grande que j'en tremble comme une feuille. Serais-tu pudique, ma belle Andrée? Il faut croire que oui! Une autre de mes nombreuses contradictions.

Dans la première séquence, Luc commence à dévêtir Évelyne. «Coupez», dit la réalisatrice. Le reste, on l'imaginera.

Deuxième séquence. Luc et Évelyne sont au lit. Rémy et moi avons enlevé rapidement nos robes de chambre et plongé sous le drap. Pendant quelques secondes, nous devons nous aimer. Pour l'instant, nous sommes l'un et l'autre à une extrémité du lit, vêtus seulement d'un slip, et nous ne bougeons guère. Notre régisseur, Philippe Cournoyer, agite les doigts: trois, deux, un, action!

Nos corps s'enlacent et je suis prise d'un tout petit rire nerveux que Rémy s'empresse d'exploiter. C'est normal qu'Évelyne soit gênée, c'est son premier amant en vingt ans. C'est normal que Luc ait peur de ne pas être à la hauteur de ses attentes. Luc rit aussi. Un grand rire tendre et libérateur. Le désir montera pendant ce rire et Luc et Évelyne s'aimeront dans la joie. Qui a dit que «le sexe est triste et sérieux»? Certainement pas nous en tout cas.

Philippe a dit que c'était une belle scène. Et je fais confiance au jugement de cet homme. Quant à moi, j'ai encore aujourd'hui du mal à séparer la tendresse et le respect que je portais au comédien de l'amour qu'Évelyne avait pour lui.

Le personnage d'Évelyne et moi sommes semblables, tirant la même charrue, celle de l'évolution. Elle est devenue une femme libre, épanouie, autonome. Un courrier abondant parvient à Radio-Canada. Des femmes écrivent et témoignent.

«Nous sommes deux amies qui avons décidé de retourner comme Évelyne et Lucie sur le marché du travail. Comme dans l'émission, nous sommes devenues traiteurs.»

«Andrée, je fais comme toi. Je me suis prise en main.»

«Tu as raison. Tu as bien fait. Comme toi, j'ai demandé à mes grands enfants de quitter la maison.»

C'est évidemment à l'auteur qu'elles s'adressent.

J'ignore à ce moment-là que je me trouve en nomination pour la Rose d'or que décerne le Salon de la femme à la personnalité féminine de l'année. La directrice du Salon me l'apprend au téléphone. Je suis parmi les finalistes. Elle me dit simplement: «Demain après-midi, c'est la remise de la Rose d'or. Il faudrait que tu y assistes.» Elle ne me promet rien. Moi non plus. Il faut dire que les enregistrements des *Dames de cœur* me retiennent toute la journée en studio et je sais que l'équipe des réalisateurs en a par-dessus la tête de jongler avec les horaires des comédiens. Je ne suis donc pas certaine de pouvoir m'absenter à cette heure.

Effectivement, le lendemain, quand, en fin d'après-midi, je demande l'autorisation de quitter le studio pour me rendre au gala, j'entends la réalisatrice Lucille Leduc pousser un grand soupir d'abattement. « Si on ne peut pas faire autrement... vas-y! On s'arrangera.» Chère Lucille, de quoi ne s'est-elle pas arrangée pendant toutes ces années? Et elle ajoute gentiment: «Merde!»

Quand j'arrive au Salon de la femme, des milliers de personnes sont déjà assises dans les gradins du vélodrome. Je ne les vois pas, mais le grondement de leurs voix se répercute à travers les couloirs jusqu'au petit salon où j'attends, fébrile. Comment se fait-il qu'on me tienne à l'écart des autres finalistes? Se pourrait-il que?...

La directrice du Salon, Jacqueline Vézina, m'apprend alors que le Rose d'or va m'être décernée, que le choix du public s'est porté sur moi. Et elle m'entraîne dans le vélodrome. Je ne vois plus rien, n'entends plus rien, jusqu'au moment où j'aperçois la scène. Pour y parvenir, il y a tout un dédale de couloirs et des marches à n'en plus finir. Vais-je pouvoir y arriver? Je me cramponne à ma canne. Partout, sur mon passage, des gens m'offrent un bras, une main, pour m'aider à marcher. Je monte sur la scène et me retrouve devant une mer de spectateurs. Un tonnerre d'applaudissements. Mon corps tremble comme une feuille. Tout est flou. Mon amie Farida m'embrasse, puis mon neveu Gabriel m'offre une gerbe de fleurs. Et la plus belle des surprises... Jean-Pierre me prend dans ses bras et me serre à m'étouffer. Je crois qu'il pleure, mais c'est difficile à vérifier, ce sont des larmes d'homme. À peine un regard embué, une goutte au coin de l'œil, vite et pudiquement essuyée. Moi, je pleure sans retenue et les flashes des caméras crépitent. Je suis peut-être ridicule, encore une fois, mais je m'en fous. Mon cœur n'est pas assez grand pour contenir ce flot d'émotions. Je ne m'éternise pas dans un long discours, les mots me semblent superflus. Je remercie bien simplement et du fond du cœur ce public qui ne m'a pas oubliée.

La vie ne m'a jamais semblé si belle. Jean-Pierre est fier de moi. Et papa, est-ce que tu me vois? C'était en avril 1988. Je ne peux pas me tromper, c'est inscrit sur le trophée.

Le lendemain, le journal *La Presse* titre à la une: «Une Rose d'or pour une dame de cœur». J'ai fait laminer la photo. Pas pour satisfaire mon orgueil. Mais si jamais je sombrais dans le doute, cette photo me rappellerait qu'il y a toujours une lumière au bout du tunnel. Si on a été quelqu'un une fois... on peut le redevenir!

Je coanime le téléthon de la Maison Jean-Lapointe pour la dernière fois. Non pas que je trouve difficile de convaincre les téléspectateurs que la dépendance envers les drogues et l'alcool est une maladie du corps et de l'âme et que ça se soigne. Et j'ai la conviction que cet argent sert à redonner de la dignité humaine. De plus, quêter sur la place publique ne me rebute pas. C'est plutôt que j'ai l'impression de radoter, que mes propos deviennent vides de sens à force de les répéter. Il est temps que je cède ma place à quelqu'un d'autre.

Puis une idée fait son chemin dans ma tête: accorder davantage d'attention à cette nièce qui attend tout de moi, qui me confie sa détresse et que je guide à distance en essayant de ne pas lui fournir des réponses toutes faites. Cette adolescente me fait découvrir l'univers d'angoisse de la jeunesse, sa solitude, sa difficulté de communiquer avec les adultes, sa rage de vivre et sa peur de ne pas pouvoir y arriver. Les difficultés de ma propre adolescence me reviennent en mémoire. J'aimerais participer à la construction de ces adultes de demain. La chance m'en est offerte. La maison d'hébergement Transit Jeunesse, pour adolescentes en difficultés, me propose de prêter mon nom à sa cause et de venir à l'occasion discuter avec les adolescentes.

J'ai toujours prétendu que j'aurais dû payer pour animer à la radio et non le contraire. Car ce travail passionnant m'a mise en contact avec une foule d'invités représentant différentes sphères d'activité. Chacun m'a appris quelque chose. Je peux même affirmer que ce sont quelques-uns d'entre eux qui m'ont fourni les outils nécessaires à ma reconstruction physique et morale, comme les représentants de l'Association des hypoglycémiques, Marie-Lise Labonté, les naturopathes et les diététistes. Et voilà maintenant que je suis mise sur la piste de l'homéopathie. Je me retrouve dans le cabinet d'André Saine, un homéopathe réputé, un grand savant, un chercheur acharné, que l'on vient consulter des quatre coins de l'Amérique. J'ai décidé de me refaire une santé, une santé à toute épreuve. J'insiste pour qu'il accueille aussi Jean-Pierre. Ses traitements ont pour but non seulement de soulager les symptômes de l'arthrite, que j'arrive partiellement à contrôler grâce à une saine alimentation et l'antigymnastique, mais aussi de s'attaquer à la racine du mal.

Car il faut que je me prenne en charge. Je dois lutter contre cette image qui tente de s'imposer à mon esprit. Celle de mon corps que j'aperçois dans le miroir de ma salle de bain en sortant de la douche. Il se dégrade. Mes côtes sont proéminentes, mon menton plonge vers ma poitrine, une bosse est apparue à la base du cou et mon dos semble se voûter. Pitié mon Dieu! Je ne veux pas devenir bossue comme ma mère! Les paroles de maman ne cessent de résonner dans ma tête: «Tu me ressembles tellement.» Vraisemblablement, je suis en train de concrétiser ces paroles. Je suis prise du désir inconscient de prolonger ma mère dans la destruction physique. À l'aide!

Parallèlement à mes traitements homéopathiques, une amie me propose de consulter le chiropraticien André Brossard pour qui elle travaille. À ce moment-là, je considérais encore les «chiros» comme des ramancheux et des craqueurs d'os – tu t'allonges deux minutes, bing-bang-bonsoir, et ça coûte un bras. Le docteur Brossard pense pouvoir faire quelque chose pour moi. Son approche m'intéresse, car il ne soigne pas qu'une partie du corps, mais son entité. Il fait preuve d'une rare ouverture d'esprit, démontre une grande spiritualité et croit à la complicité de certaines médecines alternatives. Il ne pense pas détenir la vérité. C'est un esprit en ébullition, un chercheur. Il me propose de ne le payer que le jour où je constaterai une amélioration de mon état. Qu'est-ce que je risque?

En quelques mois, il réussit à décoincer mes vertèbres qui sont en train de se souder. Mon dos se redresse. J'imprime peu à peu dans mon cerveau la nouvelle image d'une femme droite comme un if. Je suis Andrée, et non plus Marthe, ma mère. Je grandis. L'image de maman s'estompe. L'espoir renaît. Le docteur Brossard est placé dans ma vie pour me faire gravir une autre marche de mon évolution. Pour me faire progresser vers une meilleure image de moi-même. Vers une vie sans souffrance. Cet homme fait désormais partie de ma vie.

En juin, CJMS m'avait remerciée de mes services. J'ai déjà dit ma peine, ma colère, cette impression de ne plus être bonne et d'être jetée au rebut. C'est difficile pour tout le monde de perdre un emploi. Ce fut pour moi un choc, une période de remise en question. Mais j'avais déjà vécu tant de changements, ma vie s'était modifiée si souvent du tout au tout. Les épreuves, je connaissais, et j'étais passée au travers. J'étais forte. Je lutterais. Je me suis accordée quelques semaines pour pleurer et panser mon orgueil blessé, puis ma tête s'est remise à bouillonner d'idées. Un nouveau concept prenait corps. Laissons-le grandir un peu avant d'aller le présenter à une maison de production.

L'année 1988 s'achève comme un feu d'artifices.

En novembre, on me remet, pour la deuxième année consécutive, le trophée Métrostar de la comédienne de l'année.

En décembre, les membres de l'Académie composée de mes pairs me décernent le trophée Gémeau dans la catégorie premier rôle féminin dans une série dramatique. En les remerciant, j'ai raconté les soirées passées devant la télé à regarder, en compagnie de mon père et de ma grand-mère, la remise des oscars. J'ai dit le grand espoir que ces gens avaient mis en moi et en ma réussite.

«*And the winner is* ... Andrée Boucher!» Comme à Hollywood, c'est l'Académie qui m'a élue. «Merci beaucoup d'avoir concrétisé un rêve de jeunesse et permettez-moi d'offrir ce trophée à mon père. Il lui appartient.»

L'amour et la reconnaissance du public. Le respect de mes camarades de métier. Tout ça en si peu de temps.

Ma joie est aussi grande que l'angoisse qui avait accompagné l'attente de ces deux galas. Combien de fois ai-je dit mes inquiétudes, mes doutes, mes remises en question, mes angoisses. «Jean-Pierre, est-ce que tu crois que c'est possible d'avoir le Métrostar deux ans de suite?» Il n'a même pas besoin d'ouvrir la bouche. Je formule déjà la réponse: «Non, c'est impossible! Le public va le donner à quelqu'un d'autre.» Et j'ai une autre raison de douter:

«Jean-Pierre, regarde! On nous a mis en plein milieu de la rangée. Ils savent que je me déplace lentement. Ça veut dire que ce n'est pas moi la gagnante.» Jean-Pierre, Jean-Pierre! Je voudrais tant qu'il me rassure et me dise que je vais gagner. Cette attente me tue. Lui aussi. C'est de la cruauté mentale.

Maintenant que la partie est gagnée, je puis enfin affirmer à mon chum que cette fois, je suis comblée. Et j'insiste: «Je ne douterai plus. Je suis en paix. Je n'ai plus d'angoisses.»

Mais je le vois encore, avec son doux sourire sarcastique, et je l'entends me répondre: «Pour combien de temps?»

1. À trente-sept ans, au moment où elle a connu Jean-Pierre.
Photo : François Renaud

2. Jean-Pierre Bélanger a vingt-sept ans et elle a le coup de foudre.

3. Vingt ans plus tard, un grand amour.

1

1. Au moment où elle rencontre Jean-Pierre, elle joue dans *Les Vilains* à la Compagnie Jean Duceppe. Ici en compagnie du comédien Jean-Marie Lemieux.

2. Dans une mise en scène de Jean Gascon, deux courtes pièces de Molière. Une longue tournée pour le Théâtre populaire du Québec dont Jean-Pierre fait aussi partie. Ici, avec Pierre Thériault et Raymond Royer.

3. Ensemble, Jean-Pierre et André, au théâtre du Chenal-du-Moine où ils jouent *Old Orchard, connais pas*, en compagnie de Richard Niquette et Monique Leblanc.
Source : Échos-Vedettes

4. Jean-Pierre et André sont aussi de la distribution du *Macbeth* de Shakespeare adapté par Michel Garneau. Ici, avec Jean-Pierre Ronfard.

5. Dans *À cause de mon oncle*, avec Maurice Beaupré. *Photo : André Le Coz. Radio-Canada*

2

3

4

5

1

2

1. Dans *Justice pour tous*, Andrée Boucher a déja pour mari le comédien Pierre Gobeil, son futur « Roger » des *Dames de Coeur*. Ici, en compagnie de Michel Mongeau (à g.) et de l'avocat Louis-Paul Allard (à dr.).
Source : Échos-Vedettes

2. En compagnie de l'auteure Lise Payette. C'est le début *Des Dames de Coeur*.
Source : Échos-Vedettes

3

3. Elle est aussi animatrice à la radio de CJMS tous les samedis matins. Entourée de son équipe: Jean Pierre Bélanger, Danielle Charland, Guy, Jacqueline Aubry et Michel.
Source : Échos-Vedettes

1   Source : *Échos-Vedettes*

2   Source : *Échos-Vedettes*

3

Alors que la santé d'Andrée lui impose de lourdes épreuves, elle reçoit des hommages qui la réconfortent. Un premier trophée *Métrostar* (1), puis un deuxième (2, ici avec le lauréat Gilles Pelletier). *La Rose d'Or (3)*, décernée dans le cadre du Salon de la Femme. Elle mérite aussi un *Gémeau*. Puis on lui remettra une plaque du trophée *Affection* de TV Hebdo.

1. À la radio toujours, avec *Question de Vie*.

2. Un nouveau concept l'amène à coanimer une émission
avec Pierre Marcotte. *Source : Échos-Vedettes*

3. Dans le cadre de *Signé Andrée Boucher* à Télévision
Quatre Saisons, elle interview de nombreuses personnalités.
Ici avec toute l'équipe réunie. *Source : Échos-Vedettes*

1

4

2

3. Un événement dramatique s'est produit. Valérie, la nièce d'Andrée, a seize ans. Elle vient d'entrer dans leur vie.

4. Valérie, maintenant, à vingt-deux ans déjà. « Ma presque fille. »

1. En compagnie de Yannick Wooley et Carole Rivest, deux de ses recherchistes pour l'émission *C'est votre histoire*, à Télémétropole.
Source : *Échos-Vedettes*

2. « Maman vient d'enterrer son mari. Moi, mon père. Jean-Pierre veille sur nous. »
Source : *Échos-Vedettes*

Du lancement du roman de Jean-Pierre aux premières lignes de son autobiographie, l'amorce d'une quête pour une plus grande connaissance de soi.
Source : Échos-Vedettes

40

Je passe tout un été à Saint-Donat. Une maison romantique, une île, une crique, une plage, et personne d'autre que mon bel amour et moi. Je nage, je cueille des bleuets, Jean-Pierre m'emmène en canot. Je m'étends au soleil comme un lézard, mais je n'ai pas l'âme en paix. Je veux redevenir animatrice à la radio. Je n'arrive pas à me passer du micro, de cette communication directe et spontanée avec les auditeurs, de ce flot d'idées nouvelles à débattre. Il me semble que la vie m'a appris tant de choses depuis que j'ai quitté la station. Je voudrais transmettre ce savoir tout neuf.

Je harcèle mon ex-patron, lui soumettant toujours de nouveaux concepts d'émission. Qui ne l'intéressent pas. Ça ne me décourage pas. Je recommence.

Au cours de l'été, j'accorde une longue entrevue à Radio-Québec. La dernière question: «Andrée, de quoi êtes-vous le plus fière?» Dans un grand éclat de rire, j'ai répondu: « D'être *vivante*.»

Quand l'équipe quitte l'île, je réfléchis au sens de ces paroles. Je prends alors conscience que je suis une survivante. J'ai réussi à survivre à mes excès, à ma démesure, j'ai interrompu la course folle à l'autodestruction avant qu'il soit trop tard. Ce dont je suis le plus fière, c'est d'aimer la vie, et que celle-ci me le rende malgré tout le mal que je lui ai fait. Oui, je suis une survivante.

Je reprends les enregistrements de la série de Lise Payette. Pour cette dernière saison, elle porte le titre *Un signe de feu*. Puis on me propose d'animer une émission à Télévision Quatre Saisons. Des entrevues avec des personnalités du monde artistique. Le titre : *Signé Andrée Boucher*. Je suis dans mon élément, un poisson dans l'eau. On m'accorde le temps d'aller au fond des choses, de découvrir le cheminement de mes invités, ce qui a influencé leurs choix, leur parcours de vie et quelle étoile les guide.

Mon rythme de travail est infernal. Le dimanche, je me lève à quatre heures. Coiffure, maquillage et costumes, puis j'enregistre deux émissions de *Signé Andrée Boucher*. Je termine vers dix-huit heures. Durant la semaine, tous les jours, je répète et enregistre *Un signe de feu*. Puis le samedi, je mémorise mes textes. Aucun repos, aucune détente. Mais j'adore ce rythme d'enfer. Car il me permet d'oublier que mon autre hanche me fait souffrir et qu'elle aussi devra subir une opération. Mais je préfère ne pas y penser. Comme je me déplace avec peine et que je dois de nouveau utiliser ma canne, je peux de toute façon difficilement m'adonner à des loisirs.

Mon émission à Télévision Quatre Saisons me permet d'interviewer des personnalités artistiques hors du commun, que j'aime, ou pour qui j'éprouve de l'admiration, tels Céline Dion, Roch Voisine, Jean-Pierre Ferland, Janine Sutto, Janette Bertrand, Mitsou, Pierre Péladeau, Denise Filiatrault, Claude Blanchard et combien d'autres.

Une première consultation avec mon orthopédiste confirme que je devrai subir une opération à mon autre hanche. Et vite. C'est urgent. Encore une fois j'ai trop tardé.

J'en fais part à Lise Payette qui consent à modifier l'intrigue de *Un signe de feu* en fonction de mon départ précipité. Elle fera mourir Évelyne avant la fin de la saison. Elle subira une opération au cours de laquelle elle sera emportée par une embolie pulmonaire.

Nous n'avons pas encore enregistré cette émission que le journal *La Presse* annonce en première page la fin tragique de mon personnage. Photo à l'appui. De quelle façon ont-ils obtenu l'information ? Je l'ignore. Mais, quand je revois mon orthopédiste pour fixer la date de l'opération, il a lu le journal et, à ma grande consternation, il m'informe... qu'il ne veut plus m'opérer. Pourquoi? «Parce que cette émission où vous mourrez sera diffusée un lundi soir. Et j'opère le mardi matin. Mes patients vont être morts de peur.» Je n'en reviens pas! Le médecin ajoute qu'il y aurait bien une solution. «Vous pourriez demander à Mme Payette qu'elle modifie son intrigue.»

Je suis prise d'un rire hystérique. Demander à Lise Payette de récrire son intrigue! Cet homme est complètement inconscient. Les textes sont déjà imprimés.

Je tente patiemment de lui expliquer:

– Docteur! Je ne suis pas la directrice de Radio-Canada. Ni la réalisatrice du téléroman. Je n'ai aucun pouvoir décisionnel quant au texte. Je ne fais qu'interpréter un personnage qui véhicule la pensée de l'auteur. Je m'imagine mal lui suggérant de modifier son intrigue pour vous satisfaire. J'aurais un beau succès, croyez-moi!

Insulté, il poursuit:

– Et s'il vous arrive de mourir au cours de l'opération, plus personne ne voudra prendre le risque de se faire poser une prothèse à la hanche et mon département fermera.

Il tire de sa poche son agenda électronique. Mais qu'est-ce qu'il fait là? Il pitonne fiévreusement pour effacer la date de mon opération. Tel un scientifique dément qui s'apprête à faire sauter la planète, les yeux exorbités, chaque fois qu'il enfonce une touche, il ponctue par une syllabe:

– Je – ne – vous – opère – pas.

Il me montre son agenda pour s'assurer que j'ai bien vu qu'il a effacé la date:

– Vous voyez, j'efface votre nom. Je ne vous opère plus. J'efface... J'efface... Voilà, c'est fait. Vous ne voulez pas collaborer, eh bien tant pis pour vous. Et je vais conseiller à mes confrères orthopédistes de faire comme moi. Au revoir, madame.

Je ne me souviens même pas d'être sortie de son bureau. Je suis atterrée. Mais qui va m'opérer?

Et c'est le début d'une invraisemblable saga. Je m'adresse d'abord au premier orthopédiste que j'avais consulté avant ma première opération, celui-là même qui m'avait conseillé d'attendre un an, le temps de le *laisser pratiquer*. Son refus est catégorique: «Vous avez voulu vous faire opérer dans un autre hôpital? Restez-y!» Il claque le combiné.

Puis un autre orthopédiste m'accueille dans un hôpital du centre-ville. Son bureau est jonché de papiers. Il griffonne des chiffres tout en poursuivant une conversation téléphonique animée au cours de laquelle il est question d'argent prêté, d'argent qui aurait déjà dû lui être rendu, de taux d'intérêt très élevés. Il sermonne son interlocuteur, l'assure de sa patience, mais ajoute que là, c'en est trop. Après tout, il n'est pas la banque à «Ti-Jos-violon». J'attends – longtemps! – qu'il en finisse avec cet interurbain. Je ne peux m'empêcher de m'interroger: suis-je dans le bureau d'un orthopédiste ou dans l'arrière-boutique d'un prêteur sur gages?

Il raccroche en disant: «*Business is business.*» Je le crois sur parole. Pouvons-nous maintenant en venir aux faits? «Docteur, utilisez-vous la technique "avec" ou "sans" ciment? Il se cure le nez – signe d'une intense réflexion – et me répond que «ça dépend». Il pratique les deux techniques mais, d'après lui, il vaut mieux revenir à l'ancienne... «avec» ciment. Ceci dit, le choix m'appartient. «Merci docteur! Je vais réfléchir!... *Longtemps!*»

Je ne sais plus à quel saint me vouer. Qui va m'opérer? J'en parle lors d'une entrevue que j'accorde à une station de radio. Et la nouvelle se répand comme une traînée de poudre. Le standard du poste ne dérougit pas. Des dizaines d'orthopédistes téléphonent. *Eux* n'ont pas peur. *Eux* vont m'opérer. Mais qui sont ces *eux* si emballés à l'idée de me charcuter? Sont-ils compétents? Je n'en sais rien. Et je n'ai pas le temps de trier le bon grain de l'ivraie. Je n'arrête pas de pleurer.

Il me vient alors une idée. J'appelle le docteur Michael Burman, mon ami et ex-gynécologue, qui pratique maintenant à Sacramento. Il me rassure, me dit de ne pas m'inquiéter. Puis il me rappelle le lendemain avec les coordonnées d'une clinique américaine. Je note: Engh Clinic, 2445 Army Navy Drive, Arlington, Washington.

Je prends tout de suite rendez-vous pour une consultation. Je demande à mon amie Marie-Lise Labonté de m'accompagner, car c'est une chose de baragouiner l'anglais et une autre de comprendre des termes techniques médicaux. Marie-Lise a fait une partie de ses études aux États-Unis.

Deux heures d'avion. Puis nous nous retrouvons dans une salle d'attente aux murs couverts de photographies, presque grandeur nature, de patients opérés à la hanche par le docteur Engh. Cette importante clinique privée se spécialise dans les opérations de la hanche et du genou. Une danseuse de ballet est photographiée accomplissant un grand écart. Une autre photo montre un homme souriant, contemplant avec fierté la haute montagne qu'il vient d'escalader. À ses pieds, près de son équipement d'alpinisme, une banderole flotte au vent: *Thank you Doctor Engh*. Une dernière photo me fascine, celle d'une femme, assise sur ses talons, qui peint une toile posée sur le sol. Depuis ma première opération, cette position m'est complètement interdite. Quant à accomplir le grand écart, n'en parlons pas. Je demande à Marie-Lise: «Comment est-ce possible? Ma vie n'est qu'une liste d'interdits.» Elle ne sait pas non plus.

Le docteur Engh m'explique que l'opération qu'il pratique est sensée redonner au patient une qualité de vie égale à celle qu'il avait avant. Que ce n'est pas la peine d'opérer si c'est pour le condamner à une vie de restrictions. «Ma technique est infaillible», affirme-t-il. Et je le crois. Tout ici respire le succès. Le positivisme. Et puis, au prix que ça doit coûter, j'imagine que sa marge d'erreur ne doit pas être très grande. Au fait, combien est-ce que ça coûte? On parlera de cela tout à l'heure. Pour l'instant, une infirmière vêtue de rose et jolie comme une actrice de série télévisée m'entraîne vers la salle de radiographie. Pas d'attente. Que moi. Ce temps m'est réservé. Quel luxe! Ai-je les moyens de m'offrir ça?

Je ne suis pas citoyenne américaine et je n'ai pas d'assurance privée pour couvrir les frais encourus. Mais le docteur Engh trouve une solution. Après que Marie-Lise l'a assuré de ma notoriété au Québec, il téléphone au Service de publicité de la clinique pour qu'on se joigne à nous. Voilà l'équipe qui débarque. Puis-je leur garantir une visibilité dans deux ou trois magazines ? Une ou deux présences dans des *talk shows* ? Un article dans un journal anglophone ? Oui, je suis en mesure de répondre à cette attente. Mon agent pourrait-il leur faire parvenir un curriculum vitæ et des coupures de magazines prouvant que je suis réellement connue ? Oui. Bon, et alors, combien me coûterait l'opération ? On me répond de faire parvenir toute la documentation et qu'on évaluera le coût selon mon apport publicitaire. En attendant, je dois donner mon sang à la Croix-Rouge qui le conservera en vue de l'opération. Tiens, c'est curieux, mon orthopédiste-pitonneux était contre ce don de sang. Il prétendait que ça allait m'affaiblir pour rien et que le sang stocké était sûr à cent pour cent. Le docteur Engh manque de s'étrangler. Il est révolté. Il sait, lui, le danger que je cours. L'avenir lui donnera raison; le scandale du sang contaminé se dessine déjà à l'horizon. « Si ce n'est pas votre propre sang, me prévient-il, je ne vous opère pas. » Décidément, c'est une manie chez les médecins ce refus d'opérer. Mais stocker mon propre sang me rassure.

Le docteur Engh me propose une date, mais je la refuse. Deux astrologues m'ont conseillé d'attendre que l'influence du Capricorne sorte de mon signe astral. Se faire opérer sous l'influence du Capricorne est très mauvais pour les os. Bien sûr, répond le docteur Engh, comme s'il s'agissait là d'une vérité scientifique. Nous convenons d'une autre date.

Dans l'avion du retour, je dors paisiblement sur l'épaule de Marie-Lise. J'ai trouvé une solution. Merci mon Dieu.

À Washington, on a reçu mon curriculum vitæ. Tout leur convient. Le docteur Engh propose de m'opérer gratuitement. Je devrai toutefois acquitter les factures de l'anesthésiste, du personnel infirmier, de la salle d'opération, de la prothèse et de mon hospitalisation. Quelques jours à peine. Vingt-cinq mille dollars... américains, bien sûr. C'est un prix d'ami... mais c'est cher. S'ajoute à cela le prix de l'aller-retour en avion pour moi et la personne qui m'accompagnera, puisque je serai en fauteuil roulant.

Pensons vite. Le temps presse.

Je consulte ma comptable. Elle me répond que c'est beaucoup d'argent, mais qu'elle pourra s'arranger.

Penser vite... vite...

Un signe de feu se termine dans quelques semaines et mon émission *Signé Andrée Boucher* ne revient pas à l'antenne, et je n'ai aucun engagement en vue. D'où vont venir les sous dorénavant? Je suis une pigiste. «Fais-toi confiance, dit Marie-Lise. Tu n'as jamais manqué de rien. Fais confiance à la vie.» Mais déjà le doute s'est installé en moi... J'ai peur. Pourquoi?

J'ai pris des risques si grands dans ma vie, j'ai marché sur la corde raide, joué au funambule, sans jamais craindre de ne pouvoir retomber sur mes pattes. Je me suis toujours fait confiance. J'ai toujours fait confiance à la vie. Mais là, que m'arrive-t-il? Dois-je comprendre que je n'accepte de courir de risques que lorsqu'il est question des êtres que j'aime? Que je n'en vaux pas la peine?

Quand j'annule l'opération à Washington, je suis extrêmement déçue de moi. Je regrette déjà ce bel optimisme américain, cette mentalité de gagnants, un peu puérile parfois, mais si stimulante, cette mentalité positive où vous êtes considéré immédiatement comme un patient guéri et non pas comme un malade. La nuance est subtile. Comme si la carte d'assurance-maladie du Québec devenait dans cette clinique une carte assurance-guérison.

Qui va m'opérer?

Jean-Pierre se souvient d'un orthopédiste du Royal Victoria, un jeune médecin juif, avec de la ferveur dans le regard. Le docteur David Zukor. Lors de mon hospitalisation, il m'avait rendu visite un dimanche, son unique jour de congé. Il était entré dans ma chambre accompagné de ses deux jeunes fils. «On s'en va skier, mais avant je voulais savoir comment vous alliez.» Et il s'était attardé un long moment. Ça m'avait touchée.

Jean-Pierre me dit qu'il a confiance en ce médecin. Il est religieux, pratiquant. Le dépassement et l'engagement dans son travail sont parties intégrantes de sa religion. Il s'investira physiquement et moralement. Il ne peut pas manquer son coup. Ce serait amoral.

Il accepte de m'opérer. La diffusion de la mort d'Évelyne ne l'effraie pas. Je lui demande s'il a les mêmes qualifications que le docteur Engh, de Washington, et il me répond «pas tout à fait», car «je n'ai pas autant d'années de pratique, mais j'ai autant de talent». Sa franchise et sa lucidité me rassurent. Et il fait preuve d'une grande ouverture d'esprit. C'est un *must* pour lui que je constitue avant l'opération ma propre banque de sang. Et il accepte l'idée de l'épidurale, ainsi que l'absorption de granules homéopathiques pour remplacer une partie des antidouleur et le coagulant.

Je me sens sereine, sauf à la pensée qu'encore une fois je n'ai à offrir à Jean-Pierre que la souffrance.

Mais avant, comme une âme quitte un corps, je dois laisser mon personnage d'Évelyne... je dois l'aider à mourir.

41

Une mort discrète, c'est ce qu'a souhaité l'auteur. Évelyne était entrée à l'hôpital deux jours avant son opération. Examens de routine. Radiographies. Elle semblait heureuse, confiante. Roger lui avait fait la surprise d'une visite. Luc aussi, il me semble. Et elle était partie pour le bloc opératoire en disant «À tout à l'heure». Mais elle n'était jamais revenue. Dans sa chambre, on a défait le lit et remis à ses amies Lucie et Véronique un grand sac vert pour qu'elles y enfouissent les effets d'Évelyne. On sent que dans quelques minutes à peine un autre patient va occuper cette chambre. Et cette mort sans cadavre, sans rien de concret, est terrible. Le néant.

Je pleure en visionnant la scène. Je pleure ce personnage merveilleux qui m'a apporté plus que je n'ai su lui rendre. Je suis en dette envers elle. Je pleure la fin d'une époque, d'une équipe... et je pleure sur moi qui vais, dans dix jours à peine, entrer à l'hôpital pour...

Dieu que j'ai peur! Les images de mort sont gravées dans ma tête. Je n'arrive pas à les en extirper. À l'aide!

Avec Marie-Lise Labonté, j'entreprends des séances de déprogrammation. Elle me fait mentalement élaborer un scénario de ce que seront les préparatifs et l'intervention chirurgicale que je subirai. Un scénario différent du déroulement normal. Différent de celui de la mort de mon personnage. Ainsi, je passe mes tests préopératoires en clinique externe, contrairement à Évelyne, hospitalisée deux jours avant l'opération. Pas question d'anesthésie générale. Je choisis l'épidurale, éloignant le spectre d'une embolie pulmonaire. Durant l'opération, j'écouterai du Vivaldi, de la musique environnementale de détente, Cabrel et Piaf sur mon baladeur. Ce qui noiera les bruits de la scie qui tranchera mes os et les cognements du marteau. Mon orthopédiste se montre compréhensif, il accepte tout.

Toutefois, avant de visualiser que je ne souffrirai pas et que l'opération sera une réussite totale, Marie-Lise sent le besoin de faire une mise au point: «Veux-tu réellement guérir?» Je me montre offusquée.

Elle m'explique que la maladie comporte aussi ce qu'on appelle des «bénéfices secondaires»: «Tu as remporté plusieurs trophées, l'amour inconditionnel du public, le respect de tes pairs, ainsi que l'admiration du public. Tu pourrais être tentée d'associer cette réussite au fait que tu es malade. Que les gens t'ont accordé leur amour par pitié. Ton subconscient pourrait être tenté de se convaincre que sans la maladie tout va s'arrêter. Que tu ne seras plus aimée. Que tu ne connaîtras plus de succès. Tu pourrais avoir peur de renoncer à la maladie. T'empêcher de guérir. Cultiver la maladie.»

À ma grande honte, je réalise que cette forme de pensée ne m'est pas étrangère. Que je considère la maladie comme un refuge rassurant, une façon d'attirer l'attention des autres sur moi, une façon d'être prise en charge, maternée. Comme maman. Quelle horreur! Va-t'en, maman! Je ne veux pas de ton auréole de sainte. Elle me serre déjà les tempes.

J'entreprends alors de me donner une image idéale du futur. Je me visualise après l'opération, en pleine possession de mes moyens physiques, ayant retrouvé le plein usage de mes jambes, au volant de ma voiture, puis marchant d'un pas pressé, non plus traînant, dans les couloirs des studios de télévision. Une Andrée aimée pour son dynamisme, sa force, non pas par pitié.

L'intervention chirurgicale se déroule merveilleusement bien. J'échange des blagues avec l'anesthésiste. Au cours de l'opération, par moments, je somnole sous l'effet du calmant ou je chante, toujours la même chanson, *L'Homme à la moto* d'Édith Piaf, en écoutant sa cassette sur mon baladeur. Avec des écouteurs sur les oreilles, je ne m'entends pas et je chante horriblement faux. Et fort. Dans la salle de réveil, l'anesthésiste me confie en riant: «Votre médecin a des nerfs d'acier. À sa place je vous aurais ratée.»

Tout se déroule sans douleur et je ne suis pas assommée par la morphine, qu'on a remplacée par des granules homéopathiques. J'ai à peine regagné ma chambre que je téléphone à mes amies pour donner des nouvelles. Contrairement à la première opération, j'ai l'esprit clair. Je suis heureuse. Mes deux hanches ont été opérées; plus jamais question d'opération pour moi. Heureusement, je ne suis pas un mille-pattes.

Dès le lendemain, j'arpente les corridors de l'étage, cramponnée à ma marchette. Je veux au plus vite m'en libérer et utiliser des béquilles. Après une semaine, les progrès sont significatifs, mais je voudrais avoir la grande forme tout de suite. Mon taux de fer est bas, mais mon orthopédiste m'assure qu'il remontera bientôt. Il m'arrive parfois de faire preuve de bêtise. Bornée. Trop pressée. Car je voudrais que ma convalescence prennent des allures de performance. J'ai besoin d'un défi. Comme si je devais absolument battre le record du monde de la «remise sur pied».

Deux semaines après l'opération, je franchis une première étape: mon transfert à la maison de convalescence. Dès que j'y arrive, je suis anxieuse de voir la chambre où je passerai en principe six longues semaines. Je découvre un endroit pas plus grand qu'une penderie. Un lit et son matelas sont pliés dans un coin. Une vieille berceuse se balance mollement, agitée par la brise qui vient de la fenêtre entrouverte. C'est tout. Il n'y a rien d'autre. J'étouffe déjà. Non, ça ne peut pas être ma chambre. Je vois l'air consterné de l'infirmière qui pousse mon fauteuil roulant et je tente de la rassurer: «Ne vous en faites pas. Ce doit être une pièce à débarras. Ou une sorte d'antichambre de la suite que mon orthopédiste m'a promise.»

Nous poussons une autre porte... c'est la salle de bain. Il n'y a pas d'autre pièce. Je devrai vivre là. Jean-Pierre a beau tenter de la décorer, elle reste toujours une penderie.

J'entreprends ma rééducation, c'est-à-dire je réapprends à marcher. Avec l'énergie du désespoir. Comme un petit enfant que l'on hisse pour la première fois sur ses jambes. Je suis fière de moi. J'ai arpenté deux fois le corridor aujourd'hui. Je refuse qu'on me parque avec les autres malades au salon de l'étage. Je ne fais pas partie du troupeau. Il ne faut pas que je m'habitue à cet endroit. Je dois continuer à le trouver sordide. Déprimant. Invivable. Comme une prison. Cet endroit doit continuer à m'irriter. À me faire pleurer. Sinon, je vais finir par l'accepter. Par le trouver normal. Et je n'en sortirai plus. Mon Dieu, mais qu'est-ce que je fais ici pendant que d'autres poursuivent une carrière? Quelle perte de temps! C'est injuste! Pourquoi moi? Je ne suis pas une malade, vous m'entendez! Je ne suis pas une infirme! Je suis une battante. Vous ne me reconnaissez pas? Oui, c'est moi, Andrée Boucher. J'ai l'air fatigué? Jamais de la vie. Je souris tout le temps pour montrer que je suis en pleine forme. Ma carrière va continuer! De grandes choses m'attendent quand je sortirai d'ici.

Je ne reste dans ma chambre que pour dormir. Tôt le matin, je me rends à la physio. J'insiste pour qu'on se montre particulièrement exigeant avec moi. Il faut que j'arrive à me déplacer sans marchette. Rapidement. Voilà mon but. Cette marchette me donne l'aspect d'une vieillarde. Ma vie n'est pas finie. Je m'accroche mentalement à tout. Je me parle à moi-même. J'ai été aimée du public, moi. Je suis différente. J'ai gagné des trophées. Regardez, il y en a trois dans ma chambre. J'en aurai d'autres un jour. Déjà j'arrive à prendre ma douche toute seule. Et l'après-midi, quand un lit est laissé vide dans la salle de physio, j'y retourne faire de l'antigymnastique pour assouplir mon dos. Et je repasse inlassablement mes cassettes de visualisation positive préparées avec Marie-Lise Labonté. Je me vois sur une plage, au bord de la mer, courant dans le sable vers mon amoureux qui me tend les bras.

Je sens que je vais bientôt me libérer de ma marchette quand je reçois un appel de mon ex-patron à la radio, Raynald Brière. Il me fait une proposition :

— Ça te tenterait de remplacer Louise Deschâtelets durant ses vacances ?

— Je ne peux pas. J'ai besoin d'au moins quatre mois de convalescence.

Mais l'offre est à prendre ou à laisser. Ou je rentre ou il donne la place à quelqu'un d'autre. Et puis... il est possible qu'une nouvelle émission entre en ondes plus tard au cours de la saison. Si je suis sur place, ce sera moi, sinon ce sera... l'autre.

— O.K. *boss*. Je serai fidèle au poste.

Mon orthopédiste, Jean-Pierre et mes amis sont en état de panique. Je ne peux pas retourner au travail après un mois. C'est de la démence ! Pour moi, au contraire, c'est un magnifique défi. J'y arriverai.

En attendant ce moment béni où je retrouverai mes auditeurs, je fais tout pour stimuler ma combativité, pour retrouver ma joie de vivre. Mes promenades dans les corridors m'entraînent de plus en plus loin. Un jour, je découvre que Maurice, le propriétaire du restaurant *Le Paris*, est hospitalisé au même étage que moi, pour une seconde opération à la hanche. On renoue nos amitiés, on parle de chasse, de pêche, d'amis communs... et le temps passe vite. À l'occasion, son fils Guitou nous apporte des plats du restaurant. Je me régale. Un troisième larron se joint à nous. Il tient une concession des pâtisseries Lenôtre et sa femme nous approvisionne en choux à la crème et en éclairs au chocolat. Nous nous organisons des pique-niques de fauteuils roulants dans le jardin. C'est au prix d'efforts surhumains que j'arrive à résister à la tentation de manger ces pâtisseries. Rien ne pourrait me faire déroger à ma discipline alimentaire. Je suis obsédée par l'idée de recouvrer la santé.

Mes efforts finissent par porter fruit puisque mon rêve se réalise : ça y est, je suis en ondes, à la radio. Pâle comme un drap, les traits tirés, maigre comme un chicot, et les genoux qui tremblent. J'ai tout juste la force de tenir debout. Mais je n'en laisse rien paraître. Mes patrons n'ont pas à savoir ça. Le public non plus. Ma plaie est à peine cicatrisée. Mes béquilles sont appuyées dans un coin du studio. J'anime *Question de vie*, une tribune téléphonique qui propose chaque jour un nouveau sujet à débattre. Peut-on réussir un divorce? Pour ou contre la peine de mort? Avez-vous déjà eu envie de vous faire justice vous-même? Le suicide chez les jeunes, l'avortement, la violence conjugale...

Avec les auditeurs et les auditrices, je parle des vraies choses qui concernent la vraie vie. Des intervenants, des professionnels, des spécialistes participent à l'émission. Ma recherchiste me remet une documentation très fouillée sur le sujet du lendemain, que je dois aussitôt assimiler, travaillant tard le soir. Je ne ressens pas de lassitude. J'apprends tant de choses, c'est passionnant. Je connais des moments de grande paix, avec le sentiment de me trouver au bon endroit, au bon moment. De constituer un maillon de la grande chaîne humaine qu'ensemble nous formons.

Mais l'animatrice que je remplace revient de vacances et je dois à regret quitter l'émission. Une autre déception m'attend. Contrairement à ce que la direction m'avait laissé entendre, aucune nouvelle émission n'entrera en ondes prochainement. Je ne m'en offusque pas. C'est de bonne guerre. Les patrons me considèrent comme une bonne recrue qu'il faut faire patienter. Comme le nouveau joueur de hockey qui réchauffe le banc. C'est frustrant, mais on n'en meurt pas. Et puis j'apprends à faire preuve de patience. Ce qui n'est pas ma qualité première. Moi, de qui papa disait toujours: «Quand Andrée veut quelque chose, elle le veut pour hier!»

Je poursuis ma convalescence à Saint-Donat, sur cette île romantique que j'avais louée après ma première opération. Je n'ai aucun contrat en vue et Jean-Pierre termine la rédaction de son roman sans avoir l'assurance d'être publié. Nous aurions tous les deux de bonnes raisons d'être affolés, inquiets, mais nous sommes confiants. Dans mon cœur, je sais avec certitude que du travail m'attend quelque part. De son côté, Jean-Pierre se fie à son instinct. Quand il aura terminé *Le Tigre bleu*, il trouvera assurément un éditeur. Nous ne permettons à personne d'en douter. Surtout pas

510

à nous-mêmes. Nous avons rayé le mot «peur» de notre vocabulaire. Par le passé, nous avons semé abondamment, et il va de soi que nous allons récolter en conséquence. C'est une des grandes lois de la vie que la plupart d'entre nous oublions. C'est beaucoup trop simple. Ça ne fait pas sérieux.

C'est le congé de la fête du Travail. Je me fais dorer au soleil. Je me laisse bercer par les doux clapotis du lac qui viennent presque me lécher les pieds. Le téléphone sonne. C'est le producteur Guy Cloutier. Sa voix est pressée, énergique, enthousiaste :

— Boucher! On a une idée géniale pour toi! Une nouvelle émission. À la rentrée.

— La rentrée? Mais c'est maintenant!

— Écoute! Je suis dans le bureau de la direction de Télé-Métropole. Viens nous rejoindre immédiatement.

Je me retiens pour ne pas hurler de joie.

— Guy, je suis à poil, les cheveux et le corps enduits d'huile solaire, sur une île, au milieu d'un lac. Demain matin, ça vous irait? Sinon, je peux être là ce soir... très tard.

— Parfait. Demain matin, sept heures trente.

Quelques semaines plus tard, l'émission *C'est votre histoire* entre en ondes. Elle consiste à organiser les retrouvailles d'un téléspectateur avec un être cher dont il a depuis longtemps perdu la trace : une mère, un père, un enfant, un ancien professeur, un ex-conjoint.

L'équipe est rodée au quart de tour. Le réalisateur, Daniel Rancourt, a des nerfs d'acier. Il est toujours prêt à toute eventualité. Après tout, on ne peut deviner comment évolueront ces retrouvailles. Le moment peut être magique, comme il peut tourner à la catastrophe. Pour arriver à retracer les personnes disparues, trois recherchistes : Carole Rivest, Jojo Cloutier et Yannick Wooley, de véritables détectives privés qui remontent les filières les plus diverses. Une équipe soudée.

Le moment le plus émouvant de cette série reste sans contredit cette émission où elles doivent retrouver les trois enfants d'un itinérant réhabilité. Il a cinquante-sept ans. Il les a abandonnés il y a plus de vingt ans. Il ne les avait jamais revus avant le soir de cette émission pour moi inoubliable à tout jamais. Quelle intensité! D'ailleurs, tous les participants de *C'est votre histoire* m'ont appris beaucoup de choses. Ainsi, comme comédienne, je ne jouerais plus jamais de la même façon. Je croyais être parvenue au dépouillement dans mon jeu. Mais la fréquentation de ces êtres qui exprimaient si sobrement toute la gamme des émotions m'a fait prendre conscience qu'on en fait toujours trop quand on joue. Je retiens la leçon.

Jean-Pierre termine l'écriture de son roman, *Le Tigre bleu*. Il était temps. Je commençais à douter qu'il voie jamais le jour; après trois ans d'écriture, il ne m'en avait pas lu une seule ligne. Un soir, n'y tenant plus, je lui lance un message. Je lui narre une anecdote de l'écrivain Colette. Pendant toute sa jeunesse, elle a vu son père s'enfermer dans la bibliothèque familiale, prétextant se retirer pour écrire. À sa mort, ses cahiers reliés ne contenaient que des feuilles blanches! «Message pas très subtil!» me dit Jean-Pierre. Pour me rassurer, il m'autorise à lire son manuscrit. Je tremble de peur. S'il fallait que je n'aime pas ça? Je serais incapable de lui mentir. Mon Dieu, faites que j'aime ça! Heureusement, j'adore. C'est fou, débridé, fantaisiste, original, bien construit et, surtout, qualité que j'apprécie avant tout chez un auteur, ça m'étonne. Que je suis heureuse! J'ai tant besoin d'admirer ceux que j'aime.

J'ai aussi besoin de participer à leur succès. Le lendemain, je mange dans un petit restaurant vietnamien avec ma copine l'auteur Arlette Cousture. Je lui mentionne que Jean-Pierre cherche un éditeur. Une semaine plus tard, la maison d'édition qui publiait Arlette Cousture à l'époque fait la lecture du manuscrit et en acquiert les droits.

Je me mets en tête que le lancement de ce livre se fera à ma manière, c'est-à-dire sous le signe de la folie des grandeurs. Pendant ces trois ans où Jean-Pierre a écrit, il a subi deux déménagements et mes deux opérations à la hanche, sans compter tous les travaux ménagers qu'il a dû accomplir. Il m'a aidée à surmonter mes états de désespoir. Il m'a hissée dans la voiture et m'en a descendue des centaines de fois, il a attaché mes souliers encore plus souvent, il m'a encouragée à persévérer dans ma physiothérapie.

Cette fête était la sienne et je la lui devais. J'avais si peu respecté, par ignorance, la fragilité de l'imaginaire et la concentration dont il avait besoin. Je l'avais si souvent tiré vers le réel avec mes états d'âme, mes problèmes ou mes joies dans mon milieu de travail. Il avait survécu à deux opérations et fabriqué ce livre, je dirais... malgré moi. J'étais inapte à la fonction de «femme d'écrivain» et je devais me rendre à la triste évidence que j'étais loin d'être la muse que j'aurais souhaité être.

C'est bien le moins que j'essaie de lui organiser une fête inoubliable. Je me mets donc en frais d'obtenir la collaboration de plusieurs amis et collègues dont les apports s'ajouteront au budget de l'éditeur. La générosité de tous les gens sollicités me comble de joie. C'est réussi: Jean-Pierre aura un lancement digne de ses efforts.

Le jour où je considère que tout est prêt pour le lancement est aussi celui où a lieu la remise des oscars à la télévision américaine. Je me revois ce soir-là, pelotonnée dans mon fauteuil, vêtue d'un ensemble de coton ouaté, un châle de laine et un grand bol de popcorn – sans beurre, bien sûr – à la portée de la main. Je me prépare une belle soirée de détente. J'ai pris, quelques heures plus tôt, un long sauna, puis ai nagé vigoureusement. Un grand bien-être m'habite. Je suis en vacances. Mon prochain engagement sera en mai à CJMS et l'émission *C'est votre histoire* est terminée depuis une semaine. J'ai été très occupée ces derniers temps et je suis crevée, vannée, fatiguée. Physiquement, bien sûr, mais surtout émotivement. J'ai prévenu tous nos amis: «Je me mets au neutre pour un moment. Je n'en peux plus. Je me déguise en pied de céleri. Plus d'émotions fortes. S'il vous plaît, ne mourrez pas, ne tombez pas malades, n'ayez pas d'accident, je ne vous serais d'aucun secours. Je suis vide comme un citron trop pressé.» Je suis en vacances! Et je regarde à la télévision l'arrivée des artistes. Et j'ai de nouveau treize ans, assise au pied du fauteuil de papa, la tête sur ses genoux. Grand-maman n'est pas loin. Le spectacle peut commencer.

C'est alors que le téléphone retentit. Zut, j'ai oublié de brancher le répondeur. Réponds ou réponds pas? J'hésite. La sonnerie se fait insistante. Je décroche.

Des pleurs hystériques me parviennent. Des cris. Des râles. Les paroles sont inaudibles. «Qui parle?» Je finis par discerner la voix étranglée de sanglots de ma nièce Valérie. «Parle calmement, ma chouette, je ne comprends pas ce que tu dis. Qu'est-ce qui se passe?»

Sa mère et son beau-père l'ont jetée à la rue. Il est vingt et une heures, la température est descendue sous zéro, elle me parle d'une cabine téléphonique. Elle ne sait plus que faire.

Jean-Pierre arrive à ce moment-là. Je suis dans tous mes états. Il me dit de lui expliquer calmement ce qui se passe, car il ne comprend rien à mes propos. Il prend le combiné: «Attends-nous, ma puce, on arrive.» J'appelle ensuite le père biologique de Valérie pour lui demander de se rendre sur les lieux, puis Jean-Pierre et moi partons ensemble.

Nous arrivons enfin à la cabine téléphonique. Valérie est recroquevillée dans un coin. Une petite boule humaine en pyjama et en pantoufles, transie de froid. La neige tombe depuis le matin. Affolée, blessée, elle ne bouge plus. Jean-Pierre la transporte dans notre auto. Il monte le chauffage au maximum. Il faut attendre le père. Puis nous irons au poste de police de cette jolie municipalité de la Rive-Sud où tout le monde a été si gentil avec nous. Une longue attente. Je ne me souviens plus pour quelle raison. Il est tard et les policiers nous conseillent de revenir le lendemain. Il faudra aller chercher, en leur compagnie, les objets et les vêtements qui appartiennent en propre à ma nièce. Pour ce soir, il faudrait qu'elle aille dormir chez son père. Chez nous c'est à côté, mais cette enfant est mineure. Si elle venait chez nous, ce pourrait être considéré comme une fugue ou je ne sais plus trop quoi. Si nous l'amenions chez nous, nous serions coupables de quelque chose.

Elle s'éloigne donc, en compagnie de son père et de sa nouvelle femme. Il habite loin. Demain, il faudra aviser.

Nous revenons le lendemain accompagnés de policiers. Je revois encore Valérie, assise sur la banquette arrière de l'auto-patrouille, seule, comme une condamnée, cramponnée à la grille qui la sépare des policiers. Elle n'a que seize ans.

Avec les policiers, elle va chercher ses effets personnels qu'on a mis dans des sacs verts, comme des déchets. Valérie sort de l'immeuble, détruite. Les policiers parviennent à récupérer quelques meubles lui appartenant. Dehors, c'est macabre. Les phares de l'auto-patrouille transpercent la nuit. Il pleut. On jette les sacs verts pêle-mêle dans notre voiture et dans celle du père. Là-haut, la mère et le beau-père crient: «Va-t'en! C'est ça, va-t'en!» Je sais que ce que la mère crie, elle, c'est son désarroi. Je la connais. Elle ne sait comment exprimer sa peine et elle n'osera jamais s'opposer à la décision de l'homme en colère. Elle a trop peur d'être abandonnée et de rester seule. Elle sacrifiera son enfant avant son couple.

Je lis dans son cœur comme dans un grand livre ouvert. J'ai si longtemps vécu les mêmes peurs. Remonte alors à mon souvenir cette fois où, à l'île aux Grues, je n'avais pas demandé de nouvelles de *ma* fille à IL pour qu'il ne soit pas fâché contre moi. Mais c'était il y a si longtemps... Depuis, je me suis donné des outils pour évoluer. Cette femme les connaît. J'ai toujours essayé de tout partager avec elle. Mais elle m'a si souvent répété «qu'elle n'avait pas besoin de ça, elle», que j'avais fini par la croire. J'ai eu tort. Et je la juge durement. Je la juge à la mesure du désespoir de ma nièce. Lui, je ne le connais pas. Mais je trouve insensé cet homme qui hurle des insanités à une enfant. Taisez-vous, s'il vous plaît. Les policiers, qui en ont pourtant vu d'autres, étaient horrifiés par cette violence. Je mettrai longtemps, trop longtemps, à pardonner. La haine ronge comme un cancer le cœur de ceux qui cultivent ce sentiment. Je me suis fait beaucoup de mal.

C'est encore bouleversés par ce cauchemar que Jean-Pierre et moi nous rendons au lancement de son roman. Mais la soirée est tellement féerique que nous en oublions, pour un moment, cette tragédie. Tous les invités sont venus et se montrent ravis d'être là. L'orchestre joue en sourdine pendant que les flashes des caméras crépitent. Du bien beau monde. La fête se transforme en fête de famille. Tard dans la soirée, il y a encore des invités assis autour du buffet, en train de refaire le monde, un verre de vin à la main.

Je vois le livre de Jean-Pierre passer d'une main à l'autre. Un livre est né. Enfin quelque chose de concret. Je me réjouis de voir Jean-Pierre heureux.

42

C'est la première nuit que Valérie passe à la maison. Quand Jean-Pierre et moi refermons la porte de notre chambre, nous nous regardons spontanément, inquiets. Valérie dort dans la chambre voisine. Il y a *quelqu'un* de l'autre côté du mur. Demain et après-demain, il y aura encore une présence de l'autre côté du mur. C'est nouveau pour nous. Nous devons nous y habituer. Personne n'est jamais venu coucher à la maison. Qui plus est, l'espace est restreint, car et Jean-Pierre et moi travaillons à la maison. Nous y avons chacun notre bureau. Aurons-nous dorénavant notre espace vital? Cette présence nous envahira-t-elle? L'appartement deviendra-t-il étouffant? Nous prenons la résolution de ne faire qu'une journée à la fois. Comment a-t-on pu en arrriver là? Est-ce notre faute? N'avons-nous pas été assez vigilants?

Car ce déroulement tragique, nous le pressentions depuis bientôt quatre ans. Valérie n'avait jamais accepté le divorce de ses parents. Elle venait parfois à la maison, nous discutions presque tous les jours au téléphone. Elle se sentait une enfant-tampon. Prise en otage. Celle qui doit faire les messages désagréables entre le père et la mère. Valérie éprouve à la fois de l'amour et de la haine envers ce père, qui lui semble pour le moment la cause de tous ses malheurs, de sa vie brisée. Et elle hait ce beau-père autoritaire. Elle a été arrachée à son quartier et à ses amis pour suivre sa mère chez cet homme, contrainte de fréquenter une nouvelle école de la lointaine banlieue, où elle ne connaît personne. Elle est timide, n'a aucune confiance en elle. Elle se trouve laide et cache ce corps qu'elle déteste sous une supersposition de vêtements, corps qu'elle prête à n'importe quel garçon dans l'espoir d'y retrouver un père. Ou des moments de tendresse qu'elle appelle «amour». Elle est laissée à elle-même. Trop libre. Elle travaille trente heures par semaine dans une fruiterie et ses résultats scolaires sont désastreux. Elle n'a de comptes à rendre à personne; les poches pleines d'argent, elle s'achète de l'alcool et... et quoi d'autre?

Confuse, elle parle souvent de suicide, à mots voilés, avec la pudeur et l'inconscience de l'adolescence pour qui la mort n'est pas quelque chose de définitif. Pour elle, le suicide est une forme d'appel au secours. Une solution romantique à tous ses chagrins. Sa mort déclencherait chez ses parents un sentiment de culpabilité et ils ne pourraient plus jamais l'oublier. Ils seraient condamnés à l'aimer et à la regretter pour toujours. Elle me demande si mourir fait mal. Un jour, elle me confie: «Quand je grimpe sur le calorifère de ma chambre et que je me penche sur le rebord de la fenêtre, on dirait que mon corps est attiré par le sol.» J'en claque des dents. On ne peut pas dire à une enfant qui veut se suicider que «demain ça ira mieux». Car pour elle, demain c'est une éternité.

Jean-Pierre et moi craignons qu'elle se réfugie dans la drogue. La vraie, la dure, celle qui contient la mort lente dans une seringue. La poudre blanche qui apaise momentanément l'âme si tourmentée de l'adolescence. Elle me demande comment on se sent quand on consomme des substances chimiques. Je réponds, affolée: «Ne touche à rien. Attends! S'il te plaît, attends. N'achète rien. Ne consomme rien pour le moment. Quand tu seras heureuse, quand tu seras plus vieille, je te procurerai du bon *stock*. Pas de la cochonnerie. Des substances dont je suis sûre. Promets-moi d'attendre. Je t'aime tant. Quand tu seras majeure.» Mes arguments ne font sûrement pas preuve d'une grande pédagogie, mais ça marche et je gagne du temps.

Jean-Pierre en vient progressivement à la prendre en main. Pendant que je suis en studio, il va parfois lui rendre visite à son travail. Il l'emmène au restaurant. Au cinéma. Ou faire une balade en voiture pour parler avec elle et lui changer les idées. Mais ces sorties sont mal interprétées. Pour le beau-père, il est anormal qu'un oncle jeune et beau vienne fréquemment chercher sa petite nièce. Un jour, Valérie demande à Jean-Pierre : «Mon beau-père prétend que t'es un gigolo. C'est quoi au juste un gigolo?» Elle en reste troublée.

Puis soudain, elle n'a plus l'autorisation de nous parler. Sa mère fait débrancher son téléphone et elle doit nous appeler à partir de l'école. Elle parle de plus en plus souvent de suicide. Jean-Pierre organise deux rencontres avec la travailleuse sociale de sa nouvelle école. Nous voulons savoir si Valérie fabule. Ce climat de violence verbale dont elle dit être victime de la part de son beau-père existe-t-il vraiment? Elle dit qu'il a menacé de la défigurer avec de l'acide. Il lui répète inlassablement qu'elle est laide, grosse, stupide et qu'aucun homme ne l'aimera jamais. Il a réussi à l'en convaincre. Elle est complètement détruite. Elle crie constamment. Ou pleure. La travailleuse sociale conclut que Valérie est une adolescente difficile qui a peut-être des torts, mais qui a besoin d'aide. C'est urgent.

Un jour, Jean-Pierre rend visite à Valérie sur les lieux de son travail. Elle éclate en larmes. Elle n'en peut plus. Quand ils se quittent, il lui propose : «Si jamais il t'arrivait quelque chose de grave, tu pourrais venir rester à la maison. On s'arrangerait.»

Nos amis nous préviennent que les adolescents sont de grands manipulateurs. Mais y a-t-il un risque à prendre? Valérie se retrouve donc à la maison. Elle occupe le bureau de Jean-Pierre, que nous avons transformé en chambre à coucher. Après avoir fixé aux murs ses quelques *posters* et installé un téléviseur, sa chaîne stéréo et des écouteurs, nous étalons ses animaux en peluche près de son lit.

Tout est en place. Demain, la vie pourra continuer tant bien que mal. Épuisée, elle dort déjà. J'ai vaporisé dans sa chambre quelques jets de mon eau de toilette. Quand on enlève un chaton à sa mère, la première nuit, pour le rassurer, il est préférable de

519

mettre un réveille-matin dans son panier; le tic-tac lui rappelle les battements du cœur de la maman chat. Peut-être que l'odeur de ce parfum rappellera à Valérie, dans ses rêves, qu'une mère de remplacement veille sur son sommeil.

Jean-Pierre et moi savons maintenant que nous ne serons plus jamais seuls. Car, au-delà de la présence physique de cette enfant, qui un jour nous quittera pour aller faire sa vie, il y a ce contrat moral qui nous lie à elle pour toujours. Cet amour ne pourra plus jamais être extirpé de notre cœur. Les joies, les peines, les réussites comme les échecs de cette enfant seront en quelque sorte les nôtres.

Pour commencer, il nous faut aider Valérie à se reconstruire. Il n'existe malheureusement pas de recettes pour y parvenir. Je laisse donc parler mon cœur. Parfois il se trompera, mais si peu. Il faut organiser le quotidien. Chaque soir, avant de me coucher, je lui prépare son lunch pour le repas du midi à l'école. J'ai tellement peur qu'elle manque de nourriture que je lui confectionne une trempette de légumes qui pourrait rassasier cinq personnes. Jean-Pierre proteste en invoquant que je n'ai aucun sens de la mesure. Quant à Valérie, elle m'avouera quelques années plus tard avoir souvent jeté le surplus de ses lunches à la poubelle. Jean-Pierre la conduit chaque matin à son école, à l'autre bout de la ville.

La fin de l'année scolaire arrive et les notes sont désastreuses. Il faut imposer une discipline. Mais ce mot n'a jamais fait partie du vocabulaire de Valérie. Elle doit l'apprendre. Elle est autorisée à recevoir ses amies seulement les week-ends, pour des repas qu'elle appelle des «soupers-spaghetti». C'est autour de la table que j'apprends à connaître ces adolescentes. La plupart proviennent de familles éclatées. Leur seule famille semble être leur réseau d'amies. Je sens que ces jeunes filles nous observent, Jean-Pierre et moi, et qu'elles nous évaluent. Comment allons-nous aider Valérie? Saurons-nous l'aimer assez pour la sauver d'elle-même? Parfois l'une d'elles me glisse de façon touchante: «Prenez-en bien soin, nous l'aimons beaucoup.» Ou: «Valérie, c'est un trésor.»

Valérie se remet difficilement du choc que lui ont causé les événements. Elle connaît une immense lassitude. Au retour de l'école, je lui fais couler un bain aux herbes aromatiques, pour la détendre. Puis, en attendant le souper, elle se love dans la causeuse du salon et regarde l'émission pour enfants *Passe-Partout*. Elle me dit que cette émission lui rappelle le temps où elle était toute petite. Je comprends que *petite* sous-entend *heureuse*. Et j'écoute avec elle *Passe-Partout*.

Chaque fois qu'elle a quelque chose à me demander, elle commence par ces mots: «Est-ce que ça te dérangerait si...?» J'entends ces mots-là cent fois par jour. Et si, en passant à côté d'elle, je m'adonne à me pencher pour l'embrasser, elle porte instinctivement son bras à sa figure pour se protéger comme si elle craignait un coup. Mais que lui est-il arrivée pour qu'elle soit devenue si effarouchée? Pauvre, pauvre petit amour, je t'aime tant. Combien de temps faudra-t-il pour que ton cœur affolé reprenne un rythme normal? Pour que tu te saches aimée? Que tu en sois convaincue, et ce au plus profond de toi?

Je l'appelle «ma beauté» et à chaque fois elle me regarde étonnée. J'ajoute en riant: «Eh oui! C'est à toi que je parle! Tu es belle. Tu as des dents, des yeux, une peau, des seins magnifiques. Laisse pousser tes cheveux, ce sera ta plus belle parure. Comme un vison, comme une fourrure.»

Mais elle ne me croit pas. L'image qu'elle a d'elle-même est si laide. Elle tient ses épaules toujours voûtées pour cacher ses seins plantureux, qu'elle n'aime pas. «C'est pas beau. Ça fait poupoune.» Je n'arrête pas de la faire se redresser, lui rappelant que quatre-vingt-dix pour cent des femmes donneraient une fortune pour avoir une poitrine pareille.

Je l'emmène magasiner, car elle n'a plus que des loques à se mettre. Nous allons entre autres dans une boutique de lingerie fine. «Je peux choisir ce que je veux?» demande-t-elle, palpant chaque dessous avec émerveillement. Je lui réponds «Presque», fixant seulement un prix à ne pas dépasser.

Elle pénètre dans la cabine d'essayage, mais refuse que je l'accompagne. Je lui demande bientôt: «Est-ce que le soutiengorge te va?» Dépitée, elle me lance que non. «Voyons, Valérie, c'est impossible. La vendeuse a pris tes mesures et le soutien-gorge est à ta taille. Laisse-moi regarder.»

Elle entrouvre la porte et je reste stupéfaite. Elle ne sait pas enfiler un soutien-gorge. Elle n'a jamais appris. On ne lui a jamais montré. Il écrase ses seins au lieu de les contenir. Il ne faut surtout pas que je la ridiculise. Je commence par lui demander: «Tu permets que je te montre un truc?» Puis je lui apprends à pencher légèrement sa poitrine vers l'avant et à soulever de sa main chaque sein pour le déposer dans le bonnet.

«Regarde comme il te va bien!» Et je la vois sourire pour la première fois en contemplant sa silhouette dans le miroir. «Tu n'avais jamais vu maman mettre un soutien-gorge?» Non, me répond-elle. Je sais sa mère coquette, élégante. Comment se fait-il que mère et fille n'aient jamais partagé ensemble de moments d'intimité? Qu'elles n'aient jamais été complices de ce rituel lié à la séduction? Je me dis que je dois favoriser de tels moments d'intimité avec Valérie.

À l'occasion, nous fouillons ensemble ma garde-robe et je lui fais essayer des vêtements. Une fois qu'elle les a sur le dos, elle court les montrer à Jean-Pierre. Elle parade devant lui. Elle aime Jean-Pierre, elle l'admire et accorde une grande importance à son jugement. Un seul regard admiratif de sa part vaut davantage que toutes les paroles d'encouragement que je peux lui prodiguer. Je crois que le jour où elle osera se montrer en maillot de bain devant lui, le jour où il lui dira «T'es pas mal belle, Valérie», j'aurai gagné. Cette jeune femme acceptera alors son corps. Elle en prendra soin, elle le respectera, et ne le donnera plus à n'importe qui.

Elle y arrivera.

Jean-Pierre fait la promotion de son roman à la télévision, à la radio, mais presque toute son énergie est accaparée par ce rôle de père de remplacement, pour lequel il n'est pas préparé. Il essaie tant bien que mal de maintenir le cap et de me retenir pour que je n'en fasse pas trop. Mais il en fait trop lui aussi. Nous ne savons pas très bien où se situe la ligne de démarcation entre le «trop» et le «pas assez». C'est la première fois que je le vois perdre le sens de la mesure, préférant comme moi tout donner, et plus encore. Car nous avons affaire à une enfant dévastée. Elle a manqué de tout. Nous préférons lui donner davantage que nous le devrions pour combler l'immense vide qu'il y a en elle. Nous ne savons plus dire «non». Et elle en vient à faire ses quatre volontés. Ce n'est pas tellement qu'elle en demande plus, mais elle en profite un peu... beaucoup... passionnément. C'est normal. Elle n'a que seize ans. À cet âge on veut tout.

Le bal de graduation approche et nous sommes toutes les deux prises d'une véritable frénésie. Nous ne parlons plus que de robes, de souliers, de sacs à main, de coiffeur. Et qui va l'accompagner ? Et où ira-t-elle pour «l'après-bal» ? Car après le bal, les diplômés se scindent en petits groupes, chacun allant fêter de son côté, à sa manière, rivalisant d'originalité pour terminer cette soirée mémorable. L'excitation atteint son comble. Les examens scolaires sont relégués au second plan. Valérie passe finalement son secondaire V par la peau des dents. On verra à ça l'an prochain. On se déguisera plus tard en éducateurs. Pour l'instant, laissons-la s'amuser, aidons-là à accumuler une petite réserve de souvenirs heureux. Ce sera aussi important pour son évolution que les diplômes. Il me revient en mémoire mon adolescence tourmentée et délinquante. Je m'accrochais toujours à la perspective d'un événement heureux, excitant, exceptionnel, tel que la fête de Noël ou mon anniversaire, ce qui me permettait de retomber sur mes pattes comme un chat.

Les souvenirs heureux constituent à mon avis les plus beaux garde-fous de la vie, une protection ultime contre les détresses.

Tissons la toile des souvenirs heureux. L'avant-bal se déroule à la maison, sur la terrasse. Je revois encore ces adolescents, étonnés de se trouver si beaux dans ces habits de gala qui les métamorphosent. Ces filles qui bougent gracieusement sur leurs talons hauts, devant des garçons qui font les pitres. Ils se moquent d'eux-mêmes, ils rient de se sentir un peu empruntés, et leur joie est contagieuse.

Pour l'après-bal, le groupe de Valérie décide d'aller camper pour la nuit dans les Cantons-de-l'Est. Quelle drôle d'idée ! Mais c'est leur décision. Jean-Pierre va les y conduire avec un camion de livraison: tentes, sacs de couchage et bouffe pour deux jours. Le voyage commence sous de joyeux auspices, les jeunes filles chantent à tue-tête. Mais, à mi-chemin, il commence à pleuvoir. Quelques gouttes, puis des cordes. À mesure que la pluie s'intensifie, les voix se font plus timides. Quand les jeunes filles arrivent à destination, il tonne et des éclairs déchirent la noirceur totale de la nuit. Le terrain est trempé. C'est un déluge. Elles ne chantent plus du tout. Même qu'un silence de mort règne à l'intérieur de la camionnette. Il n'est pas question de passer la nuit à cet endroit. Jean-Pierre, mon débrouillard, les amène alors dans un hôtel-condo qu'il a remarqué le long de la route. Comme c'est hors saison, le prix de la location est plus que raisonnable... ce qui arrange tout le monde.

Quand Jean-Pierre retournera les chercher, Valérie s'exclamera: «C'est le plus bel après-bal de l'école, j'en suis sûre!» L'important, c'est qu'elle y croie.

Trois mois ont passé. Cette enfant est certainement pour moi un porte-bonheur car c'est elle, j'en suis sûre, qui m'apporte ce que je désirais depuis si longtemps, c'est-à-dire un contrat à la radio. Je retourne travailler à la station CJMS. Cette fois, pas question de remplacer une autre animatrice durant ses vacances. Plus question de réchauffer le banc. Je joue dans les ligues majeures. Et je joue pour gagner.

Et comme un bonheur n'arrive jamais seul, il y a un emploi d'été pour Valérie. J'estime qu'il est temps qu'elle sorte de sa coquille. Le monde de la radio est un univers d'hommes... exigeant, combatif, qui laisse peu de place aux émotions, et où les femmes, avec leurs états d'âme, sont souvent considérées comme des hystériques. C'est parfait. Si Valérie surmonte l'épreuve, elle risque de se faire des griffes qui lui serviront toute sa vie.

Mais c'est difficile... très difficile. Elle est fragile, un rien la jette par terre. Et elle a tendance à s'apitoyer sur son sort. Je refuse cependant de la prendre en pitié. La pitié ne mène nulle part. La seule fois où j'éprouverai presque de la pitié pour elle, c'est lorsqu'elle devra se présenter au tribunal.

Le père biologique a demandé la garde de Valérie à sa mère, qui la lui refuse. Il doit donc avoir recours aux tribunaux. S'il n'obtient pas la garde de Valérie, elle ne pourra pas vivre avec nous. Le matin de l'audience, je la vois partir la main blottie dans celle de Jean-Pierre, de cet oncle de qui elle attend protection et justice. Jean-Pierre a été convoqué pour témoigner.

La cour accorde finalement la garde au père biologique et Valérie est autorisée à habiter chez nous.

Un jour, je ressens un impérieux besoin de parler à Valérie comme si elle était ma fille. Je la considère d'ailleurs comme ma «presque fille». Je l'observe. Comme à l'accoutumée, elle est prostrée sur la causeuse du salon et regarde pour la vingtième fois le film *Pretty Women*. Une histoire de Cendrillon moderne qu'un prince charmant tire de la misère pour lui donner richesse et bonheur. «Arrête la cassette quelques minutes, ma poupoune.» (Je l'ai toujours appelée ainsi.) Elle le fait et lève sur moi ses beaux yeux de séductrice. «Ce que tu vois à l'écran n'est pas la *vraie* vie. La vraie vie est ailleurs. Et elle passe pendant que tu rêves à quelque chose d'inaccessible. Tu pleures tout le temps, tu en veux au monde entier. Partout tu es mal à l'aise. Sauf quand tu te réfugies dans un monde de rêve, un monde imaginaire. C'est ton droit de vivre ainsi, mais tu vas te détruire.»

Elle ne comprend pas où je veux en venir. Je poursuis: «Cette grande blessure que tu as en toi, ce manque terrible, avec le temps et de l'aide, ils vont peut-être s'atténuer. Mais ils seront toujours là. C'est à toi de choisir si tu veux te laisser couler ou vivre. Beaucoup de gens ont à l'intérieur d'eux une blessure aussi grande que la tienne. Certains ne s'en sortent jamais, d'autres en font une force, un moteur puissant pour aller de l'avant.»

Je sens que ce que je dis ne trouve pas de résonance en elle. Il me faut trouver une façon plus percutante de véhiculer ma pensée. Une image plus forte. Je lui dis alors: «Venge-toi!» Son regard s'allume. «Comment ça?» Cette fois, je sais exactement quoi lui dire: «Deviens *quelqu'un*. Une femme en pleine possession de ses moyens. Cherche ton étoile, identifie-la et suis-la jusqu'à ce qu'elle te mène à la réussite.»

Et je lui raconte mon désespoir lorsqu'à son âge on m'avait renvoyée du Conservatoire... mon rêve brisé. Mais aussi le coup de pied au derrière que ça m'a donné.

«Valérie, tout le monde a un rejet à assumer au fond de son cœur. Fais-en une force, bats-toi. Deviens quelqu'un d'extraordinaire que ces gens regretteront d'avoir jeté comme une vieille chaussette. Ton rayonnement sera si grand qu'ils reviendront puiser dans ta force. Vis heureuse, ma grande. Croque dans la vie à pleines dents. C'est la plus belle vengeance que tu puisses obtenir. Considère aujourd'hui comme le premier jour de ta vie. Donne naissance à la Valérie que tu veux être. Tu as une longue vie devant toi et le temps nécessaire pour réaliser tes rêves les plus fous. Tout est possible, il suffit de le vouloir très fort. Arrête de gratter tes plaies et vis.»

Et j'ajoute, ce qui n'est pas très adroit de ma part: «Sinon, tue-toi tout de suite! Car ta vie sera un cycle infernal. Calmants et antidépresseurs. Si tu veux vivre, je peux t'aider à y arriver. Mais si tu veux te détruire, je respecterai ta décision.»

Puis je me tais. Elle est sonnée, c'est le moins qu'on puisse dire. Il est vrai que, comme éducatrice, je ne fais pas dans la dentelle.

Jean-Pierre trouve qu'elle pleure anormalement. Fébrile, à fleur de peau, elle est en proie à de fréquentes crises de larmes. Et Jean-Pierre remarque que c'est souvent le lendemain d'une virée avec des copains, quand elle a bu un peu d'alcool. Il conclut à l'hypoglycémie. Il est sûr que c'est là que se trouve l'explication. Je tente de le convaincre que Valérie réagit plutôt aux événements qui ont marqué les dernières semaines, mais mon argumentation ne le convainc pas. Quand il est sûr d'une chose, rien ni personne ne peut lui faire changer d'avis.

C'est embêtant de vivre avec quelqu'un qui a presque toujours raison. Mais je dois bientôt admettre que Valérie, qui a accepté de se nourrir comme Jean-Pierre le lui a montré, subit une complète métamorphose en quelques semaines seulement. Une nouvelle personnalité se dessine. Elle n'est plus une frêle petite chose que les événements ballottent à leur gré, c'est une maîtresse femme. Elle a du caractère, je dirais même un «sacré» caractère. Il faut s'y adapter. Mais l'important pour moi, c'est qu'elle en ait. Elle exerce maintenant plus de contrôle sur ses émotions et ses nerfs. Sa pensée se précise, son jugement se clarifie. Et quand l'étoile qui tracera le chemin de sa vie lui apparaîtra, elle sera en mesure de la reconnaître.

Nous assistons un soir à une représentation de la pièce *Un pays dans la gorge*, l'histoire d'une soprano québécoise que son immense talent a conduite sur toutes les grandes scènes du monde. Une star, une passionnée, qui finira ses jours dans la misère, sa carrière brisée par des pulsions autodestructrices. Valérie est assise entre Jean-Pierre et moi, elle nous serre les mains, le cœur battant à tout rompre, des larmes coulant sur ses joues. Une fois la pièce terminée, elle nous affirme, encore troublée: «Ça doit être terrible de passer à côté de sa vie. De sa destinée. Moi, je ne ferai jamais ça.»

Puis elle ajoute, après une longue pause: «Je n'en ai jamais parlé à personne, mais j'ai toujours rêvé d'être comédienne. Est-ce que vous trouvez ça ridicule?»

Depuis longtemps, j'avais perçu ce désir chez elle. Mais ce n'était pas à moi de la pousser à le réaliser. J'ai bien appris ma leçon avec ma fille. Ne pas imposer ma vision des choses, ne pas lui mâcher les réponses. Vivre et laisser vivre. Ne rien bousculer. Mais maintenant que Valérie a verbalisé son désir, nous pouvons l'aider à le réaliser. Je lui suggère cependant de terminer son cégep d'abord.

Pendant deux ans, donc, Jean-Pierre et moi ferons «notre» cégep avec elle. Jean-Pierre supervise les devoirs de français; moi, ceux de philo et d'histoire. Quant aux maths, nous nous révélons tous aussi pourris les uns que les autres.

Un jour où Valérie doit de nouveau se présenter en cour, elle est tellement fébrile que je dois rédiger pour elle un devoir qui arrive à échéance. Il s'agit de faire la critique d'une pièce de théâtre qu'heureusement nous avons vue ensemble. Eh bien, après trente-cinq ans de métier, voilà les commentaires que j'ai mérités de la part du professeur: «Note: 0. Vous n'avez pas développé le sujet dans le sens souhaité.» Valérie sent le besoin de me rassurer. Toute la classe a eu zéro. Se pourrait-il que ce professeur ait mal formulé sa question?...

La présence de Valérie ouvre ma conscience à une foule de préoccupations nouvelles. Les jeunes, leur éducation, leurs problèmes. Pourquoi y a-t-il des décrocheurs? Faut-il être pour ou contre les collèges privés? Force-t-on des enfants qui n'ont pas d'aptitudes à user leurs culottes trop longtemps sur les bancs d'école? Au même moment, je reçois à ma tribune téléphonique le témoignage d'un chauffeur de taxi haïtien. Il se saigne à blanc pour envoyer sa fille dans un couvent renommé. «Ce sera son seul héritage», dit-il avec foi. Et je réfléchis à la pertinence de ces propos.

Je constate alors que, grâce à l'arrivée de Valérie dans ma vie, j'ai évité le pire. Je ne deviendrai pas une «madame-je-sais-tout». Valérie me fait remettre mes valeurs en question.

En ce qui a trait à l'éducation de Valérie, je me heurte parfois à des écueils et je demande l'opinion de mes auditeurs à la radio. Et vous, comment faites-vous? Ainsi nous partageons tous nos expériences. Les auditeurs me prodiguent de sages conseils.

Bientôt, une décision importante s'impose. Notre appartement est devenu trop petit pour y vivre à trois. Jean-Pierre s'est remis à l'écriture d'un autre roman et il n'arrive plus à se concentrer, installé sur la table de la salle à manger. Il lui faut récupérer son bureau. Mais Valérie l'occupe. Et moi j'utilise l'autre bureau pour faire la recherche de mon émission. Qu'est-ce qu'on fait? Nous en discutons, Jean-Pierre et moi. Pourquoi ne pas louer un bureau à l'extérieur? Trop cher pour nos moyens. Nous pourrions peut-être vendre le condo et acheter une maison? Bonne idée.

Mais mon orthopédiste me ramène vite à la réalité. Ce n'est pas une très bonne idée d'user mes prothèses à monter et descendre des escaliers à longueur de journée. Ou alors, il faudrait fixer un siège ascenseur à la rampe. Il peut m'en prescrire un si je veux.

Ça devient bien compliqué, mais c'est faisable. Nous consultons nos amis, la famille. Tous sont unanimes. Nous nous apprêtons à faire un changement de vie radical. Avons-nous vraiment envie d'une maison unifamiliale? Cela correspond-il à notre mode de vie? Et si dans quelques mois Valérie rencontre un jeune homme et décide d'emménager avec lui? On nous conseille plutôt d'installer Valérie en appartement.

Je proteste:

— Mais elle n'a que dix-sept ans.

— Et alors? Quel âge avais-tu quand tu as quitté la maison paternelle?

— Seize ans. Mais ce n'était pas pareil!

Je fais preuve d'une incroyable mauvaise foi. Je ne veux pas. Il me semble qu'en ce temps-là, pour moi, les choses étaient différentes. J'étais forte, déterminée. Et c'était *ma* décision. Ce ne sera pas celle de Valérie. Elle est instable, anxieuse, elle va mourir si elle se retrouve seule. «Fais-lui confiance», me conseille Jean-Pierre.

Il parvient à me faire apprivoiser l'idée de ce changement. Il demande à Valérie de lui décrire l'appartement de ses rêves, dans la limite de nos moyens bien-sûr, et il réussit à le lui trouver. La pension du père biologique ainsi que le montant d'argent que nous accorderons à Valérie lui permettront de vivre confortablement. Jean-Pierre court les magasins et aménage l'appartement avec l'aide du père. Valérie peut s'y installer. Mais, même si l'appartement est prêt, elle ne veut pas quitter la maison. Elle a peur que lorsqu'elle sera partie nous l'abandonnions. Comment lui faire comprendre? Je ne veux pas la brusquer. Je ne veux pas qu'elle se sente forcée de partir. Jean-Pierre a alors l'idée d'organiser une fête pour pendre la crémaillère. Il croit qu'elle verra alors l'appartement avec un autre œil, qu'elle ne l'associera plus à une réclusion forcée mais au plaisir de vivre sa vie. Et c'est effectivement ce qui arrive. Au cours de la fête, ses amis lui avouent envier la liberté dont elle jouit. Tu te rends compte, un appartement pour toi toute seule! Et pas de parents à supporter! Tu peux faire tout ce que tu veux!

Valérie prend possession de son appartement.

Elle éprouve cependant une grande difficulté à surmonter les quelques moments de solitude qu'elle traverse. Il lui faut toujours s'amuser, se distraire, et surtout oublier qui elle est, oublier ses angoisses. Pour qu'elle ne se sente pas totalement rejetée, Jean-Pierre va souper chez-elle les mercredis soir, se pointant avec des provisions et concoctant le repas. Le vendredi, elle vient à la maison, où, après le souper, nous étudions en famille.

Elle arrive à lutter contre l'angoisse de vivre seule au prix d'un effort acharné. C'est une lutte à laquelle je participe. Nous nous téléphonons plusieurs fois par jour. Le soir, elle pleure. Je la rassure: «Apprendre à vivre seule est le plus beau cadeau que tu puisses t'accorder. Ainsi, le jour où tu décideras de vivre avec un homme, ce sera par amour et non pas pour échapper à la solitude. Tu sauras qui tu es, tu connaîtras tes besoins et tu sauras les imposer.»

Je suis quand même inquiète de la savoir loin de la maison. Mais, d'un autre côté, je n'ai jamais trouvé sain que des enfants demeurent chez leurs parents jusqu'à un âge avancé. Je comprends que financièrement ça les arrange, et c'est normal, mais un jeune adulte doit apprendre à voler de ses propres ailes. À ce sujet, je me souviens du témoignage d'une dame, à mon émission de radio. À vingt-neuf ans, son fils a décidé de reprendre ses études universitaires et il est revenu habiter dans la maison familiale. Cette femme est désemparée: «Nous n'en pouvons plus. Mon mari et moi avions organisé notre vie autrement. Mon fils nous tient pour acquis. Tout lui est dû». Je lui ai répondu, à la blague: «Si ça continue, il va passer directement des prêts et bourses à la pension de vieillesse.» Ensuite je lui ai demandé si elle ne pouvait pas tout simplement lui dire «non». Non! Elle ne pouvait pas.

J'ai compris à ce moment-là qu'il existait des parents qui sacrifiaient leur vie au bien-être de leurs enfants, tandis que d'autres démissionnaient devant la tâche, laissant leurs enfants s'élever tout seuls. Où se situe le juste milieu? J'essayais moi-même justement de parvenir à ce juste milieu en m'occupant et en aimant cette «presque» fille dont j'avais hérité. Mais pour être franche, je n'obtenais pas plus de miracles qu'une autre mère.

Il me vient alors une idée. Je conseille à Valérie d'écrire. Peut-être tenir un journal personnel... «Écris dans un cahier tout ce qui te passe par la tête, ma beauté. Couche sur le papier toutes tes émotions. C'est une meilleure thérapie que de se lamenter sur ton sort. On ne sait jamais, peut-être qu'un jour tes écrits serviront à quelque chose.»

Ils serviront.

Vers la fin de sa dernière année d'études collégiales, elle m'apprend qu'elle s'est inscrite au concours «Cégep en spectacle». Elle a écrit les paroles d'une chanson qu'elle a intitulée *Mère amère* et prévoit un monologue qui racontera l'état de crise qui a précédé sa mise à la porte de la maison familiale. Jean-Pierre entreprend de structurer son numéro. Pendant des semaines, il s'emploie à le lui faire répéter. J'insiste pour faire ma part, mais il me fait vite comprendre qu'il serait préférable que je m'éclipse. Au plus vite. Et je n'insiste pas. Je suis trop énervée et trop énervante. J'exige le meilleur de ceux que j'aime. Là. Tout de suite. Maintenant. Évidemment, je stresse Valérie et je lui coupe tous ses moyens. Quand elle répète son monologue, je prononce chaque mot en même temps qu'elle. J'ai si peur qu'elle fasse une erreur que... Exit tante Andrée! Allez... dehors... ouste... à la porte! Je verrai le numéro en même temps que tout le monde et je me paierai un trac épouvantable. Que j'aime cette enfant!

C'est un jeune humoriste qui a remporté le concours. Valérie est terriblement déçue, mais, si elle veut faire ce métier, elle doit apprendre à accepter la critique. Le jury, composé d'adultes, reproche au numéro de manquer de pudeur. D'être trop au premier degré. Les étudiants, eux, se forment une tout autre opinion. Durant les jours qui suivent, ils abordent Valérie dans les corridors et la rassurent: «T'en fais pas. Les adultes ne peuvent pas comprendre ton monologue. Ce sont eux qui battent, qui violent et qui tuent les enfants. Mais ils sont incapables d'en entendre parler.»

43

Je suis dans tous mes états. C'est le jour J. C'est-à-dire celui où paraissent les résultats des fameux BBM qu'on mène depuis des semaines auprès du public pour savoir quelles stations de radio et quelles émissions ont obtenu le plus d'auditeurs. Comme d'habitude, à la station CJMS où je travaille, bien que chacun affirme conserver son calme, c'est la frénésie la plus totale. Les jours précédents se sont déroulés dans l'expectative et les heures qui suivent alterneront entre les rires triomphants et les grincements de dents.

Je n'ai ma propre émission que depuis quelques mois et j'estime que j'apprends un nouveau métier, difficile mais passionnant. Un beau défi. Les résultats de ces BBM traduiront l'amour que le public m'accorde. Et aussi l'intérêt que la station me portera au cours des prochains mois. Ils peuvent aussi entraîner mon congédiement. On tient ces sondages quatre fois par année. Un animateur a donc continuellement la tête sur le billot. Mais cette pression n'est pas sans me déplaire, je crois même qu'elle me motive, qu'elle me pousse au dépassement.

Le métier d'artiste est difficile, car on doit à tout moment composer avec la susceptibilité des gens. À titre d'exemple, à la radio, pendant la dernière période de sondages, j'ai suggéré une entrevue avec le chanteur de réputation internationale Roch Voisine. Ce seul nom suffit à faire augmenter les cotes d'écoutes. Ma recherchiste tente d'obtenir l'entrevue, mais ses démarches échouent. Je lui propose donc de contacter moi-même l'attachée de presse du chanteur, Francine Chaloult, que je connais personnellement. Mais elle refuse catégoriquement, prétextant que j'empiète sur sa tâche. J'ai beau expliquer que je compte trente ans de métier, que je connais tous et chacun dans ce monde grenouillant du show-business, rien n'y fait. Elle boude, se sent menacée. Ce que je déteste le plus au monde, c'est que l'on mêle professionnalisme et enfantillage. Quand on n'a pas la maturité nécessaire pour mettre de côté ses états d'âme, on ne se lance pas sur le marché du travail. Ça m'énerve, ça me donne des boutons! Pour moi, à tort ou à raison, le travail a toujours été une chose sérieuse qui mérite toute mon attention, mon énergie, ma vigilance. Quel que soit mon travail, aussi petit soit-il, je lui accorde toujours le meilleur de moi-même. C'est plus qu'un gagne-pain. C'est une passion. Ce qui me rend parfois exigeante et sûrement intolérante envers ceux qui n'ont pas la même conception du travail, qui ne désirent pas atteindre la perfection.

J'ai finalement obtenu une entrevue avec Roch Voisine après avoir télécopié une longue lettre à Paris, à son agent Paul Vincent, par l'entremise de Francine Chaloult. L'entrevue a lieu en direct de sa loge, quelques minutes avant son entrée sur la scène d'une salle du sud de la France. Un grand moment. Roch Voisine a fait part d'une grande générosité, quand on connaît le trac qui s'empare d'un artiste avant un spectacle.

Ma recherchiste m'en a toujours tenu rancune. Elle m'a fait la vie dure jusqu'à son départ.

On retrouve souvent cette attitude dans le métier et à des échelons divers. Il me semble entendre encore les arguments d'une jeune productrice déléguée avec qui je devais mettre sur pied une émission pilote pour le compte d'un producteur privé et qui était financée avec les deniers publics. Cette émission devait être présentée à une station de télévision dans le but de faire une série. Mais plus le temps avançait, plus j'avais le sentiment que nous courions à la catastrophe. À moins d'y travailler jour et nuit, nous n'y arriverions pas. Quand je lui ai fait part de ma panique, elle s'est contentée d'en rire: «Relaxe! Ne nous mets pas tant de pression sur le dos. C'est juste un pilote.»

J'étais indignée. Plus de vingt mille dollars avaient été engloutis dans la réalisation de cette émission pilote. Je trouvais qu'elle faisait preuve de négligence et de manque de professionnalisme, sinon de sens moral. J'ai rétorqué: «Quand les Américains font un pilote, il est d'une qualité telle qu'ils peuvent l'utiliser comme émission si la série est acceptée.» Mais elle a poursuivi: «On n'est pas aux États-Unis ici! Relaxe!»

Ce comportement de certains artisans du métier m'a fait me poser la question suivante: la situation économique difficile que nous connaissons maintenant et le haut taux de chômage ne sont-ils pas le résultat de tous ces manquements professionnels que nous avons accumulés au cours des dernières décennies? Le résultat de ce relâchement général de la société vis-à-vis de son travail, qui mène à l'incompétence et à l'amateurisme. Où est désormais l'amour du travail bien fait?... La passion de faire de la «belle ouvrage», comme disait mon grand-père Boucher. Il avait construit une grande partie des ponts couverts de l'Abitibi, ne ménageant aucun effort pour qu'ils soient solides et beaux comme des œuvres d'art.

On disait de grand-papa qu'il était un meneur d'hommes. Que ses employés l'adoraient. Tout le temps que j'ai travaillé à la radio, il aurait fallu que j'aie hérité de cette qualité. Mais mon souci de la perfection m'entraînait plutôt sur la pente de la maladresse. Je n'avais aucun sens de la diplomatie. Je fonçais vers mes buts, tête baissée comme un orignal en forêt. Mais souvent ma ramure égratignait des arbres tendres et fragiles sur son passage.

Mon ami Jean-Pierre Ferland a dit un jour que «l'on choisit souvent de faire ce métier afin de mieux approcher ses idoles». À ce moment de ma vie, je peux faire mienne cette réflexion. Car j'ai peu changé depuis mes treize ans, âge où j'étais subjuguée par les stars d'Hollywood. Je suis devenue une animatrice, mais je reste toujours une groupie dans l'âme, une fan. Pour moi, la vedette ce n'est pas moi, c'est l'autre, la personne que j'interviewe, celle qui, au cours de l'entretien, m'entraîne pour quelques minutes dans sa lumière, son succès et sa gloire. Et j'en suis chaque fois éblouie, comme si cette personne me faisait le plus beau des cadeaux.

Communiquer, c'est ma raison d'exister. C'est ce que j'ai toujours voulu et que je voudrai toujours. C'est pour cette raison que j'adore la radio. Pour cette raison aussi qu'à cette époque j'ai accepté de donner des conférences un peu partout au Québec.

Je n'aime cependant pas le titre de conférencière que je trouve pompeux. Je préfère parler de partage avec les gens. J'ai d'abord intitulé ces rencontres «Se prendre en main», puis, au fil des années et de mon évolution personnelle, le thème est devenu plutôt «Être maître de son destin», ma philosophie, mon credo. Car j'estime exercer maintenant un grand contrôle sur ma santé, ma vie, ma destinée. J'arrive de nouveau à faire des randonnées de ski de fond et, avec l'aide d'un homéopathe, j'ai dompté mes crises de boulimie-anorexie. Il m'est aussi désormais possible de boire de l'alccol ou de manger sans verser dans l'excès, tandis que la drogue ne me paraît plus qu'un souvenir du passé, ni bon ni mauvais... une sorte d'expérience qui a été nécessaire à mon évolution. Je me sens forte. Quasi invulnérable. Au cours de ces rencontres, je répète souvent cette maxime retenue de mon ami Raynald Brière: «Le malheur, c'est une option.» Je vais jusqu'à donner ma canne pour l'encan des Œuvres du cardinal Léger au cours du *talk-show* le plus écouté de l'heure, celui de Jean-Pierre Coallier. Je crois en moi, je répète que «la foi soulève des montagnes». J'ai la conviction de soulever une à une ses montagnes, sans trop de difficulté. Je suis heureuse, bref, «maître de mon destin».

Je garde un souvenir très précis de ma première conférence ou rencontre. L'assemblée se composait exclusivement de femmes. Les hommes n'y viendront que lorsque la récession et ses grands bouleversements sociaux apparaîtront, poussés par le chômage et la perte de confiance en soi qui en découle. Ils viendront voir si «par hasard» ils ne pourraient pas trouver là un outil, une aide. Je serai émue de les découvrir attentifs, eux à qui on a toujours fait croire qu'ils devaient être forts, invincibles, qu'ils ne devaient pas pleurer, qu'ils devaient trouver solution à tout. J'espère leur apporter une aide, un espoir, si infime soit-il.

Je n'ai pas préparé cette première conférence. J'ai simplement jeté sur papier quelques grandes lignes directrices... que je n'utiliserai pas. En effet, aussitôt devant le micro, j'adopte un ton de confidence. J'évoque souvenirs d'enfance et événements charnières de ma vie, me promenant de long en large sur la petite scène, m'assoyant sur le bord afin d'être plus près des gens. C'est ça que je veux: *être plus près des gens*, sentir leur cœur battre au même rythme que le mien. Sentir cette complicité entre êtres humains qui ont besoin de tout partager. Les gens m'écoutent. Ces femmes qui doutent, qui aiment, qui cherchent, qui souffrent, qui se battent, qui veulent gagner sur le malheur et trouver un sens à leur vie, à leur famille, à leur amour, à leur état de santé. Une période de questions suit, durant laquelle je ne vois pas le temps passer. Quand Jean-Pierre revient me chercher, il y a plus de quatre heures que je suis au micro. Je suis émerveillée d'avoir pu capter si longtemps l'attention de mes auditrices. Elles m'avaient écoutée, moi... qui ai toujours eu la hantise de ne pas être intéressante.

À un certain moment, je ferai jusqu'à cinq ou six rencontres par mois.

Si je me sens portée par une force inhabituelle, c'est que je connais un bonheur intense. Ma santé physique et morale me permet d'entreprendre une seconde lune de miel avec Jean-Pierre. Depuis la fin de ma longue convalescence, nos journées sont moins abrutissantes, elles ne battent plus au rythme des soins et des traitements. Mon autonomie physique accorde à Jean-Pierre une certaine liberté d'action. Nous recommençons à échafauder ensemble des buts, des défis, laissant de nouveaux nos âmes, nos cœurs, nos corps s'accorder. J'ai l'impression que notre amour a grandi. J'ai le sentiment de n'avoir jamais aimé Jean-Pierre si totalement. Et je l'aime «mieux». C'est-à-dire que je n'attends plus *tout* de lui. Mon cœur si exigeant, si boulimique, si exclusif, a maintenant deux sources où puiser son amour: Jean-Pierre et Valérie. Je me nourris à ces deux sources sans jamais en épuiser aucune. Et je rends à chacune l'amour si grand qu'elle m'a donné.

Je n'éprouve qu'une seule crainte : que Jean-Pierre se sente dépossédé par ce nouveau partage et qu'il en éprouve de la jalousie. Car, depuis longtemps, notre couple s'autosuffit. Nous avons créé un mode de vie qui nous satisfait pleinement. Nous avons toujours vécu seuls, heureux de cette solitude. Il nous est souvent arrivé, au terme de longues vacances, de nous étonner d'avoir discuté, joué, ri, aimé pendant des semaines, et d'avoir encore au retour des choses à nous dire. Jamais, en quinze ans, avons-nous traversé ensemble un moment d'ennui. Nous nous disons tout... tout... absolument tout. Y a-t-il une place entre nous pour une tierce personne ? Le passage de ma fille dans notre vie ne constitue pas une réponse puisque celle-ci avait elle aussi une relation de couple solide, qu'elle était entourée d'amis, de membres de sa famille et d'un bébé. Mais l'arrivée de Valérie, cette adolescente tombée du ciel un soir de remise des oscars à la télévision, cette adolescente démunie, abattue, à qui il faut tenir la main vingt-quatre heures par jour, cette adolescente qu'il faut aimer et guider, change les règles du jeu. Il faut maintenant accepter que nous ne serons plus jamais seuls. Même si elle ne vit pas chez nous. Nous nous retrouvons toujours au cœur de ses bonheurs, de ses malheurs, de ses angoisses, de ses peines d'amour, de ses moments de doute. Heureusement, Jean-Pierre comprend vite que la présence de cette enfant m'est essentielle, qu'elle constitue pour moi un équilibre.

Valérie apporte à ma vie une harmonie, car je dois la conseiller, l'aider, chercher avec elle et pour elle des solutions pertinentes. Et je suis du même coup forcée de me questionner. Je ne peux pas tricher, tergiverser, dire n'importe quoi, car elle m'accorde toute sa confiance. J'essaie de me montrer à la hauteur de ses attentes et ma conscience s'ouvre à de nouvelles préoccupations sociales. Les jeunes. La relève. Nos adultes de demain. La société future. Comment puis-je contribuer à la construire ?

Et ce grand amour que je vis avec Jean-Pierre, j'accepte enfin de ne plus en douter inutilement, de ne plus le sentir menacé, en péril. J'accepte qu'il ne soit plus nécessairement une passion dévorante, qu'il évolue vers une plus grande maturité, vers la compréhension totale entre nous. Car notre amour a maintenant une responsabilité... Valérie.

«Vous êtes le plus vieux couple que je connaisse», me répète-t-elle. Elle veut dire par là «le plus durable». Que nous nous aimions encore et autant après seize ans de vie commune la ravit et la rassure. Enfin un modèle, un exemple à suivre. À ses yeux, nous constituons un couple heureux, sans histoire, presque parfait, comme au cinéma.

Aussi, quand elle assiste pour la première fois à une scène entre Jean-Pierre et moi, sa réaction est terrible. Comme si le mythe s'écroulait. Désespérée, elle ne cesse de répéter, secouée par les sanglots: «Je ne veux pas que vous vous quittiez! Vous n'avez pas le droit de me faire ça! Je ne veux pas!»

Il faut lui expliquer que dans un couple les orages sont fréquents, voire nécessaires, et qu'ils ne constituent pas nécessairement une tornade, une fin en soi. Nous la prévenons qu'elle en verra d'autres, qu'une colère est bénéfique en autant qu'elle ne dure pas plus de quinze minutes, et que Jean-Pierre et moi avons pour principe de ne jamais s'endormir avec la rage au cœur.

Il faudra beaucoup de temps avant que nos «scènes de ménage» la laisse indifférente et qu'elle soit convaincue que nous nous aimons malgré tout. L'abandon de sa mère l'a marquée à tout jamais. Elle vit avec la peur d'être de nouveau abandonnée, cette fois par les hommes qu'elle aime et qu'elle aimera.

Elle désire une famille, une vraie, avec des oncles, des tantes, une grand-mère, un grand-père, des cousins et cousines. Elle en trouve une, celle de Jean-Pierre, chez les Bélanger qui l'accueillent comme une des leurs. Tous l'aiment et la considèrent comme notre fille et, à ce titre, elle est traitée comme tous les autres petits-enfants. C'est extraordinaire, merveilleux, inespéré, mais... ça ne comble pas, ça ne comblera jamais l'absence de sa mère.

Valérie nous écrit des poèmes, des lettres dans lesquelles elle me confie que je suis «sa maman numéro 1». Elle signe «De votre presque fille, Valérie». Ce «presque» m'attriste. Ainsi je ne suis pas et je ne serai jamais celle qu'on appelle spontanément maman. Je dois me rendre à l'évidence que je ne suis qu'une aidante, une mère substitut, une sorte de mère universelle.

La guider, c'était aussi la convaincre qu'elle n'existe pas seulement à travers le regard d'un homme, d'un amoureux, c'est-à-dire d'un père manquant. Je me souviens d'une Saint-Valentin où Jean-Pierre s'est absenté de Montréal pour une conférence. Valérie est triste parce qu'elle n'a pas d'amoureux. Elle ne fêtera pas ce soir. Elle se sent rejetée. Pour une adolescente, c'est un crime de lèse-amour. Je l'emmène donc dîner en tête-à-tête au restaurant *Le Paris*. Un repas fin, du bon vin. Nous placotons jusqu'à la fermeture en sirotant un digestif. Lorsque nous quittons le restaurant, elle s'exclame, elle-même étonnée: «C'est une Saint-Valentin super! Vraiment super!»

J'espère qu'elle se souviendra de cette belle soirée sans amoureux. Peut-être sera-t-elle ainsi plus portée à mieux choisir ses partenaires. Car elle a tendance à se contenter de n'importe qui plutôt que de rester seule. Peut-être refusera-t-elle dorénavant de se retrouver à la Saint-Valentin avec un homme qui ne lui convient pas, simplement pour pouvoir dire qu'elle est accompagnée.

L'éducation de Valérie est parfois un élément de discorde entre Jean-Pierre et moi. Matériellement, je ne refuse rien à Valérie. Peut-être est-ce là une façon de gagner son amour. En retour, comme toutes les adolescentes, elle se montre dure, égocentrique, égoïste, sans compassion pour les autres, comme si tout lui était dû. On ne peut plus passer devant un dépanneur sans qu'elle nous demande de lui acheter quelque chose. Sa vie semble se résumer à consommer et à jeter.

En tant qu'animatrice, je suis submergée d'invitations à des premières et de billets de faveur. Valérie en bénéficie, elle ne rate aucun spectacle. Un jour, pourtant, elle me dit qu'elle n'est presque pas sortie de l'année. J'en reste estomaquée, puis j'éclate: «Et les premières au théâtre?... Et le Spectrum?... Le Forum?... Le Festival Juste pour rire?... Les Ice Capades?... Les humoristes, les...

(J'en perds mes mots.) C'était pas des sorties, ça?» Sa réponse: «Ben non, c'était gratuit.» Elle perdait définitivement le sens de la réalité.

Jean-Pierre trouve que je la gâte trop. «Ce n'est pas un service à lui rendre. Elle n'apprendra jamais la valeur de l'argent. Ni le vrai sens de l'amour. Qu'est-ce qu'elle va faire quand elle entrera sur le marché du travail? Où prendra-t-elle l'argent? Dis-lui comment l'argent est difficile à gagner au lieu de jouer à la Fée des étoiles. Et puis... je trouve que tu *achètes* son amour.»

Enfant, Valérie avait été gâtée, surprotégée, submergée de cadeaux. Pour elle, l'argent et les cadeaux sont une preuve d'amour. Elle en veut toujours plus pour combler ce grand vide qui est en elle. Je ne connais pas la cause de ce vide. Je ne peux m'empêcher de lui trouver une ressemblance avec celui qui m'a toujours rendue si malheureuse. Cette enfant me ressemble tant.

J'ai si peur de ne pas être aimée par elle si je ne lui donne pas tout que, malgré les colères de Jean-Pierre, je continue à la submerger de cadeaux. Parfois sans même qu'elle en ait formulé la demande. Fête monstre pour sa majorité, week-ends au Centre de santé d'Eastman, voyage de quelques jours à Québec, massages, traitements de chiropratique, coiffeur, esthéticienne, homéopathe. Bien-être physique, bien-être moral: je vois à tout. Je ne lésine sur rien.

Jean-Pierre a raison... c'est beaucoup. Il me dit que nous sommes toutes deux des rouleaux compresseurs névrotiques, boulimiques. Où nous arrêterons-nous? Au fond de moi, je sais qu'il est possible de rendre Valérie heureuse sans lui donner tout ce qu'elle désire. Mais je suis obsédée par l'idée de lui fabriquer des souvenirs inoubliables auxquels elle pourra toute sa vie se rattacher.

C'est finalement ma situation financière qui réglera la question. Elle se détériore. Pour Valérie et moi, la fête est terminée. Jean-Pierre soupire: «Enfin!» Et comme un dompteur qui refoule un félin en brandissant une chaise et un fouet: «Allez, folie des grandeurs, file! Ouste! Dans ta cage!»

Comble d'ironie, c'est à moi qu'incombe la tâche d'apprendre à Valérie à gérer un budget. Comme dit Jean-Pierre: «Deux paniers percés ensemble, ça va être beau!»

Mais il me rassure aussi: «Tu es une éducatrice pourrie, mon bel amour. Mais ne t'en fais pas trop. Tu lui as donné ce que tu pouvais, ce que tu as de plus beau... ton amour excessif de la vie et de tous ses plaisirs. Tu lui as appris à aimer la vie. C'est le plus important. Le reste, elle fera comme toi, elle l'apprendra sur le tas.»

Homme aimé. Homme sage et généreux. Car c'est toujours toi qui, comme tu l'as fait pour moi, ramène Valérie à la réalité. Je t'admire, mais ne t'envie pas de jouer ce rôle. Il n'apporte que frustrations. Pendant que tu sévis, j'amuse. C'est injuste. Mais je tire des leçons de tout ça. Bientôt, je serai une femme à part entière.

«Fais attention, prévient mon entourage, tu fais un transfert d'affection sur Valérie. Tu combles la perte de tes propres enfants. C'est un amour pathologique.»

Je ne peux m'empêcher de m'esclaffer. Plus ça change, plus c'est pareil. Un complexe d'Œdipe avec mon père... une fixation obsessive sur Jean-Pierre... un transfert pathologique avec Valérie, décidément l'amour est une maladie grave, qui doit absolument être traitée. Mais, mon Dieu, s'il vous plaît, faites qu'aucun psychiatre ne me guérisse jamais! Je veux aimer ainsi, dans l'absolu, jusqu'à ma mort. Je veux continuer à être malade d'amour.

44

Tous les investissements que j'ai consentis à la reconstruction de mon corps portent fruit. Le résultat est là. Je fonctionne à plein régime, sans jamais un moment de fatigue. Un esprit sain dans un corps sain. Et je garde intactes ma mémoire, ma curiosité, ma faculté d'émerveillement devant la vie et le désir d'aller de l'avant, de faire des choses différentes. Je suis souple, élastique dans mon corps et dans ma tête. C'est nécessaire.

Je dois faire preuve d'une grande souplesse. À mon travail, les choses changent avec une rapidité déconcertante. Je dois m'adapter. Et vite ! L'émission que j'anime, *Question de vie*, a fait son temps et la direction décide d'en changer le concept. La mode est maintenant à la controverse, et qui dit controverse dit divergences d'opinions. Je me retrouve donc en ondes avec un coanimateur, l'animateur-restaurateur Pierre Marcotte. Ce changement m'est difficile, non pas à cause de la personnalité du coanimateur, mais plutôt parce que j'interprète, à tort, comme un vote de blâme le fait que la direction ne me laisse pas animer seule. Et je suis de nouveau tenaillée par cette idée que j'ai traînée toute ma vie mais dont je croyais m'être enfin débarrassée : l'idée que pour moi les choses sont difficiles alors que pour les autres elles sont faciles. Consciemment ou inconsciemment, je recommence à adopter des images mentales négatives de moi-même. Comme si je programmais ma vie pour qu'elle soit difficile. J'ai été élevée avec cette conception que l'on ne donne le meilleur de soi-même que dans des situations dramatiques. J'ai toujours ainsi décrit ma mère: «Si vous l'aviez connue, elle était d'une force incroyable, c'est dans les épreuves qu'elle donnait sa pleine mesure.» Je ne me rends pas compte alors que c'est mon propre portrait que je trace. Et, comme on est la somme des pensées qu'on projette de soi-même, la vie m'envoie dans ce sens.

La difficulté avec la coanimation, c'est qu'on n'a jamais le temps de mener une opinion à terme. On est constamment interrompu, que ce soit par le coanimateur ou par les nombreux appels du public. Il faut passer à autre chose. À un autre sujet. J'en tire la leçon que je dois développer davantage mon esprit de synthèse. Et j'y arrive avec le temps. La radio reste toujours pour moi une passion.

Le roman de Jean-Pierre est devenu un best-seller et j'en éprouve une grande fierté. Il est appelé à donner des conférences aux quatre coins du Québec et ses absences me permettent de mesurer tout l'amour que je lui porte. Il a à peine franchi la porte qu'il me manque déjà, comme aux premiers temps de notre amour. Quand le soir il me téléphone, je suis fébrile comme une gamine à son premier rendez-vous. À son retour, quand la clef fouille la serrure, je tremble de joie.

De son côté, Valérie vient d'avoir dix-sept ans. Elle termine son cégep avec de bonnes notes. Elle aussi me donne une grande fierté. Car je la vois pour la première fois satisfaite d'elle-même, poussée par le désir de se surpasser. Elle sait maintenant, et pour toujours, que le travail bien fait porte en soi sa récompense. Elle est devenue ce qui revêt le plus d'importance à mes yeux... une *professionnelle*. Désormais, jamais plus elle ne bâclera un boulot, quel qu'il soit. Lui ayant exprimé ma fierté de la voir devenir une jeune femme remarquable, une adulte responsable, elle me répond par cette lettre:

À mes parents d'amour,

Excusez-moi de vous appeler ainsi, mais c'est plus fort que moi. Je sais que vous m'avez déjà aidée énormément, mais j'en redemande encore. J'ai l'impression d'avoir un vide d'amour et d'affection en moi et je ne sais comment le combler. Je ne peux faire cela toute seule. Aidez-moi. J'ai peur de la vie. Je veux conserver mon innocence de petite fille. Je veux évoluer à mon propre rythme. J'ai peur de devenir adulte trop vite. Mon adolescence n'est pas terminée, j'ai besoin de la finir comme une adolescente. Je sais que ce que j'ai vécu m'a fait grandir très vite mais, dans mon cœur et dans mon âme, j'ai besoin de joie de vivre, de jeunesse. Aidez-moi à contrôler les situations trop grandes, trop fortes peut-être encore pour moi.

Cet appel à l'aide déclenche en moi le désir obsessionnel de la protéger. J'ai tant besoin d'avoir une enfant à aimer que je me transforme en maman surprotectrice et directive. Je suis obnubilée par le besoin d'aider, de servir. «Mon tout petit, mon bébé, fais attention à ceci... ne fais pas cela.» Nous nous téléphonons six à sept fois par jour. Et bientôt Valérie ne lève plus le petit doigt sans me demander mon avis. Elle perd évidemment l'autonomie et la force qu'elle avait acquises. Elle redevient plaignarde et retrouve une attitude de victime. Je ne me rends compte de rien. C'est l'escalade. Entre Jean-Pierre et moi, il n'y a plus que les problèmes de Valérie qui comptent. Mais j'insiste encore pour tout régler. Pour la rassurer, l'apaiser, lui redonner confiance, la consoler. Nous passons des heures chaque jour à discuter ensemble. Je finis par lui suggérer de consulter un psychologue mais elle me répond: «Je n'en ai pas besoin. Je t'ai, toi!»

Je comprends alors que je n'ai pas le recul nécessaire pour l'aider, que je reçois ses problèmes au premier degré et que je ne peux pas être efficace. Il faudrait que je fasse preuve de plus de discernement. Mais comment faire? C'est Jean-Pierre qui m'apportera la solution. Avec le temps, les problèmes de Valérie ont pris de l'ampleur, se sont multipliés. Quand elle ne téléphone pas en hurlant pour dire que des guêpes se sont introduites dans son appartement, c'est le toit qui coule, le frigo qui ne fonctionne pas, son amoureux qui se comporte mal ou un professeur qui l'a prise en grippe. Et c'est toujours Jean-Pierre qui se charge de régler ses problèmes. Valérie veut casser son bail et déménager. Il faudrait appeler le propriétaire. À l'aide, Jean-Pierre! Elle a mal, elle tousse et éternue. Elle a peur. Pauvre petite! Pauvre, pauvre Valérie si petite... si démunie! De plus, en deux ans, Jean-Pierre a supporté trois procès concernant Valérie, ainsi que deux déménagements. La situation est intenable. Un matin, il met son poing sur la table: «C'est assez! *Une* boulimique, ça va! Mais *deux*... c'est trop! Toi et Valérie, vous êtes semblables. Si vous voulez continuer à cultiver vos problèmes, ça vous regarde. Moi, j'en ai assez, c'est clair? Qui veut aller loin ménage sa monture!» Je sens que ses valises ne sont plus très loin de la porte.

J'ai mis du temps à comprendre que je suis en train de recréer avec Valérie le type de relation que j'entretenais avec mon père. C'est-à-dire entrer dans sa tête, son corps, sa souffrance, sa peine, faire mienne sa douleur, que je vivrais à sa place si c'était possible. Je dois finalement admettre que j'ai atteint les limites de l'aide que je peux apporter à ma nièce. Il faut maintenant que je lui laisse vivre sa vie. Mon couple traverse une lourde crise.

Nous nous réunissons donc tous les trois pour faire le point. Parler. Exprimer chacun ses besoins, ses attentes, ses limites. Comprendre combien il est crucial de préserver son territoire, de respecter celui de l'autre. À chacun ses responsabilités. L'important entre nous trois, c'est d'abord de crever l'abcès avant qu'il soit trop tard. Communiquer. À ce prix, tout est possible. C'est notre première vraie conversation d'adultes.

Pourquoi voulais-je à ce point protéger Valérie? Pourquoi cette surprotection? Alors qu'elle était en âge de voter et de conduire une voiture. Parce que je voulais lui éviter les tortures morales et physiques, les humiliations, les difficultés que j'avais subies tout au long de ma vie. Je ne voulais pas qu'elle traverse tout ce que j'avais vécu. Pour moi les choses avaient été difficiles; je voulais qu'elles soient faciles pour elle. Je ne trouve pas le courage de donner la petite poussée qui permettra à l'oiseau de prendre son envol et de quitter son nid devenu trop douillet, étouffant. Sois un phare, Andrée. Pas une béquille. Fais confiance.

45

Je rentre de vacances, gonflée à bloc. Trois semaines de farniente sur une petite île des Bahamas devenue notre refuge depuis que Jean-Pierre l'a découverte par hasard. Une vaste maison dominant d'un côté une plage de sable rose, de l'autre, un jardin luxuriant. Au loin, des yachts fabuleux sont ancrés dans une baie. Leur seule vue alimente nos rêves les plus fous. Aucun voisin. Nous vivons là dans une solitude, une paix et une harmonie totales. Bains de mer, siestes, longues promenades sur la plage, soleil. Chaque soir, le même rituel. Nous montons dans notre véhicule de location, une voiturette de golf, les voitures n'étant pas autorisées sur l'île, et allons au village. De petits cottages de style loyaliste, aux teintes pastel, dont les jardins tropicaux ceints de murets exhalent d'enivrantes odeurs de fleurs et de vanille. Nous garons notre voiturette et gravissons à pied les ruelles tortueuses qui conduisent la plupart du temps à une église. Sept confessions différentes se partagent quelques poignées de fidèles. Les fenêtres sont ouvertes et des *gospels* emplissent la nuit. Assis sur un banc de bois ou un muret de pierres, sous la voûte étoilée, nous écoutons ces voix magnifiques sans jamais nous lasser. Quand la musique se tait, c'est qu'il est temps d'aller dormir. Nous pourrions aller faire la fête dans les deux seuls hôtels de l'île aménagés dans de vieilles demeures coloniales, mais nous préférons la paix de notre villa. Sur le chemin du retour, une épicerie logée dans le salon d'une maison privée nous retient. Nous y achetons un peu de riz, quelques légumes nains, une belle mangue et, parfois, gâterie suprême, un petit gâteau à la noix de coco que je déguste lentement pour en prolonger le plaisir. *Have a good night! See you tomorrow! God bless you!* Nous sommes devenus des familiers et tout le monde nous salue. Ce village ne connaît ni ségrégation ni luttes raciales. Pas d'amertume. Pas de violence. Il compte des Noirs riches, comme des Blancs pauvres, et l'inverse. Nous passons par la «ruelle des ivrognes», un chemin de terre battue que nous avons baptisé ainsi parce que plusieurs bars, logés dans des maisons menaçant de s'écrouler, accueillent les irréductibles de la bouteille de rhum, les brebis galeuses, ceux que les différents ministres du culte n'ont pas réussi à rassembler sous leur houlette. Tôt demain matin, nous reviendrons pour assister à l'arrivée des pêcheurs et choisir un poisson que nous dégusterons le midi même.

Quelle douche froide à mon retour à Montréal. J'apprends que l'émission de radio que j'anime est déplacée de l'avant-midi à l'après-midi, de quatorze heures à seize heures. Une heure de moins grande écoute. Finie donc, l'atmosphère électrisante du matin. Ce changement a été étudié et adopté par la direction. Question de stratégie. Il ne sert à rien de discuter et d'en demander la raison. Je suis terriblement déçue, mais c'est ça ou je donne ma démission. Je n'ai pas du tout envie de quitter CJMS. Et puis un contrat me lie encore pour deux ans à la station. On me rassure tout de même: je suis une bonne animatrice, la radio c'est fait pour moi et il n'y a aucune raison pour que je n'en fasse pas jusqu'à ma mort. Je suis bien vivante! Alors, avec Jean-Claude L'Espérance, mon agent de l'époque – qui négocie mes contrats parce que je suis beaucoup trop émotive pour être efficace –, nous décidons que je dois considérer ce changement comme un nouveau défi à relever. La station me demande de remonter ses cotes d'écoute en début d'après-midi, et je m'en sens capable.

On m'assigne un nouveau coanimateur, que j'appellerai ici, pour les besoins de la cause, «La Relève». Il a trente ans. Il est animateur vedette dans sa région et vient tout juste d'arriver à Montréal. «Prête-lui ta crédibilité auprès du public afin qu'on l'accepte plus rapidement ici, me demande-t-on. Aide-le à s'adapter à la métropole.» L'idée ne me déplaît pas. Avec bonne volonté, je rencontre La Relève lors d'un dîner. Il se montre charmant, il m'appelle «madame». Il m'appellera d'ailleurs toujours «madame», même en ondes. Un «madame» qui sonnait comme un glas à mes oreilles. Comme un titre ironique qui soulignait mon âge. Rien à voir avec le respect. J'acquiers la conviction que nous formerons tous deux un excellent tandem. Ce que je ne sais pas encore et que j'apprendrai trop tard, c'est qu'à mon sujet La Relève clame déjà à qui veut l'entendre: «Amenez-en des stars, je vais toutes les casser!»

Et c'est ce qui est arrivé. Il m'a cassée. C'est bien vite l'enfer. Après quelques émissions à peine, je commence à comprendre à qui j'ai affaire. Les émissions ne se déroulent plus sur un ton de controverse, prenant plutôt l'allure de règlements de compte. Tous les coups sont permis. La Relève n'a aucun contrôle sur ce qu'il dit. Il me fait peur. J'en viens à le percevoir comme une présence quasi maléfique. Je suis complètement déstabilisée. Affolée. En ondes, il m'attaque personnellement. Il me démolit. Je dois riposter. Sur le même ton. Je suis sans cesse mise en accusation. Je n'arrive pas à répliquer parce qu'il n'y a pas de logique dans ses propos. Ce n'est que de la bêtise à l'état pur. J'ai beau tenter de m'expliquer avec lui, essayer de faire valoir la loi du bon sens, rien n'y fait. Et je suis moi-même entraînée dans un tourbillon d'agressivité démente, pour laquelle je ne suis pas préparée. Je n'ai pas les nerfs pour ça. Ce qui m'excède le plus, c'est que nos propos ne contiennent ni sens ni générosité. J'ai le sentiment que le public n'apprend plus rien. Je n'ai plus aucun contrôle sur ce que je dis. Il m'arrive même d'affirmer des choses qui dépassent ma pensée. Au point que certains auditeurs ne me reconnaissent plus et que mes amis en viennent à me prévenir: «Fais attention, tu fais mégère, antipathique.»

À partir de ce moment, je m'écrase devant La Relève. Je ne veux pas perdre auprès du public une crédibilité que j'ai mis toute une vie à établir. Je ne tiens pas à avoir le dessus sur La Relève. «Défends-toi, "sa mère"», me secoue mon ami Raynald, étonné de mon apathie. Mais je ne sais plus comment composer avec La Relève. Il dévorerait père et mère pour réussir.

Pourquoi ne puis-je réagir? Quel stéréotype masculin incarne-t-il à mes yeux pour que je me laisse manipuler au gré de son hostilité? En fait, quand j'y pense, il ne s'agissait pas tant de stéréotype mais plutôt d'instinct animal. Le jeune loup reniflait sur la louve, déstabilisée et épuisée, l'odeur de la faiblesse. Et ça l'excitait. Il attaquait, il avançait sur un territoire que je ne lui contestais plus que sporadiquement. J'étais cette victime consentante qui attend que sonne l'hallali. La curée suivra.

Je rentre à la maison négative, cherchant partout la petite bête noire. Le climat de l'émission déteint sur moi, sur ma vie personnelle. Je suis invivable. La Relève est en train de jeter ma carrière par terre. On lui a confié une émission en avant-midi, au cours de laquelle il décide de me décerner le trophée de la personnalité la plus désagréable qu'il connaisse. Et il en remet. Il attise la haine à mon endroit. Chaque matin. Il va m'avoir à l'usure. Pour la première fois de ma vie, je perds le plaisir de travailler. Mon métier, mon rêve, ma réalisation ne me paraissent plus avoir de sens. Mon étoile s'éteint. J'ai la conviction que cette relation d'amour et de confiance que j'ai établie avec le public au fil des ans est en train de s'effriter. J'imagine les gens déçus de moi. Je suis convaincue qu'ils croient les propos de La Relève. Ma confiance en moi s'érode. Tous les jours, je demande à Jean-Pierre, avec de moins en moins de certitude: «Crois-tu que les gens m'aiment encore? Est-ce que j'ai du talent?» Et plus les mois passent, plus les engueulades au micro avec La Relève s'enveniment. Un jour, il me lance qu'il a honte de travailler avec moi. Je quitte la station en larmes. Je ne suis pas fière de moi. Qu'est-ce que j'ai à chialer comme une mauviette? Si seulement je pouvais me faire respecter! Piquer une saine colère! Cogner! Je pourrais utiliser la dérision, arme plus dévastatrice qu'un coup de poing sur la gueule, mais je ne sais plus rire. J'ai perdu le sens de l'humour. Je vis dans le désordre et la noirceur.

Les gens nous traitent tel qu'on leur donne le droit de nous traiter. Si seulement j'avais pu à ce moment me souvenir de cette phrase que Janine Sutto avait prononcée autrefois. Ce n'est pas la faute de La Relève, c'est la mienne. Je n'ai pas assez confiance en moi pour imposer ma personnalité.

Jean-Pierre me conseille de démissionner. Mais, à ma grande honte, la sécurité financière que me procure la radio me fait écarter cette possibilité. Tant pis pour moi. Je vends mon âme pour un plat de lentilles! Et j'attends que la vie, le hasard, les autres décident pour moi d'une nouvelle orientation à prendre. Je constate alors que je ne suis plus «maître de mon destin». Que je me laisse conduire par la fatalité. Par souci d'honnêteté, je refuse désormais de donner des conférences. On ne peut prêcher une doctrine que l'on n'applique pas. Je crois aujourd'hui que ce n'était pas une sage décision. J'aurais dû poursuivre ces conférences en ayant l'humilité de parler de mes faiblesses, du risque de retomber dans ses vieux schèmes, ses fausses perceptions de soi-même, d'entretenir une mauvaise image de soi. Cela m'aurait obligée à faire le point sur ma situation, en plus d'aider ceux qui baissent les bras devant l'adversité. J'aurais pu leur dire que ce n'était qu'un dur moment à passer et que le plus important n'est pas la chute, mais la faculté que l'on a de se relever. Mais je ne l'ai pas fait.

Je me suis laissée sombrer dans la dépression jusqu'à ce que tout mon corps proteste. Si je pouvais seulement remplir ce vide qui me creuse l'intérieur! Je boirais tout l'alcool du monde, je mangerais sans m'arrêter. La Relève me vide. Comme un vampire. Il me détruit. Où est mon étoile? Disparue à tout jamais? Je sens que je suis sur le point de glisser dans un gouffre.

Inconsciemment, Valérie constitue à ce moment-là ma bouée de sauvetage. Avec enthousiasme, elle prépare ses auditions pour les grandes écoles de théâtre. Elle est radieuse, animée d'un espoir démesuré. Je l'épaule. «Vas-y! T'es capable!» Et je ne doute pas de son talent. Le reste, elle l'apprendra. Je m'abreuve à même ses énergies et ses espoirs les plus fous. Elle a rejoint «le club de la folie des grandeurs». Troisième génération. J'ai découvert ses possibilités et sa grande maîtrise de soi lors de son passage à l'émission *Star d'un soir* où j'étais invitée. Elle était ma star d'un soir, c'est-à-dire un jeune talent que je désirais faire découvrir au public. Elle s'est montrée à la hauteur de la situation. Je l'avais amenée dans la lumière, elle y avait rayonné. Maintenant, c'est moi qui me réchauffe à sa chaleur. Je l'envie.

Où est donc passée cette ferveur qui avait animé mes quinze ans, trente ans, cinquante ans?

46

Je voulais un temps d'arrêt pour faire le point, je l'ai. Demandez et vous recevrez. La vie a décidé pour moi. Je suis remerciée de mes services. Je ne fais plus partie de l'équipe de CJMS. Cette décision, je l'apprends juste avant mon départ pour Paris où je me rends avec six gagnants d'un concours radiophonique. C'est un tel choc pour moi qu'intérieurement je refuse de l'admettre. Je me raconte des histoires, je fabule, je fuis l'intolérable réalité, je me dis que je n'ai pas été mise à la porte et qu'au retour je raconterai à mes auditeurs le merveilleux voyage que j'aurai fait. Quand nous montons à bord de l'avion, Jean-Pierre et moi osons à peine nous regarder de peur de trahir l'état de désarroi qui nous habite. Moi, parce que j'ai perdu une des plus grandes passions de ma vie professionnelle; lui, parce qu'il sent ma douleur. Un pan de ma vie s'écroule. Comment vais-je gagner ma vie désormais? Mais, d'un commun accord, nous décidons que rien ne pourra nous abattre, qu'il faut faire confiance à la vie. Nous devenons comme des enfants et tout devient prétexte à rire. Qu'il s'agisse de ma voisine de fauteuil qui retire ses souliers, exhibant des pieds de la taille d'une paire de skis – «Berthe aux grands pieds», me dit Jean-Pierre –, ou de cet autre voisin affublé d'un tel ventre qu'il n'arrive pas à baisser la tablette sur laquelle l'agent de bord s'apprête à déposer son repas. Ou du passager qui a retiré son dentier et ronfle en saccades, décrochant sa mâchoire à chaque expiration.

Le regard émerveillé de mes gagnants, qui n'ont jamais vu Paris, me fait complètement oublier la situation. J'ai l'impression de marcher dans Paris avec un regard neuf... le leur. Nous partageons un merveilleux esprit de camaraderie, nous constituons une sorte de famille, ce qui a pour effet de me garder dans une bulle protectrice. Je refuse que mon voyage soit gâché par le chagrin.

Un soir, alors que nous nous préparons à dormir, je reçois un appel de Valérie. Si elle prend la peine de me téléphoner de Montréal, ce doit être grave. Je m'inquiète. Sa mère lui a téléphoné. Après trois ans de silence. Elle désirerait la rencontrer. Valérie hésite. Doit-elle accepter? Elle craint quelque chose sans savoir quoi. Est-ce sage? Comment réagira-t-elle devant sa mère? Aura-t-elle la force de lui parler? De soutenir son regard? De lui tenir tête? Sa mère l'accablera-t-elle de reproches? Éclatera-t-elle en sanglots?

Nous en parlons longuement, puis je pose à Valérie la seule question qui me paraisse compter: «Est-ce que tu as envie de la revoir?» Un grand «oui» jaillit de ses lèvres. «Alors, vas-y, ma grande. Ne te pose plus de questions et bonne chance. Je t'aime.»

Il faut laisser partir les enfants que l'on croyait tenir dans ses bras pour toujours. Pour moi, c'est un déchirement. Mais je me dis que j'ai mené Valérie là où la vie voulait que je la conduise. Tout rentrait dans l'ordre. Elle n'était pas ma fille. Il fallait que je redevienne maintenant une tante, une amie, un guide. Nous avions si souvent discuté du jour de ces retrouvailles. J'avais tant parlé à Valérie de cette mère dont elle ne connaissait rien et dont elle cherchait à cerner la personnalité; de son enfance, de son adolescence, de ses amours, de ses relations avec les hommes. Valérie pouvait dorénavant poser sur sa mère un regard lucide, sans juger. Elle la connaissait suffisamment pour pouvoir l'affronter sans redevenir une petite fille démunie. Je souhaite qu'elles puissent se comprendre et s'aimer à nouveau. Mes sentiments sont en apparence grands et nobles... mais, dans mon cœur, je fais encore une fois le deuil d'un enfant.

Jean-Pierre et moi visitons Paris comme des amoureux. Il m'emmène partout, il me guide. Comme il est féru d'histoire, la grande et la petite, c'est passionnant de le suivre et de l'écouter. Nous avalons des kilomètres chaque jour. Nous sommes heureux. Il y a dans la vie des moments où le temps lui-même semble s'arrêter. Des moments hors du temps. Un après-midi, nous nous retrouvons assis dans un café situé sous les arcades du musée du Louvre. Un rayon de soleil se glisse entre les colonnes et vient me caresser le visage. Je somnole, la tête posée sur l'épaule de Jean-Pierre qui m'enlace. Je me sens en sécurité. Comme une petite fille dans les bras de son père. Rien ne peut m'arriver. Puis je m'endors. Je me sens protégée de tout. Comme si je faisais totalement confiance à la vie. Autour, il y a la rumeur rassurante du café, avec le tintement des ustensiles, le bruissement des conversations. Pourtant, j'ai la douce impression que nous sommes seuls au monde. Je serais restée à cet endroit jusqu'à la fin de ma vie.

Mais, de retour à Montréal, la réalité me rattrape. J'ai perdu mon emploi d'animatrice à la radio. Pour éviter de souffrir, je déguise la vérité chaque fois que j'aborde le sujet avec quelqu'un. Je ne prononce jamais le mot «renvoi», préférant parler de «bris de contrat à l'amiable». Je suis fière de moi car en quittant la station, malgré le regard sarcastique de La Relève qui me fait comprendre qu'il est parvenu à ses fins, je n'ai pas fait d'esclandre. Mon amitié pour Raynald, mon ex-patron, est restée intacte. Je n'ai pas mentionné à mes auditeurs que je perdais mon émission, je n'ai pas fait de vagues, je suis partie la tête haute.

Mais ne plus travailler crée un immense vide qu'il me faut combler. Sans parler de l'épuisement qu'a entraîné cette perpétuelle lutte à finir avec La Relève. De plus, à la suite de mes deux opérations, je n'ai jamais respecté le temps de convalescence que l'on m'avait conseillé. J'éprouve une immense lassitude. Le découragement. Comme une fatigue à retardement. Je ne pense qu'à manger, à boire, à me remplir. Je veux oublier. J'ai beau consulter mon homéopathe ainsi qu'un hypnologue, rien n'y fait. Je suis un gouffre sans fond. Comme aux jours désespérés qui ont suivi la mort de ma fille Annick, les questions primordiales redeviennent «Qu'est-ce qu'on mange?» et «À quelle heure?» C'est au-delà du plaisir de manger, de goûter, de savourer. Je deviens un animal. Sans but. Sans espoir. Qui se laisse glisser dans l'autodestruction.

Un soir, alors que Jean-Pierre et moi finissons une campagne de publicité pour les magasins Mobilier Philippe Dagenais de Bromont, le propriétaire, notre ami Pierre Loiselle, nous invite à célébrer l'anniversaire de Jean-Pierre à l'hôtel. Nous terminons la soirée dans la somptueuse résidence du décorateur Philippe Dagenais. Sous l'œil réprobateur de Jean-Pierre, je vide pratiquement une bouteille de scotch à moi toute seule. Quand nous quittons nos amis, je suis soûle, Jean-Pierre doit m'aider à prendre place dans la voiture. Il est en colère, il songe aux conséquences. Il sait que ces excès seront expiés par une crise d'arthrite. Je serre dans mes bras un agneau de laine blanc, une peluche que j'ai achetée ce jour-là.

Jean-Pierre est exaspéré. Il me fait la tête. Je me mets alors à parler à mon agneau sur un ton de petite fille qui fait des confidences à sa poupée. En désignant Jean-Pierre, je lui dis: «Ne parle pas au monsieur. Il est pas gentil.» Songeant sans doute au sort qu'il réserverait à l'animal, Jean-Pierre le baptise avec sarcasme «Méchoui».

Puis il baisse la banquette et me couvre de son imperméable pour que je dorme, car l'alcool me rend intolérante et agressive. J'éclate en sanglots, prenant Méchoui pour confident: «Tu vois, Méchoui, tu n'as pas de chance. Tu es tombé sur une famille dysfonctionnelle.»

Nous n'avons pas fait dix kilomètres que j'aperçois en bordure de la route un stand de patates frites. Malgré les protestations de Jean-Pierre, je trépigne comme une enfant pour que nous nous y arrêtions. J'y ingurgite un hamburger, un hot-dog et une poutine. Puis, comme une pocharde, je m'endors dans la voiture, dans une position compliquée, le corps tordu.

Le lendemain, impossible de bouger mon bras gauche. Jean-Pierre doit me tirer du lit et m'habiller pour me mener chez mon chiro. Trois semaines de traitements seront nécessaires pour que je retrouve l'usage de mon bras.

La boulimie était définitivement de retour. Pendant les mois qui suivent, j'ai beau me soumettre au jeûne, aux cures de raisins et à la diète aux protéines, je reste toujours un gouffre sans fond. Avec pour conséquence que l'arthrite reprend possession de mon corps. J'ai du mal à lever les bras pour me coiffer le matin.

Quand septembre arrive et qu'on annonce la rentrée à la télé, je me sens une laissée pour compte. Je ne fais partie d'aucune émission, je n'ai aucun projet en vue. Pour la première fois de ma carrière. Je me sens inutile, finie, plus bonne à rien. Parfois, je syntonise la station de radio où je travaillais il y a à peine quelques semaines. Je me rends brutalement compte que je ne suis pas indispensable. Pour un moment, j'aurais espéré que la station ne puisse fonctionner sans moi. Une grande leçon d'humilité! À laquelle j'essaie vainement de trouver un sens. Jamais je n'ai sombré si profondément dans le désespoir. On ne veut plus de moi nulle part. Je suis au bord d'un précipice et je n'ai plus la force de lutter contre le vertige qui m'attire vers le vide.

Je me laisse couler! Il m'arrive de dormir toute la journée, comme assommée. Ou alors, pendant des jours et des nuits, je lis les livres que reçoit Jean-Pierre dans le cadre de l'émission *Bla, Bla, Bla*, dont il assure la chronique littéraire. Je lis comme on se drogue, comme je lisais du temps de mon adolescence tourmentée, pour oublier la réalité, la vraie vie. Je n'ai plus aucun souci de coquetterie. Je ne m'habille plus que de survêtements informes et je traîne dans la maison comme une âme en peine. Et chose étrange, je me cogne partout. Comme si mon corps n'était plus guidé par une pensée cohérente. Je suis couverte d'ecchymoses. Je fais des chutes dangereuses à vélo. Ma boiterie s'accentue mais je ne souffre pas. Ma détresse morale anesthésie mes souffrances physiques. Je ne me montre à mes amis et au public que les jours où je peux correspondre à l'image de l'ancienne Andrée, celle qu'ils ont connue, positive, souriante et dynamique. Au fond de moi, une petite voix ne cesse de me répéter que Jean-Pierre va se lasser. Jusqu'où consentira-t-il à descendre avec moi? Je sens qu'il lutte contre le découragement. Mais même l'idée de le perdre ne me retient pas de me laisser sombrer. Quant à Valérie, il est facile de lui cacher mon désarroi, car elle habite maintenant à Sainte-Thérèse où elle étudie le théâtre au cégep.

En janvier, j'accepte de tourner dans le premier court métrage d'un jeune cinéaste, Michel Beaudin. Je ne suis pas payée, mais comme je ne crois même plus avoir de talent, le seul plaisir qu'il me reste est d'aider un jeune créateur à percer. Au moins ma notoriété peut peut-être encore servir à cela. Un tournage court, intense, difficile, où la rapidité d'exécution doit compenser pour les restrictions budgétaires. Cette semaine de tournage me fait retrouver un état d'exaltation. Le feu des projecteurs m'insuffle une énergie nouvelle. Je me sens renaître, de nouveau animée par le feu sacré. Je suis une artiste. Le dernier jour du tournage, à l'aube, après une épuisante nuit de travail, le directeur photo me demande: «Pourquoi as-tu accepté de faire ce film? Qu'est-ce qu'il t'apporte que tu n'as déjà? Pourquoi n'es-tu pas chez toi à te reposer au lieu de vivre cette vie de fou?» Spontanément, sans réfléchir, je lui ai répondu: «Parce que j'aime ça!» Il s'agissait d'un choix que j'avais fait à quinze ans. Un choix qui persistait. La passion demeurait intacte.

Quelques jours plus tard, je me trouve dans le bureau de mon orthopédiste pour une de mes visites périodiques. Je lui dis que ma hanche va bien, mais il scrute la radiographie, catastrophé. Dans ma hanche droite, la tête de ma prothèse s'est déplacée. Si on n'y remédie pas immédiatement, elle va user l'os dans lequel elle repose et, après, il n'y aura plus rien à faire. Je risque de ne plus jamais marcher.

La date d'une nouvelle opération est donc fixée.

Oui, on est maître de son destin. Du moins dans mon cas. Je peux l'affirmer sans mentir. Car je sais aujourd'hui que j'étais responsable du cours des événements. J'étais porteuse de cette épreuve. Elle correspondait à une période de grands désordres dans ma tête qui débouchait sur une fin brutale. Opération. La fuite dans la maladie. La maladie qui prend en charge notre désespoir et qui permet de ne plus se poser de questions. J'allais de nouveau redevenir *quelqu'un*. Mais cette fois par le biais de la maladie. *Quelqu'un de souffrant*. Dont on prendrait soin. Je me dégageais de cette façon de toute responsabilité vis-à-vis de moi-même. Je faisais un choix. Celui d'être une victime.

47

Tant d'épreuves jalonnent cette dernière année. Si j'accepte d'en raviver le souvenir, c'est pour témoigner de la dualité de l'être humain. Du conflit constant qui oppose les forces du bien et du mal lorsque le désordre règne dans notre esprit. Et de la grande vulnérabilité physique qui s'ensuit, quand l'amertume, la déception, la frustration, l'insatisfaction, fausse ou réelle, devant le chemin parcouru, nous habitent. Je me dois de témoigner de ma descente aux enfers, mais surtout de dire, de crier, la merveilleuse, l'incroyable vitalité que nous possédons tous et qui nous permet, quand nous le désirons avec force, de repousser nos limites à l'infini. Le plus important n'étant pas ce qui nous arrive, mais comment nous y réagissons.

Quinze mai 1995, dix heures. Je me présente à l'hôpital, accompagnée de Valérie et de Jean-Pierre. Nous n'entretenons aucune illusion au sujet de l'opération. Nous n'en parlons pas, mais nous savons à quoi nous en tenir. Mon orthopédiste nous a prévenus: «Ce sera une lourde chirurgie.» À nos amis, aux gens du métier, j'affirme que c'est une opération de rien du tout. Mais je sais qu'il n'en est rien, car en plus de remplacer la tête mobile de la prothèse du fémur, on doit procéder à un prélèvement d'os au niveau du bassin, puis faire une greffe. Deux chirurgies en une seule. Deux incisions, deux sources de douleur.

On m'a également informée que l'opération comporte des risques. J'ai peur. Pas de mourir... ça, je m'en fous royalement, mais de souffrir, car j'ai depuis longtemps atteint mon seuil de tolérance. Je sais que je n'arriverai pas à supporter une douleur plus intense. Je me surprends à marmonner intérieurement: «Ça ne m'amuse plus!»

Comme si cela m'avait déjà *amusée* de souffrir? Est-ce possible? J'ose à peine réfléchir à cette énormité. Qu'est-ce que j'avais à prouver, et à qui, en m'imposant toutes ces épreuves? Mon stoïcisme, mon courage étaient-ils garants de quelque chose?

C'est avec stupeur que je découvre ma chambre d'hôpital. On m'avait promis une chambre privée, mais il n'y en a pas de libre pour l'instant. Celle où je me trouve est de la dimension d'un mouchoir de poche. Les deux lits se touchent presque, un casier de centre sportif tient lieu de placard, pas de commode, pas de place pour une chaise de visiteur, pas d'évier où se brosser les dents. Les salles de bain sont communes, là-bas, au fond du corridor. Dans le lit numéro 1, une opérée hurle de douleur. Sa radio, posée sur le rebord de la fenêtre, joue à tue-tête. Mon cœur flanche. Cette radio me rappelle celle de l'avorteur, dans la grande maison d'Outremont, où les décibels servaient à couvrir les cris des jeunes avortées. Pas question d'éteindre la radio, car si la jeune opérée n'entend pas sa musique rock habituelle, elle est prise d'angoisse. Je cède au découragement. J'étouffe déjà. Je retrouve une prosmiscuité qui me rappelle quelque chose. Qui me serre la poitrine. Je ne peux m'empêcher de penser à cette maison de chambres où je couchais ma fille dans un des tiroirs de la commode. Et j'imagine les visiteurs de l'opérée numéro 1 qui, en passant devant mon lit, me découvriront la bouche ouverte, intubée, gémissante: «Tiens, c'est Andrée Boucher.» J'angoisse. Comme si j'étais condamnée à m'exhiber toute nue sur la place publique. J'aurais envie de crier que je ne veux pas rester ici. J'implore Jean-Pierre de faire quelque chose. Il revient du poste de garde désemparé. Il tente de me rassurer, me disant que demain, probablement, une chambre privée se libérera. Il suspend quelques vêtements dans le casier, étale quelques accessoires de toilette sur une tablette, puis range mes valises sous le lit. Je me sens dépouillée de tout. Je ne suis plus rien. Je ne suis plus Andrée. Je ne suis plus Andrée Boucher. Juste l'opérée numéro 2 qui passera demain matin sous le bistouri. Quand mon orthopédiste apparaît, je cède aux larmes et il se montre ulcéré: «On est encore chanceux de disposer d'un lit et d'un bloc opératoire. Dans certains pays, ils n'ont même pas ça.»

Il a raison. Je suis déraisonnable. Mais ce que je ressens est si loin des préoccupations d'un chirurgien. J'ai perdu mon identité. J'ai passé ma vie à m'en bâtir une, à sortir du troupeau, à devenir quelqu'un, et là, je ne suis plus rien. Je comprends alors que cette opération ne se fera pas dans les mêmes conditions que les autres. Dans cet hôpital, personne ne me connaît. Et moi, j'ai besoin du regard des autres pour guérir. Pour exister. L'amour et la reconnaissance du public, ma notoriété, m'ont toujours servi d'identité. Les acteurs n'existent que grâce à l'amour que les gens leur portent et ici je n'ai pas de public. Je suis seule... inconnue, fondue dans la multitude. Je ne me sens pas la force de surmonter ça. L'opérée numéro 2, c'est moi.

«Jean-Pierre, je veux sortir d'ici.»

Je me soumets aux examens préopératoires, puis mon orthopédiste accepte que je m'absente quelques heures. Vite, je dois m'évader de cette prison.

Et nous voilà, Valérie, Jean-Pierre et moi, attablés à un restaurant végétarien du centre-ville. Manger sainement, Jean-Pierre y veille. Moi, je m'en fous. J'ai abandonné toute discipline, je ne crois plus en rien, je n'ai plus le goût de l'effort. Et puis je n'ai pas faim. La peur me noue l'estomac.

– Fais confiance, m'encourage Valérie.

– Lâche prise, me conseille Jean-Pierre.

Mais ces phrases que j'ai prononcées si souvent ne trouvent plus de résonance en moi. De plus, je suis tenaillée par un mauvais pressentiment. Je voudrais reporter l'opération. Je sais qu'elle tombe à un mauvais moment, pas besoin d'astrologue pour me l'apprendre. Avec mon médecin, j'ai discuté de la possibilité de remettre la chirurgie à une date ultérieure, mais c'est le seul jour dont il dispose, son carnet de rendez-vous est plein pour des mois.

Alors allons-y! Et si j'annulais, si j'allais me faire opérer à la clinique de Washington? L'idée m'effleure. Mais il est trop tard. Étirons encore un peu le temps de liberté qu'il me reste. Jean-Pierre m'emmène en voiture. Nous parcourons les beaux quartiers, nous nous arrêtons au belvédère qui surplombe la ville illuminée. La beauté entre par les yeux. J'en aurai besoin. Encore un peu de temps, s'il vous plaît. Mais il est déjà l'heure de rentrer. Quand je regagne ma chambre d'hôpital, l'angoisse m'étreint à m'étouffer. Je suffoque!

Respire, Andrée. N'ajoute pas à l'inquiétude de Jean-Pierre. Respire, car Valérie tremble de tout son corps.

Dès qu'ils sont partis, je me précipite sur le téléphone public pour appeler mon amie Janine Sutto. «J'ai peur.» Elle comprend cette peur. Je déverse sur elle l'angoisse que je n'ose plus imposer à Jean-Pierre, ni à Valérie que je juge trop fragile. Nous parlons longuement. Sa voix m'apaise.

Après, c'est la nuit... blanche. La légère médication qu'on m'administre ne parvient pas à me faire dormir et, à côté, l'opérée numéro 1 crie toujours de douleur. Elle me rappelle que la nuit prochaine ce sont mes cris qui résonneront. Et je claque des dents.

C'est le matin. Une interminable attente commence. On m'a préparée pour l'opération, mais je ne suis pas la première sur la liste et le temps passe. Je marche dans le corridor... profitons-en pendant que j'ai encore ma mobilité. Je vais être clouée au lit pour des semaines. Quelle perte de temps! Il y a des gens qui sont occupés à leur carrière, qui font des voyages pendant ce temps! Je m'essaie à un exercice de détente avec l'aide d'une cassette, mais je n'y parviens pas. Je n'arrive pas non plus à méditer ni à faire de visualisation. Depuis des semaines, c'est la même chose. Je n'ai plus aucun contrôle mental sur moi.

Il est dix heures ou onze heures quand on me conduit à la salle d'opération. Une surprise m'y attend: une infirmière me reconnaît et, quand ma civière passe devant elle, elle m'attend avec une cafetière et une tasse. «Prendriez-vous un p'tit café?» me demande-t-elle, dans un grand éclat de rire. C'est une célèbre blague du groupe d'humoristes Rock et Belles Oreilles qui, pendant des années, ont parodié mon personnage de la série *Des dames de cœur*. Pour un moment, j'ai l'impression de redevenir quelqu'un, de retrouver mon identité, de n'être plus un numéro. Le désir de combattre, d'être aimée, de sourire, de séduire, me reprend.

La chirurgie dure huit heures. Quand j'ouvre les yeux dans la salle de réveil, je suis exténuée. Mon orthopédiste aussi, des cernes noirs creusent ses joues. «Ça n'a pas été facile, me dit-il, mais je suis content du résultat.»

J'ai enfin accès à une chambre privée. Je me sens privilégiée. Je pourrai recevoir les quelques vrais amis qui restent; la maladie et mon absence de la scène publique ont clairsemé leurs rangs. Le public n'est pas au courant de mon opération puisque les journalistes ont respecté ma demande de ne pas diffuser la nouvelle.

La nuit, une infirmière privée veille sur moi. Nous discutons longuement ensemble. C'est une femme intelligente pour qui la vie n'a pas été tendre, mais c'est une fonceuse et je m'accroche à sa force. Elle me donne avec régularité mes injections de morphine et la souffrance devient tolérable. Quand elle me quitte, le matin, ma toilette est faite. Et j'attends que les heures passent et me ramènent Jean-Pierre. Midi, il est là. Il se lève très tôt pour pouvoir écrire, puis il m'apporte les repas-santé qu'il m'a concoctés. Je ne peux plus me passer de son courage. Il veille sur moi huit à dix heures par jour. Les premiers temps, il me tient compagnie ou veille sur mon sommeil, puis il apprend à changer avec l'infirmière mes alèses souillées et à me soulever pour glisser sous moi la bassine. Ça m'humilie. Lui aussi. Mais on n'a pas le choix; sans cela, je resterais des heures dans des draps mouillés. Il court les infirmières quand elles tardent à me donner mes injections de morphine. Quand vous êtes en manque, chaque seconde est une torture. Il ne faut pas blâmer les infirmières. Les temps ont changé. À cause des réductions budgétaires, chaque étage ne compte plus que trois infirmières alors qu'il y en avait six il y a quelques semaines à peine. Les pauvres, elles font ce qu'elles peuvent. Je considère certaines d'entre elles comme de saintes femmes. Quand des pointes de douleur me transpercent le dos, Jean-Pierre me donne des massages. Je sais qu'il en fait trop. Je le vois dépérir de jour en jour, il maigrit à vue d'œil. Puis le jour où je n'ai plus les moyens de payer pour les services d'une infirmière privée, il prend la relève, il couche à côté de mon lit, sur un matelas coquille. Je suis consciente qu'il va bien au-delà de ses forces, mais... je suis incapable de faire face à la solitude absolue. Elle me tue. Un jour, étant au plus bas, je me crampone à la main de Jean-Pierre en le suppliant: «Dis-moi que toi au moins tu ne m'abandonneras pas.» Il m'avouera plus tard s'être maintes fois réfugié dans les toilettes pour pouvoir pleurer à son tour. Quand je suis seule, je n'arrive pas à lire, ni à me concentrer, à écouter de la musique ou à regarder la télé. Je fixe le mur terne et le store brisé de la fenêtre, repensant aux moments de gloire que j'ai connus et maudissant Dieu de s'être montré si injuste avec moi: «Pourquoi moi? J'ai été une bonne fille. Je n'ai jamais fait de mal à personne.»

Chaque fois que Jean-Pierre quitte ma chambre, l'angoisse m'étreint. Et quand mes quelques amis me quittent, je les implore: «Restez encore, s'il vous plaît.» Que m'arrive-t-il? Pourquoi suis-je incapable de me retrouver seule avec moi-même?

Il faut que je sorte au plus vite de cet hôpital. J'arpente le corridor, plutôt deux fois qu'une. Cramponnée à ma marchette, je grimace sous l'effort, me frayant un chemin dans le couloir peuplé de vieillards séniles qui marmonnent des paroles incompréhensibles. La moitié de l'étage est réservée aux soins gériatriques. Mon moral est à zéro. Nom de dieu, c'est désespérant! Les progrès sont lents. Ils ne m'ont jamais semblé si lents. Et si on comptait me garder une semaine de plus? Il ne faut pas. Non, il ne faut pas. Je ne survivrai pas. C'est la troisième fois que je réapprends à marcher. Est-ce que je vais faire ça toute ma vie, réapprendre à marcher? Je n'en peux plus. Si seulement je pouvais le faire pour un public, pour une cause, pour des applaudissements. Mais je ne suis que l'opérée numéro 2. Chaque fois que je passe devant le poste de garde, je demande, comme si je m'adressais à un public: «Est-ce que vous me trouvez bonne? Je marche mieux, hein?» Oui, madame Boucher.

Quand quelques jours plus tard j'arrive à la maison de convalescence, je suis sans force et sans courage. C'est incompréhensible. Je devrais déjà me sentir mieux et avoir recouvré mes forces. Qu'est-ce qui ne va pas? Je retrouve pourtant avec plaisir ma belle et élégante physiothérapeute, France Larivée, et son grand professionnalisme. Ma chambre est vaste, ensoleillée, et la vue, magnifique. On aperçoit au loin le carré Saint-Louis et, par temps clair, les Laurentides dentellent la ligne d'horizon. Mais je ne suis pas en état d'apprécier quoi que ce soit. La douleur ne diminue pas d'intensité, elle m'habite, me possède, m'exaspère. Même les comprimés de morphine n'en viennent pas à bout. Mon taux de fer est anormalement bas malgré tous les suppléments vitaminiques. L'arthrite se met de la partie et me ronge. Comment se fait-il que j'aie mal à ce point? Je ne devrais plus avoir mal du tout. Est-ce que je remarcherai un jour? Est-ce que je serai de nouveau une femme désirable et désirée? Est-ce que je vais retrouver ma force, mon énergie? J'en doute. Qu'est-ce qui m'attend? L'avenir est bouché. Je ne me sens plus aucun courage. Seulement le désir d'en finir au plus vite avec la vie. Au point d'implorer Jean-Pierre: «Mon tendre amour. Je te rends ta liberté. Moi, ma vie est terminée. Ne t'occupe plus de moi! Je t'en supplie, laisse-moi.»

Il refuse et reste auprès de moi. Je lui dis que je vais mourir. Que je veux mourir. Il reste encore.

Mais il est si malheureux que nos amis craignent qu'il ne tombe gravement malade. En même temps que je l'implore de s'en aller, tout mon être lui tend les bras et lui demande intérieurement de ne pas m'abandonner. Il ne me quittera pas. Il me dit: «On n'abandonne pas la personne que l'on aime parce qu'elle est malade. On l'abandonne quand elle ne nous aime plus, ou si elle nous veut du mal.»

J'ai l'impression que son corps se résorbe tellement il est maigre à faire peur. Il peut encore quelque chose pour moi, mais moi je ne peux plus rien pour lui. Je ne peux plus rien pour personne. Même pas pour Valérie qui ne supporte pas de nous voir dans cet état. Le phare qui guidait sa vie menace de s'éteindre. «Je ne veux pas que tu meures», me supplie-t-elle, les yeux mouillés. Je lui réponds: «C'est de ma vie et de ma mort qu'il s'agit. Ça ne regarde que moi.»

Quelques jours plus tard, on change ma médication et mes douleurs s'atténuent. Vivre me semble du coup un peu moins pénible. Et les doses massives de fer commencent à avoir un effet bénéfique. Je sens mes énergies qui reviennent. Le jour où Jean-Pierre m'installe dans un fauteuil roulant et m'emmène manger rue Prince-Arthur, l'espoir prend définitivement racine. J'ai l'impression de réintégrer la vie. Puis Valérie, Janine Loyer et mon amie Marie-Claude Heuzey prennent la relève et m'y amènent à tour de rôle. Les gens s'étonnent de me trouver en fauteuil roulant: «Qu'est-ce qui vous arrive, madame Boucher? Pauvre vous! Vous n'êtes pas chanceuse!» Marie-Claude, qui sait que je refuse de céder à la pitié, que je ne crois pas à la chance pour diriger ma vie, a la présence d'esprit de leur répondre chaque fois: «Ce n'est rien. C'est un accident de vélo.»

Située en plein centre-ville, la maison de convalescence ne comporte pas de jardin et la chaleur y est torride. Je colle à mes draps. Jean-Pierre découvre une parcelle de gazon dans l'étendue d'asphalte du stationnement arrière et il y installe mon fauteuil roulant, sous un arbre, parmi les voitures. Chaque jour, nous y restons des heures, caressés par la brise rafraîchissante qui court en permanence entre les hauts édifices. Nous appelons cet endroit «notre coin pique-nique». Nous nous sommes fait un petit bonheur. Dans la vie, tout est relatif, car il nous semble bientôt que cet endroit constitue une oasis, une évasion, une délivrance. Je demande à Jean-Pierre d'orienter ma chaise vers le carré Saint-Louis, dont la vue lointaine me porte à rêver. C'est à cet endroit que j'ai vécu ma bohème. Que j'ai servi de modèle pour les peintres. Ah! si ces peintres pouvaient me voir maintenant! J'y retournerai un jour. Sans fauteuil roulant, sans marchette, sans canne, juste pour le plaisir, en tenant Jean-Pierre par la taille. Et nous marcherons en nous embrassant, comme ces amoureux que je vois parfois défiler devant moi et que j'envie.

Jean-Pierre prend quelques jours de vacances chez des amis, au lac Memphrémagog. Mais en faisant une fausse manœuvre avec un véhicule tout-terrain, il se fracture un bras. Il revient avec le bras dans le plâtre. Quand nous nous promenons dans la rue Prince-Arthur, nous ressemblons à deux éclopés, ce qui déclenche chez nous l'hilarité. Le rire est de retour. C'est bon signe !

Voilà trois mois que je suis rentrée à la maison. Je devrais normalement marcher avec une canne, mais je ne me déplace qu'à l'aide de béquilles. De maigres progrès pour tout l'effort et la discipline que j'y mets. Centimètre par centimètre. Je sens monter en moi une vague d'inquiétude. Puis une pointe de découragement. Ma nouvelle physiothérapeute, Marie-Josée Gagnon, n'y comprend rien ; pourtant, cinq jours par semaine, je vais faire deux heures d'exercices à Villa Medica. Et ma jambe ne supporte toujours pas le poids de mon corps. La douleur reste intolérable. Si seulement cette maudite douleur pouvait finir ! J'avale un comprimé de morphine avant ma séance de physio, et vite, quand j'en ressors, je me précipite sur l'abreuvoir du hall d'entrée où m'attend Jean-Pierre, pour en avaler un autre. Une fois que Jean-Pierre m'a hissée dans la voiture, j'arrive ainsi à supporter la position assise et les chaos de la route qui, sans cela, m'arracheraient des cris. Et puis j'essaie de ne pas trop miner le moral de Jean-Pierre avec mes plaintes. Je regagne vite mon lit d'où je ne bouge plus.

L'été passe sans que nous nous en rendions compte. Mon corps exige des soins constants, notre vie entière tourne autour de cette hanche qui ne veut pas guérir. Jean-Pierre m'habille, m'aide à descendre à la piscine de l'immeuble, me déshabille, puis m'aide à descendre l'échelle. J'accomplis chaque jour une heure d'exercice. Puis il revient me chercher. Il me hisse hors de l'eau, ce qui est anormal car je devrais pouvoir escalader l'échelle par moi-même. Jean-Pierre éponge mon corps avec une serviette, puis une fois rendus à l'appartement, il me déshabille. De plus, il s'occupe de tout le quotidien. Je me sens comme une impotente. Je ne puis que le regarder faire. Je m'accable de reproches. Je n'ai pas le droit de pousser Jean-Pierre au bord de l'exaspération. Je ne peux pas continuer de lui faire ça. De gruger sa vie. Sous l'effet des Dilaudid, je suis *stoned* vingt-quatre heures par jour. De la part de Jean-Pierre, jamais un moment d'impatience, pas une plainte, pas un reproche. Il assume, comme un animal condamné à tirer sa charrue pour l'éternité. Parfois, je l'observe sans qu'il ne s'en rende compte. Je le surprends, les épaules voûtées comme celles d'un vieillard, un masque de douleur sur la figure. Et j'étouffe mes sanglots dans mon oreiller. Nous avons perdu l'espoir!

Ça ne peut plus durer. Il faut que ça finisse. C'est assez. Pitié mon Dieu!

C'est en fauteuil roulant que je pénètre quelques mois plus tard dans le bureau de mon orthopédiste afin d'y subir un examen postopératoire. Il étudie les radiographies, puis... observe un long silence. Inquiétant. L'affliction se lit sur sa figure. Nous sommes suspendus à ses lèvres. «Il faut réopérer.» *Réopérer*?

Jean-Pierre et moi n'osons même pas croiser nos regards. Je suis glacée de la tête aux pieds. La tête de Jean-Pierre tombe vers l'avant, comme décapitée. Ses cheveux cachent ses yeux. «Tu pleures?» lui dis-je. Il relève la tête, affichant un pâle sourire: «Non, non.» Et, stoïques, nous écoutons les explications du médecin comme si cela ne nous concernait pas. Nous flottons entre réalité et cauchemar. Le coupable est un muscle dont j'ai oublié le nom, qui s'est détaché ou déplacé... ou a été mal attaché. Je n'y comprends rien et je ne cherche pas à comprendre. Ce muscle est indispensable à la fonction de la marche et il faut rouvrir pour le remettre en place.

Rouvrir cette plaie qui commence à peine à guérir. Réopérer ce corps qui n'en peut plus. Recommencer à zéro... et sans garantie de succès.

Je ne me souviens plus très bien de ce qui s'est passé entre ce moment du diagnostic et la date de l'opération. Mes amis et Jean-Pierre s'inquiètent, car je ne parle à personne, plongée dans une totale réclusion. En fait, je m'emploie à rassembler mes forces, à reconstituer le courage et la détermination qui me seront nécessaires pour affronter la prochaine opération. De cette façon, j'en viens bientôt à reprendre le dessus. À retrouver l'espoir. Ma foi en la vie.

Jusqu'à la veille de l'opération, je poursuis mes exercices de physiothérapie pour ne pas perdre mes acquis. Je mange sainement, très peu, pour ne pas surcharger mon foie engorgé par le stress et la morphine. Je pousse même jusqu'au jeûne. Quelques irrigations du côlon pour nettoyer mon corps et le préparer à surmonter le choc de l'opération. Cette fois, j'ai la nette impression de m'être reprise en main. J'ai l'absolue conviction que c'est la dernière fois que l'on m'opère. C'est le chant du cygne de la souffrance! Je le jure. À moi-même. À Jean-Pierre. À Valérie. À mes amis. Plus jamais. Être une victime n'apporte rien. La maladie n'apporte aucun bénéfice secondaire.

La nuit précédant l'opération prend l'allure d'une véritable veillée d'armes pour Jean-Pierre et moi. Il couche sur un matelas coquille, à même le sol, en partie sous mon lit, car la chambre est trop exiguë. Nous nous tenons la main jusqu'au petit matin. Nous échangeons un long baiser par lequel nous nous communiquons notre confiance, notre espoir, notre courage et notre amour, puis je lui fais ce serment: «C'est la dernière fois, mon amour.» Et je pars pour le bloc opératoire.

Au retour, la douleur atteint un tel sommet qu'aucun cri ne parvient à jaillir de ma gorge. Des hurlements muets. Il me semble que mon corps va éclater. Jean-Pierre se penche sur moi, ses lèvres effleurent mon front et je sens une larme couler sur ma joue. Il pleure. Je l'entends implorer l'infirmière: «Faites quelque chose s'il vous plaît, c'est inhumain. Savez-vous qu'elle prend de la morphine depuis un an? Peut-être que celle-ci ne fait plus effet.»

Le monde n'a plus rien d'humain. Mon corps est une prison dont je ne peux m'échapper. Faites que je meure, c'est trop atroce.

Quand je retrouve l'usage de la parole, mes premiers mots sont: «Jean-Pierre, je vais devenir folle.»

L'anesthésiste, rappelée en vitesse, met alors toute sa science à trouver la drogue qui rendra ma souffrance tolérable. Finalement, elle trouve et mon cœur s'apaise un peu. Quand on me ramène à ma chambre, il fait nuit. Une nuit d'encre. Douze heures se sont écoulées depuis que je l'ai quittée.

Pendant les trois ou quatre jours suivants, je reste clouée à mon matelas. J'atteins des sommets de douleur et de fièvre. Je claque des dents. Dieu que j'ai froid. Mon médecin est inquiet. Je le lis dans ses yeux. La fièvre refuse de baisser. Il m'annonce bientôt qu'il va falloir... *réopérer*!

Je hurle: «Quoi! Ce n'est pas vrai! Pourquoi?»

J'ai contracté une infection qui se développe à l'intérieur de la prothèse. Les analyses ne permettent aucun doute. C'est une malchance, qui arrive rarement, mais ça arrive parfois. Il faut rouvrir, retirer la prothèse, immobiliser le corps, administrer par intra-veineuses des doses massives d'antibiotiques, attendre de six à huit semaines que l'infection se résorbe, puis... rouvrir encore –! Remettre la prothèse... refermer.

D'une voix calme et sereine, j'informe le médecin que «je ne veux pas». Il s'affole: «Mais l'infection va se propager dans tout le corps. Provoquer une septicémie. Vous allez mourir.»

Sans élever la voix, je lui confie: «Écoutez bien, docteur. Je suis un être humain. Je ne suis pas un pantin qu'on ouvre et qu'on referme au gré de sa fantaisie. Et je n'en peux plus. Je connais mes limites. Mon corps ne pourra pas supporter deux autres opérations. Alors, c'est non! Je veux rentrer à la maison!»

Il est sidéré, me répète que je vais mourir. «Alors je mourrai. C'est tout!»

Et mentalement je me prépare à mourir. Je pleure sur moi, sur Jean-Pierre. Je suis prête. Papa, maman, Annick, venez me chercher. Je n'ai plus la force de vivre.

Jean-Pierre multiplie les paroles d'encouragement et la jeune physiothérapeute de l'hôpital tente de me faire retrouver ma combativité. Elle me cite le cas d'une dame hospitalisée pour la troisième ou quatrième fois: l'infection est enfin jugulée, elle a courageusement repris ses exercices, c'est une sainte. Je proteste que je ne suis pas une sainte! Que je ne veux pas être une sainte! J'en ai assez de souffrir. Je ne veux plus me faire charcuter. Qu'on me laisse mourir. Désarçonnée, la physiothérapeute pleure de découragement. Mais je ne tente rien pour la consoler. Je suis sourde à tout ce qui m'entoure, réfugiée dans un monde où plus rien ne m'atteint. Le néant!

Pourtant, une rencontre s'annonce déterminante. Un soir, ma comptable et amie Michèle Pilon me rend visite, et ses paroles me secouent, trouvent une résonance en moi: «Je ne t'ai jamais vue baisser les bras, Andrée. Tu en as le droit, bien sûr, mais ça te ressemble si peu. Tu peux encore te battre. Comment? Je n'en sais rien. Tu possèdes de nombreux outils pour y parvenir. Des connaissances. Utilise-les. Fais appel à tes ressources. Bats-toi. Bats-toi!»

Je commence alors à entrevoir que je puisse me battre. Mais j'objecte que les outils dont je dispose, c'est-à-dire les consultations et les remèdes des médecines alternatives que je compte utiliser coûteront cher. Je ne travaille plus... et les assurances constituent une goutte d'eau dans l'océan. Nous grugeons depuis longtemps mes économies. «Guéris, c'est tout ce qui importe, me rassure Michèle. Le reste, je m'en occupe.» C'était sa façon à elle de s'impliquer. Et elle ne m'en reparlera plus jamais.

Mais je jongle toujours avec l'idée de la mort. Elle pourrait mettre un terme à ma souffrance morale et physique et cela me paraît séduisant. Une journée passe. Puis une interminable nuit. Tout à coup, je suis saisie d'une formidable envie de vivre. Une pulsion s'empare de mon corps tout entier. Comme un soleil ardent irradiant de l'intérieur, un *rush* de bonheur. Surexcitée, je dis à l'infirmière privée qui veille au pied de mon lit: «Marguerite! Allume les lampes. Ouvre la fenêtre et la porte. Laisse entrer la vie. Que le courant d'air emporte la mort. Je veux *vivre*! Je vais guérir, Marguerite. Je ne serai pas réopérée.»

Elle se montre sceptique. Elle doute et c'est normal, elle est infirmière. Pour elle, le salut est dans l'acte médical. Mais rien n'ébranle ma conviction. Toute la nuit, je lui parle de cette guérison que je vais réaliser. De cette infection que je vais juguler. Comment? Je n'en sais rien encore. Mais ma demande est lancée dans le cosmos. Les réponses vont venir. Un grand espoir m'habite.

À partir de ce moment, tout se met rapidement en place. En vingt-quatre heures, une équipe se forme, comme si ses membres n'attendaient qu'un signe de ma part pour accourir à mon chevet et participer à cette guérison, chacun apportant sa science et son savoir. L'«Équipe de la folie des grandeurs», ou plutôt l'«Orchestre de la folie des grandeurs». Lorsque je chantais dans les clubs, je présentais mes musiciens à la foule sur un roulement de tambour: «À la batterie... À la guitare... Au piano!...» C'est de cette façon que j'annonce à Jean-Pierre que j'ai l'intention de me battre. Je lui présente l'«Orchestre de la folie des grandeurs».

J'imite maladroitement un roulement de tambour.

À l'homéopathie, André Saine!

Quand je demanderai à André ce que l'homéopathie peut faire pour moi, il me répondra: «Beaucoup de choses.» Il tiendra parole.

À la naturopathie, Johanne Verdon!

Elle me fera un merveilleux cadeau en acceptant de m'apporter son aide, car elle diminue le nombre de ses patients afin de se consacrer davantage à la cosmétologie. Elle composera rapidement une vitaminothérapie de pointe qui renforcera mon système immunitaire. Elle m'alimentera de purées et de soupes composées d'aliments biologiques. Il ne faut pas surcharger, fatiguer le système digestif; je dois consacrer mes énergies à vaincre le foyer d'infection. J'ai toujours froid, et combattre le froid me fait perdre beaucoup d'énergie. Je couvrirai donc mon corps de laine d'agneau, des pieds à la tête. Je dormirai coiffée d'un bonnet, ce qui me donnera une ridicule allure de mémère.

À la visualisation positive, Diane Larocque!

Elle me guidera sur les sentiers tortueux du subconscient, là où la guérison peut être programmée. Je m'imaginerai descendre en ascenseur à l'intérieur de ma hanche malade et nettoyer le foyer d'infection, armée de brosses, de chiffons et de savon.

Au massage, Roger Moreau!

Ses manipulations favoriseront une meilleure circulation du sang, la peau grisâtre reprendra sa teinte normale, les boursouflures de la cicatrice se résorberont avec le temps, pour prendre l'apparence d'un long fil blanc.

À la chiropratique, André Brossard!

Cet homme au grand cœur et doté d'un exceptionnel esprit scientifique mettra au point des techniques d'approche nouvelles, car je ne peux ni me coucher à plat ventre, ni me mettre à genoux. Il contournera les interdits par ce qu'il appelle ses «techniques de brousse». Et mon dos se redressera, mes épaules s'abaisseront, mes membres se dénoueront. Je m'ouvrirai de nouveau à la vie.

Orchestrateur des opérations, Jean-Pierre Bélanger!

Il sera partout à la fois. Décrire ses tâches est impossible. Il court chercher médicaments, vitamines, granules, tisanes, nourriture biologique qu'il me fait ingurgiter aux demi-heures, comme un nourrisson, d'après un horaire qu'il a établi. Il a composé une feuille de route. Sans lui, sans sa présence, rien de tout cela ne serait possible. Mais rien ne le rebute. Nous sommes tous deux animés par la même foi, nous n'entretenons que des pensées positives, hypnotisés par le chemin qui mène à la lumière.

Fière de mon équipe, je commence à reprendre la maîtrise de la situation. On ne m'aura pas si facilement. C'est avec un cœur gonflé d'espoir que j'annonce à mon orthopédiste que je veux rentrer à la maison. Je n'arriverai jamais à guérir dans cet hôpital, ni dans aucun autre d'ailleurs, car un hôpital c'est fait pour des malades et moi je me considère comme guérie. Toutes les fibres de mon corps sont convaincues que j'ai vaincu le foyer d'infection, que j'ai retrouvé une insolente santé. Je rêve de retrouver ma chambre à coucher, de compter les bergers et les moutons de la toile de Jouy qui en tapisse les murs, de regarder le fleuve paisible couler sous ma fenêtre. Surtout, je ne veux plus entendre ce vocabulaire médical, ce jargon de malade, et le vacarme du corridor qui me stresse et m'empêche de me recueillir. Je veux faire silence en moi, me taire, rassembler mes énergies pour venir à bout de l'infection.

Mon orthopédiste s'oppose fermement à mon départ. Car, malgré les antibiotiques, la fièvre persiste. Je me soumets à sa décision, mais je ne me compte pas pour battue. Je n'ai plus qu'une obsession: faire baisser la température du thermomètre qu'on me tend trois fois par jour. Mon salut en dépend. La fièvre *doit* baisser. En apparence du moins. En secret, je prends des doses massives de Tylenol. Et, connaissant l'horaire des prises de température par les infirmières, je suce un glaçon avant leur arrivée. Quand elles insèrent le thermomètre dans ma bouche, je prends soin de ne pas le mettre sous ma langue. Une comédie grotesque, dictée par la conviction que c'est «à la maison» que je vais guérir. La fièvre baisse, baisse... parfois sous la normale! Ce qui étonne les infirmières. Je proclame en riant que je suis une extraterrestre. La délinquante n'est pas encore morte en moi.

Jean-Pierre ne me quitte plus, il vit à l'hôpital vingt-quatre heures par jour. Il ne rentre à la maison que pour préparer les purées, les soupes et les jus de légumes biologiques recommandés par la naturopathe. Il dort par terre. Pour y parvenir, il tasse les meubles, empile des chaises. Au petit matin, il remet tout en place, roulant son matelas sous le lit avant la visite de l'orthopédiste et de son équipe de médecins. Ma chambre ressemble à un campement de gitans. Nous sommes invincibles. Nous sommes deux. Notre amour est si grand qu'il va tenir en laisse tous les microbes. Nous en sommes sûrs.

Au bout de quelques jours, la fièvre semble avoir faibli définitivement et l'orthopédiste m'accorde enfin mon congé. Il est à demi rassuré car, d'après le dernier scanner, l'infection persiste toujours. Lorsque je sors de la salle de radiographie, le technicien laisse échapper: «À dans six semaines, pour votre opération!» Je le regarde droit dans les yeux. Et sans éprouver un seul moment de doute, je lui réponds: «Au prochain scanner, il n'y aura plus d'infection. Je serai guérie.»

Mon orthopédiste, qui connaît ma volonté et ma détermination, et à qui je confie mes démarches avec les médecines alternatives, me prévient avec insistance: «Je sais que vous avez un plan en tête, Andrée. Mais promettez-moi seulement de prendre aussi vos antibiotiques. Cette infection est très sérieuse. Vous devrez en prendre pendant six mois, peut-être même un an.» Je promets de continuer de prendre les antibiotiques, mais jusqu'au 20 décembre seulement, deux mois, pas plus. Après je n'en aurai plus besoin parce que l'infection aura disparu. Il m'accorde un sourire contraint, comme à une folle que l'on n'ose pas contrarier. Puis au revoir, merci à tous, au prochain rendez-vous en médecine nucléaire, le 7 décembre. Vous allez voir ce que vous allez voir!

J'avais promis à l'orthopédiste de poursuivre mon hospitalisation en maison de convalescence. Mais après trois jours, malgré les soins exceptionnels du personnel infirmier de Villa Medica, et bien que la directrice Francine Dubé m'ait réservé une jolie chambre inondée de soleil, je ne tiens plus en place et prends la décision de retourner à la maison. Je souffre d'«hospitalite» aiguë et je suis incapable de vivre une journée de plus en milieu hospitalier; j'y suis depuis six mois. Mon médecin, le docteur Lasalle, trouve ma plaie impeccable. Quand je lui fais part de mon plan de guerre pour vaincre le foyer d'infection, il rit. Il me connaît depuis si longtemps que plus rien ne l'étonne de ma part. Il m'autorise à quitter Villa Medica tout en organisant, avec mes physiothérapeutes, la mécanique de ce que l'on appelle maintenant le virage ambulatoire. C'est-à-dire, hospitalisation suivie de soins à domicile.

Quand je sors en fauteuil roulant de la maison de convalescence, je hume l'air à pleins poumons. Je regarde le ciel bleu et je crie: «Je rentre à la maison pour *guérir*!

48

Ma vie se concentre autour de mon lit qui n'a plus rien de conjugal, mais qui le redeviendra, je m'en fais le serment. Ce n'est plus un lit mais un vaste radeau où tout se trouve à la portée de ma main. Livres, journaux, revues, téléphone, baladeur et cassettes, eau, tube d'antibiotiques, plateau de vitamines, denrées sèches, fruits – et le fameux thermomètre, objet de tant d'angoisses, porteur de tous mes espoirs. Je dois à Jean-Pierre cette redoutable organisation qui me donne un peu l'illusion d'être autonome. Ce lit me rappelle ces petites maisons que je construisais quand, petite fille, j'étalais une couverture sur la table de la cuisine. Elles semblaient pouvoir résister aux agressions extérieures et abriter mes rêves les plus fous.

Les aides du CLSC de Verdun viennent me laver trois fois par semaine et une infirmière change chaque jour mon pansement.

J'acquiers la conviction que le processus de ma guérison est enclenché, et ce même si la nuit la fièvre grimpe encore parfois jusqu'à 38° ou 38,5°. Finie la tricherie, plus question de Tylenol ni de glaçons, il faut se montrer lucide, savoir affronter la vérité. Il faut surtout lutter contre cette infection mortelle qui se cache dans les profondeurs de mon corps. Se battre. Sans relâche. Ne pas laisser le doute ou la peur s'immiscer en moi. Pour y arriver, je n'accepte de voir et je ne parle qu'à des gens positifs qui ont une foi aveugle en ma guérison, et pour qui tout n'est qu'une question de temps. Mon téléphone filtre les appels. Je n'accepte pas qu'on remette en doute mon processus de guérison, qu'on piétine cette confiance si chèrement acquise et encore fragile.

Pourtant, quelqu'un réussit un jour à franchir cette barrière protectrice érigée autour de moi: «Reviens sur terre, me lance cette personne, presque rageusement. Cesse de rêver. Quel âge as-tu? Tu devrais faire preuve de plus de sérieux. Fais pas de bêtises. Rentre dans le rang.»

Je raccroche brusquement. Rentrer dans le rang... tiens donc! Et je ris de bon cœur car je n'ai jamais su ce qu'était rentrer dans un rang. Toute ma vie, chaque fois qu'on a tenté de me fondre dans un rang, j'ai dressé la tête ou fait un pas devant ou derrière pour qu'on me remarque, pour ne pas être semblable aux autres. Je ne suis pas une boîte de conserve alignée sur une étagère parmi les autres. Je n'ai jamais voulu faire partie de l'ordre établi, devenir «normale», rassurer tout le monde. Va au diable, toi qui ne crois pas que l'on peut inventer sa vie!

Je n'ai jamais reparlé à cette personne. Et, même si ses paroles m'ont tout de même ébranlée, elles ne m'ont pas fait douter de ma guérison.

Je resserre donc plus étroitement la barrière de protection érigée autour de moi. J'observe le silence. Ma naturopathe s'est montrée bien claire sur ce point: pour guérir, il faut ménager ses énergies, ne pas les gaspiller à parler et à tenter de convaincre les autres de notre guérison. La verbomoteur que je suis se tait donc pour la première fois de sa vie. Et je plonge en moi. J'apprends à me connaître. Je me découvre, et ce que je vois ne me déplaît pas. Contrairement à l'image négative que j'ai toujours cultivée de moi, c'est-à-dire une éternelle coupable, une insatisfaite qui n'accomplit rien de bon, je dois admettre que je suis fière de moi, que je suis une battante, une fille courageuse. Mais une question s'impose: pourquoi toutes ces épreuves? Pourquoi tant de souffrances?

Il me revient alors en mémoire l'enseignement prodigué par les bonnes sœurs et tous les adultes qui m'ont formée dans ma jeunesse. Ils proclamaient que la vie était une vallée de larmes et que le bonheur n'était pas de ce monde. Il fallait souffrir pour apprendre. Souffrir pour être belle. Souffrir pour grandir. Souffrir – Souffrir – Souffrir! Qui plus est, ma mère avait toujours fait figure de sainte femme, trouvant une certaine valorisation dans le fait de souffrir en silence. Cette glorification de la souffrance n'avait-elle pas constitué pour moi une sorte de programmation? Un message, un ordre donné à mon cœur, à mon esprit, et surtout à mon subconscient? Des valeurs que j'avais été condamnée à véhiculer toute ma vie? Des valeurs qui n'étaient pas nécessairement les miennes. Et dont j'étais convaincue de m'être définitivement débarrassée.

«Être maître de son destin»: je continuais d'y croire. Jusqu'ici, j'avais appliqué ce principe, je l'avais enseigné au cours de mes nombreuses conférences, mais je me rendais compte maintenant qu'une notion d'expiation y était rattachée. J'avais le droit de guérir *parce que j'avais beaucoup souffert*. Une fois que j'aurais recouvré la santé, est-ce que je m'accorderais le droit d'être heureuse? Sans souffrir? Étais-je prête pour un bonheur sans conditions? Sans remords? Sans honte? Un bonheur insolent. Oui! Mais comment y parvenir?

Ma fièvre continue d'être une source d'angoisses quotidiennes, elle monte, descend, remonte, jamais stabilisée. Je me bats contre l'infection. Je lutte difficilement, accrochée au thermomètre que je plonge dans ma bouche à tout moment, comme obsédée. Jean-Pierre me conseille d'espacer les prises de température et de ne pas laisser le thermomètre traîner en permanence sur ma table de chevet, comme un angoissant rappel, mais je refuse. Le doute recommence parfois à m'effleurer. Qui gagnera? L'infection ou moi?

Alors que Jean-Pierre commence lui aussi à céder au découragement, un ami lui prête un livre qu'il dévore en quelques jours et dont il fait aussitôt sa bible. Puis il le dépose sur mon lit en disant simplement: «Tiens, lis ça.» Il s'agit de *La Force intérieure*, de l'écrivain Jack Ensign Addington, un ouvrage de vulgarisation sur l'auto-orientation et la spiritualité. En résumé, on y dit ceci:

«Nous sommes ce que nous voulons être. Notre subconscient obéit aux ordres que notre esprit lui envoie. Notre vie est comme un jardin, il y pousse ce que nous y avons semé en pensées. Si nous semons du positif et une image idéalisée de nous-mêmes, il y poussera du positif. Il faut se pardonner les erreurs du passé. Ce que nous désirons, ce que nous savons attendre avec patience et travail, sans jamais en douter, finit par arriver. Santé, bonheur, abondance, amour, réussite. Il faut s'aimer. Il faut aimer les autres.»

À première vue je trouve que ce livre ne m'apporte rien de neuf car je connais déjà depuis longtemps le pouvoir qu'exerce le mental sur le physique. Grâce à la visualisation positive, j'ai fait mienne l'équation suivante:

Foi + Travail + Outils = Guérison

Non, vraiment, ce livre ne m'apporte rien que je ne sache déjà. Quand, tout à coup, un petit paragraphe m'atteint comme un direct au cœur. Une pensée si nouvelle que je sens qu'elle pourrait bouleverser ma vie. *Les événements sont faciles en autant qu'on les veut faciles.* Par elles-mêmes, les difficultés n'existent pas. Seul notre esprit a le pouvoir de les créer et de les matérialiser, donc de leur donner vie. Quelle énormité! Je commence par réfuter cette idée. Puis je la tourne en dérision. Allons donc! Je n'ai quand même pas voulu la mort de ma fille Annick! Vous n'allez tout de même pas me dire que toute cette merde que je traverse maintenant, c'est parce que je l'ai voulue! Je referme prestement le livre, outrée de la puérilité de son propos. Mais cette idée nouvelle me poursuit quand même et déclenche en moi une réflexion.

Au moment de la mort de ma fille Annick, n'aurais-je pas dû adopter une attitude différente, une attitude qui m'aurait permis de vivre ce deuil avec plus de... facilité? Le mot «facile» accolé à la mort de ma fille me heurte, me choque profondément. Mais bientôt, force m'est d'admettre qu'à cette peine immense et incontournable que j'avais éprouvée, j'avais ajouté le poids de la culpabilité. Je m'étais sentie coupable d'avoir choisi ce pédiatre narcomane, que m'avaient pourtant subtilement déconseillé les infirmières, qui n'avait pas su détecter la méningite. Coupable aussi de n'avoir pas été assez aimante envers mon enfant, de n'avoir pas senti qu'elle était malade. Coupable d'avoir cédé aux pressions de mon mari pour que je l'accompagne dans cette expédition de pêche pendant laquelle Annick avait rendu l'âme. Pendant trente ans, je m'étais abrutie à coup de drogues et d'alcool afin de ne plus entendre résonner dans ma tête les «j'aurais dû», les «j'aurais pu».

Si j'avais «fait» mon deuil, accepté la mort d'Annik sans m'en rendre responsable, sans m'accabler de reproches, le cours de ma vie en aurait sans doute été changé. Je ne me serais sûrement pas laissée sombrer aussi totalement dans la douleur rédemptrice. En fin de compte, cette responsabilité terrible dont je m'étais accablée avait contribué à rendre plus pénible encore l'acceptation de l'inacceptable, qu'il faut pourtant finir par accepter si l'on veut que la vie continue. Mais la vie n'avait jamais continué pour moi. Elle aurait pu pourtant. Si mon esprit n'avait pas créé et entretenu cette notion de culpabilité.

Et cette insoutenable culpabilité, ajoutée à ma peine, m'avait rendue hermétique à la douleur de mon mari, dont je n'avais pas su déceler les manifestations. Notre couple s'était usé. J'avais tenté de me détruire pour tout expier.

Maintenant, avec le temps, oui, je dois admettre que sans cette notion de culpabilité j'aurais pu vivre cette horreur plus «facilement».

Facile – facilement!

Ma vie défile alors dans ma tête et je bute sur tant de situations que j'ai rendues insurmontables en les dramatisant, soit par angoisse, par insécurité ou par manque de confiance en moi. Ces moments auraient pu être *plus faciles* à vivre. Ils auraient dû et pu être vécus dans la joie. Mais je ne connaissais rien de la joie et du bonheur. J'endormais mes émotions avec la drogue ou je les enterrais sous des montagnes de nourriture. Encore aujourd'hui, le mot «facile» m'est pénible à écrire. Car il était synonyme de renoncement au combat, à la passion, à la démesure, synonyme de vie plate. Je trouvais sans intérêt les gens qui «passaient dans la vie en patins à roulettes», c'est-à-dire facilement, sans s'écorcher, sans tomber, sans se relever, sans apprendre. Un jugement sans appel sur la facilité! Je pensais de cette façon: si une chose est facile, elle ne vaut pas la peine d'être vécue. «À vaincre sans péril, on triomphe sans gloire», peut-on lire dans *Le Cid* de Corneille.

J'ai été championne toutes catégories pour ce qui est de me mettre en état de danger, pour pousser les situations à leur extrême. J'ai parfois récolté la gloire, mais souvent il ne m'est resté que le vent de mes tempêtes imaginaires.

Quelques années auparavant, au chevet de mon père malade, une infirmière m'avait conseillé d'être moins émotive, ce qui du coup me rendrait plus efficace: «Tu ne peux assumer que ce qui t'arrive à toi. Tu peux aider, soulager ton père, mais pas vivre la douleur à sa place. Elle n'appartient qu'à lui. Tu te crées des difficultés inutiles.» J'avais trouvé ses paroles aberrantes. De quoi se mêlait-elle? Que savait-elle de «notre» souffrance? Mon regard méprisant lui avait fait comprendre qu'elle ne connaissait rien à l'amour ni au don de soi.

Elle avait dit: «Tu te crées des difficultés inutiles.» Elle avait raison. Si au départ je m'étais dit: «Je veux soigner mon père dans la sérénité», les événements auraient quand même été difficiles, mais une certaine sérénité m'aurait empêchée d'aller au-delà de mes limites, au-delà d'une certaine logique de la vie. Je ne me serais pas sentie obligée d'épouser complètement la souffrance et la mort de mon père.

Les difficultés sont une création de mon esprit. Il suffirait donc de décider que les choses sont faciles pour moi pour qu'elles le deviennent. Comment intégrer cette notion dans ma vie, alors que les difficultés ont toujours été un moteur puissant? Je dois admettre qu'elles m'avaient aidée à progresser et même à réussir. Il s'agit d'un état d'esprit et d'une attitude profondément ancrés en moi. Ainsi, quand j'abordais un nouveau rôle, je ne l'abordais pas, je l'*attaquais*. Même chose pour un spectacle, une émission de radio ou de télévision. Avant de commencer, j'étais sur un véritable pied de guerre, me disant, sans doute pour me motiver, que ça allait être difficile. Et ce l'était. Plus les difficultés semblaient insurmontables, plus je me sentais valorisée, fière de moi.

De la graine de sainte. Une sainte montée en graine. Dont l'auréole commençait à être drôlement incommodante.

L'auteur du livre *La Force intérieure* semblait me dire que j'aurais pu arriver au même résultat, avec la même passion, mais dans l'harmonie... et la facilité. Non, décidément, je ne me faisais pas à cette notion nouvelle.

Comment vit-on quand on remise ses gants de boxe au placard? La vie doit-elle être un perpétuel combat? Et par quoi remplace-t-on ce vocabulaire guerrier: battre – lutter – combattre?

«Par la confiance en soi», me répondaient mes thérapeutes. Je me suis alors rappelée les paroles de mon ancien patron, Raynald Brière, à mes débuts à la radio. Étonné par mon besoin maladif de prendre des notes, de tout écrire, de peur d'oublier quelque chose ou de me trouver à court d'idées, il ne cessait de me répéter: «Fais-toi confiance, ma grande. Tu as une grande facilité pour improviser.» Mais je n'en croyais rien. Et je continuais de tout écrire et de prévoir l'imprévisible. Improviser, me faire confiance, me laisser aller au simple plaisir d'animer l'émission, d'écouter, de communiquer avec les auditeurs, accepter de faire des erreurs, accepter que la perfection n'est pas de ce monde, faire confiance à mon équipe technique, tout cela eût sans doute été trop facile.

Mais le temps est venu pour moi de me faire confiance. Cette guérison que je désire, je ne dois plus la considérer comme un combat mais comme un travail d'équipe. Je dois faire confiance aux personnes-ressources que j'ai choisies. Leur laisser leur part de responsabilité. Lâcher prise. Ne plus tout contrôler. Faire confiance. Oser dire: «Ça va être facile. Et passionnant en même temps.»

Et tout le travail lié au processus de guérison s'en est trouvé allégé.

Un jour, au cours d'une séance de visualisation, je m'imagine encore une fois, à peine plus grosse qu'un pois, descendant à l'intérieur de ma hanche, vers le foyer d'infection, en ascenseur, armée de torchons et de produits de nettoyage pour faire la chasse aux microbes. À grands coups de torchon je frotte, récure, polis, fais place aux cellules saines. Mais cette fois, dans ma toute petite besace, j'ai un nouvel atout, une arme que j'ai imaginée, un fusil interstellaire, comme dans les films de science-fiction. Une arme puissante mais à peine plus grosse qu'un jouet d'enfant. C'est ridicule, compte tenu de ce qu'elle doit tuer, c'est-à-dire l'infection qui a l'aspect d'un énorme monstre enroulé autour de ma prothèse. Je saisis mon fusil et je tire. Pow! Pow! Des rayons laser vont dans tous les sens. L'un d'eux atteint le monstre qui pousse un grand râle de douleur. Qui se cabre, se déroule, s'enroule de nouveau. Résiste.

Pow! Pow!

Une lumière éblouit l'intérieur de ma hanche. La bête agonise. Et dans un dernier rugissement, elle se voit précipitée au fond du gouffre que forme la cavité osseuse de ma hanche où elle se transforme instantanément en tapis de fleurs d'un bleu presque irréel. Là où était l'infection, un grand soleil fait maintenant briller de mille feux le métal de la prothèse.

Je suis guérie! Je le sens! Je le sais! C'est naïf, cette arme n'était qu'un jouet d'enfant. Je l'annonce à tout le monde. Johanne, les deux André – Saine et Brossard – Diane et Jean-Pierre, mon grand amour... Écoutez-moi! Je suis *guérie*!

Ils n'en avaient jamais douté.

Moi non plus. Le soir même, ma température corporelle se stabilise définitivement autour de 36,5°. Le 7 décembre, quand j'entre dans la salle de radiographie et que le technicien, me reconnaissant, me lance «Vous venez vous faire opérer», je lui réponds «Non, monsieur, je suis guérie!» Une fois le scanner terminé, il refuse de confirmer mes espoirs. Mais quand j'arrive en fauteuil roulant dans le bureau de mon orthopédiste en clamant que je suis guérie, il acquiesce par un éclatant sourire. Je sens tout de même chez lui de l'étonnement mêlé à de l'incrédulité. Il est désarçonné. Ce n'est pas le scénario qu'il avait prévu. Il n'est pas possible que j'aie pu vaincre en aussi peu de temps, et avec facilité, une infection d'une telle ampleur. Il tente tout de suite d'apporter une explication, en émettant la possibilité qu'au premier examen une erreur de diagnostic ait pu se glisser. Peut-être même les résultats des prélèvements en salle d'opération étaient-ils erronnés? Peut-être n'y a-t-il jamais eu d'infection?

Pour moi, l'explication est simple: j'ai pris le meilleur de deux mondes, celui de la médecine traditionnelle et celui des médecines alternatives. Le résultat est là. Je viens de concrétiser un vieux rêve, celui de fusionner les connaissances de médecines qui s'opposent à coup de préjugés. Comme la terre appartient à celui qui la travaille, la médecine appartient à celui qui soulage et guérit. Il faut tirer le meilleur parti possible de *toutes* les connaissances!

«Si tous les gars du monde voulaient se donner la main...» Ma force mentale, mon désir de guérison et la prière ont fait le reste.

Je tente de rassurer mon spécialiste qui reste sceptique: «C'est peut-être ce qu'on appelle un miracle!»

Au fond de moi je pense plutôt «miracle d'être parvenue à me prendre en charge au lieu de m'abandonner aveuglément aux mains de la médecine». Miracle d'avoir refusé d'être victime consentante des circonstances. Miracle d'avoir cru malgré tout à la guérison. Miracle d'avoir utilisé toutes ces forces que j'avais en moi, mais dont j'ignorais jusqu'ici l'existence. Miracle d'avoir retrouvé une grande pulsion de vie et les pensées positives qui l'accompagnaient. Oui, docteur, c'est un miracle et j'en suis fort heureuse. Comment dites-vous?... Une guérison spontanée? Vous avez raison. J'avais oublié que la médecine traditionnelle appelle ainsi les guérisons que la science ne peut expliquer. La spontanéité est une bien belle qualité, docteur. Je me range à votre opinion car je n'ai pas le goût de discuter. Convaincre exige une grande dépense d'énergies et je veux désormais conserver les miennes pour vivre en santé. Je ne me sens plus une âme de missionnaire. Je sais que je continuerai de parler aux gens de mon cheminement, mais c'est surtout par l'exemple que je prêcherai, en montrant que j'ai recouvré la santé. Le reste ne me paraît plus que verbiage inutile.

L'adversité m'aura permis de me rendre compte à quel point l'être humain a la faculté de s'adapter, de lutter, de se relever et de se reconstruire. Aujourd'hui, il me reste à accepter les quelques interdits que m'a laissés le fait d'avoir dévoré la vie avec un tel appétit. Ainsi, il n'y aura plus jamais de talons hauts, de démarche lascive à la Marilyn Monroe, de courses folles pour me jeter dans les bras de mon amour. Et, comme comédienne, je ne jouerai plus les séductrices.

«De quoi êtes-vous le plus fière?» m'avait un jour demandé une animatrice. Ma réponse avait été spontanée: «D'être vivante.»

Je m'émerveille chaque jour de retrouver en moi, toujours intacts, la soif de vivre, ainsi que tous les désirs, toutes les ambitions et toutes les faims du monde. Mais il me faut encore être vigilante, car même si j'ai acquis un degré de conscience plus élevé vis-à-vis de mes excès, je reste à l'égard de la vie une boulimique.

Il faut aussi que maintenant j'apprenne à croquer dans la vie à pleines dents, sans par la suite me punir d'avoir bien mangé. Je crois qu'il s'agit pour moi d'*apprendre le bonheur*.

Quand je serai grande...

Ce grand retour aux sources qu'a été l'écriture de ce livre m'a fait découvrir d'où je viens. En fouillant le passé, j'ai découvert les raisons de bon nombre de mes comportements, glissements, fautes et erreurs de parcours. Mais je ne conserve aucune amertume, aucune frustration. Je suis la somme de tous mes échecs et de toutes mes réussites. Ils forment un tout, ma personnalité. Ils constituent toute mon expérience de vie jusqu'à ce jour. Je n'en connaissais pas plus. Maintenant, avec ce que je sais de moi-même et de la vie, je vais tenter de faire mieux.

J'allais dire «facilement» mais, à ma grande honte, il me vient à l'esprit qu'au début de ce livre j'étais en pleine période de désintoxication. Je traversais un moment d'horreur et de souffrance terriblement difficile. On m'avait répété qu'un sevrage de morphine était atroce. Je m'étais laissée convaincre, je le croyais, il l'était. J'avais déjà oublié cette notion, encore nouvelle dans ma vie, que les choses peuvent être plus faciles en autant qu'on les veuille et qu'on les imagine ainsi. Car, presque au même moment, Jean-Pierre décidait de cesser de fumer «facilement»... et ça l'a été pour lui. Deux désintoxications, deux approches, deux résultats.

Je découvre aussi aujourd'hui que, sous mes dehors de fonceuse, je suis vulnérable, que je ne peux me passer de l'approbation des autres, que ma vie n'a été qu'une quête constante pour être aimée et respectée. Mais surtout qu'une force m'habite. Une force dont je n'avais pas soupçonné l'existence jusqu'ici. Une force si grande qu'il me faudra apprendre à la manipuler comme de la dynamite, à l'utiliser pour construire et non pour détruire. Un cheval sauvage à tenir en laisse... mais pas trop, pour qu'il ne se cabre pas. Un cheval fougueux, prêt à tous les départs, mais à qui je devrai enseigner à se reposer entre les courses, qu'il va toujours s'efforcer de gagner, car pour lui, participer sera toujours insuffisant. Il me faudra donc apprendre à apprivoiser cette force. À caresser ce cheval fougueux. À le gâter, le remercier, le récompenser pour l'effort qu'il a déployé.

Si j'ai bien compris, il faudra apprendre à m'aimer. C'est une éducation à refaire, je le sais. Mais j'ai de longues années devant moi pour y parvenir.

Quand je serai grande, je serai sage.
Les forces vives de la vie sont en moi.
L'étoile de mes quinze ans brille de nouveau.
Je dois la suivre.
Il n'est plus temps de regarder derrière moi.
La vie m'appelle.
Je viens.
J'ai traversé le miroir.

Annexe

Quelques suggestions de lecture

Addington, Ensign, Jack, *La Force intérieure*, Éditions de l'Homme.

Kousmine, Catherine, *Soyez bien dans votre assiette jusqu'à 80 ans et plus*, Éditions Libre Expression.

Labelle, Yvan, *L'Arthrite : une souffrance inutile*, Éditions fleurs Sociales.

Labonté, Marie-Lise, *S'autoguérir, c'est possible*, Éditions Québec-Amérique.

Morgan, Michèle, *Pourquoi pas le bonheur?*, Éditions Libre Expression.

Zaraï, Rika, *Ma médecine naturelle*, Éditions Michel Laffont.

Quelques thérapeutes et personnes ressources

Dr André Brossard, chiropraticien
(514) 682-5383

Diane Larocque, visualisation ou imagerie mentale
(514) 374-0313

Roger Moreau, massothérapeute
(514) 297-4726

Dr André Saine, homéopathe
(514) 279-6629

Johanne Verdon, n.d., naturopathe
(514) 272-0018

imprimerie gagné ltée

IMPRIMÉ AU CANADA